ALLEN COUNTY PUBLIC LIBRARY
AC
Y0-ABI-557
DISCARDED

Im Zeichen der Venus

Anthologie

WILHELM HEYNE VERLAG
MÜNCHEN

HEYNE ALLGEMEINE REIHE
Nr. 01/6469

3. Auflage

Printed in Germany 1986
Umschlagfoto: G. P. A. / Jochen Harder
Umschlaggestaltung: Atelier Ingrid Schütz, München
Satz: IBV Satz- und Datentechnik GmbH, Berlin
Druck und Bindung: Elsnerdruck, Berlin

ISBN 3-453-02044-8

Inhalt

EDNA O'BRIEN

Das Liebesobjekt

Er sagte nichts als meinen Namen. Er sagte: »Martha!«, und schon spürte ich wieder, wie es passierte. Meine Beine unter der großen weißen Tischdecke begannen zu zittern, und im Kopf wurde mir ganz wirr, obwohl ich nicht beschwipst war. So ergeht's mir immer, wenn ich mich verliebe. Er saß mir gegenüber. Er, das Liebesobjekt. Ein ältlicher Mann. Blaue Augen. Khakifarbenes Haar. An den Außenrändern wurde es grau, und er hatte sich die äußeren grauen Strähnen quer über den ganzen Kopf gelegt, als wollte er die Khakifarbe verstekken – genauso, wie andre Männer die kahlen Stellen verstekken. Er hatte ein (wie ich es bezeichne) frommes Lächeln an sich. Ein verinnerlichtes Lächeln, das kam und ging, sozusagen gesteuert von seiner stillen Freude über das, was er hörte oder sah: über eine Bemerkung, die ich gemacht hatte, oder über den Kellner, der die kalten Platzteller wegnahm, die nur Zierde waren, und neue warme mit einem andern Muster brachte, oder über die Nylonvorhänge, die hereinwehten und meinen nackten sommerbraunen Arm streiften. Es war gegen Ende eines warmen Londoner Sommers.

»Ich bin auch nicht böse über sie«, antwortete er. Wir waren in eine kleine Verleumdung vertieft. Hatten von einem berühmten Ehepaar gesprochen, das wir beide kannten. Die ganze Zeit über hatte er seine Hände verschränkt, als wären sie zum Gebet gefaltet. Wir waren rückhaltlos offen zueinander. Wir kannten uns nicht. Ich bin Ansagerin beim Fernsehen; wir hatten uns bei einer gemeinsamen Arbeit kennengelernt, und aus Höflichkeit hatte er mich zum Essen eingeladen. Er erzählte mir von seiner Frau – die auch dreißig war wie ich –, und daß er schon im ersten Moment, als er sie sah, sofort wußte, er würde sie heiraten. (Sie war seine dritte Frau.) Ich erkundigte mich nicht näher, wie sie aussähe. Ich weiß es immer noch nicht. Die einzige Erinnerung, die ich an sie habe, sind ihre Arme, die von weiten, lila gehäkelten Ärmeln umhüllt waren, und dann machte sich das Bild plötzlich selbständig, und ich sehe seine rötlichen Beterhände, die in den Ärmeln verschwinden, und dann die beiden, wie sie durch einen großen, düsteren Raum tanzen und verzückt über das Glück lächeln, zusammenzusein. Aber das geschah viel später.

Wir hatten ein nettes Abendessen und hinterher Feigen. Die ersten Feigen, die ich gegessen habe. Er prüfte sie behutsam mit den Fingern und legte dann drei auf meinen kleinen Teller. Ich starrte unentwegt auf ihre schwarzviolette Haut, denn weil ich so zitterte, traute ich mich nicht, sie zu schälen. Er lenkte meine Gedanken etwas von meiner Nervosität ab, indem er mir eine kleine Geschichte von einem Mädchen erzählte, das fürs Radio interviewt wurde und dabei gestand, sie besitze siebenunddreißig Paar Schuhe und kaufe sich jeden Samstag ein neues Kleid, und später versuche sie es an ihre Freundinnen oder ihre Verwandten zu verkaufen. Ich hatte das Gefühl, als wäre es eine Geschichte, die er extra für mich ausgewählt hatte, und obendrein, daß er's nicht riskieren würde, sie vielen Leuten zu erzählen. Er war auf seine Art ein ernster Mann und berühmt, obwohl das kaum von Interesse ist, wenn man über ein Liebesverhältnis erzählen will. Oder doch? Jedenfalls biß ich in eine Feige, ohne sie geschält zu haben.

Wie beschreibt man einen Geschmack? Es war eine fremde Frucht, und er war ein fremder Mann, und in der Nacht, in meinem Bett, war er beides, ein Fremder und ein Liebhaber, und so was hielt ich bisher für den idealen Bettpartner.

Am nächsten Morgen war er ziemlich formell, dabei aber zwanglos; er bat sogar um eine Kleiderbürste, weil ein Puderfleck auf seiner Jacke war, denn beim Nachhausefahren im Taxi hatten wir uns umarmt. Da hatte ich noch keine Ahnung gehabt, ob wir zusammen schlafen würden, und im Grunde glaubte ich eher, es würde nicht dazu kommen. Ich besitze Bücher und Platten und verschiedene Flaschen Parfum und herrliche Kleider, aber niemals kaufe ich mir Putzmittel oder irgendwelches Zeugs, womit man das Leben seiner Sachen verlängern kann. Vermutlich ist es leichtsinnig, aber ich werfe die Sachen eben einfach weg. Jedenfalls betupfte er den Puderfleck mit seinem Taschentuch, und er ging sehr leicht ab. Was er außerdem brauchte, war ein Stück Heftpflaster, weil seine neuen Schuhe ihm die Hacken aufgescheuert hatten. Ich schaute in der Dose nach, aber es war keins mehr da. Meine Kinder hatten es während der langen Sommerferien ganz verbraucht. Ich sah sogar einen Augenblick meine beiden Söhne vor mir, wie sie sich während all der Sommertage auf den Sesseln herumräkelten, Witzblätter lasen, Fahrrad fuhren, rauften und sich dabei Schrammen zuzogen, die sie umgehend mit Elastoplast beklebten, und hinterher, wenn das Pflaster abging, prahlten sie – zum Beweis ihrer Tapferkeit – mit den braungeränderten Stellen. Sie fehlten mir sehr, und ich sehnte mich so danach, sie an mich zu drücken – ein Grund mehr, weshalb ich mich über seine Gesellschaft freute. »Es ist kein Pflaster mehr da«, sagte ich und war etwas beschämt. Ich dachte, daß er mich sicher für liederlich halten würde. Ich überlegte, ob ich ihm erklären sollte, warum meine Söhne in Internaten lebten, wo sie doch noch so jung waren. Acht und zehn. Aber ich tat's dann nicht. Ich hatte keine Lust mehr, den Leuten zu erzählen, wie meine Ehe endete und wie mein Mann, weil er nicht für zwei so kleine Jungen sorgen konnte, auf einem Internat bestanden hatte, um ihnen, wie er es ausdrückte, einen gleichmäßigen Einfluß zu bieten. Ich glaube, es geschah nur, um mir die Freude am Zusammenleben mit ihnen zu nehmen. Nein, ich konnte es nicht.

Wir frühstückten im Freien. Ein neuer heißer Tag begann. Vom Himmel hing der diesige Dunstschleier, der stets große Hitze ankündigt, und im Garten nebenan liefen schon die Rasensprenger. Meine Nachbarn waren fanatische Gärtner. Er aß drei Scheiben Toast und etwas Speck. Ich aß auch, aber nur, damit er sich wohl fühlte, denn im allgemeinen lasse ich das Frühstück ausfallen. »Ich werde mir Heftpflaster, eine Kleiderbürste und ein Putzmittel anschaffen«, sagte ich. Das war so meine Art, ihn zu fragen: »Du kommst doch wieder?« Er durchschaute es sofort. Er schluckte hastig einen Mundvoll Toast hinunter, legte seine große Beterhand über meine und erklärte mir feierlich und nett, er wolle keine gewöhnliche und unsaubere Liebesaffäre mit mir haben; doch wir könnten uns in etwa einem Monat wiedersehen, und er hoffte, wir würden Freunde. Als Freunde hatte ich uns nicht empfunden, aber es war eine interessante Möglichkeit. Mir fiel unser Gespräch vom Abend vorher ein, und wie er von seinen beiden ersten Ehen und von seinen erwachsenen Kindern erzählt hatte, und ich dachte, wie aufrichtig und unsentimental er ist. Ich hatte allen Kummer so satt, und ebenfalls die Leute, die ihn sogar vor sich selber vergrößerten. Und dann tat er noch etwas anderes, was ich auch so reizend fand: er faltete die grünseidene Bettdecke zusammen, und so etwas tue ich nie.

Als er ging, war mir ganz beschwingt zumute und irgendwie entspannt. Es war nett gewesen und ohne eklige Nachwirkungen. Mein Gesicht war vom Küssen sehr rot, und das Haar war mir bei unsern Bemühungen durcheinandergeraten. Ich sah ein bißchen wild aus. Weil ich nach dem unterbrochenen Schlaf müde war, zog ich die Vorhänge zu und legte mich wieder ins Bett. Ich hatte einen schlechten Traum. Den üblichen, wo mich ein Mann umbringt. Die Leute behaupten immer, schlechte Träume seien gesund, und nach meiner letzten Erfahrung glaube ich es selbst. Ich erwachte ruhiger, als ich es seit Monaten gewesen war, und verbrachte den Rest des Tages in glücklicher Stimmung.

Zwei Vormittage darauf läutete er an und fragte, ob es möglich sei, daß wir uns am Abend wiedersähen. Ich sagte ja, weil ich überhaupt nichts vorhatte, und es schien mir richtig, Abendbrot zu essen und unser Geheimnis manierlich zu besiegeln. Doch wir fingen wieder von vorne an.

»Es war so sehr schön«, sagte er. Ich spürte, wie ich kleine einstudierte Gesten machte, um Liebe oder Scheu auszudrükken, und wie ich ihn ansah und meine Augen weit aufriß, um Vertrauen auszustrahlen. Wir stellten unsre Füße so hin, daß unsre Beine sich berührten, und zogen sie kurz danach wieder weg, überzeugt, daß wir beide das gleiche begehrten. Er brachte mich nach Hause. Als wir im Bett lagen, fiel es mir auf, daß er sich Eau de Cologne auf die Schulter getupft hatte, daß er also in der Erwartung, wenn nicht gar mit der Absicht zum Essen aufgebrochen sein mußte, hinterher mit mir zu schlafen. Mir gefiel der Geruch seiner Haut besser als das widerliche Chemieprodukt, und ich mußte es ihm sagen. Er lachte nur. Niemals habe ich mich bei einem Mann so wohl gefühlt. Ich hatte erwiesenermaßen mit noch vier andern Männern geschlafen, aber immer schien ein Abstand zwischen uns zu sein, was die Unterhaltung betraf. Ich sann einen Augenblick über ihre verschiedenen Gerüche nach, während ich den seinen einatmete, der mich an ein bestimmtes Kraut erinnerte. Es war weder Petersilie noch Thymian noch Minze, sondern ein nicht existierendes Kräutchen, das aus diesen drei Gerüchen zusammengesetzt war. Bei dieser zweiten Gelegenheit war unser Liebesspiel viel entspannter.

»Was wirst du tun, wenn du eine nimmersatte Frau aus mir machst?« fragte ich ihn.

»Ich gebe dich an jemand weiter, der sehr lieb und sehr geeignet ist«, erwiderte er. Wir kuschelten uns aneinander, und mit meinem Kopf auf seiner Schulter dachte ich an die Tauben unter der nahen Bahnbrücke, die ihre Nächte eng aneinandergeschmiegt zubringen und den Kopf ins rauchblaue Brustgefieder stecken. Obwohl er schlief, küßten und flüsterten wir. Ich schlief nicht. Ich tue es nie, wenn ich überglücklich oder furchtbar unglücklich bin oder mit einem fremden Mann im Bett liege.

Keiner von uns sagte: ›Jetzt ist es also soweit, jetzt haben wir eine gewöhnliche und unsaubere kleine Liebesaffäre.‹ Wir fingen einfach an, uns zu treffen. Regelmäßig. Wir gingen nicht mehr in die Restaurants, weil er berühmt ist. Er pflegte zum Essen zu mir zu kommen. Nie werde ich vergessen, wie aufgeregt ich bei den Vorbereitungen war: in die Vasen stellte ich Blumen ein, ich wechselte die Bettwäsche, knuffte die Sofakissen zurecht, versuchte zu kochen, legte Make-up auf und hielt eine Haarbürste griffbereit, falls er früher käme. Was für ein Krampf! Wenn es endlich klingelte, konnte ich kaum die Haustür öffnen.

»Du weißt nicht, was für eine Oase das hier ist«, rief er. Und am Flur legte er mir dann die Hände auf die Schultern und drückte sie durch das dünne Kleid hindurch und sagte: »Laß dich anschauen!«, und dann ließ ich den Kopf hängen, weil ich überwältigt war und es auch sein wollte. Wir küßten uns, manchmal volle fünf Minuten. Er küßte die Innenseite von meinen Nasenlöchern. Dann gingen wir ins Wohnzimmer und setzten uns, immer noch stumm, auf die Couch. Er berührte meine Kniescheibe und sagte, was für schöne Knie ich habe. Er sah und bewunderte Dinge an mir, um die sich andere Männer nie gekümmert hatten. Bald nach dem Abendbrot gingen wir zu Bett.

Einmal kam er überraschend am späten Nachmittag, als ich mich zum Ausgehen fertig angezogen hatte. Ich wollte mit einem andern Mann ins Theater.

»Wie gern ich dich ausführen würde«, sagte er.

»Gehen wir auch mal eines Abends ins Theater?« Er nickte. Es war das erstemal, daß seine Augen traurig aussahen. Wir liebten uns nicht, weil ich schon mein Make-up und meine falschen Augenwimpern trug und es daher unpraktisch schien. Er fragte mich: »Hat dir schon mal ein Mann gesagt, daß etwas wie ein Schmerz zurückbleibt, wenn man eine Frau sieht und begehrt und doch nichts unternehmen kann?«

Der Schmerz übertrug sich auf mich und hielt während der ganzen Vorstellung an. Es ärgerte mich, daß ich nicht mit ihm zu Bett gegangen war, denn von jenem Abend an sahen wir uns seltener. Seine Frau, die sich mit ihren Kindern in Frankreich aufgehalten hatte, war zurückgekehrt. Ich wußte es, denn eines Morgens kam er im Wagen an und erwähnte im Laufe der Unterhaltung, daß seine kleine Tochter auf ein wichtiges Dokument Pipi gemacht habe. Ich darf jetzt verraten, daß er ein Rechtsanwalt war.

Von da an war es nur noch selten möglich, nachts zusammenzusein. Wenn er aber einmal über Nacht blieb, kam er stets mit einer Reisetasche, die eine Zahnbürste, eine Kleiderbürste und ein paar Kleinigkeiten enthielt, wie sie ein Mann für eine Übernachtung brauchen mag, für einen liebeleeren Aufenthalt in einem Provinzhotel. Wahrscheinlich hatte sie sie gepackt. Ich dachte, wie lächerlich. Ich empfand kein Mitleid mit ihr. Im Gegenteil, es machte mich böse, als ihr Name – Helen – erwähnt wurde. Es klang ganz harmlos, als er ihn nannte. Er sagte, sie hätten mitten in der Nacht Einbrecher gehabt, und er sei im Schlafanzug nach unten gegangen, während seine Frau oben über den Nebenanschluß die Polizei anrief.

»Nur bei den Reichen wird eingebrochen«, sagte ich hastig, um das Thema zu wechseln. Es beruhigte mich zu hören, daß er einen Schlafanzug trug, wenn er bei ihr war – bei mir aber nicht. Ich war rasend eifersüchtig auf sie und natürlich furchtbar unfair. Doch ich würde einen falschen Eindruck erwecken, wenn ich behauptete, daß ihre Existenz zu jenem Zeitpunkt unsre Beziehung trübte. So war es nämlich nicht. Er gab sich große Mühe, wie ein unverheirateter Mann zu sprechen, und nachdem wir im Bett gewesen waren, ließ er sich stets Zeit, blieb noch etwa eine Stunde und ging in aller Ruhe weg. Ja, gerade eine von diesen ›Hinterher-Sitzungen‹ halte ich für den Glanzpunkt unsres Verhältnisses. Wir saßen auf dem Bettrand, nackt, und aßen Sandwich mit Rauchlachs. Ich hatte das Gasöfchen angezündet, weil es schon auf den Herbst zuging und die Nachmittage kühl wurden. Das Öfchen summte gleichmäßig vor sich hin. Von ihm strahlte das einzige Licht im Zimmer aus. Dabei fiel ihm zum erstenmal meine Gesichtsform auf, denn er sagte, daß bis dahin einzig meine Farbe all seine Bewunderung erregt habe. Sein Gesicht und die Mahagoni-Kommode und die Bilder wirkten in der Beleuchtung auch besser. Nicht rosig, weil die Gasflamme nicht so glüht, sondern in einem weißlichen Licht erstrahlt. Das Ziegenfell vor dem Fenster sah besonders weich und üppig aus. Ich sagte es. Er sprach davon, daß er ein wenig zum Masochismus neige, und daß er oft, wenn er nachts nicht in einem Bett schlafen könne, in ein anderes Zimmer ginge und sich dort auf den Fußboden lege, nur mit einer Jacke zugedeckt, und fest einschlafe. Als kleiner Junge habe er es auch getan. Die Vorstellung von dem kleinen Jungen, der auf dem Fußboden schlief, erfüllte mich mit dem tiefsten Mitleid, und ohne ein Wort seinerseits führte ich ihn zum Ziegenfell hinüber und hieß ihn sich hinlegen. Es war das einzigemal, daß wir unsre Rollen vertauschten. Er war nicht mein Vater. Ich wurde seine Mutter. Sanft und völlig furchtlos. Sogar meine Brustwarzen, mit denen ich sonst heikel bin, zuckten vor seinem wilden Verlangen nicht zurück. Ich wollte alles nur Erdenkliche für ihn tun. Wie es manchmal bei Liebenden geschieht, feuerte meine Leidenschaft und Erfindungsgabe die seine noch an. Wir scheuten vor nichts zurück. Hinterher, als er über unsre Leistungen sprach – etwas, das er nie unterließ –, hielt er sie für das intimste all unsrer intimen Erlebnisse. Ich konnte ihm nur recht geben. Als wir aufstanden, um uns anzuziehen, wischte er sich mit der weißen Bluse, die ich getragen hatte, die Achselhöhlen trocken und fragte mich, welches meiner schönen Kleider ich am Abend zum Essen anziehen wolle. Er suchte das Schwarze für mich aus. Er sagte, obschon ich mit andern Leuten essen würde, freue er sich doch sehr im Bewußtsein, daß meine Gedanken um das kreisen würden, was er und ich getan hatten. Eine Ehefrau, die Arbeit und die Leute mochten uns voneinander fernhalten, aber in unsern Gedanken wären wir eins.

»Ich denke an dich«, sagte ich.

»Und ich an dich!«

Wir waren nicht einmal traurig, als wir uns trennten.

Danach hatte ich dann einen Traum innerhalb eines Traums – anders kann ich's nicht bezeichnen. Ich tauchte aus dem Schlaf auf, zwang mich, wach zu bleiben, und wischte meinen Speichel am Kissenbezug ab, als mich etwas herunterzog: ein ungeheures Gewicht drückte mich ins Bett, und ich dachte, jetzt bin ich ein Krüppel. Ich habe den Gebrauch meiner Glieder verloren, und das erklärt auch meine Abgestumpftheit der letzten Monate, wenn ich nichts weiter tun mochte als Tee trinken und aus dem Fenster starren. Ich bin verkrüppelt. Restlos. Sogar den Mund kann ich nicht bewegen. Nur mein Gehirn tickt weiter. Mein Gehirn sagt mir, daß eine Frau, die im Erdgeschoß bügelt, die einzige ist, die mich auffinden kann, aber sie käme vielleicht tagelang nicht zu mir herauf, sie dächte vielleicht, ich sei im Bett, mit einem Mann, und sündige. Von Zeit zu Zeit schlafe ich mit einem Mann, aber meistens schlafe ich allein. Sie wird die gebügelte Wäsche auf dem Küchentisch liegenlassen und das Bügeleisen hochkant auf den Fußboden stellen, damit es nichts ansengt. Die Blusen hängen auf Kleiderbügeln, die gekräuselten Kragen sind weiß und duftig wie Schaum. Sie ist so eine Frau, die sogar die Zehen und die Fersen von Nylonstrümpfen ausbügelt. Sie wird aus dem Haus schlüpfen, bis zum Donnerstag, ihrem nächsten Arbeitstag. Ich spüre etwas in meinem Rücken oder, genauer ausgedrückt, ein Zerren an meinen Bettdecken, die ich längs meines Rückens aufgebaut habe, um meinen Kopf zuzudecken. Zum Schutz. Und jetzt weiß ich, daß es nicht Gebrechlichkeit ist, die mich herunterzieht, sondern ein Mann. Wie ist er hier hereingekommen? Er liegt auf der Innenseite, an der Wand. Ich weiß, was er mir antun wird, und die Frau unten kommt und kommt nicht, mich zu retten, sie schämt sich vielleicht, oder sie denkt nicht, daß ich gerettet werden will. Ich weiß nicht, welcher von den Männern es ist, ob es der große dicke Raufbold ist, der jedesmal an der Tür steht, wenn ich ahnungslos aufmache, weil ich den Wäschejungen erwarte und sehe, daß ER es ist, ER mit einem alten schwarzen Tranchiermesser, dessen Schneide glitzert, weil er sie gerade auf einer Treppenstufe gewetzt hat. Ehe ich aufschreien kann, gehört mir auch meine Zunge nicht mehr. Oder es könnte der ANDERE sein. Der ist auch groß, er erwischt mich am Armband, als ich mich durchs Treppengeländer zwänge. Ich habe vergessen, daß ich nicht mehr das kleine Mädchen von früher bin und daß ich nicht so leicht durchs Treppengeländer schlüpfen kann. Wenn das Armband in zwei Stücke zerrissen wäre, hätte ich fliehen und ihn mit einem halben goldenen Armband in der Hand stehenlassen können, aber meine so verdammt vorsorgliche Mutter ließ ein Sicherheitskettchen anbringen, weil es neun Karat war. Jedenfalls ist er im Bett. Es wird ewig weitergehen, was er von mir verlangt. Ich wage es nicht, mich umzudrehen und ihn anzusehen. Dann verrät mir etwas an der sanften Art, wie das Leintuch weggezogen wird, daß es vielleicht der NEUE ist, der Mann, den ich vor ein paar Wochen kennengelernt habe. Gar nicht mein Typ: winzige geplatzte Äderchen auf den Wangen und rotes, tatsächlich rotes Haar. Wir lagen auf einem Ziegenfell. Doch es wurde vom Boden gehoben, hoch, bis auf Betthöhe. Ich hatte beim Liebesakt das meiste getan: meine Brüste, die Hände, der Mund, alles sehnte sich danach, ihm zu Gefallen zu sein. Ich war so sicher, nie habe ich mich so sicher gefühlt, daß es recht war, was ich tat. Dann fing er an, mich unten zu küssen, und seine leckende Zunge zwang mich zum Kommen, und sein Kopf war unter meinen Hinterbacken, und es war, wie wenn ich ihn gebäre, nur war es Lust statt Schmerz. Er traute mir. Wir waren zwei Menschen, ich meine, er war nicht jemand, der auf mir lag und mich erdrückte und etwas tat, das ich nicht sehen konnte. Ich konnte sehen. Ich hätte auf sein rotes Haar scheißen können, wenn ich gewollt hätte. Er traute mir. Er zögerte sein Kommen bis ganz zuletzt hin. Und all die Dinge, die ich bisher geliebt hatte, wie Glas oder Lügen, Spiegel und Federn und Perlknöpfe und Seide und Weidenbäume, wurden nebensächlich im Vergleich zu dem, was er getan hatte. Er lag so, daß ich es sehen konnte: so zart, so schmächtig, mit einem Bündel wirrer blauer Adern längs der Seiten. Sprach man es an, dann war's, als spräche man zu einem kleinen Kind. Das Licht im Zimmer war ein weißer Glanz. Er hatte mich sehr weich und feucht gemacht, deshalb steckte ich es hinein. Es war flink und hart und voller Kraft, und er sagte: »Ich nehme jetzt keine Rücksicht mehr auf dich, ich glaube, das haben wir hinter uns«, und ich sagte, er hätte vollkommen recht, und ich hätte es gern, wenn er mich derb anpackte. Ich sagte es. Ich war nicht mehr die Heuchlerin, nicht mehr die Lügnerin. Früher hatte er sich öfters beschwert bei mir, er hatte gesagt: »Es gibt Ausdrücke, die wir nicht einer zum andern gebrauchen wollen, Ausdrücke wie ›Tut mir leid‹ oder ›Bist du mir böse‹.« Ich hatte diese Ausdrücke sehr häufig gebraucht. Aus dem sanften Verschieben der Bettdecken – eigentlich war es eine Bitte – hatte ich also geschlossen, daß er es sein könnte, und wenn das stimmt, möchte ich hineinsinken, tiefer und tiefer in die warme, dunkle, schläfrige Bettkuhle hinein und ewig drinbleiben und mit ihm kommen. Aber ich fürchte mich nachzuschauen, falls nicht ER es ist, sondern einer von den andern.

Als ich endlich erwachte, war ich in einer Panik und war wie besessen, ihn anzurufen, aber obwohl er es mir nie geradezu verboten hat, wußte ich doch, daß es ihm sehr mißfallen hätte.

Wenn etwas so vollendet war wie unser letztes Zusammensein im Lichte des Gasöfchens, dann ist man leicht geneigt, alles zu versuchen, um eine Wiederholung herbeizuführen. Leider war die nächste Begegnung getrübt. Er kam am Nachmittag und brachte einen Koffer mit, der all das Zubehör für ein Gala-Dinner enthielt, zu dem er am Abend eingeladen war. Als er kam, fragte er, ob er seinen Frack aufhängen dürfe, weil er sonst zerdrückt würde. Er hängte den Kleiderbügel an die Außenkante vom Schrank, und ich weiß noch, welchen Eindruck die Reihe von Kriegsauszeichnungen längs der Brusttasche auf mich machte. Im Bett verlief es angenehm, aber zu hastig. Er machte sich Sorgen wegen des Umkleidens. Ich saß einfach da und schaute ihm zu. Ich wollte ihn nach seinen Orden fragen und wie er sie sich verdient hätte und ob er noch an den Krieg dächte und ob ihm seine damalige Frau sehr gefehlt hätte und ob er Menschen getötet hätte und ob er noch davon träume. Aber ich fragte nichts. Ich saß da, als wäre ich gelähmt.

»Keine Hosenträger!« rief er, als er sich die weite schwarze Hose um die Mitte hielt. Für seine andere Hose hatte er wohl einen Gürtel gehabt.

»Ich gehe zu Woolworth und hole einen«, sagte ich. Doch das war nicht praktisch, weil schon Gefahr bestand, er könne zu spät kommen. Ich nahm eine Sicherheitsnadel und steckte damit die Hose auf dem Rücken fest. Es war eine schwierige Operation, weil die Nadel eigentlich nicht stark genug war.

»Du bringst sie mir doch zurück?« sagte ich. Ich bin abergläubisch, was das Verschenken von Nadeln an andre Leute betrifft. Es dauerte ein Weilchen, bis er antwortete, weil er leise »Verdammt!« brummte. Nicht zu mir. Sondern zu dem steifen, unmenschlichen, gestärkten Kragen, der sich störrisch widersetzte, als die kleinen goldenen Knöpfe hineingesteckt werden sollten. Ich versuchte es. Er versuchte es. Jedesmal, wenn es einem von uns beiden mißlang, wurde der andre ungeduldig. Er sagte, wenn wir so weitermachten, würde der Kragen von unsern Händen schmuddelig werden. Und das war eine schlimmere Alternative. Ich dachte bei mir, er müsse mit sehr kritischen Leuten speisen, aber natürlich äußerte ich meine Gedanken nicht. Zu guter Letzt brachte jeder von uns es fertig, je einen Knopf hindurchzuzwängen, und zur Belohnung bekam er einen kleinen Schluck Whisky. Der Querbinder war der nächste Prüfstein. Er konnte es nicht. Ich wagte es nicht.

»Hast du es noch nie gemacht?« fragte ich. Vermutlich haben es seine Frauen – die jeweilige, meine ich – für ihn getan. Ich kam mir so dumm vor. Dann würgte mich der Haß. Ich dachte, wie häßlich und rot seine Beine waren, wie abstoßend die Umrisse seines Körpers, der nichts von einem Tailleneinschnitt aufzuweisen hatte, und wie falsch die Augen, die ihm im Spiegel gratulierten, als es ihm gelang, eine klobige Schleife zu binden. Als er den Frack anzog, war ich dank der klimpernden Orden fähig, eine Bemerkung über das Getön zu machen. Ich wußte ja nicht, worüber ich sonst sprechen sollte. Zuletzt legte er sich einen weißen Seidenschal um, der ihm bis unter die Taille reichte. Er sah wie jemand aus, den ich nicht kannte. Er brach hastig auf. Ich lief mit ihm die Straße entlang, um ihm zu helfen, ein Taxi zu finden, und es war nicht leicht, mit ihm Schritt zu halten und zu schwatzen. Ich kann mich nur noch an den geisterhaften Anblick des grellweißen Schals erinnern, der hin und her baumelte, während wir liefen. Seine Schuhe, die aus Lackleder waren, quietschten unangenehm.

»Ist es eine Herrengesellschaft?« fragte ich.

»Nein. Gemischt«, erwiderte er.

Deshalb also beeilten wir uns. Um seine Frau an einer verabredeten Stelle zu treffen. Der Haß nahm zu.

Er brachte mir die Sicherheitsnadel zurück, doch mein Aberglauben wich deshalb noch nicht, denn vier Stecknadeln mit runden schwarzen Köpfen, die in seinem neuen Hemd gesteckt hatten, waren auf meinem Fensterbrett liegengeblieben. Er weigerte sich, sie mitzunehmen. Er sei *nicht* abergläubisch.

Häßliche Erlebnisse pflegen sich, genau wie die guten, in Gruppen einzufinden, und wenn ich an die Umkleiderei denke, fällt mir ein anderer Anlaß ein, bei dem wir auch nicht sehr übereinstimmten. Es war in einer Straße; wir suchten ein Restaurant. In meinem Haus konnten wir nicht bleiben, weil eine Freundin als Hausbesuch da war, und wir hätten ihre Anwesenheit in Kauf nehmen müssen. Während wir die Straße entlanggingen – es war im Oktober und sehr windig –, spürte ich, daß er böse auf mich war, weil ich uns der Kälte ausgesetzt hatte und wir nicht ins Bett gehen konnten. Meine Absätze waren sehr hoch, und ich schämte mich, daß sie so hohl einherklapperten. Mir schien, daß wir irgendwie Feinde waren. Er spähte durch die Fenster von Restaurants, um nachzuschauen, ob auch keine Freunde von ihm dort wären. Er hatte sich schon gegen zwei Restaurants entschieden – aus Gründen, die ihm allein bekannt waren. Das eine sah sehr verlokkend aus. In die Wände waren kleine rötlichgelbe Glühbirnen eingelassen, und das Licht fiel durch kleine schmiedeeiserne Vierecke. Wir überquerten die Straße, um die Restaurants auf der andern Straßenseite anzuschauen. Ich sah eine Gruppe junger Lümmel auf uns zukommen, und um etwas zu sagen – denn wegen meiner aufdringlichen Absätze und des Windes, wegen des vorbeiflutenden Verkehrs und der häßlichen, unromantischen Straße waren uns freundlichere Gesprächsstoffe ausgegangen –, fragte ich ihn, ob er sich fürchte, spätabends so lärmenden Genossen zu begegnen. Er erwiderte, daß er tatsächlich vor ein paar Tagen, als er nachts sehr spät nach Hause ging und so eine Bande auf sich zukommen sah, zu seiner eigenen Verwunderung entdeckte, daß er, noch ehe er sich seiner Furcht bewußt war, das Schlüsselbund auseinandergefächert hatte und drauf und dran war, seine mit den scharfen Enden der Schlüssel bewaffnete Hand aus der Tasche zu ziehen, falls sie ihn angerempelt hätten. Ich vermute, daß er es wieder so machte, während wir weitergingen. Merkwürdigerweise empfand ich ihn nicht als meinen Beschützer. Ich spürte nur, daß er und ich zweierlei Menschen waren und daß es in der Welt Unruhen und Gewalt, Krankheit und Katastrophen gab, denen er sich auf seine Art stellte und ich auf die meine, oder – um korrekt zu sein – vor denen ich zurückschreckte. Immer würden wir außerhalb des andern bleiben. Während ich zu dieser melancholischen Erkenntnis kam, ging die Bande an uns vorbei, und meine Befürchtungen wegen irgendwelcher Gewalttätigkeit waren umsonst gewesen. Wir fanden ein gutes Restaurant und tranken sehr viel Wein.

Später – im Bett – klappte es, wie immer. Er blieb die ganze Nacht. Ich empfand die Nächte, in denen er blieb, stets als ein besonderes Privileg, und nur eine Kleinigkeit trübte meine Freude: es waren kurze Angstmomente, daß seine Frau – falls er ihr erzählt hatte, er sei in einem bestimmten Hotel – ihn dort anriefe und nicht erreichte. Mehr als einmal durchlebte ich eine ganze, von mir erdachte Geschichte, in der sie tatsächlich kam und uns entdeckte und ich mich stumm und damenhaft verhielt und er ihr sehr entschieden sagte, sie solle draußen warten, bis er fertig sei. Ich hatte kein Mitleid mit ihr. Manchmal fragte ich mich, ob wir uns wohl jemals begegnen würden oder ob wir uns vielleicht schon irgendwo auf einer Rolltreppe begegnet wären. Allerdings war das unwahrscheinlich, denn wir wohnten an entgegengesetzten Enden von London.

Dann bot sich zu meiner großen Überraschung doch eine Gelegenheit. Ich war von einer amerikanischen Zeitung zu einer Thanksgiving Party eingeladen worden. Er sah die Karte auf meinem Kaminsims stehen und fragte: »Gehst du da auch hin?«, und ich lächelte und sagte, vielleicht. Ob er ginge. »Ja«, sagte er. Er wollte mich dazu bringen, daß ich auf der Stelle einen Entschluß faßte, aber ich war zu gewitzt. Natürlich würde ich gehen. Ich war gespannt, seine Frau zu sehen. Und ihm in aller Öffentlichkeit zu begegnen. Jetzt empörte mich der Gedanke, daß wir uns nie in Gegenwart von Dritten gesehen hatten. Es war wie ein Ausgeschlossensein... ein kleines eingesperrtes Tier. Ich sah ganz deutlich ein Frettchen vor mir, das ein Förster damals, als ich ein Kind war, in einer Holzkiste mit Schiebedeckel aufbewahrte, und einmal steckte er ein zweites Frettchen dazu, damit sie sich paarten. Bei dem Gedanken schauderte es mich. Ich meine, ich brachte es durcheinander: im gleichen Atemzug, als ich an die weißen Frettchen mit ihren kleinen rosa Nüstern dachte, dachte ich auch an ihn, wie er eine Tür aufschob und von Zeit zu Zeit in mein Kistchen schlüpfte. Seine Haut war auch sehr rosa.

»Ich habe mich noch nicht entschlossen«, sagte ich, doch als der Tag kam, ging ich hin. Ich hatte sehr viel Sorgfalt auf mein Äußeres verwandt, hatte mich frisieren lassen und ein mädchenhaftes Kleid angezogen. Schwarz und weiß. Die Party fand in einem großen Raum mit braun getäfelten Wänden statt. An dem einen Ende war die Bar – unter einer Empore. So ergab sich ein Eindruck von zwergenhaften weißen Barmännern unter der klippenartig überhängenden Empore, die auf sie herunterzustürzen drohte. Nie habe ich einen Raum gesehen, der für ein Fest weniger geeignet war. Frauen mit Tabletts gingen herum, doch ich mußte an die Bar gehen, weil auf den Tabletts Champagner war, und ich habe eine Vorliebe für Whisky. Ein Mann, den ich kannte, führte mich hin, und unterwegs drückte mir ein anderer Mann einen Kuß auf den Nakken. Ich hoffte, daß er es mit angesehen hatte, doch es war ein großer Saal mit Hunderten von Menschen, so daß ich nicht wußte, wo er war. Mir fiel ein Kleid auf, das ich ziemlich bewunderte, ein lila Kleid mit sehr weiten, gehäkelten Ärmeln. Als mein Blick am Ärmel hinaufwanderte, sah ich, daß die Besitzerin des Kleides ihre Augen auf mich geheftet hatte. Vielleicht bewunderte sie meine Aufmachung. Bei Leuten mit dem gleichen Geschmack kommt das häufig vor. Ich hatte keine Ahnung, wie ihr Gesicht aussah, doch als ich später eine

Freundin fragte, welche seine Frau sei, zeigte sie auf die Frau mit den gehäkelten Ärmeln. Das nächstemal sah ich sie im Profil. Ich weiß noch immer nicht, wie sie aussah, und auch die Augen, in die ich blickte, sprechen mich in der Erinnerung nicht auf besondere Art an, ausgenommen vielleicht mit ein wenig Neid.

Endlich stöberte ich ihn auf. Ich ließ mich von einem gemeinsamen Freund hinführen und zum Schein mit ihm bekannt machen. Er war nicht entgegenkommend. Er sah fremd aus. Die Röte auf seinen Backenknochen war hervorstechend und unnatürlich. Er sprach mit dem gemeinsamen Bekannten und übersah mich geradezu. Möglicherweise wollte er es wiedergutmachen, als er mich endlich fragte, ob ich mich gut unterhielte.

»Es ist ein frostiger Raum«, sagte ich. Natürlich war es eine Anspielung auf sein Verhalten mir gegenüber. Hätte ich den Saal beschreiben wollen, dann hätte ich ›düster‹ oder ein ähnliches Eigenschaftswort benutzt.

»Ich ahne nicht, wie frostig Ihnen zumute ist«, entgegnete er kriegerisch, »mir ist's jedenfalls nicht so.« Dann kam eine sehr betrunkene Frau in einem Sackgewand und begann ihn abzuküssen. Ich entschuldigte mich und ging. Er sagte sehr nachdrücklich, er hoffe mich irgendwann einmal wiederzusehen.

Gerade als ich die Party verließ, fing ich seinen Blick auf, und er tat mir leid, aber gleichzeitig war ich ärgerlich über ihn. Er schien verblüfft, und als wäre ihm soeben eine wichtige Nachricht übermittelt worden. Er sah mich mit einer Gruppe von Bekannten weggehen, und ich starrte ihm ohne das leiseste Lächeln ins Gesicht. Ja, er tat mir leid. Ich war auch gereizt. Gleich am nächsten Tag, als wir uns trafen und ich darüber sprach, konnte er sich nicht einmal erinnern, daß ein gemeinsamer Freund uns vorgestellt hatte.

»Clement Hastings?« sagte er und wiederholte den Namen. Was beweist, wie nervös er gewesen sein muß.

Man kann unmöglich behaupten, daß eine schlimme Nachricht, wenn sie einem auf eine besondere Art und zu einer besonderen Zeit überbracht wird, darum weniger gräßlich wirkt. Trotzdem finde ich, daß er mir im verkehrten Augenblick den

Abschied gegeben hat. Vor allem, weil's früh am Morgen war. Die Weckeruhr rasselte, und ich richtete mich auf, um zu sehen, auf welche Zeit er sie gestellt hatte. Da er an der Außenkante des Bettes lag, war er bereits dabei, den Knopf des Weckers herunterzudrücken.

»Verzeih, Liebling«, sagte er.

»Hast du sie gestellt?« fragte ich unwillig. Ich empfand so etwas wie Verrat: als hätte er sich davonschleichen wollen, ohne Lebewohl zu sagen.

»Anscheinend ja«, sagte er. Er schlang seinen Arm um mich, und wir legten uns wieder hin. Draußen war es dunkel, und als hinge Frost in der Luft – doch das kann mir die Erinnerung vorgaukeln.

»Gratuliere«, flüsterte er. »Du bekommst heute deinen Preis!« Ich sollte einen Preis für mein Ansagen erhalten. Ich war Fernsehansagerin.

»Danke«, sagte ich. Ich schämte mich deswegen. Es erinnerte mich an meine Schulzeit, wo ich immer in allem als die Erste herauskam und deshalb schuldbewußt, aber nicht genügend diszipliniert war, um mich absichtlich nicht vorzudrängen.

»Es ist herrlich, daß du die ganze Nacht geblieben bist«, sagte ich und streichelte ihn überall. Im Bett waren meine Hände nie still. Im Wachen oder im Schlafen mußte ich ihn dauernd streicheln. Nicht, um ihn zu erregen, sondern einfach, um ihn meiner Liebe zu versichern und ihm wohlzutun und vielleicht auch, um mein Besitzrecht zu festigen. Ich finde, es wirkt therapeutisch, wenn man etwas festhält. Glatte Steine behalte ich stundenlang in meiner Handmuschel, oder ich packe die Armlehnen eines Sessels und fühle mich viel wohler. Er küßte mich. Er sagte, noch nie wäre ihm jemand begegnet, der so lieb und so rücksichtsvoll war. Dadurch fühlte ich mich ermutigt, ein sehr intimes Spiel zu beginnen. Ich hörte, wie er vor Lust stöhnte, hörte sein verzücktes »Oi, oi«, wie er gleichzeitig genoß und sich sagte, er dürfe es nicht. Zuerst merkte ich gar nicht, daß seine Stimme Worte formte.

»He«, sagte er fröhlich und einfach so nebenbei. »Das kann nicht so weitergehn, wirklich nicht!« Ich glaubte, er meinte damit das, was wir gerade taten, denn es war spät, und er mußte bald aufstehen. Dann hob ich den Kopf, der unten zwischen seinen Beinen gewesen war, und schaute ihn an, durch mein Haar hindurch, das mir ins Gesicht gefallen war. Ich sah, daß er es im Ernst meinte.

»Es kam mir gerade in den Sinn, daß du mich vielleicht gar liebst«, sagte er. Ich nickte und schob mir das Haar aus der Stirn, damit er meine Bestätigung lesen konnte, die mir klar und aufrichtig im Gesicht stand. Er zog mich neben sich, so daß unsre Köpfe Seite an Seite lagen, und fing an:

»Ich bin verliebt in dich, aber ich liebe dich nicht. Ich glaube, bei all meinen Bindungen könnte ich niemanden lieben, und zwischen uns begann alles so heiter und ungezwungen...« Seine letzten Worte kränkten mich. Es war nicht so, wie ich es ansah oder wie es in meiner Erinnerung lebte: nach den vielen Telegrammen, die er mir immer schickte: ›Ich sehne mich nach einem Wiedersehen‹, oder wie er schon in den allerersten Stunden, wenn wir uns wiedersahen und von Leidenschaft und Scheu und von dem Schock überwältigt waren, daß uns die Gegenwart des andern so aus der Fassung bringen konnte–, wie er da sagte: »Möge die Sonne über dir scheinen!« Wir hatten sogar in unsern Wörterbüchern nach Worten gesucht, um das ganz Besondere unsrer gegenseitigen Wertschätzung auszudrücken. Er kam mit dem Wort *cense* an. Es bedeutet anbeten oder in den Duft der Liebe hüllen. Es war ein sehr passendes Wort, und wir benutzten es immer wieder. Und jetzt leugnete er das alles ab. Er sprach davon, mich in sein Leben, sein Familienleben einzubeziehen... Ich sollte seine Freundin werden. Doch er sagte es ohne Überzeugung. Mir fiel nichts ein, was ich hätte antworten können. Ich wußte, daß ich gefühlvoll werden würde, wenn ich den Mund aufmachte, deshalb blieb ich stumm. Als er zu sprechen aufhörte, starrte ich geradeaus auf die Ritze zwischen den Vorhängen, und während ich auf den grellen Lichtstrahl blickte, der hereinfiel, sagte ich: »Mir scheint, es hängt Frost in der Luft«, und er entgegnete, das sei sehr gut möglich, denn bald hätten wir Winter. Wir standen auf, und wie üblich schraubte er die Glühbirne aus der Nachttischlampe und schaltete seinen Rasierapparat ein. Ich ging hinaus, um das Frühstück vorzubereiten. Es war der einzige Morgen, an dem ich vergaß, Orangensaft für ihn auszudrücken, und ich frage mich oft, ob er es als Kränkung auffaßte. Er ging kurz vor neun.

Im Wohnzimmer waren überall Spuren seines Besuchs. Oder, um genau zu sein, die Überreste seiner Zigarren. In einem von den blauen Aschenbechern, die wie Teller aussehen, lagen dicke Würste dunkelgrauer Zigarrenasche. Auch Stummel lagen da, aber ich mußte die Asche anstarren und fand, daß sie in ihrer ungeformten Dicke an seine unschönen, dicken Beine erinnerte. Und wieder stieg der Haß gegen ihn in mir auf. Ich wollte schon den Inhalt des Aschenbechers in den Kamin schütten, als mich etwas daran hinderte – und dann holte ich erstaunlicherweise eine leere Hustenbonbondose, und mit Hilfe von einem Blatt Papier hob ich die Aschenklümpchen hinein und trug die Dose nach oben. Durch die Bewegung verloren die Würste ihre Form, und während sie mich zuerst an seine Beine erinnert hatten, waren sie jetzt eine gleichförmige Masse dunkelgrauer Asche, wahrscheinlich wie die Asche der Toten. Ich schob die Dose unter ein paar Sachen in einer Schublade.

Im Laufe des Tages erhielt ich den Preis – ein sehr großes Silbermedaillon mit meinem Namen. Bei der anschließenden Party war ich betrunken. Meine Freunde erzählten mir hinterher, ich hätte mich nicht geradezu blamiert, aber mir ist eine beschämende Erinnerung geblieben, als hätte ich eine Anekdote zu erzählen begonnen und sei unfähig gewesen, sie weiterzuerzählen – nicht, weil mir der Inhalt nicht einfallen wollte, sondern weil es mir zu schwer fiel, die Worte auszusprechen. Ein Mann brachte mich nach Hause, und nachdem ich ihm eine Tasse Tee vorgesetzt hatte, sagte ich ihm betont manierlich gute Nacht; als er gegangen war, taumelte ich ins Bett. Wenn ich zuviel trinke, schlafe ich schlecht. Als ich aufwachte, war es draußen noch dunkel, und sofort fiel mir der voraufgegangene Morgen ein, jene Andeutung von Frost in der Luft, und seine kalten, warnenden Worte. Ich mußte es zugeben: obwohl unsre Begegnungen makellos schön waren, hatte ich stets ein Gefühl von einem drohenden Unheil gehabt: daß sich eine Kluft zwischen uns auftun würde, daß jemand es seiner Frau erzählen könnte, daß unsre Liebe schal oder gänzlich zerstört würde. Und doch waren wir noch nicht soweit gegangen, wie wir es hätten tun sollen, aber dafür wurde uns keine Zeit gelassen. Natürlich hatte er gesagt: »Rein körperlich hast du noch immer große Macht über mich«, und das fand ich an sich schon entwürdigend. Es wäre widerlich gewesen, noch weiter mit ihm zu schlafen, nachdem er mich aufgegeben hatte. Es war aus und vorbei. Ich mußte ständig an ein Veilchen im Wald denken, für das auch mal eine Zeit kommt, wo es welkt und hinstirbt. Vielleicht hatte der Frost etwas mit meinen Gedanken zu tun – oder vielmehr mit meinem Grübeln. Ich stand auf und zog meinen Morgenrock an. Von meinem Kater tat mir der Kopf weh, aber es war mir klar, daß ich ihm schreiben mußte, solange ich noch die Energie hatte. Ich kenne meine eigenen Schwächen, und ich wußte, daß ich, noch ehe der Tag vergangen war, ihn wiedersehen wollte, neben ihm sitzen wollte und ihn mit Liebsein und mit meiner überwältigenden Hilflosigkeit zurückschmeicheln wollte.

Ich schrieb den Brief, ließ aber die Sache mit dem Veilchen aus. So etwas kann man nicht schwarz auf weiß hinschreiben, ohne ein bißchen seltsam zu wirken. Ich schrieb ihm, wenn er es für unklug hielte, mich zu sehen, dann solle er mich eben nicht sehen. Ich schrieb, es wäre ein nettes Intermezzo gewesen und daß wir uns eine schöne Erinnerung daran bewahren müßten. Es war ein erstaunlich beherrschter Brief. Er antwortete umgehend. Mein Entschluß hätte wie ein Schock auf ihn gewirkt, schrieb er. Immerhin müsse er zugeben, daß ich recht hätte. Mitten im Brief sagte er, er müsse meine Gelassenheit erschüttern, und um das zu tun, müsse er gestehen, daß er mich trotz allem liebe und es immer tun würde. Das war natürlich das Wort, auf das ich seit Monaten gelauert hatte. Es gab mir das Startzeichen. Ich schrieb ihm einen langen Brief. Ich verlor den Kopf. Ich drückte alles übertrieben aus. Ich schwor, daß ich ihn liebe, daß ich in den Tagen, in denen wir uns nicht sahen, dem Wahnsinn nahe gewesen sei und auf ein Wunder gehofft habe.

Zum Glück führte ich nicht im einzelnen aus, welcher Art das Wunder sein sollte; vielleicht ist es – oder war es – ziemlich unmenschlich. Es betraf seine Familie.

Er kehrte von der Beerdigung seiner Frau und seiner Kinder zurück und trug einen schwarzen Rock. Er trug auch den weißen Seidenschal, mit dem ich ihn schon gesehen hatte, und in seinem Knopfloch steckte eine schwarze Trauertulpe. Als er in meine Nähe kam, riß ich die Tulpe weg und tauschte sie gegen eine weiße Narzisse aus, und er legte mir daraufhin seinen Schal um den Hals und zog mich zu sich heran, indem er den Schal an den weißen Fransen festhielt. Ich bewegte meinen Hals in der Schlinge des Schals vor und zurück. Dann tanzten wir einen heimlichen Tanz auf einem Holzfußboden, der weiß und schlüpfrig war. Ein paarmal dachte ich, wir würden hinfallen, aber er sagte: »Ich bin bei dir.« Die Tanzfläche war auch eine Straße, und wir gingen irgendwohin, wo es herrlich war.

Wochenlang erwartete ich eine Antwort auf meinen Brief, doch es kam keine. Mehr als einmal griff meine Hand nach dem Telefon, aber eine warnende Stimme – für mich ein neues Gefühl – im Hintergrunde meines Denkens befahl mir zu warten. Ihm Zeit zu lassen. Damit das Bedauern von seinem Herzen Besitz ergreifen konnte. Damit er aus eigenem Antrieb kam. Und dann überfiel mich panische Angst. Ich dachte, der Brief könne vielleicht verlorengegangen oder in fremde Hände gefallen sein. Ich hatte ihn natürlich in sein Büro in Lincoln's Inn geschickt, wo er arbeitete. Ich schrieb noch einen Brief. Diesmal war es ein formelles Schreiben, und dazu legte ich eine Postkarte mit den Worten *Ja* und *Nein*. Ich bat ihn, falls er meinen letzten Brief erhalten hätte, es mich bitte wissen zu lassen, indem er einfach das Wort auf meiner Karte durchstrich, das nicht zutraf, und sie mir zurückzuschicken. Sie kam zurück, und das *Nein* war durchgestrichen. Sonst nichts. Er hatte also meinen Brief erhalten. Ich muß die Karte wohl stundenlang angestarrt haben. Ich konnte das Zittern nicht unterdrükken, und um mich zu beruhigen, nahm ich einen Drink nach dem andern. Die Karte hatte etwas so Brutales an sich – andrerseits konnte man sagen, daß ich es herausgefordert hatte, indem ich auf diese Art an das Problem herangegangen war. Ich holte die Dose mit seiner Zigarrenasche hervor und weinte: Ich wollte sie aus dem Fenster schleudern, und ich wollte sie ewig aufbewahren.

Im allgemeinen benahm ich mich sehr seltsam. Ich rief eine Frau an, die ihn kannte, und erkundigte mich ohne jeglichen Grund, ob sie wisse, was für ein Hobby er habe. Sie erwiderte, er spiele Harmonium, und das fand ich völlig unerträglich. Dann hatte ich eine Pechsträhne, und am dritten Tag verlor ich die Beherrschung.

Vor lauter Schlaflosigkeit und vom Whisky trinken und den Anregungspillen wurde ich sehr komisch. Ich zitterte am ganzen Leibe und atmete sehr rasch, wie man es sonst tut, wenn man einen Unfall mit angesehen hat. Ich stand an meinem Schlafzimmerfenster, das im ersten Stock liegt, und schaute auf den Zementboden unten. Die einzigen Blumen, die noch blühten, waren die Hortensien, und sie waren zu einem sanften Rotbraun verblaßt, das viel hübscher war als im Sommer das grelle Rosa. Im Garten nebenan hatten sie Frostmützen über die Fuchsien gestülpt. Ich schaute zuerst auf die Hortensien und dann auf die Fuchsien und versuchte, die Folgen eines Sprunges abzuschätzen. Ich überlegte, ob der Sprung tief genug war. Da ich körperlich sehr ungeschickt bin, konnte ich mir nur vorstellen, daß ich mich gefährlich verletzen würde, und das wäre schlimmer, weil ich dann bettlägerig geworden wäre, eingepfercht mit gerade den Gedanken, die mich zur Verzweiflung brachten. Ich öffnete das Fenster und beugte mich hinaus, wich aber schnell zurück. Ich hatte eine bessere Idee. Unten war ein Installateur, der eine Zentralheizung anlegte – ein Projekt, auf das ich mich eingelassen hatte, seit mein Liebhaber regelmäßig zu kommen begann und wir es liebten, nackt im Zimmer herumzuwandern, Sandwiches zu essen und Platten zu spielen. Ich beschloß, mich mit Gas zu vergiften und den Installateur um Hilfe zu bitten, damit ich es richtig durchführte. Ich wußte – jemand mußte es mir erzählt haben –, daß mittendrin ein Moment kommt, wo der Selbstmörder es bereut und versucht, wieder aufzuhören, es jedoch nicht mehr kann. Das schien mir wie eine zusätzliche tragische Note, die ich nicht auch noch auf mich nehmen wollte. Daher beschloß ich, zu diesem Mann hinunterzugehen und ihm zu erklären, daß ich sterben *wollte* und daß ich es ihm nicht einfach sage, damit er mich daran hindere oder mich tröste – ich wollte kein Mitleid: es kommt ein Zeitpunkt, wo Mitleid nicht mehr hilft –, und daß ich einfach seinen Beistand brauchte. Er konnte mir zeigen, was ich zu tun hatte, konnte mich plazieren, und – wie widersinnig – er sollte in der Nähe sein, um innerhalb der nächsten paar Stunden das Telefon abzunehmen und auf die Klingel an der Haustür zu achten. Und auch, um mich mit Würde aus dem Wege zu räumen. Ja, und vor allem andern! Ich überlegte sogar, was ich anziehen wollte: ein langes Kleid, das zufällig die gleiche Farbe wie die Hortensien in ihrem rostbraunen Stadium hatte und das ich nie trug, außer mal für eine Fotografie und fürs Fernsehen. Ehe ich nach unten ging, schrieb ich einen Zettel, auf dem einfach stand: ›Ich begehe Selbstmord, weil es mir an Verstand fehlt und ich nicht weiß und auch nicht durch Erfahrung lernen kann, wie man leben sollte.‹

Vielleicht findet mancher, ich sei gefühllos, weil ich nicht an das Leben meiner Kinder gedacht habe. Aber das hatte ich doch getan. Lange bevor die Sache begann, war ich zu dem Schluß gekommen, daß sie schon damals unwiderruflich von mir getrennt worden waren, als sie ins Internat geschickt wurden. Wenn man so will, hatte ich sie bereits vor Jahren im Stich gelassen. Ich dachte – und das war kein hysterisches Eingeständnis –, daß es auf den Verlauf ihres Lebens wenig oder keinen Einfluß ausüben konnte, ob ich lebte oder tot war. Ich sollte noch erwähnen, daß ich sie seit einem Monat nicht gesehen hatte, und es ist eine empörende Tatsache, daß durch eine Trennung die Liebe zwar nicht geringer wird, daß aber unsere körperliche Liebe für unsre geliebten Menschen abnimmt. Die Kinder sollten gerade an diesem Tag für die Ferien nach Hause kommen, aber da ihr Vater an der Reihe war, sie bei sich zu haben, würde ich sie nur an einem Nachmittag und nur für ein paar Stunden sehen. Und das erschien mir in meinem verzagten Gemütszustand viel schlimmer, als sie überhaupt nicht zu sehen.

Und natürlich, als ich nach unten kam, warf der Installateur einen einzigen Blick auf mich und sagte: »Was Ihnen guttun würde, wäre eine Tasse Tee!« Er hatte den Tee sogar schon fertig. Ich nahm also an und stand da und wärmte meine kleinen Hände – klein wie Kinderhände – an der Walzenform des braunen Bechers. Plötzlich überfiel mich die Erinnerung an meinen Geliebten, wie er unsre Hände gemessen hatte, als wir nebeneinander im Bett lagen, und wie er mir gesagt hatte, meine Hände wären nicht größer als die seiner Tochter. Und dann kam mir eine andere, weniger erfreuliche Erinnerung an Hände. Sie ging auf einen Tag zurück, als wir uns getroffen hatten und er sichtlich betrübt war, weil er die Hand eben dieser Tochter in der Wagentür eingeklemmt hatte. Die Finger waren nicht gebrochen, aber übel verletzt; es war ihm schrecklich zumute, und er hoffte, seine Tochter würde es ihm verzeihen. Nachdem mir die Geschichte erzählt worden war, platzte ich mit einer Anekdote los, wie *ich* einmal beinah all meine Finger in der Tür eines neuen Jaguar verloren hätte, den ich mir gekauft hatte. Es war sinnlos, und ein Zuhörer hätte daraus schließen können, ich sei eine prahlsüchtige, herzlose Frau. Mir hätte jedes Kind leid getan, dessen Finger in eine Autotür geraten waren, aber im Augenblick versuchte ich nur, ihn in seine und meine geheime Welt zurückzurufen. Vielleicht gehörte es zu den Dingen, derentwegen er mich weniger liebte. Vielleicht war es damals, daß er beschloß, der Sache ein Ende zu machen. Ich war im Begriff, es dem Installateur zu sagen und ihn daran zu erinnern, daß die sogenannte Liebe oft das Herz verhärtet, aber wie der Vergleich mit dem Veilchen ist es etwas, das scheußlich danebenhauen kann, und wenn das der Fall ist, geraten die beiden Menschen in tödliche Verlegenheit. Er hatte Zucker in meinen Tee getan, und er war mir zu süßlich.

»Ich möchte, daß Sie mir helfen«, sagte ich.

»Jederzeit«, sagte er. Das sollte ich doch wissen. Wir seien Freunde. Er würde die Rohre geschmackvoll einbauen. Es würden kleine Kunstwerke, und die Radiatoren würde er zu den Wänden passend anstreichen.

»Sie glauben vielleicht, daß ich sie weiß streiche, aber sie werden ein helles Elfenbein«, sagte er. Die weiße Tünche auf den Küchenwänden war ein bißchen nachgegilbt.

»Ich will mich umbringen«, sagte ich rasch.

»Allmächtiger!« rief er, und dann lachte er laut heraus. Er hätte schon immer gewußt, daß ich dramatisch sein könne. Dann blickte er mich an, und mein Gesicht verriet ihm offenbar alles. Zum Beispiel konnte ich meinen Atem nicht beherrschen. Er legte den Arm um mich und führte mich ins Wohnzimmer, wo wir einen Drink nahmen. Ich wußte, daß er sehr für einen Drink war, und dachte bei mir: des einen Unglück ist des andern Glück. Das Verrückte war, daß ich wie ein lebendiger Mensch weiterdachte. Er sagte, ich hätte so vieles, für das es sich zu leben lohnte. »Eine junge Frau wie Sie – mit all den Menschen, die Ihr Autogramm wollen, und mit einem herrlichen neuen Wagen«, sagte er.

»Es ist alles...« Ich suchte nach dem Wort. Ich hatte ›sinnlos‹ sagen wollen, doch das Wort, das ich herausstieß, war ›grausam‹.

»Und Ihre Jungens?« fragte er. »Wie ist's denn mit Ihren Jungens?« Er hatte Fotos von ihnen gesehen, und einmal hatte ich ihm einen Brief von dem einen vorgelesen. Das Wort ›grausam‹ schien mir durch den Kopf zu lodern. Es kreischte mich aus jeder Zimmerecke an. Um seinem Blick auszuweichen, sah ich auf den Ärmel meiner Angorajacke und begann, methodisch die Flöckchen abzuzupfen und in einen kleinen Ball zu verrollen.

Dann entstand eine Pause.

»Das hier ist eine Unglücksstraße«, sagte er. »Sie sind die dritte.«

»Wieso die dritte?« fragte ich und sammelte fleißig schwarze Flöckchen in meine Handmuschel ein.

»Eine Frau weiter straßauf hatte einen Mann, einen Kapellmeister, der abends lange nicht heimkam. Eines Abends ging sie in einen Tanzsaal und sah ihn mit einer andern. Sie ging nach Hause und tat's – sofort.«

»Gas?« fragte ich mit echter Wißbegier.

»Nein, Tabletten«, antwortete er und steckte schon in der nächsten Geschichte – von einem Mädchen, das sich mit Gas umgebracht hatte. Er hatte sie gefunden, weil er im Haus war, das er damals auf Trockenfäule behandelte. »Nackt – bis auf einen Pulli«, sagte er und sinnierte, weshalb sie so eigenartig bekleidet war. Er war plötzlich ganz anders, als er sich erinnerte, wie er ins Haus gegangen war und das Gas gerochen und aufgespürt hatte.

Ich sah ihn an. Sein Gesicht war ernst. Er hatte verkrustete Augenlider. Ich hatte ihn noch nie aus solcher Nähe gesehen. »Armer Michael!« sagte ich. Eine klägliche Entschuldigung. Ich dachte, wenn er mich bei meinem Selbstmord unterstützt hätte, würde es sich seinem Gedächtnis auf ewig eingeprägt haben.

»Ein schönes junges Mädchen«, sagte er nachdenklich.

»Armes Ding«, erwiderte ich und brachte Mitleid auf.

Es war nichts weiter zu sagen. Durch Beschämung hatte er mich davon abgebracht. Ich stand auf und gab mir Mühe, ins normale Leben zurückzukehren: Ich nahm einige Gläser von einem Seitentisch und ging zur Küche hinüber. Wenn gebrauchte Gläser ein Beweis fürs Trinken sind, hatte ich in den vergangenen paar Tagen eine ganze Menge geleistet.

»Well«, sagte er und stand auf und seufzte. Er gab zu, mit sich zufrieden zu sein.

Zufällig kam es an jenem Tag zu einer kleinen Krise. Obwohl meine Kinder eigentlich zu ihrem Vater zurückkehren sollten, rief er mich an und sagte, der ältere Junge habe Fieber, und da er (wenn er's auch nicht erwähnte) nicht für ein krankes Kind sorgen konnte, wäre er dankbar, wenn er sie zu mir bringen dürfe. Sie kamen am Nachmittag. Ich erwartete sie im Haus und hatte ziemlich viel Make-up aufgelegt, um meinen Kummer zu verheimlichen. Der kranke Junge war in seinen Tweedmantel und in eine Wolldecke gehüllt, und um sein Gesicht war ein Schal seines Vaters gewickelt. Als ich ihn küßte, fing er an zu weinen. Der jüngere Sohn ging im Haus herum und überzeugte sich, ob noch alles so war, wie er es zuletzt gesehen hatte. Sonst hatte ich für ihre Rückkehr immer Geschenke vorbereitet, doch diesmal hatte ich es außer acht gelassen, und deshalb waren sie etwas enttäuscht.

»Morgen«, versprach ich.

»Warum hast du Tränen in den Augen?« fragte der kranke Junge, als ich ihn auszog.

»Weil du krank bist«, erwiderte ich – was nur halb der Wahrheit entsprach.

»O Mamsies!« rief er und nannte mich mit einem Namen, den er jahrelang benutzt hatte. Er umarmte mich, und wir begannen beide zu weinen. Er war mein weniger geliebtes Kind, und ich spürte, daß er deswegen weinte und auch wegen all der vielen ungeahnten Kümmernisse, die ihm durch die Situation eines zerrütteten Elternhauses aufgebürdet wurden. Es war seltsam und unbefriedigend, ihn in den Armen zu halten, nachdem ich mich im Laufe der Monate an die Figur meines Geliebten gewöhnt hatte, an die Breite seiner Schultern und die genaue Körperlänge, die mich gezwungen hatte, auf Zehenspitzen zu stehen, damit sich unsre Glieder restlos entsprachen. Als ich meinen Sohn umschlungen hielt, wurde mir nur bewußt, wie klein er war und wie beharrlich er sich an mich klammerte.

Ich setzte mich mit meinem jüngeren Sohn ins Schlafzimmer, wo wir ein Unterhaltungsspiel begannen, bei dem man Fragen ausruft, zum Beispiel: ›Ein Fluß? Ein berühmter Fußballer?‹, und dann eine Scheibe zum Kreiseln bringt, bis sie auf einem Buchstaben niedersinkt, der dann als Anfangsbuchstabe für den Fluß oder den Fußballer benutzt werden muß, oder was sonst die Frage gerade verlangt. Ich stellte mich dumm an, und der kranke Junge konnte es auch nicht gut. Sein Bruder gewann mit Leichtigkeit, obwohl ich ihn vorher gebeten hatte, den kranken Bruder gewinnen zu lassen. Kinder sind gefühllos.

Wir fuhren alle hoch, weil die Heizung zu funktionieren begann und der Boiler, der genau unter uns im Keller stand, ein mächtiges Gurgeln hören ließ: Wir machten genau die gleiche, jähe und eruptive Bewegung, die ich am Vormittag hatte machen wollen, als ich am Schlafzimmerfenster gestanden hatte, um mich hinunterzustürzen. Als besondere Überraschung für mich, und um mich etwas aufzuheitern, hatte der Installateur zwei Kameraden geholt, und zu dritt hatten sie die Arbeit beendet. Damit wir's warm hätten und glücklich wären, wie er sagte, als er ins Schlafzimmer kam, um es mir zu berichten. Ich war verlegen. Seit unserm Drama am Vormittag war ich ihm ausgewichen. Zur Teezeit hatte ich ihm seinen Tee nur auf einem Tablett auf die Treppe hingestellt. Ob er andern Leuten erzählen würde, daß ich ihn aufgefordert hatte, mein Mörder zu sein? Hatte er meine Bitte überhaupt durchschaut? Ich gab ihm und seinen Freunden etwas zu trinken, und sie standen linkisch im Schlafzimmer der Kinder und blickten dem kleinen Jungen ins erhitzte Gesicht und sagten, es würde ihm bald wieder gutgehen. Was sonst hätten sie auch sagen können?

Den Rest des Abends spielten die Jungen und ich das Fragespiel immer wieder von vorne, und kurz bevor sie einschlafen sollten, las ich ihnen eine Abenteuergeschichte vor. Am nächsten Morgen hatten sie alle beide Fieber. In den nun folgenden Wochen hatte ich mit ihrer Pflege genug zu tun. Ich kochte ihnen sehr viel Bouillon und brockte Brot hinein und überredete sie, die eingetunkten, appetitanregenden Brotstückchen hinunterzuschlucken. Sie verlangten dauernd, unterhalten zu werden. An Tatsachen konnte ich ihnen nichts anderes berichten als kleine Einzelheiten aus der Naturkunde, die ich bei einem Kollegen in der Fernsehkantine aufgeschnappt hatte. Sogar wenn ich sie ausschmückte, dauerte es nicht länger als zwei Minuten, sie meinen Kindern zu erzählen: von einer Schmetterlingsplage in Venezuela, von ›Ai‹ genannten Tieren, die so faul sind, daß sie von den Bäumen hängen und von Moos überzogen werden, und von den Spatzen in England, die so ganz anders als die Spatzen in Paris zwitschern.

»Noch mehr!« baten sie. »Noch mehr! Noch mehr!« Dann mußten wir uns wieder das alberne Spiel vornehmen oder eine neue Abenteuergeschichte anfangen.

In diesen Stunden erlaubte ich meinen Gedanken nicht abzuschweifen, aber an den Abenden, wenn ihr Vater kam, zog ich mich stets in mein Wohnzimmer zurück und nahm einen Drink. Und das war wirklich zum Verzweifeln. Das Nichtstun verführte mich zum Grübeln, und dann habe ich auch sehr schwache Glühbirnen in den Lampen: die matte Beleuchtung verleiht dem Zimmer eine Atmosphäre, die Erinnerungen weckt. Ich geriet in die Vergangenheit. Ich inszenierte verschiedene Arten einer Wiederbegegnung mit meinem Geliebten, und die liebste war mir ein unerwartetes Wiedersehen in einer von den vielen gekachelten, unmenschlichen Fußgänger-Unterführungen, wo wir aufeinander zuliefen und uns vor einer Treppe befanden, über der stand: ›Nur zum Central Island‹ (in London gibt es tatsächlich so eine), und lachend sprangen wir die Stufen hinauf, beflügelt und herrlich beschwingt. In weniger schwachen Momenten bedauerte ich es, daß wir nicht mehr Sonnenuntergänge gesehen hatten, nicht mehr Zigaretten-Reklameschilder oder sonst irgend etwas, denn in der Erinnerung wurden all die Begegnungen zu einem einzigen langen, ununterbrochenen Liebesakt, ohne die Nüchternheit dazwischenliegender Dinge, die diese Glanzpunkte noch mehr hervorgehoben hätten. Die Tage, die

Nächte mit ihm schienen in eine lange, schöne Nacht verschmolzen, aber eben nur in eine einzige, anstatt sich über die siebzehn Begegnungen zu verteilen, die der Wirklichkeit entsprachen. Ach, diese entschwundenen Glanzpunkte! Einmal war ich so überzeugt, er sei ins Zimmer getreten, daß ich einen Schnitz von der Apfelsine abriß, die ich gerade geschält hatte, und sie ihm reichen wollte.

Doch aus dem andern Zimmer hörte ich die tiefe, ruhige Stimme des Vaters der Kinder, der ihnen mit aller Einbildung eines Dogmen vortragenden Vaters Kenntnisse beibrachte, und ich schauderte vor dem Abgrund an Gift, der uns trennte, während wir doch einmal zu lieben vorgegeben hatten. Geschundene Liebe! Dann übertrug sich etwas von dem Gefühl, das ich gegen meinen Mann hegte, auf meinen Geliebten, und ich redete mir ein, daß der Brief, in dem er mich zu lieben behauptete, nur Verstellung war und daß er ihn erst geschrieben hatte, als er glaubte, von mir freigekommen zu sein. Doch sowie er sich wieder gebunden sah, zog er sich zurück und bedachte mich mit der Postkarte. Ich wurde mir selber fremd. Der Haß schwoll an. Ich wünschte ihm tausend Demütigungen an den Hals. Ich heckte sogar eine Dinner-Party aus, zu der ich gehen würde, nachdem ich mich vergewissert hatte, daß auch er eingeladen war, und dann würde ich ihn die ganze Zeit schneiden. Meine Gedanken schwankten zwischen Haß und der Hoffnung auf einen Abschluß, damit ich mich von seiner Einstellung zu mir überzeugen konnte. Sogar als ich im Bus saß, brachte ich eine Reklame, auf die mein Blick fiel, sofort mit ihm in Verbindung. Da stand: ›*Nur keine Angst: Wir flikken, wir ändern, wir erneuern!*‹ Es war eine Anzeige für das Aufziehen zerrissener Perlenketten. Ich würde schon flicken – aber gründlich!

Ich kann nicht sagen, wann es anfing, denn das wäre zu genau festgelegt, und jedenfalls weiß ich es nicht. Doch die Kinder waren wieder in der Schule, und wir hatten Weihnachten überstanden, und er und ich hatten keine Weihnachtskarten ausgetauscht. Aber ich fing an, weniger streng über ihn zu denken. Im Grunde waren es törichte Gedanken. Ich hoffte, daß er kleine Freuden hatte, wie zum Beispiel: in Restaurants essen, und daß er saubere Socken hatte und Rotwein von der

Temperatur, die ihm lieb war, und sogar – ja sogar Bettfreuden mit seiner Frau. Bei diesem Gedanken mußte ich innerlich lächeln – es war das neue Lächeln, das ich entdeckt hatte. Ich erschrak jetzt beim Gedanken, in welche Gefahr er sich begeben hatte, wenn er mich besuchte. Natürlich bekämpften sich die älteren, wunden Gefühle mit den neueren. Es war, wie wenn man eine Kerze über einen Flur trägt, in dem ein starker Durchzug herrscht und wo die Aussichten, sie brennend zu erhalten, ziemlich schwach sind. Ich dachte im gleichen Augenblick an ihn und an meine Kinder; ihre kleinen Schwächen übertrug ich auf ihn: bei meinen Kindern die großartigen Lügen über ihre sportlichen Leistungen – und bei ihm das leise Schnaufen, wenn wir eine Treppe hinaufgingen und er es vor mir zu verheimlichen suchte. Der Altersunterschied zwischen uns muß ihn beunruhigt haben. Und da war es, glaube ich, daß ich ihn wirklich zu lieben begann. Sein Werben, seine Telegramme und schließlich die Trennung, ja sogar unsre Liebesspiele waren nichts im Vergleich zu diesem neuen Gefühl. Es stieg wie ein neuer Lebenssaft in mir auf, und die Tatsache, daß er keinen Anteil daran haben sollte, brachte mich oft zum Weinen! Die Versuchung, ihn anzurufen, war überwunden.

Sein Anruf kam aus heiterem Himmel. Es war einer von den Anrufen gewesen, bei denen ich immer überlegte, ob ich abheben solle oder nicht, denn meistens ließ ich es läuten. Er fragte mich, ob wir uns wiedersehen könnten und ob – er sagte es so sanft – ob meine Nerven kräftig genug wären. Ich antwortete ihm, daß meine Nerven noch nie so ruhig waren. Es war eine Freiheit, die ich mir erlauben mußte. Wir trafen uns in einem Café beim Tee. Wieder gab es Toast. Genau wie damals. Er fragte nicht, wie es mir ginge. Machte eine Bemerkung über mein gutes Aussehen. Keiner von uns erwähnte den Vorfall mit der Postkarte. Er erklärte auch nicht, welche Anwandlung ihn bewogen hatte, mich anzurufen. Vielleicht war es überhaupt keine Anwandlung. Er sprach von seiner Arbeit und wieviel er zu tun gehabt hätte, und dann erzählte er eine kleine Geschichte, wie er eine ältliche Tante zu einer Fahrt mitgenommen habe und so langsam gefahren sei, daß sie ihn gebeten habe, schneller zu fahren, denn zu Fuß wäre sie rascher hingekommen.

»Du hast dich erholt«, sagte er plötzlich. Ich blickte ihm ins Gesicht. Ich konnte sehen, daß es ihn beschäftigte.

»Ich hab's überwunden«, sagte ich, tauchte den Finger in die Zuckerschale und ließ ihn die weißen Kristalle von meinen Fingerspitzen ablecken.

Der arme Mann! Ich hätte ihm nichts anderes sagen können, er würde es nicht verstanden haben. In gewisser Weise war es so, als wäre ich mit jemand anders zusammen. Er war nicht der Mann, der die Bettdecke zurückgeschlagen und mich leergetrunken hatte und der seine Zigarrenasche zur Aufbewahrung zurückließ. Er war nur der Stellvertreter jenes andern.

»Wir könnten uns von Zeit zu Zeit treffen«, sagte er.

»Ja.« Ich muß skeptisch ausgesehen haben.

»Oder möchtest du nicht?«

»Doch – sobald dir mal danach zumute ist.« Weder freute mich der Gedanke, noch fürchtete ich mich davor. Auf das, was ich empfand, hatte es keinen Einfluß. Und nun kam es mir zum erstenmal in den Sinn, daß ich mich mein Leben lang vor Einkerkerungen gefürchtet hatte: vor der Zelle einer Nonne, vor dem Bett im Krankenhaus, vor Orten, wo man dem Selbst ohne Ablenkung gegenübertritt, ohne die Krücken von andern Leuten – doch wie ich so dasaß und ihn mit weißem Zukker fütterte, dachte ich, jetzt habe ich eine Zelle betreten, und dieser Mann kann nicht wissen, was es für mich bedeutet, ihn so zu lieben, wie ich ihn liebe, und ich kann ihn nicht damit belasten, weil er in einer andern Zelle ist und sich andern Schwierigkeiten gegenübersieht.

Die Zelle erinnerte mich an ein Kloster, und um etwas zu sagen, sprach ich von meiner Schwester, der Nonne.

»Wie geht es ihr?« fragte er. Er hatte sich oft nach ihr erkundigt. Er hatte sich für sie interessiert und mich gefragt, wie sie aussähe. Ich hatte sogar den Eindruck gehabt, als habe er mit dem Gedanken gespielt, mit ihr zu schlafen.

»Es geht ihr gut«, sagte ich. »Wir gingen einen Korridor entlang, und sie bat mich, ich solle mich umschauen und achtgeben, daß keine von den andern Schwestern in der Nähe sei, und dann hob sie ihre Röcke hoch und rutschte das Geländer hinunter.«

»Das liebe Mädchen«, sagte er. Ihm gefiel die Geschichte.

An jeder Kleinigkeit hatte er solche Freude!

Ich genoß unsern Tee. Es war einer der am wenigsten unfruchtbaren Nachmittage, den ich seit Monaten gehabt hatte, und als wir aus dem Café traten, packte er meinen Arm und sagte, wie wunderbar es wäre, wenn wir ein paar Tage zusammen wegfahren könnten. Vielleicht meinte er es wirklich so.

Aber unser Versprechen hielten wir. Wir treffen uns von Zeit zu Zeit. Man konnte sagen, alles war wieder normal. Mit normal meine ich ein Stadium, in dem ich den Mond und die Bäume bemerke und frische Spucke auf dem Bürgersteig; ich sehe fremde Menschen an, und in ihrem Gesichtsausdruck finde ich etwas von meiner eigenen Notlage; ich bin ein Teil des alltäglichen Lebens, nehme ich an. In meinem Schlafzimmer ist eine Lampe, die jedesmal, wenn ein elektrischer Zug vorbeifährt, ein trockenes Knistern hören läßt, und in der Nacht zähle ich es, denn das ist die Zeit, in der er wiederkommt. Ich meine, der richtige *Er* – nicht der Mann, der mir dann und wann am Tisch in einem Café gegenübersitzt, sondern der Mann, der irgendwo in mir wohnt. Er steigt vor meinen Augen auf – seine Beterhände, seine Zunge, die so gerne spielt, seine schlauen Augen, sein Lächeln, die Adern auf seinen Wangen, die ruhige Stimme, die vernünftig mit mir spricht. Wahrscheinlich wundert sich mancher, weshalb ich mich so mit diesen Einzelheiten seines Seins abquäle, aber ich brauche es, ich kann ihn jetzt nicht gehen lassen, denn wenn ich es tun würde, dann wäre all unser Glück und meine darauf folgende Qual (über die seine kann ich nichts aussagen) wie *nichts* in meinem Leben gewesen, und ›nichts‹ ist etwas Furchtbares, will man sich daran festhalten.

ANAÏS NIN

Die Frau in den Dünen

Louis konnte nicht schlafen. Er wälzte sich im Bett auf den Bauch, barg das Gesicht im Kopfkissen und rieb sich an den heißen Laken, als liege er auf einer Frau. Als diese Reibung jedoch die Glut in seinem Körper nur schürte, hielt er inne.

Er stieg aus dem Bett und sah auf die Uhr. Zwei Uhr nachts. Was konnte er tun, seine fiebernde Erregung zu lindern? Er verließ sein Atelier. Der Mond schien so hell, daß er die Straßen deutlich erkennen konnte. Im Ort, einem Küstendorf der Normandie, gab es zahlreiche kleine Hütten, die man für eine Nacht oder eine Woche mieten konnte. Louis wanderte ziellos umher.

Dann sah er, daß in einer Hütte Licht brannte. Sie stand abseits, im Wald. Es verwunderte ihn, daß jemand noch so spät auf war. Lautlos, der Klang seiner Schritte vom Sand verschluckt, näherte er sich. Die Jalousien waren heruntergelassen, aber nicht fest geschlossen; daher konnte er ins Zimmer hineinsehen.

Und seinem Blick bot sich eine höchst erstaunliche Szene: ein sehr breites Bett, überhäuft mit Kissen und zerwühlten Decken, als habe auf ihm bereits ein Kampf stattgefunden; ein Mann, der wie ein Pascha im Harem bequem an einem Kissenberg lehnte, gelassen und zufrieden, nackt, die Beine ausgestreckt; und eine Frau, ebenfalls nackt, von der Louis nur den Rücken sah, die sich vor diesem Pascha wand und schlängelte und so großes Vergnügen an dem fand, was sie mit ihrem Kopf zwischen seinen Beinen tat, daß ihr Hinterteil bebte und zuckte, daß sich die Muskeln ihrer Beine spannten, als mache sie sich sprungbereit.

Dann und wann legte der Mann ihr die Hand auf den Kopf, als wolle er ihrer Raserei Einhalt tun: Er versuchte, sich ihr zu entziehen. Da sprang sie jedoch behende auf und kauerte sich über sein Gesicht. Jetzt machte er keine Bewegung mehr. Sein Gesicht befand sich unmittelbar unter ihrem Geschlecht, das sie ihm, vorgebeugt und den Bauch herausgepreßt, offen darbot.

Da er sich unter ihr nicht rühren konnte, war sie es, die sich seinem Mund näherte, der sie bis jetzt noch nicht erreicht hatte. Louis sah, wie das Geschlecht des Mannes sich aufrichtete und anschwoll, wie er versuchte, sie ganz zu sich herabzuziehen. Doch sie verhielt dicht über ihm und genoß den Anblick ihres eigenen schönen Leibes, ihrer Haare und ihres Geschlechts, die seinem Mund so nahe waren.

Dann senkte sie sich langsam auf ihn nieder und beobachtete mit geneigtem Kopf, wie sein Mund zwischen ihren Beinen verschwand.

Diese Stellung behielten sie sehr lange bei. Louis befand sich in so großer Erregung, daß er das Fenster verlassen mußte. Wäre er länger geblieben, er hätte sich zu Boden werfen und sein brennendes Verlangen stillen müssen, und das wollte er nicht.

Allmählich hatte er das Gefühl, daß in jeder Hütte etwas vor sich ging, an dem er gern teilgenommen hätte. Er schritt jetzt schneller aus, verfolgt von dem Bild des Mannes und der Frau, des runden, festen Leibes der Frau, als sie sich über den Mann hockte...

Kurz darauf erreichte er die Dünen und ihre Einsamkeit. In der klaren Nacht glänzten sie wie schneeige Hügel. Hinter ihnen lag das Meer, dessen Brandung er hörte. Im weißen Mondlicht ging er weiter. Und sah eine Gestalt, die leichten und schnellen Schrittes vor ihm einhereilte. Es war eine Frau. Sie trug eine Art Cape, das der Wind wie ein Segel blähte, und schien von ihm vorwärtsgetrieben zu werden. Er würde sie niemals einholen können.

Sie eilte dem Meer zu. Er folgte ihr. Lange wanderten sie durch die schneeweißen Dünen. Am Wasser warf sie die Kleider ab und stand nackt in der Sommernacht. Sie lief in die Brandung. Louis machte es ihr nach, zog sich ebenfalls aus und warf sich ins Wasser. Da erst entdeckte sie ihn. Zunächst verhielt sie sich still. Doch als sie im Mondlicht deutlich den jungen Körper, den schönen Kopf und sein Lächeln sah, schwand ihre Angst. Er schwamm auf sie zu. Sie lächelten einander an. Sein Lächeln war sogar bei Nacht blendend; genau wie das ihre. Sie konnten kaum etwas anderes erkennen als das Lächeln und die Umrisse des vollkommen gestalteten Körpers des anderen.

Er näherte sich ihr. Sie duldete es. Plötzlich schwamm er geschickt und graziös über sie hinweg, berührte kurz ihren Körper und war vorbei.

Sie schwamm weiter, und er wiederholte das Manöver. Dann richtete sie sich auf, er tauchte und schwamm zwischen ihren Beinen hindurch. Sie lachten. Beide bewegten sich leicht und sicher im Wasser.

Er war zutiefst erregt und schwamm mit steifem Glied. Sie näherten sich einander, geduckt wie zum Kampf. Er drängte sich an sie, und sie spürte seinen straffen, gespannten Penis. Er schob ihn zwischen ihre Beine. Sie berührte ihn. Seine Hände suchten sie, liebkosten sie überall. Dann zog sie sich abermals zurück, und er mußte sie schwimmend fangen. Wieder lag sein Penis leicht zwischen ihren Beinen; dann zog er sie fester an sich und wollte in sie eindringen. Sie riß sich los und lief aus dem Wasser in die Dünen. Tropfend, vor Nässe glänzend, lachend verfolgte er sie. Die Wärme beim Laufen entzündete sein Feuer von neuem. Sie fiel in den Sand, und er warf sich auf sie.

Und dann, in dem Moment, da er sie am heftigsten begehrte, versagte plötzlich seine Kraft. Wartend lag sie da, lächelnd und feucht, doch sein Verlangen welkte dahin. Louis war verwirrt. Seit Tagen schon quälte ihn das Verlangen. Er wollte diese Frau nehmen und konnte es nicht. Er war zutiefst gedemütigt.

Seltsamerweise wurde ihr Ton zärtlich. »Wir haben viel Zeit«, sagte sie. »Geh nicht fort. Es ist schön, so.«

Ihre Wärme ging auf ihn über. Sein Verlangen kehrte nicht wieder, aber es war schön, sie zu spüren. Die Körper aneinandergeschmiegt, lagen sie da, sein Bauch auf dem ihren, sein Schamhaar das ihre reibend, ihre Brüste gegen seine Brust gedrückt, ihr Mund auf den seinen gepreßt.

Dann glitt er langsam von ihr herab, um sie zu betrachten – ihre langen, glatten Beine, ihr volles Schamhaar, ihr langes Haupthaar, ihren breiten, lächelnden Mund.

Er hockte da wie ein Buddha. Sie beugte sich vor und nahm

seinen kleinen, erschlafften Penis in den Mund. Mit einer Hand berührte sie seine Hoden, mit der anderen bewegte sie seinen Schwanz hin und her, umschloß ihn und rieb ihn sanft. Sie rutschte näher, nahm den Penis und führte ihn zwischen ihre Beine. Behutsam rieb sie ihn an ihrer Klitoris, immer wieder. Louis beobachtete ihre Hand; er dachte, wie schön sie doch sei, die den Penis hielt, als wäre er eine Blume. Sein Glied regte sich, wurde aber nicht steif genug, um in sie einzudringen.

An der Öffnung ihres Geschlechtes sah er, im Mondlicht glitzernd, die Feuchtigkeit ihres Verlangens erscheinen. Sie rieb weiter. Die zwei Körper, beide schön, beugten sich über diese köstliche Bewegung; der kleine Penis spürte die Berührung ihrer Haut, ihres heißen Fleisches, genoß die Reibung.

»Gib mir deine Zunge«, forderte sie und beugte sich vor. Ohne mit dem Reiben aufzuhören, nahm sie seine Zunge in den Mund und berührte die Spitze mit ihrer eigenen. Jedesmal, wenn der Penis ihre Klitoris berührte, berührte ihre Zunge die seine. Und Louis fühlte, wie die Wärme zwischen seiner Zunge und seinem Penis hin und her strömte.

Mit rauher Stimme verlangte sie: »Streck deine Zunge heraus, ganz weit!«

Er gehorchte. Abermals rief sie: »Ganz heraus! Ganz weit...« – wie im Fieber –, und als er gehorchte, durchzuckte ein Gefühl seinen Körper, als recke sich sein Penis der Frau entgegen, strecke sich bis in sie hinein.

Sie ließ ihren Mund offen, zwei schlanke Finger um seinen Penis gelegt, die Beine erwartungsvoll gespreizt.

Louis befand sich in höchster Erregung, das Blut jagte durch seinen Körper bis in den Penis. Der sich versteifte.

Die Frau wartete. Sie nahm sein Glied nicht sofort. Sie ließ ihn dann und wann mit seiner Zunge die ihre berühren. Sie ließ ihn hecheln wie einen läufigen Hund, sein ganzes Sein sich öffnen, sich ihr entgegenrecken. Er betrachtete den roten Mund ihres Geschlechts, offen und wartend, und plötzlich wurde er so sehr von der Heftigkeit seines Verlangens geschüttelt, daß sich sein Penis endlich ganz aufrichtete. Er warf sich, seine Zunge in ihrem Mund, auf sie und stieß kraftvoll in sie hinein.

Aber wieder vermochte er nicht zu kommen. Lange wälzten sie sich hin und her. Schließlich erhoben sie sich, nahmen ihre Kleider unter den Arm und gingen weiter. Louis' Schwanz war hart und groß, und sie freute sich an dem Anblick. Dann und wann warfen sie sich in den Sand, er nahm sie, stieß in sie hinein und verließ sie wieder, feucht und heiß. Als sie dann weitergingen, sie vor ihm her, umfing er sie mit beiden Armen und warf sie zu Boden, so daß sie auf allen vieren kauerten wie Hunde. Er kreiste in ihr, er stieß und vibrierte, er küßte sie und preßte ihre Brüste mit den Händen.

»Willst du es? Willst du es?« fragte er sie atemlos.

»Ja, gib es mir, aber mach es langsam, noch nicht kommen! So hab' ich's gern – immer und immer wieder.«

Sie war so naß und fieberheiß! Sie schritt dahin und wartete auf den Moment, da er sie in den Sand werfen und sie wieder nehmen, da er sie aufwühlen und dann verlassen würde, bevor sie gekommen war. Jedesmal neu fühlte sie seine Hände an ihrem Körper, den warmen Sand auf ihrer Haut, seinen liebkosenden Mund, den liebkosenden Wind.

Als sie dahinwanderten, nahm sie seinen aufgerichteten Penis in die Hand. Einmal hielt sie an, kniete vor ihm nieder und nahm seinen Penis in den Mund. Er stand vor ihr, den Bauch ein wenig vorgereckt. Ein anderesmal preßte er sein Glied zwischen ihre Brüste, machte aus ihnen ein Kissen für seinen Penis, hielt ihn fest und ließ ihn in dieser weichen Umarmung hin und her gleiten. Schwindelnd, bebend, atemlos von diesen Liebkosungen, schritten sie weiter.

Dann erblickten sie ein Haus und blieben stehen. Er bat sie, sich in den Büschen zu verbergen. Er wollte kommen; vorher wollte er sie nicht gehen lassen. Sie war sehr erregt, aber sie wollte sich zurückhalten und auf ihn warten.

Als er diesmal in ihr war, begann er zu zittern, bis er, wild und heftig, endlich kam. Um selber auch zur Erfüllung zu kommen, stieg sie fast auf ihn. Sie schrien gemeinsam.

Als sie sich anschließend ausruhten und rauchten, während die Morgendämmerung heraufstieg und ihre Gesichter aus dem Dunkel hob, wurde es ihnen zu kühl, und sie bedeckten sich mit ihren Kleidern. Die Frau, den Kopf von Louis abgewandt, erzählte ihm eine Geschichte.

Als sie einmal in Paris war, wurde gerade ein russischer Radikaler gehängt, der einen Diplomaten umgebracht hatte. Sie wohnte damals auf dem Montparnasse, frequentierte die Cafés und hatte den Prozeß, wie all ihre Freunde, mit leidenschaftlichem Interesse verfolgt, weil dieser Mann ein Fanatiker war, auf die Fragen, die man ihm stellte, dostojewskische Antworten gab und den Prozeß mit großer, fast religiöser Tapferkeit durchstand.

Zu jener Zeit wurden Schwerverbrecher noch hingerichtet. Gewöhnlich geschah dies bei Morgengrauen, wenn noch niemand wach war, auf einem kleinen Platz in der Nähe des Santé-Gefängnisses, wo zur Zeit der Revolution die Guillotine gestanden hatte. Und wegen der Polizeiposten konnte man nicht dicht herankommen. Gewöhnlich waren nur wenige Menschen bei diesen Hinrichtungen zugegen. Bei der des Russen jedoch, so lautete der Entschluß der Studenten und Künstler vom Montparnasse, wollten sie, da die Gefühle so aufgewühlt waren, allesamt zugegen sein. Die ganze Nacht hindurch blieben sie wach, warteten und betranken sich.

Sie selbst hatte mit ihnen zusammen gewartet, hatte sich mit ihnen betrunken und befand sich im Zustand höchster Erregung und Furcht. Zum erstenmal sollte sie einen Menschen sterben sehen. Zum erstenmal sollte sie Augenzeugin einer Szene sein, die sich während der Revolution immer und immer wieder abgespielt hatte.

Gegen Morgen begab sich die ganze Bande zu dem Platz, rückte gemeinsam so weit vor, wie es das von Polizisten gespannte Seil erlaubte. Sie selbst wurde von ganzen Wogen drängender und schiebender Menschen bis zu einer Stelle getragen, die ungefähr zehn Meter vom Blutgerüst entfernt war.

Dort stand sie, gegen das Seil gepreßt, und beobachtete alles mit fasziniertem Entsetzen. Dann wurde sie von der Menge von ihrem Platz verdrängt. Auf Zehenspitzen konnte sie jedoch immer noch etwas sehen. Die Leute keilten sie von allen Seiten her ein. Der Gefangene wurde mit verbundenen Augen herbeigeführt. Wartend stand der Henker da. Zwei Polizisten hielten den Mann gepackt und geleiteten ihn langsam die Stufen zum Schafott empor.

In diesem Moment spürte sie, daß jemand sich weit heftiger

an sie preßte als notwendig. In ihrer zitternden Erregung empfand sie den Druck nicht einmal als unangenehm. Ihr ganzer Körper war aufgewühlt. Außerdem konnte sie sich kaum rühren, so eingezwängt war sie von der Menge der Neugierigen.

Sie trug eine weiße Bluse und einen Rock, der, wie es der damaligen Mode entsprach, seitlich von oben bis unten durchgeknöpft war – einen kurzen Rock und eine Bluse, durch die man ihre rosa Wäsche sehen und die Form ihrer Brüste erahnen konnte.

Zwei Hände umspannten ihre Taille, sie fühlte deutlich den Körper eines Mannes und spürte sein hartes, steifes Begehren an ihrem Gesäß. Sie hielt den Atem an. Ihr Blick war fest auf den Mann geheftet, der gleich gehängt werden sollte, und das machte ihren Körper auf schmerzhafte Weise nervös. Gleichzeitig griffen Hände nach ihren Brüsten und preßten sie.

Einander widerstreitende Gefühle machten sie schwindlig. Sie rührte sich nicht, wandte auch nicht den Kopf. Jetzt tastete eine Hand nach der Öffnung ihres Rockes und fand die Knöpfe. Bei jedem Knopf, den die Hand öffnete, keuchte sie auf vor Angst und Erleichterung. Die Hand wartete, um zu sehen, ob sie protestierte, dann machte sie sich am nächsten Knopf zu schaffen. Sie selbst regte sich nicht.

Dann schoben beide Hände mit einer Geschicklichkeit und Geschwindigkeit, die sie nicht erwartet hätte, ihren Rock so herum, daß sich die Öffnung hinten befand. Inmitten dieser wogenden Menge fühlte sie jetzt nichts mehr als den Penis, der sich langsam durch den Schlitz ihres Rockes schob.

Ihr Blick blieb auf den Mann gerichtet, der das Schafott erklomm, und der Penis gewann mit jedem Schlag ihres Herzens ein wenig mehr Boden. Er hatte sich durch den Rock geschoben und teilte nunmehr den Schlitz ihres Höschens. Wie warm und fest und hart er an ihrem Fleisch war! Der Verurteilte stand auf dem Schafott; die Schlinge wurde ihm um den Hals gelegt. Der Schmerz, den sein Anblick auslöste, war so stark, daß die fleischliche Berührung eine Erleichterung war, etwas Warmes, Tröstendes. Ihr schien, daß dieser Penis, der zwischen ihren Gesäßhälften pulsierte, etwas ganz Wunderbares war, das man festhalten mußte, das Leben, das Leben, das sie festhalten mußte, während sie vom Tod gestreift wurde...

Ohne ein Wort legte der Russe den Kopf in die Schlinge. Ihr Körper erbebte. Der Penis schob sich tiefer zwischen die weichen Falten ihrer Gesäßbacken, drängte unaufhaltsam in ihr Fleisch.

Sie zitterte vor Angst, aber es war das Zittern des Begehrens. Als der Verurteilte ins Leere und in den Tod stürzte, begann der Penis in ihr heftig zu zucken und spie sein warmes Leben aus.

Die Menge preßte den Mann gegen sie. Sie hatte fast aufgehört zu atmen, und als ihre Angst sich in Glück verwandelte – ungezügeltes Glück darüber, das Leben zu spüren, während ein Mensch starb –, wurde sie ohnmächtig.

Nach dieser Geschichte schlummerte Louis ein. Als er erwachte, erfüllt von sinnlichen Träumen, vibrierend unter einer imaginären Umarmung, sah er, daß die Frau fort war. Er vermochte ihren Spuren im Sand zu folgen; nach einer Weile aber verschwanden sie in dem bewaldeten Teil, der zu den Hütten führte, und so hatte er sie wieder verloren.

JILL VANDEVILLE

Premiere

Mittelpunkt einer Welt bin ich und groß genug, mir einen Nächsten zu wählen. Ich liege im Bett. Mein Körper ist luxuriös wie nie zuvor. Taumelnd vor Gier zittern meine Augenlider, meine Ohren zeichnen nur noch Rauschen auf, ganz leer ist mein Kopf.

Unter meiner Kopfhaut kleine Explosionen, kitzlig, schwindlig, ganz warm. Ich kann kaum atmen. Goldstaub bin ich, Purpur, Seide, Lava. Meine Haut macht mich noch verrückt.

Das ist Wonne. So ein schönes Wort: ein großer Beutel, feucht und bis oben gefüllt mit Leckereien, Wärme und Schlamm. Diese Wonne ist großzügig und voller Begabung.

Ich will ihn haben, seit Wochen will ich ihn haben, o Mann, wie ich ihn will. Ich halte es nicht mehr aus und werde doch kein Wort sprechen.

Ganz leicht breite ich die Beine. Zutritt erlaubt. Nein, erwünscht.

Von Ferne Badezimmergeräusche. Wenn jetzt das Wasser sehr lange läuft, heißt es, daß er sich duscht. Heißt es, daß er sich schön macht. Heißt es, daß es Wonne sein wird.

Wenn das Wasser läuft, immer weiter läuft, bedeutet es, daß auch er mich will. Vielleicht seift er gerade seine Haut ein. Diese träge glänzende Goldhaut. Weißer Seifenschaum auf einem hellbraunen mageren Körper. Hinrennen möchte ich am liebsten, schwesterlich das Handtuch reichen und schräge, schräge Blicke werfen.

Das Wasser läuft immer noch. Das ist das Zeichen. Das Gottesurteil. Das gute Omen. Jetzt Stille, jetzt trocknet er die Goldhaut. Gut, daß das Wasser solang lief. Gut, daß wir allein in der Wohnung sind. Sehr gut, daß er die gute Angewohnheit hat, mir jede Nacht eine gute Nacht zu wünschen.

Leise kommt er in mein abgedunkeltes Zimmer: Schläfst du schon? Ich maunze zurück, blinzel ein wenig und stelle mich unschuldig. Jetzt kniet er am Bettrand: Gute Nacht, wollte ich dir noch sagen. Ich stelle das Atmen ein. Wir sind höchstens noch eine Handbreit voneinander entfernt, eine dünne Decke markiert die Grenzen zwischen Schicklichkeit und Wonne. Sie rutscht – vor Dankbarkeit jubel ich fast laut: du gute Decke, du verständnisvolle Decke, du zufällig rutschende Decke.

Unsere Hitze trifft sich. Seine Lippen sind weich und schmecken nach Zigarette und Zahnpasta. Wir reiben unsere Körper aneinander, unsere Hände wären zu klein für soviel Luxus. Die gesamte Haut auf einmal spüren will ich: am Hintern ist sie kühler als an den Oberschenkeln, ein wenig feucht am Bauch. Seidenweich sind seine Schamhaare und niedlich gelockt. Die Brusthaare fühlen sich borstig und frech an.

Die unerhörte Unmöglichkeit geschieht. Meine Nackenhaare spreizen sich wollüstig und schockiert. Versteht sich, daß die Beine nachziehen. Ein bißchen vögeln wir. Ich bin ganz heiß und ganz undramatisch und kichere und sage Hallo. Und er antwortet Hallo und kichert. Wir sind ja so intim miteinander! Schweiß auf der Haut. Um so besser gleiten wir umeinander. So heiß! So feucht! So schwül ist meine Möse – wie ein Dschungel an einem Tropenabend. Seine Zungenspitze zwischen meinen Schamhaaren, zwischen vielen Falten, wo meine Lust, meine Wonne beherbergt sind. Mal ist sein Lecken schüchtern und auf der Hut. Dann wird er karnevalistisch und taucht hinein ins Vergnügen. Dann oberlehrerhaft gleichmäßig und glättend. Jetzt werbend und genießerisch. Uns mundet es ungemein. Ich schnuppere zwischen seinen Schenkeln. Ja – vielleicht salzig, auch ein wenig mösig, ein Geruch mit Stil und auf jeden Fall geschlechtlich und immer wieder lecker und erregend. Sein Glied ist pfiffig, braunrosa. Und ganz und gar da – uns zur Wonne. Meine Clit läßt schwesterlich grüßen.

Selbstverliebte Selbstvergessenheit, die Augen tasten umher, in den Ohren wird gesungen, meine Nase wie eine Zunge und meine Zunge wie ein Blick.

Das Vögeln: ein rauschender Ball. Walzer und Tango und unser Geruch ist Champagner und mehr.

Das Lecken: Apocalypse Frau.

Mein Lover, meine Goldhaut, meine Wonne. Unendliche Gunst erweisen wir uns, und ich frohlocke.

MARY MCCARTHY

Dottie

Ganz zu Anfang, im dunklen Treppenhaus, war Dottie recht sonderbar zumute. Da schlich sie nun, erst zwei Tage nach Kays Hochzeit, zu einem Zimmer hinauf, das ausgerechnet Haralds ehemaligem Zimmer gegenüberlag, wo mit Kay das gleiche passiert war. Ein beklemmendes Gefühl – wie früher, wenn die Clique zur gleichen Zeit ihre Tage bekam. Man wurde sich auf das eigentümlichste seiner Weiblichkeit bewußt, die wie die Gezeiten des Meeres der Mond regierte. Seltsame, belanglose Gedanken gingen Dottie durch den Kopf, als der Türschlüssel sich im Schloß bewegte und sie sich zum erstenmal allein mit einem Mann in dessen Wohnung befand. Heute war Mittsommernacht, die Nacht der Sonnenwende, da die Mädchen ihr höchstes Gut darbrachten, damit es reiche Ernte gebe. Das wußte sie von ihren folkloristischen Studien für den ›Sommernachtstraum‹. Ihr Shakespeare-Lehrer war sehr an Anthropologie interessiert. Die Mädchen mußten im ›Frazer‹ über die alten Fruchtbarkeitsriten nachlesen, und daß in Europa die Bauern noch bis vor kurzem zu Ehren der Kornjungfrau große Feuer anzündeten und sich dann in den Feldern paarten. Das College, dachte Dottie, als die Lampe anging, war fast zu reich an Eindrücken. Sie fühlte sich vollgepfropft mit interessanten Gedanken, die sie nur Mama, aber keinesfalls einem Mann mitteilen konnte. Der hielte einen wahrscheinlich für verrückt, würde man ihm, wenn man gerade seine Jungfrauenschaft verlieren sollte, von der Kornjungfrau erzählen. Selbst die Clique würde lachen, wenn Dottie gestand, daß sie ausgerechnet jetzt Lust auf ein langes, gemütliches Gespräch mit Dick hatte, der so wahnsinnig attraktiv und unglücklich war und so viel zu geben hatte.

Freilich würde die Clique nie im Leben glauben, daß sie, Dottie Renfrew, jemals hierhergekommen sei, in ein Dachzimmer, das nach Bratfett roch, zu einem Mann, den sie kaum kannte, der kein Hehl aus seinen Absichten machte, der mächtig getrunken hatte und sie ganz offensichtlich nicht liebte. So kraß ausgedrückt, konnte sie es selbst kaum glauben, und der Teil ihres Ichs, der ein Gespräch wünschte, erhoffte wohl immer noch Aufschub, wie beim Zahnarzt, wo sie sich jedesmal über alles mögliche unterhielt, um den Bohrer noch einmal abzuwehren. Dotties Grübchen zuckte. Was für ein verrückter Vergleich! Wenn die Clique das hören könnte!

Und dennoch, als *es* geschah, war es gar nicht so, wie die Clique oder selbst Mama es sich vorgestellt hätten, überhaupt nicht schmierig oder unästhetisch, obwohl Dick betrunken war. Er war äußerst rücksichtsvoll, entkleidete sie langsam und sachlich, als nehme er ihr nur den Mantel ab. Er tat ihren Hut und Pelz in den Schrank und machte dann das Kleid auf. Der konzentrierte Ernst, den er den Druckknöpfen widmete, erinnerte sie an Papa, wenn er Mama für eine Party zuhakte. Sorgfältig zog er ihr das Kleid über den Kopf, musterte erst das Firmenetikett und dann Dottie, ob sie auch zueinander paßten, ehe er es, gemessenen Schritts, zum Schrank trug und sorgfältig auf einen Bügel hängte. Danach faltete er jedes weitere Kleidungsstück zusammen, legte es umständlich auf den Sessel und besah sich dabei jedesmal stirnrunzelnd das Firmenetikett. Als sie ohne Kleid dastand, wurde ihr sekundenlang etwas flau, aber er beließ ihr das Unterkleid, genau wie beim Arzt, während er ihr Schuhe und Strümpfe auszog und Büstenhalter, Hüftgürtel und Hemdhose öffnete, so daß sie, als er ihr mit größter Sorgfalt, um ihre Frisur nicht zu zerstören, das Unterkleid über den Kopf zog, schließlich, nur mit ihren Perlen bekleidet vor ihm stehend, kaum noch zitterte. Vielleicht war Dottie deshalb so tapfer, weil sie so oft zum Arzt ging oder weil Dick sich so unbeteiligt und unpersönlich verhielt, wie man es angeblich gegenüber einem Aktmodell in der Malschule tat. Er hatte sie, während er sie auszog, überhaupt nicht berührt, nur einmal versehentlich gekratzt. Dann kniff er sie leicht in jede ihrer vollen Brüste und forderte sie auf, sich zu entspannen, im selben Ton wie Dr. Perry, wenn er ihre Ischias behandelte.

Er gab ihr ein Buch mit Zeichnungen und verschwand in der Kammer, und Dottie saß im Sessel und bemühte sich, nicht zu lauschen. Das Buch auf dem Schoß, betrachtete sie eingehend das Zimmer, um mehr über Dick zu erfahren. Zimmer konnten einem eine Menge über einen Menschen erzählen. Dieses hatte ein Oberlicht und ein großes Nordfenster, für ein Männerzimmer war es ungemein ordentlich; da war ein Zeichenbrett mit einer Arbeit, die sie brennend gern angesehen hätte, da war ein einfacher langer Tisch, der aussah wie ein Bügeltisch, an den Fenstern hingen braune Wollvorhänge, auf dem schmalen Bett lag eine braune Wolldecke. Auf der Kommode stand die gerahmte Fotografie einer blonden, auffallenden Frau mit kurzem strengem Haarschnitt; wahrscheinlich Betty, die ›Gattin‹. Ein Foto, vermutlich Betty im Badeanzug, sowie einige Aktzeichnungen waren mit Reißzwecken an der Wand befestigt. Dottie hatte das bedrückende Gefühl, daß sie ebenfalls Betty darstellten. Sie hatte sich bisher alle Mühe gegeben, nicht an Liebe zu denken und kühl und unbeteiligt zu bleiben, weil sie wußte, daß Dick das nicht haben wollte. Es war rein körperliche Anziehung, hatte sie sich immer wieder vorgesagt, im Bemühen, trotz ihres Herzklopfens kühl und beherrscht zu bleiben, aber jetzt plötzlich, als sie nicht mehr zurück konnte, war es um ihre Kaltblütigkeit geschehen, und sie war eifersüchtig. Schlimmer noch, ihr kam sogar der Gedanke, Dick sei vielleicht *pervers*. Sie schlug das Buch auf ihrem Schoß auf und sah wieder Akte vor sich, von einem ihr völlig unbekannten modernen Künstler. Was sie erwartet hatte, wußte sie nicht, aber als Dick in diesem Augenblick zurückkam, war es verhältnismäßig weniger schlimm.

Er kam in kurzen weißen Unterhosen, hatte ein Handtuch mit eingewebtem Hotelnamen in der Hand, schlug die Bettdecke zurück und breitete es über das Laken. Er nahm ihr das Buch fort und legte es auf einen Tisch. Dann hieß er Dottie, sich auf das Handtuch legen, forderte sie wieder mit freundlicher, dozierender Stimme auf, sich zu entspannen; während er eine Minute lang, die Hände in die Hüften gestützt, dastand und lächelnd auf sie hinunterblickte, bemühte sie sich, natürlich zu atmen, dachte an ihre gute Figur und rang sich ein dünnes Lächeln ab. »*Es wird nichts geschehen, was du nicht willst, Baby.*« Die sanfte Nachdrücklichkeit, mit der die Worte gesprochen wurden, verrieten ihr, wie angstvoll und mißtrauisch sie wohl aussah. »Ich weiß, Dick«, erwiderte sie mit einer kleinen, schwachen, dankbaren Stimme und zwang sich, seinen Namen zum erstenmal auszusprechen. »Möchtest du eine Zigarette?« Dottie schüttelte den Kopf und ließ ihn auf das Kissen zurückfallen. »Also dann?« – »Ja. Gut.« Als er zum Lichtschalter ging, durchzuckte sie wieder dort unten das erregende Pochen, wie schon im italienischen Restaurant, als er sie fragte: »Willst du mit mir nach Hause kommen?« und dabei seinen tiefen, verhangenen Blick auf sie heftete. Jetzt wandte er sich um und sah sie, die Hand am Schalter, wieder unverwandt an; ihre Augen weiteten sich vor Staunen über das merkwürdige Gefühl, das sie an sich wahrnahm: als stünde die Stelle dort im Schutz ihrer Schenkel in Flammen. Sie starrte ihn, Bestätigung heischend, an; sie schluckte. Als Antwort löschte er das Licht und kam, seine Unterhose aufknöpfend, im Dunkel auf sie zu. Diese Wendung setzte sie einen Augenblick lang in Angst. Sie hatte niemals diesen Teil des männlichen Körpers gesehen, außer an Statuen und einmal, mit sechs Jahren, als sie unverhofft Papa in der Badewanne erblickt hatte, doch sie hegte den Verdacht, es sei etwas Häßliches, dunkelrot Entzündetes, von borstigen Haaren umgeben. Darum war sie dankbar, daß ihr dieser Anblick erspart wurde; sie hätte ihn, meinte sie, nicht ertragen können, und hielt, zurückzuckend, den Atem an, als sie den fremden Körper über sich spürte. »Tu die Beine auseinander«, befahl er; gehorsam öffnete sie ihre Schenkel. Seine Hand drückte sie da unten, reibend und streichelnd; ihre Schenkel öffneten sich immer weiter, und sie gab jetzt schwache stöhnende Laute von sich, fast als wollte sie, daß er aufhöre. Er nahm seine Hand fort, Gott sei Dank, und fummelte einen Augenblick herum. Dann fühlte sie, wie das Ding, vor dem sie sich so fürchtete, in sie eindrang; gleichzeitig verkrampfte sie sich in Abwehr. »Mach dich locker«, flüsterte er. »Du bist soweit.« Es war erstaunlich warm und glatt, aber sein Stoßen und Stechen tat fürchterlich weh. »Verdammt«, sagte er, »sei locker. Du machst es ja nur schwerer.« In diesem Augenblick schrie Dottie leise auf; es war ganz in sie eingedrungen. Er hielt ihr den Mund zu, legte ihre Beine um sich und bewegte es in ihr hin und her. Anfangs tat es so weh, daß sie bei jedem Stoß zusammenzuckte und sich ihm zu entwinden suchte, aber das machte ihn anscheinend nur um so entschlossener. Dann, o Wunder, während sie noch betete, daß es bald vorüber sein möge, fand sie ein gewisses Gefallen daran. Sie begriff, worauf es ankam, auch ihr Körper antwortete jetzt den Bewegungen Dicks, der es langsam und immer wieder in sie hineinstieß und langsam wieder zurückzog, als wiederhole er eine Frage. Ihr Atem ging schneller. Jede neue Berührung, wie das Ritardando eines Geigenbogens, steigerte ihre Lust auf die kommende. Dann, plötzlich, meinte sie, in einem Anfall von anhaltenden krampfartigen Zuckungen zu vergehen, was sie, kaum war es vorbei, so verlegen machte wie ein Schluckauf. Denn es war, als habe sie den Menschen Dick völlig vergessen. Und er, als hätte er es gemerkt, ließ von ihr ab und preßte dann jenes Ding auf ihren Bauch, gegen den es schlug und stieß. Dann zuckte auch er stöhnend zusammen, und Dottie fühlte etwas Klebrig-Feuchtes an ihrem Leib herabrinnen.

Minuten vergingen. Im Zimmer war es ganz still. Durch das Oberlicht konnte Dottie den Mond sehen. Sie lag da, Dicks Last noch immer auf sich; wahrscheinlich war etwas schiefgegangen – vermutlich ihre Schuld. Sein Gesicht war abgewandt, so daß sie es nicht sehen konnte. Sein Oberkörper quetschte ihr so sehr die Brüste, daß sie kaum Luft bekam. Ihre beiden Körper waren naß, sein kalter Schweiß tropfte auf ihr Gesicht, klebte ihr die Haare an die Schläfen und rann wie ein Bächlein zwischen ihren Brüsten; er brannte salzig auf ihren Lippen und erinnerte sie trostlos an Tränen. Sie schämte sich der Seligkeit, die sie empfunden hatte. Offensichtlich war sie ihm nicht die richtige Partnerin gewesen, sonst würde er irgend etwas sagen. Vielleicht durfte die Frau sich dabei nicht bewegen? »Verdammt«, hatte er gesagt, als er ihr weh tat, in einem so ärgerlichen Ton, wie ein Mann, der sagt: »Verdammt, warum können wir nicht pünktlich essen?« oder etwas ähnlich Unromantisches. Hatte etwa ihr Aufschrei alles verdorben? Oder hatte sie am Schluß irgendwie einen Fauxpas gemacht? Wenn Bücher doch bloß etwas ausführlicher wären; Krafft-Ebing, den Kay und Helena antiquarisch gekauft hatten und aus dem sie ständig vorlasen, als wäre es besonders komisch, beschrieb nur Scheußlichkeiten, wie Männer, die es mit Hennen treiben, und erklärte selbst dann nicht, wie es gemacht wurde. Der Gedanke an die Blondine auf der Kommode erfüllte sie mit hoffnungslosem Neid; wahrscheinlich stellte Dick jetzt gerade schlimme Vergleiche an. Sie spürte seinen Atem und roch den schalen Alkoholdunst, den er stoßweise verströmte. Im Bett roch es merkwürdig penetrant, sie fürchtete, sie sei daran schuld. Ihr kam der gräßliche Gedanke, daß Dick eingeschlafen sei; sie machte ein paar zaghafte Bewegungen, um sich von seinem Gewicht zu befreien. Die feuchte Haut ihrer aneinanderklebenden Körper machte ein leise schmatzendes Geräusch, als sie sich von ihm löste, aber es gelang ihr nicht, ihn abzuwälzen. Da wußte sie, daß er schlief. Wahrscheinlich war er müde, sagte sie sich zu seiner Entschuldigung; er hatte ja so dunkle Schatten um die Augen. Aber im Herzen wußte sie, daß er nicht wie ein Zentner Backsteine auf ihr hätte einschlafen dürfen; es war der endgültige Beweis – sofern es noch eines solchen bedurfte –, daß sie ihm nicht das geringste bedeutete. Wenn er morgen früh beim Aufwachen entdeckte, daß sie verschwunden war, würde er vermutlich heilfroh sein. Oder vielleicht erinnerte er sich dann nicht einmal, wer bei ihm gewesen war; sie ahnte nicht, was er alles getrunken hatte, ehe er sich mit ihr zum Essen traf. Wahrscheinlich war er einfach sternhagelbetrunken. Es gab für sie nur eine Möglichkeit, sich nicht noch mehr zu vergeben, nämlich sich im Dunkeln anzuziehen und heimlich zu verschwinden. Aber vorher mußte sie in dem unbeleuchteten Gang das Badezimmer finden. Dick fing an zu schnarchen, die klebrige Flüssigkeit überzog wie eine Kruste ihren Bauch; sie konnte unmöglich in den Vassar-Club zurückkehren, ohne das vorher abzuwaschen. Dann durchfuhr sie ein Gedanke, der fast schlimmer war als alles andere. Wenn er nun einen Erguß gehabt hätte, während er noch in ihr war? Oder wenn er eins von diesen Gummidingern benutzt hatte und es zerrissen wäre, als sie zuckte, und er darum sich so schnell aus ihr zurückgezogen hatte? Sie wußte vom Hörensagen, daß die Gummidinger reißen oder undicht sein können, daß eine Frau von einem einzigen Tropfen schwanger werden kann. Entschlossen wand und stemmte Dottie sich, um sich endlich zu befreien, bis Dick den Kopf hob und sie, ohne sie zu erkennen, im Mondlicht anstarrte. Es stimmt also, dachte Dottie unglücklich. Er war einfach eingeschlafen und hatte sie vergessen. Sie wollte aus dem Bett schlüpfen.

Dick setzte sich auf und rieb die Augen. »Ach, du bist es, Boston«, murmelte er undeutlich und legte den Arm um ihre Taille. »Verzeih, daß ich eingeschlafen bin.« Er erhob sich und knipste die Stehlampe an. Dottie bedeckte sich hastig mit dem Leinentuch und wandte ihr Gesicht ab, denn sie hatte immer noch Hemmungen, ihn splitternackt zu sehen. »Ich muß nach Hause, Dick«, sagte sie kleinlaut und blickte verstohlen auf ihre Wäsche, die gefaltet auf dem Sessel lag. *»Mußt du?«* fragte er in spöttischem Ton. Sie konnte sich vorstellen, wie seine rötlichen Augenbrauen hochschnellten. »Du brauchst dich nicht erst anzuziehen und mich hinunterzubringen«, fuhr sie rasch und bestimmt fort und starrte dabei auf seine schönen nackten Füße. Breitbeinig stand er auf dem Teppich. Er bückte sich nach der Unterhose, und sie sah zu, wie er hineinstieg. Dann hob sie langsam die Augen und traf seinen forschenden Blick. »Was ist los, Boston?« fragte er freundlich. »Mädchen laufen doch in ihrer ersten Nacht nicht nach Hause. Hat's dir sehr weh getan?« Dottie schüttelte den Kopf. »Blutest du?« wollte er wissen. »Komm, laß mich nachschauen.« Er hob sie hoch, schob sie an das Bettende, das Leintuch glitt mit, auf dem Handtuch war ein kleiner Blutfleck. »Das allerblaueste«, sagte er, »aber nur eine ganze Kleinigkeit. Betty blutete wie ein Schwein.« Dottie schwieg. »Heraus mit der Sprache, Boston«, rief er und wies mit dem Daumen auf die gerahmte Fotografie. »Verdirbt etwa *sie* dir die Laune?« Dottie machte eine tapfere verneinende Bewegung. Etwas aber *mußte* sie sagen. »Dick« – sie schloß vor Scham die Augen –, »meinst du, ich müßte eine Spülung machen?« – »Eine Spülung?« fragte er verständnislos. »Aber warum denn? Wozu?« – »Nun, falls du... du weißt doch... Empfängnisverhütung«, murmelte Dottie. Dick starrte sie an und lachte dann plötzlich aus vollem Halse. Er ließ sich auf einen Stuhl fallen und warf den schönen Kopf in den Nacken. »Mein liebes Kind«, sagte er, »wir wandten soeben die älteste Form der Empfängnisverhütung an. Coitus interruptus nannten es die alten Römer, und es ist wirklich verdammt unangenehm.« – »Ich dachte nur...« sagte Dottie. »Denke nicht! Was dachtest du? Ich verspreche dir, kein einziges Sperma schwimmt hinauf, um dein untadeliges Ovum zu befruchten. Wie bei dem Mann in der Bibel ergoß sich mein Samen auf die Erde oder vielmehr auf deinen wunderhübschen

Bauch.« Mit einer raschen Bewegung zog er, ehe sie ihn hindern konnte, das Leinentuch von ihr fort. »Jetzt«, befahl er, »enthülle deine Gedanken.« Dottie schüttelte den Kopf und errötete. Nichts in der Welt hätte sie dazu bewegen können, denn die Wörter machten sie schrecklich verlegen. Sie war schon an den Worten ›Spülung‹ und ›Empfängnisverhütung‹ fast erstickt. »Wir müssen dich säubern«, bestimmte er nach sekundenlangem Schweigen. Er schlüpfte in Schlafrock und Hausschuhe und verschwand im Badezimmer. Es schien ihr geraume Zeit zu dauern, bis er mit einem feuchten Handtuch zurückkam und ihr den Bauch wusch. Dann trocknete er sie ab, indem er sie mit dem trockenen Ende des Tuches kräftig rubbelte, und setzte sich neben sie aufs Bett. Er selbst wirkte viel frischer, als habe er sich gewaschen, und roch nach Mundwasser und Zahnpulver. Er steckte zwei Zigaretten an, gab ihr eine und stellte den Aschenbecher zwischen sie.

»Du bist gekommen, Boston«, bemerkte er im Ton eines zufriedenen Lehrers. Dottie sah ihn unsicher an. Meinte er etwa das, woran sie nur ungern dachte? »Wie bitte?« murmelte sie. »Das heißt, daß du einen Orgasmus gehabt hast.« Aus Dotties Kehle erklang ein noch immer fragender Laut. Sie war ziemlich sicher, daß sie begriff, was er meinte, aber die neue Vokabel verwirrte sie. »Eine Klimax«, ergänzte er in schärferem Ton. »Bringt man euch das Wort in Vassar bei?« – »Ach«, sagte Dottie, fast enttäuscht, daß es nichts anderes sei, »war das . . .?« Sie brachte die Frage nicht zu Ende. »Das war's.« Er nickte. »Soweit ich es beurteilen kann.« – »Das ist also normal?« wollte sie wissen und fühlte sich bereits viel wohler. Dick zuckte die Achseln. »Nicht für Mädchen mit deiner Erziehung. Jedenfalls nicht beim erstenmal. Obgleich man dir's nicht ansieht, bist du wohl sehr sinnlich.«

Dottie errötete noch mehr. Laut Kay war eine Klimax etwas sehr Ungewöhnliches, etwas, was der Ehemann nur durch sorgfältiges Eingehen auf die Wünsche der Frau und durch geduldige manuelle Stimulation zuwege brachte. Schon die bloße Terminologie ließ Dottie schaudern. In Krafft-Ebing gab es eine scheußliche Stelle, ganz auf lateinisch, über die Kaiserin Maria Theresia und den Rat des Hofarztes an den Prinzgemahl, die Dottie überflogen hatte und so schnell wie möglich zu vergessen suchte. Aber selbst Mama deutete an, daß Befriedigung etwas sei, was sich erst nach langer Zeit und Erfahrung einstelle, und daß die Liebe dabei eine entscheidende Rolle spiele. Aber wenn Mama über Befriedigung sprach, war nicht genau zu ersehen, was sie damit meinte, und auch Kay drückte sich nicht klar aus, wenn sie nicht gerade aus Büchern zitierte. Polly Andrews hatte sie einmal gefragt, ob es dasselbe leidenschaftliche Gefühl sei, wie wenn man sich abküßte (damals war Polly verlobt), und Kay hatte gesagt: Ja, es sei ziemlich dasselbe. Aber jetzt glaubte Dottie, daß Kay sich geirrt hatte oder Polly aus irgendeinem Grund nicht die Wahrheit sagen wollte. Dottie hatte sehr häufig ähnliche Gefühle gehabt, wenn sie mit jemand schrecklich Attraktivem tanzte, aber das war etwas ganz anderes als das, was Dick meinte. Fast schien es, als rede Kay wie der Blinde von der Farbe. Oder als meinten Kay und Mama etwas völlig anderes, und diese Sache mit Dick war anormal. Und doch wirkte er so zufrieden, wie er dasaß und Rauchringe blies. Wahrscheinlich wußte er, weil er so lange im Ausland gelebt hatte, mehr als Mama und Kay.

»Worüber grübelst du jetzt nach, Boston?« Dottie fuhr zusammen. »Wenn eine Frau sehr sinnlich ist«, bemerkte er sanft, »so ist das großartig. Du mußt dich deshalb nicht schämen.« Er nahm ihr die Zigarette ab, drückte sie aus und legte seine Hände auf ihre Schultern. »Komm«, sagte er, »was du jetzt empfindest, ist ganz natürlich. ›Post coitum omne animal triste‹, wie der römische Dichter sagt.« Er ließ seine Hand über die Rundung ihrer Schulter hinabgleiten und berührte leicht ihre Brustwarze. »Dein Körper hat dich heute abend in Erstaunen gesetzt. Du mußt ihn kennenlernen.« Dottie nickte. »Weich«, murmelte er und drückte die Warze zwischen Daumen und Zeigefinger. »Detumeszenz, das ist es, was du im Augenblick durchmachst.« Dottie hielt fasziniert den Atem an, alle Zweifel verflogen. Als er fortfuhr, die Warze zu drücken, richtete diese sich auf. »Erektiles Gewebe«, belehrte er sie und berührte die andere Brust. »Schau«, sagte er, und beide blickten darauf. Die Brustwarzen waren hart und voll, von einer kreisförmigen Gänsehaut umgeben; auf ihrer Brust wuchsen ein paar schwarze Haare. Dottie wartete gespannt, eine große Erleichterung erfaßte sie. Das waren dieselben Ausdrücke, die

Kay aus einem Eheberater zitiert hatte. Da unten begann es abermals zu pochen. Ihre Lippen öffneten sich. Dick lächelte. »Fühlst du etwas?« Dottie nickte. »Möchtest du es noch einmal?« fragte er und betastete sie prüfend. Dottie machte sich steif und preßte die Schenkel zusammen. Sie schämte sich der heftigen Empfindung, der seine tastenden Finger auf die Spur gekommen waren. Aber er behielt die Hand dort zwischen ihren geschlossenen Schenkeln und ergriff ihre Rechte mit seiner anderen, führte sie in den auseinanderfallenden Schlafrock und drückte sie auf jenen Körperteil, der jetzt weich und schlaff und eigentlich recht herzig zusammengerollt dalag, wie eine dicke Schnecke. Er saß noch immer neben ihr und sah ihr ins Gesicht, während er sie dort unten streichelte und ihre Hand fester gegen sich drückte. »Da ist eine kleine Erhöhung«, flüsterte er. »Streichle sie.«

Dottie gehorchte staunend. Sie fühlte, wie sein Glied steifer wurde, und das gab ihr ein seltsames Machtgefühl. Sie wehrte sich gegen die Erregung, die sein kitzelnder Daumen über der Scheide hervorrief, und als sie merkte, wie er sie beobachtete, schloß sie die Augen, und ihre Schenkel öffneten sich. Er löste ihre Hand, und sie fiel keuchend hintenüber aufs Bett. Sein Daumen setzte sein Spiel fort, und sie gab sich dem willenlos hin, völlig auf einen bestimmten Höhepunkt der Erregung konzentriert, die sich jäh in einer nervösen, flatternden Zuckung entlud. Ihr Körper spannte sich, bäumte sich und lag dann still. Als seine Hand sie abermals berühren wollte, schlug sie sie sacht beiseite. »Nicht«, stöhnte sie und rollte sich auf den Bauch. Die zweite Klimax, die sie jetzt durch den Vergleich mit der ersten erkennen konnte, machte sie nervös und verwirrt. Sie war weniger beglückend, eher, als würde man unbarmherzig gekitzelt oder müßte dringend aufs Klo. »Hat dir das nicht gefallen?« fragte er und drehte ihren Kopf auf dem Kissen, so daß sie sich vor ihm nicht verstecken konnte. Der Gedanke, daß er sie beobachtete, während er *das* mit ihr tat, war ihr gräßlich. Langsam schlug Dottie die Augen auf, entschlossen, die Wahrheit zu sagen. »Das andere gefiel mir besser, Dick.« Dick lachte. »Ein nettes, normales Mädchen. Manche Mädchen mögen dies lieber.« Dottie schauderte; sie konnte zwar nicht leugnen, daß es sie erregt hatte, aber es kam ihr fast pervers vor. Es war, als errate er ihre Gedanken. »Hast du es je mit einem Mädchen gemacht, Boston?« Er packte sie am Kinn, um sie eindringlich mustern zu können. Dottie errötete. »Gott bewahre!« – »Du kommst aber wie die Feuerwehr. Wie erklärst du dir das?« Dottie schwieg. »Hast du es je mit dir selbst gemacht?« Dottie schüttelte heftig den Kopf; allein die Vorstellung verletzte sie. »In deinen Träumen?« Dottie nickte widerwillig. »Ein bißchen. Nicht bis zum Ende.« – »Üppige erotische Fantasien einer Chestnut-Street-Jungfrau«, bemerkte Dick und räkelte sich. Er stand auf, ging zur Kommode, holte zwei Pyjamas und warf einen davon Dottie zu. »Zieh ihn an und geh ins Badezimmer. Für heute nacht ist der Unterricht zu Ende.«

Nachdem sie das Badezimmer von innen verriegelt hatte, zog Dottie in Gedanken Bilanz. »Wer hätte das gedacht?« zitierte sie Pokey Prothero, als sie verdonnert in den Spiegel starrte. Ihr Gesicht mit den kräftigen Farben, den starken Augenbrauen, der langen geraden Nase und den dunkelbraunen Augen war genauso bostonisch wie immer.

Eine aus der Clique hatte einmal gesagt, Dottie sehe aus, als sei sie mit dem Doktorhut auf die Welt gekommen. Sie bemerkte jetzt selbst das Magisterhafte ihrer äußeren Erscheinung. In dem weißen Pyjama, aus dessen Kragen das kantige neuenglische Kinn ragte, erinnerte sie an einen alten Richter oder eine Amsel auf einem Zaun. Papa sagte manchmal scherzend, sie hätte Anwalt werden sollen. Und doch gab es da noch das Lachgrübchen, das in der Wange lauerte, und ihre Tanzlust und Sangesfreude – womöglich war sie eine gespaltene Persönlichkeit, ein regelrechter Doktor-Jekyll-und-Mister-Hyde! Nachdenklich spülte sich Dottie mit Dicks Mundwasser den Mund und warf zum Gurgeln den Kopf in den Nacken. Sie wischte den Lippenstift mit einem Stück Toilettenpapier ab und musterte in Gedanken an ihre empfindliche Haut ängstlich die Seife in Dicks Seifenschüssel. Sie mußte schrecklich aufpassen, aber erleichtert stellte sie fest, daß das Badezimmer peinlich sauber und mit Gebrauchsanweisungen der Zimmerwirtin tapeziert war: ›Bitte, verlassen Sie diesen Raum, wie Sie ihn vorzufinden wünschen. Danke für Ihr Verständnis.‹ – ›Bitte benutzen Sie beim Duschen den Badeteppich. Danke.‹ Die Zimmerwirtin, dachte Dottie, war wohl sehr großzügig, wenn sie nichts gegen Damenbesuch hatte. Immerhin hatte Kay hier oft ein ganzes Wochenende mit Harald verbracht.

Sie dachte nur ungern an die weiblichen Gäste, die neben der bereits erwähnten Betty Dick besucht hatten. Wie, wenn er neulich abend, nachdem die beiden sie abgesetzt hatten, Lakey hergebracht hätte? Schwer atmend stützte sie sich auf das Waschbecken und kratzte nervös ihr Kinn. Lakey, überlegte sie, hätte nicht zugelassen, was er mit *ihr* getan hatte; bei Lakey hätte er das nicht gewagt. Dieser Gedanke war jedoch zu beunruhigend, um weiter ausgesponnen zu werden. Woher wußte er eigentlich, daß *sie* es zulassen würde? Eins war merkwürdig – sie hatte die ganze Zeit den Gedanken daran verdrängt –, er hatte sie überhaupt nicht geküßt, nicht ein einzigesmal. Dafür gab es natürlich Erklärungen: Vielleicht sollte sie seine Alkoholfahne nicht merken, oder vielleicht roch sie selbst aus dem Mund ...? Nein, sagte sich Dottie, so darfst du nicht weiterdenken. Eins jedoch war sonnenklar: Dick war einmal sehr verletzt worden, von Frauen oder von einer bestimmten Frau. Das gab ihm eine Sonderstellung; jedenfalls gestand sie ihm das zu. Wenn er nun einmal keine Lust hatte, sie zu küssen, so war das *seine* Sache. Sie kämmte sich mit dem Taschenkamm das Haar und summte dazu mit ihrer warmen Altstimme: »Er ist der Mann, der eine Frau wie mi-ich braucht.« Dann tat sie einen munteren Tanzschritt und stolperte, von dem langen Pyjama etwas behindert, zur Tür. Sie schnippte mit den Fingern, als sie das Deckenlicht mittels der langen Schnur ausmachte.

Als Dottie sich dann auf dem schmalen Lager, neben dem fest schlafenden Dick, ausstreckte, schweiften ihre Gedanken wie Zugvögel zärtlich zu Mama, Jahrgang 1908. Zwar sehnte sie einen erquickenden Schlaf nach diesem sehr anstrengenden Tag herbei, aber es drängte sie auch, die Erfahrung der Nacht dem Menschen mitzuteilen, der ihr das Liebste auf der Welt war, der nie verurteilte, nie kritisierte, und der sich immer so ungeheuer für das Tun und Lassen der jungen Leute interessierte. Brennend gern hätte sie Mama den Schauplatz ihrer Einweihung beschrieben: das kahle Zimmer weit draußen in Greenwich Village, den Mondstrahl auf der braunen Wolldecke, den Zeichentisch, den Ohrensessel mit seinem adretten Bezug aus Markisenstoff, und dann natürlich Dick selbst, ein so origineller

Mensch, mit seinem nervösen, wie gemeißelten Gesicht und seinem unglaublichen Wortschatz. Die letzten drei Tage waren angefüllt mit so vielen Einzelheiten, die Mama interessieren würden: Die Hochzeit, und wie sie hinterher mit ihm und Lakey das Whitney Museum besuchten und dann zu dritt in einem ulkigen italienischen Restaurant hinter einem Billardtisch aßen und Wein aus weißen Bechern tranken; wie er und Lakey über Kunst diskutierten und wie sie dann am nächsten Tag, wieder zu dritt, in das Modern Museum gingen und in eine Ausstellung moderner Plastik, und wie Dottie nie im Leben darauf gekommen wäre, daß er überhaupt Augen für *sie* hatte, denn sie sah ja, wie fasziniert er von Lakey war (wer nicht?) und wie sie es noch immer fest glaubte, als er sich tags darauf zu Lakeys Abreise am Schiff einfand, unter dem Vorwand, ihr einige Adressen von Malern in Paris geben zu wollen. Und sogar, als er sie noch am Pier, nachdem das Schiff abgefahren war und eine gewisse Trübseligkeit sich eingestellt hatte, in dasselbe Lokal wie gestern zum Abendessen einlud (wie schwierig, es vom New Weston mit einem Taxi zu finden!), glaubte sie, sie verdanke das lediglich ihrer Freundschaft mit Lakey. Sie hatte eine Heidenangst davor gehabt, mit ihm allein zu essen, weil sie fürchtete, ihn zu langweilen. Und er war auch ziemlich schweigsam und abwesend, bis er ihr unvermittelt in die Augen sah und fragte: »Willst du mit mir nach Hause kommen?« Könnte sie jemals seinen beiläufigen Ton vergessen?

Aber wirklich staunen würde Mama darüber, daß keiner von beiden in den anderen verliebt war. Sie konnte sich förmlich hören, wie sie ihrer hübschen, helläugigen Mutter mit leiser Stimme zu erklären versuchte, daß sie und Dick auf einer völlig anderen Basis ›zusammenlebten‹. Der arme Dick verkündete sie sachlich, liebe noch immer seine geschiedene Frau, und außerdem (an dieser Stelle holte Dottie tief Luft und wappnete sich) sei er von Lakey mächtig angetan – ihrer derzeit besten Freundin. In Dotties Vorstellung riß Mama die Augen auf; die Goldlocken zitterten, während sie verständnislos den Kopf schüttelte, und Dottie wiederholte mit allem Nachdruck: ›Jawohl, Mama, ich kann es beschwören. Mächtig angetan von Lakey. Damit habe ich mich an jenem Abend abgefunden.‹ Diese Szene, die sie im Geiste probte, spielte sich in Mamas kleinem Boudoir in der Chestnut Street ab, obwohl Mama in Wirklichkeit bereits in ihr Landhaus nach Gloucester gefahren war, wo Dottie morgen oder übermorgen erwartet wurde. Die zierliche Mrs. Renfrew hatte ihr mattblaues Deux-pièces aus irischem Leinen an, die nackten Arme waren vom Golfspielen gebräunt. Dottie trug ihr weißes Sportkleid und dazu braunweiße Schuhe. Sie beendete ihren Vortrag, starrte auf ihre Zehen, spielte mit den Quetschfalten ihres Rocks und wartete gelassen darauf, was Mama nun zu sagen hätte. ›Ja, Dottie, ich verstehe. Ich glaube, ich verstehe.‹ Beide sprachen weiter, mit leiser, gleichmäßiger, wohltönender Stimme. Mama etwas mehr staccato und Dottie etwas tiefer. Die Stimmung war ernst und nachdenklich. ›Du bist sicher, Kind, daß eine Perforation des Hymen stattgefunden hat?‹ Dottie nickte nachdrücklich. Mrs. Renfrew, Tochter eines Missionsarztes, war in ihrer Jugend sehr leidend gewesen, weshalb sie sich um die physische Seite einer Sache stets besonders sorgte.

Dottie wälzte sich unruhig im Bett. ›Du fändest Mutter himmlisch‹, sagte sie im Geiste zu Dick. ›Sie ist eine schrecklich vitale Person und weitaus attraktiver als ich. Winzig, mit einer fantastischen Figur, blauen Augen und hellem Haar, das gerade erst grau wird. Ihre Krankheit wurde sie durch schiere Willenskraft los, als sie nämlich in der letzten Klasse im College Papa kennenlernte, gerade nachdem die Ärzte verlangt hatten, daß sie die Schule verließ. Weil sie der Meinung war, daß Kranke nicht heiraten dürften, wurde sie gesund. Sie hält sehr viel von der Liebe. Das tun wir alle.‹ Hier errötete Dottie und strich im Geiste die letzten Worte aus. Dick *durfte* nicht denken, daß sie ihr Verhältnis zerstöre, indem sie sich in ihn verliebte. Eine einzige derartige Bemerkung würde alles verderben. Um ihm zu zeigen, daß er hier nichts zu befürchten hatte, wäre es wohl das beste, wenn sie ihren Standpunkt ein für allemal klarstellte. ›Auch ich bin sehr religiös, Dick‹, probierte sie und lächelte, wie um sich zu entschuldigen. ›Jedoch halte ich mich für pantheistischer als die meisten Kirchgänger. Ich gehe zwar gern in Gotteshäuser, glaube aber, daß Gott überall ist. Meine Generation ist ein bißchen anders als die meiner Mutter. Wir alle empfinden, daß Liebe und Sex zweierlei sein kann. Das muß nicht so sein, es ist aber möglich. Man darf vom Sex nicht verlangen, daß er die Rolle der Liebe, und von der Liebe nicht, daß sie die Rolle des Sex übernimmt – das ist eigentlich ganz originell, nicht?‹ fügte sie mit einem kleinen, nervösen Lächeln hinzu, als sie nicht mehr weiterwußte. ›Eine der älteren Lehrerinnen sagte einmal zu Lakey, man müsse ohne Liebe leben, man müsse lernen, ohne sie auszukommen, um *mit* ihr leben zu können. Lakey war ungeheuer beeindruckt. Findest du das auch?‹ Dotties wortlose Stimme war nach und nach immer verzagter geworden, als sie dem schlafenden Mann an ihrer Seite ihre Weltanschauung vortrug.

Im Geiste hatte sie es gewagt, Lakeys Namen in Verbindung mit Liebe zu nennen, weil sie Dick beweisen wollte, daß sie auf die dunkle Schöne, wie er Lakey stets nannte, nicht eifersüchtig sei. Den Spitznamen Lakey mochte er nicht. Allerdings war Dottie aufgefallen, daß er sich immer zerstreut den Schlips zurechtzog, wenn Lakey sich zu ihm wandte, wie jemand, der sich unerwartet in einem Spiegel sieht, und daß er mit ihr immer ernst war, weder spöttisch noch giftig, auch wenn sie seine Meinung über Kunstfragen nicht teilte. Und doch, als sie dem Schiff nachwinkten und Dottie im Bemühen, sein Vertrauen zu gewinnen und Lakey mit ihm zu teilen, wiederholt flüsterte: »Ist sie nicht fabelhaft?«, zuckte er nur, wie irritiert, die Achseln. »Sie hat Verstand«, erwiderte er schließlich kühl.

Jetzt aber, da Lakey auf hoher See schwamm, *sie* jedoch gemütlich mit Dick im Bett lag, versuchte Dottie es mit einer neuen Theorie. Wie, wenn Lakey ihn nur platonisch anzöge, sie ihn aber mehr körperlich reizte? Lakey war schrecklich intelligent und wußte eine Menge, aber man hielt sie allgemein für kalt. Womöglich bewunderte Dick ihre Schönheit nur als Künstler, während er sie, Dottie, aus anderen Gründen vorzog. Der Gedanke war nicht sehr überzeugend, trotz allem, was Dick ihr gesagt hatte – daß ihr Körper sie in Erstaunen gesetzt habe und so weiter. Kay behauptete, daß differenzierteren Männern am Vergnügen der Frau mehr gelegen sei als am eigenen. Aber Dick (Dottie hüstelte) schien nicht gerade von Leidenschaft überwältigt, nicht einmal, als er sie so schrecklich aufregte. Traurigkeit beschlich sie, als sie an Kay dachte. Kay würde ihr roh erklären, daß ihr Lakeys ›Strahlkraft‹ fehle und daß Dick sie offensichtlich als Ersatz für Lakey benütze, weil er einem so schönen, reichen und faszinierenden Geschöpf in diesem kahlen Zimmer niemals gewachsen wäre. ›Dick würde kein Mädchen wollen, das ihn gefühlsmäßig engagiert‹, hörte sie Kay mit lautem diktatorischem Middlewest-Akzent dozieren, ›wie Lakey das bestimmt tun würde, Renfrew. Du bist nichts als ein Ventil für ihn, ein Sicherheitsventil für eine Nacht.‹ Die Worte zermalmten Dottie wie eine Dampfwalze, denn sie empfand sie als wahr. Kay würde vermutlich auch behaupten, daß Dottie von ihrer Jungfernschaft ›erlöst‹ werden wollte und sich Dicks lediglich dazu bedient habe. War das ebenfalls wahr? Entsetzlicher Gedanke. Ob Dick das etwa von ihr dachte? Kay meinte es gut, wenn sie die Dinge so nüchtern darstellte, und das Furchtbare war, daß sie meistens recht hatte. Oder wenigstens klang es immer so, weil sie so völlig desinteressiert war und nicht ahnte, wie sehr sie andere verletzte. Sobald Dottie, auch nur im Geiste, auf Kay hörte, verlor sie ihr ganzes Selbstbewußtsein und wurde zu dem, was sie Kays Meinung nach war: eine mutterhörige alte Jungfer aus Boston. Allen schwächeren Mitgliedern der Clique erging es ebenso. Kay bemächtigte sich, wie Lakey einmal sagte, ihrer Herzensangelegenheiten und retournierte sie, eingelaufen und gezeichnet, wie aus der Wäscherei. So war es im Fall von Polly Andrews' Verlobung gewesen. In der Familie des Jungen, den sie heiraten wollte, gab es Geisteskrankheit, und Kay zeigte Polly so viele einschlägige Statistiken, daß Polly mit ihm brach, einen Nervenzusammenbruch erlitt und ins Krankenhaus mußte. Und natürlich hatte Kay recht; Mr. Andrews war schon Belastung genug, man brauchte sich nicht auch noch mit einer depressiv veranlagten Familie zu verbinden. Kay riet Polly, mit ihm zu leben, da sie ihn liebte, und später, wenn sie einmal Kinder haben wollte, einen anderen zu heiraten. Aber Polly brachte nicht den Mut dazu auf, so gern sie es auch getan hätte. Außer Lakey war die ganze Clique der Meinung von Kay, wenigstens was das Nichtheiraten anging, aber nicht eine hatte den Mut gehabt, es Polly ins Gesicht zu sagen. So war es meistens: Kay sagte ihre Meinung rundheraus, wo die anderen nur tuschelten.

Dottie seufzte. Wenn Kay doch bloß nichts über Dick und sie erfahren müßte! Aber das war wohl unvermeidlich, da Dick ja mit Harald befreundet war. Nicht daß etwa Dick davon sprechen würde, dafür war er viel zu sehr Gentleman und auch zu rücksichtsvoll. Viel eher würde Dottie sich selbst verraten, denn Kay verstand sich ausgezeichnet darauf, einen zum Reden zu bringen. Zu guter Letzt vertraute man sich Kay an, denn Kays Ansicht zu hören schien immer noch besser zu sein, als sie nicht zu hören. Man hatte Angst, sich vor der Wahrheit zu fürchten. Außerdem konnte Dottie es unmöglich Mama erzählen – oder wenigstens vorläufig nicht, denn Mama, die ja aus einer anderen Generation stammte, würde es niemals so ansehen können wie Dottie, wenn sie sich auch noch so bemühte, und das würde sie besorgt und unglücklich machen. Sie würde Dick kennenlernen wollen, Papa würde sich anschließen und sich dann Gedanken über eine etwaige Ehe machen, die ja völlig ausgeschlossen war. Dottie seufzte abermals. Jemand mußte sie es erzählen, das wußte sie – natürlich nicht die intimsten Details, aber einfach die erstaunliche Tatsache, daß sie ihre Jungfernschaft verloren hatte – und dieser Jemand konnte nur Kay sein.

Dann würde Kay über sie mit Dick sprechen. Davor hatte Dottie die allermeiste Angst. Sie konnte den Gedanken nicht ertragen, daß Kay sie zerpflücken und analysieren, sich über ihre Krankengeschichte, Mamas Clubs, Papas Geschäftsbeziehungen und ihre gesellschaftliche Stellung in Boston verbreiten würde, die Kay außerordentlich überschätzte: Sie waren durchaus keine ›Brahmanen‹ – ein gräßliches Wort. Dotties Augen funkelten belustigt. Kay war so ahnungslos, obgleich sie so sachverständig über Clubs und Gesellschaft tat. Man müßte ihr wirklich einmal sagen, daß heutzutage nur noch Langweiler oder, offen gesagt, Außenseiter solche Dinge wichtig nahmen. Arme, aufrichtige Kay! Fünf Versuche, so erinnerte sich Dottie, schon halb eingeschlafen, ehe es bei ihr soweit war, und so viel Blut und Schmerzen. Sagte Lakey nicht immer, sie hätte eine Natur wie ein Nilpferd? Sex war doch nur eine Frage der Anpassung an den Mann, wie beim Tanzen – Kay tanzte miserabel und wollte immer führen. Mama hatte ganz recht, sagte sie sich genüßlich, während sie allmählich in Schlaf versank: Es ist ein großer Fehler, Mädchen zusammen tanzen zu lassen, wie das in so vielen zweitklassigen Internaten üblich war.

EMMANUELLE ARSAN

Marie-Anne

»Wollen Sie nicht auf einen Milkshake mit zu mir kommen?«

Emmanuelle hat das Mädchen, das soeben mit einem Sprung aufgestanden ist, vorher gar nicht bemerkt. Aber sofort belustigen sie die entschlossene Miene und die fast gönnerhafte Selbstsicherheit dieses jungen Geschöpfs mit dem Gesicht eines kleinen Mädchens.

So klein ist sie gar nicht, korrigiert sie sich, während die Halbwüchsige sich breitbeinig vor sie hinstellt, als wolle sie sie unter ihre Fittiche nehmen. Dreizehn wird sie sein, aber sie ist fast genauso groß wie ich. Nur ihr Körper ist noch nicht voll entwickelt, er hat etwas Eckiges, noch nicht ganz Gelöstes. Vielleicht ist es aber auch nur die körnige Haut, die ihn noch so kindlich erscheinen läßt: eine Haut, die die Sonne nicht annimmt – die keinen warmen Ton hat, nicht gepflegt und perlmuttern ist wie die Arianes. Auf den ersten Blick kommt einem diese Haut sogar etwas rauh vor... und doch auch wieder nicht: eher wie eine ganz leichte Gänsehaut, vor allem an den Armen; an den Beinen scheint sie glatter zu sein. Schöne Knabenbeine – straffe Sehnen an den Knöcheln, harte Knie und Waden, nervige Oberschenkel. Und das Vergnügen, sie zu betrachten, entspringt eher ihren wohlgeratenen Proportionen und ihrer behenden Kraft als der etwas verwirrenden Erregung, die Frauenbeine gewöhnlich hervorrufen. Diese Beine hier stellt sich Emmanuelle eher vor, wie sie über Sand laufen oder sich auf einem Sprungbrett spannen, als daß sie, von den Liebkosungen einer Hand besiegt, einem ungeduldigen Drängen die Pforte zu einem gefügigen Leib öffnen.

Ähnlich wirkt auf Emmanuelle die konkave, vom sportlichen Training ausgehöhlte Bauchgrube, die mit der ganzen Spannung ihrer Muskelbänder wie ein Herz pocht und deren Anblick nicht einmal das knappe Stoffdreieck – weniger hat auch eine Nackttänzerin auf der Bühne nicht an – unzüchtig erscheinen zu lassen vermag.

Auch die kleinen, spitzen Brüste, die das symbolische Band des Bikinis kaum verhüllt, sind es nicht, was sie so kindlich erscheinen läßt. ›Hübsch‹, sagt sich Emmanuelle, ›aber selbst wenn sie mit nacktem Oberkörper herumliefe, käme niemand auf schlechte Gedanken‹ (allerdings, wenn Emmanuelle es sich genau überlegt, ist sie dessen nicht mehr ganz so sicher). Sie fragt sich, worin die Sinnlichkeit solcher Brüste liegen mag, und dann denkt sie an ihre eigenen und an das lustvolle Vergnügen, das sie ihnen schon entlockte, als sie noch kaum richtig ausgebildet waren, sich noch nicht einmal so rundeten wie diese hier, die, je genauer sie sie betrachtet, ihr um so ansehnlicher erscheinen. Möglicherweise war es der Gegensatz zu Arianes Brüsten, die sie vorschnell hatte urteilen lassen, oder vielleicht die schmalen Hüften oder die Schulmädchenfigur...

Vielleicht liegt es auch an den langen, dicken Zöpfen, die über dieser rosigen Brust spielen. Diese Zöpfe sind Emmanuelles ganzes Entzücken. Solches Haar hat sie noch nie gesehen. So blond und so fein, daß es im Sonnenlicht fast nicht zu sehen ist – weder strohblond noch flachsfarben; es erinnerte nicht an Sand, an Gold, an Platin, Silber oder Asche... Womit könnte man es vergleichen? Mit einer gewissen Rohseide, die nicht ganz weiß ist und die man zum Sticken nimmt. Oder mit dem Silberstreifen der Morgendämmerung. Oder mit dem Fell des Schneefuchses... Da begegnet Emmanuelles Blick den grünen Augen, und sie vergißt alles andere.

Schräggestellt, mandelförmig, in einem so seltenen Schwung zu den Schläfen hin ansteigend, daß man versucht ist zu glauben, sie hätten sich auf diese hellhäutigen Wangen einer Europäerin nur verirrt – wären sie nicht so grün! So voller Licht! Emmanuelle sieht, wie es in ihnen aufleuchtet gleich dem kreisenden Blinken eines Leuchtturms, Funken von Ironie, Ernst, Vernunft, starker Autorität, dann plötzlich ein Schimmer von Besorgnis, von Mitgefühl und dann ein Aufblitzen von Schalkhaftigkeit, Fantasie und Naivität: betörendes Feuer.

»Ich heiße Marie-Anne.«

Und weil die in ihren Anblick versunkene Emmanuelle ganz vergessen hat, ihr zu antworten, wiederholt sie ihre Einladung: »Wollen Sie nicht mit zu mir kommen?«

Diesmal lächelt Emmanuelle ihr zu und erhebt sich. Sie erklärt, heute könne sie leider nicht, da Jean sie im Club abholen komme und mit ihr Besuche machen wolle, sie käme wohl erst spät wieder nach Hause. Aber sie wäre überglücklich, wenn Marie-Anne sie am nächsten Tag besuchen würde. Ob sie denn wisse, wo sie wohne?

»Ja«, sagt Marie-Anne kurz. »Also dann bis morgen nachmittag.«

Emmanuelle nutzt die Gelegenheit, da alle abgelenkt sind, sich davonzustehlen. Unter dem Vorwand, daß sie ihren Mann nicht warten lassen will, eilt sie in ihre Kabine.

•

Marie-Anne kam in einem weißen amerikanischen Wagen, an dessen Steuer ein indischer Chauffeur mit Turban und schwarzem Schnurrbart saß. Er setzte sie ab und fuhr gleich weiter.

»Kannst du mich später nach Hause fahren, Emmanuelle?« fragte Marie-Anne.

Das ›Du‹ überraschte Emmanuelle. Noch deutlicher als am Vortag empfand sie, wie gut die Stimme zu den Zöpfen und zu der Haut paßte. Impulsiv hätte sie das Kind gern auf beide Wangen geküßt, aber irgend etwas hielt sie davon ab. Waren es vielleicht die kleinen, spitzen Brüste unter der blauen Hemdbluse? Ach, Unsinn! Marie-Anne stand ganz dicht neben ihr.

»Gib nichts auf das, was diese dummen Gänse erzählen«, sagte sie. »Die geben nur an. Sie tun nicht den zehnten Teil von dem, was sie behaupten.«

»Ich versteh' schon«, pflichtete ihr Emmanuelle nach einem Augenblick des Nichtbegreifens bei: Offensichtlich bezog sich Marie-Anne auf ihre älteren Gefährtinnen am Swimmingpool. »Was meinen Sie: wollen wir auf die Terrasse gehen?«

Im nächsten Augenblick schon bereute sie das ›Sie‹, das sie instinktiv gebraucht hatte. Marie-Anne nahm den Vorschlag mit einem Kopfnicken an. Sie gingen die Treppe hinauf, und als sie am Schlafzimmer vorbeikamen, fiel Emmanuelle plötzlich das große Aktfoto von ihr ein, das auf Jeans Nachttisch stand. Sie beschleunigte ihre Schritte, aber Marie-Anne war schon vor dem Moskito-Gitter stehengeblieben, das das Zimmer vom Treppenflur abtrennte.

»Ist das dein Schlafzimmer?« fragte sie. »Darf ich es sehen?« Ohne die Antwort abzuwarten, stieß sie die Gittertür auf. Emmanuelle folgte ihr. Die Besucherin lachte auf.

»Was für ein riesiges Bett! Zu wievielt schlaft ihr denn darin?«

Emmanuelle errötete. »Das sind eigentlich zwei Einzelbetten. Sie sind nur aneinandergeschoben.«

Marie-Anne betrachtete das Foto. »Wie schön du bist«, sagte sie. »Wer hat es aufgenommen?«

Emmanuelle wollte erst sagen, es sei Jean gewesen, aber sie brachte diese Lüge nicht über die Lippen.

»Ein Künstler, ein Freund meines Mannes«, gab sie zu.

»Hast du noch mehr solcher Fotos? Er hat doch bestimmt nicht nur dieses eine gemacht. Und hast du keins, auf dem du gerade einen Mann liebst?«

Emmanuelle schwindelte es. Was war das für ein seltsames Mädchen, das sie mit so großen, hellen Augen und einem so frischen Lächeln ansah und dabei, augenscheinlich ungerührt und in ganz kameradschaftlichem Ton, so erstaunliche Fragen stellte? Das Schlimmste war, daß Emmanuelle fühlte, unter diesem Blick würde sie nur die Wahrheit sagen können, und daß dieses Kind die Macht besaß, ihr, wenn es nur wollte, die geheimsten Geständnisse zu entlocken. Unvermittelt öffnete sie die Tür, so als wollte sie sich durch diese Geste schützen.

»Kommen Sie?« sagte sie.

Schon wieder hatte sie das ›Du‹ vergessen.

Marie-Anne lächelte flüchtig. Sie traten auf eine Terrasse hinaus, von der eine gelb-weiß gestreifte Markise die Sonne abschirmte. Vom nahen Fluß wehte eine leichte Brise herauf. Marie-Anne rief aus: »Was hast du für ein Glück! Es gibt in Bangkok kein zweites Haus mit einer solchen Lage. Welch herrlicher Blick, und wie wohl man sich hier fühlen muß!«

Einen Augenblick verharrte sie reglos vor dieser Landschaft mit den Kokospalmen und Flamboyant-Bäumen, dann hakte sie ganz ungezwungen den breiten Gürtel aus Raphia-Bast auf, der ihre Taille fest umschloß, und warf ihn in einen der Korbsessel. Ohne weiteres Zögern öffnete sie den Verschluß ihres bunten Rocks, der ihr sofort bis auf die Füße herabglitt. Das Mädchen sprang aus dem Kreis, den der Stoff auf den Steinfliesen bildete. Die Bluse reichte ihr bis zu den Hüften, tiefer als der seitliche Rand des Höschens, so daß von ihm vorn und hinten nur ein schmales, waagerechtes, scharlachrotes und mit Spitzen besetztes Stück zu sehen war. Sie ließ sich auf einen der Liegestühle fallen und griff sogleich nach einer der herumliegenden Zeitschriften.

»Ich habe schon lange keine französischen Zeitschriften mehr gesehen! Woher hast du die alle?«

Sie machte es sich bequem und streckte ganz brav die Beine nebeneinander aus. Emmanuelle seufzte, verscheuchte die sie bedrängenden wirren Gedanken und setzte sich Marie-Anne gegenüber.

»Was ist denn das für eine komische Geschichte: ›Das Eulenöl‹?« lachte sie los. »Es macht dir doch nichts aus, wenn ich sie jetzt lese?«

»Aber nein, Marie-Anne.«

Und schon war sie in die Lektüre vertieft. Das offene Heft verbarg ihr Gesicht.

Aber sie blieb nicht lange so ruhig liegen: Bald wurde ihr Körper lebendig, zuckte ab und zu wie ein nervöses Füllen. Sie hob ein Knie, und ihr linker Schenkel, der sich eben noch, auf gleicher Höhe mit dem anderen, gegen diesen gepreßt hatte, legte sich weich gegen die Armlehne des Sitzes. Emmanuelle versuchte, in das nun leicht geöffnete Höschen zu spähen. Die eine Hand von Marie-Anne löste sich vom Heft und glitt, ohne zu zaudern, zwischen die Beine, schob den Nylonstoff beiseite und suchte in der Tiefe einen Punkt, den sie auch zu finden schien und auf den sie sich einen Augenblick lang konzentrierte. Aber schon glitt sie wieder höher und entblößte dabei, indem sie darüber hinfuhr, den Spalt zwischen den Fleischlippen. Sie spielte mit der Schwellung, die den Stoff spannte, glitt wieder hinab, schob sich unter das Gesäß und begann ihre Reise von neuem. Diesmal aber war nur der Mittelfinger abwärts gerichtet, während die anderen anmutig emporgestreckten Finger ihn wie entfaltete Elytren umgaben: Er strich leicht über die Haut, bis das jäh abknickende Handgelenk wieder zur Ruhe kam. Emmanuelle fühlte ihr Herz so mächtig schlagen, daß sie fürchtete, man könne es hören. Ihre Zungenspitze schob sich zwischen ihre Lippen.

Marie-Anne trieb ihr Spiel weiter. Der große Finger preßte sich tiefer hinein und drückte dabei die Lippen auseinander. Dann hielt er inne, beschrieb einen Kreis, zögerte, tupfte über die Haut hin, bebte kaum merklich. Unwillkürlich entfuhr Emmanuelles Kehle ein Laut. Marie-Anne ließ die Illustrierte sinken und lächelte ihr zu.

»Streichelst du dich nicht?« sagte sie verwundert. Sie legte den Kopf auf die Schulter, und in ihren Augen glänzte der Schalk: »Ich streichle mich immer, wenn ich lese.«

Emmanuelle nickte, sie war unfähig, zu sprechen. Marie-Anne legte das Heft fort, wölbte das Becken vor, griff nach ihren Hüften und schob sich rasch das rote Höschen über die Schenkel herunter. Sie strampelte mit den Beinen in der Luft, bis sie sich ganz davon befreit hatte. Dann entspannte sie sich, schloß die Augen und spreizte mit zwei Fingern die feuchte, rosenfarbene Scham auseinander.

»Das tut gut, gerade hier«, sagte sie, »findest du nicht auch?«

Emmanuelle nickte erneut. Wie etwas ganz Alltägliches sagte Marie-Anne: »Ich mag es, wenn es lange dauert. Deshalb berühre ich nicht zu oft die Stelle oben. Das Hin- und Hergleiten in der Spalte ist besser.«

Sie veranschaulichte sogleich, was sie damit sagen wollte. Schließlich wölbten sich ihre Lenden zu einem Bogen, und sie gab einen leisen Klageton von sich.

»Ah!« sagte sie. »Ich halte es nicht mehr aus.«

Jetzt zitterte der Finger wie eine Libelle über der Klitoris. Der Klageruf wurde zum Schrei. Ihre Schenkel spreizten sich ungestüm und schlugen über der gefangenen Hand wieder zusammen. Lange schrie sie geradezu herzzerreißend und sank endlich keuchend zurück. Nach wenigen Sekunden kam sie wieder zu Atem und öffnete die Augen.

»Das tut wirklich gut!« hauchte sie.

Mit vorgeneigtem Kopf führte sie nun wieder den Mittelfinger vorsichtig und zart in ihr Geschlecht ein. Emmanuelle biß sich auf die Lippen. Als der Finger ganz eingetaucht war, stieß Marie-Anne einen langen Seufzer aus. Sie strahlte förmlich vor

Gesundheit, gutem Gewissen und Genugtuung über die geleistete Arbeit.

»Streichle dich auch«, sagte sie ermunternd.

Emmanuelle zögerte, als suche sie eine Ausflucht. Doch dann erhob sie sich unvermittelt und ließ ihre Shorts heruntergleiten. Sie hatte kein Höschen darunter an. Ihr orangefarbener Pullover betonte den schwarzen Glanz ihrer Schamhaare.

Als Emmanuelle sich wieder hingelegt hatte, setzte sich Marie-Anne ihr zu Füßen auf einen Plüschhocker. Beide waren oben bekleidet und von der Taille abwärts nackt. Marie-Anne betrachtete das Geschlecht ihrer Freundin ganz aus der Nähe.

»Wie streichelst du dich am liebsten?« fragte sie.

»Nun, wie die anderen auch!« sagte Emmanuelle, der Marie-Annes Atem, den sie auf ihren Schenkeln spürte, die Sinne verwirrte.

Hätte das Mädchen ihre Hand auf Emmanuelles Schoß gelegt, so hätte sie das wohl von der Anspannung ihrer Sinne und gewiß auch von ihrer Verlegenheit befreit. Aber Marie-Anne rührte sich nicht.

»Laß mich sehen«, sagte sie nur.

Das Masturbieren brachte Emmanuelle sofortige Erleichterung. Ihr war, als läge die Welt hinter einem Vorhang, und nachdem ihre Finger zwischen ihren Beinen die ihnen vertraute Aufgabe erfüllt hatten, gewann sie ihre innere Ruhe wieder. Diesmal mühte sie sich nicht, den Genuß der Erwartung zu verlängern. Sie mußte sich rasch in das strahlende Refugium des Orgasmus flüchten, um wieder einen Halt zu finden.

»Wie bist *du* darauf gekommen?« fragte Marie-Anne, als ihre Freundin wieder die Augen öffnete.

»Ganz von allein. Meine Hände haben das selbst entdeckt«, sagte Emmanuelle lachend.

Sie war gutgelaunt und nun zum Plaudern aufgelegt.

»Konntest du es auch schon mit dreizehn?« fragte Marie-Anne zweifelnd.

»Das will ich meinen! Lange vorher schon! Du nicht?«

Marie-Anne gab keine Antwort und setzte ihr Verhör fort: »An welcher Stelle streichelst du dich am liebsten?«

»Oh, an verschiedenen. An der Spitze, am Schaft oder an

der Wurzel, hier, überall ist das Gefühl anders. Ist das bei dir nicht genauso?«

Wieder ließ Marie-Anne die Frage unbeantwortet. Sie fragte: »Streichelst du denn nur deine Klitoris?«

»Nein, wo denkst du hin! Vor allem die ganz kleine Öffnung, weißt du, direkt darunter: die Harnröhre. Die Stelle ist auch sehr empfindsam. Ich brauche sie nur mit den Fingerspitzen zu berühren, und schon habe ich einen Orgasmus.«

»Was machst du sonst noch?«

»Ich streichle mir gern die Innenseiten der Schamlippen, dort, wo es so feucht ist.«

»Mit deinen Fingern?«

»Auch mit Bananen –« Emmanuelles Stimme bekam einen stolzen Klang – »ich stoße sie ganz hinein. Aber zuerst schäle ich sie. Sie dürfen nicht reif sein. Die langen, grünen, die man hier auf dem schwimmenden Markt bekommt – oh, wie gut das tut!«

Bei der Erinnerung an diese Wollust schwanden ihr die Sinne. Sie war von der Vorstellung ihrer einsamen Wonnen so überwältigt, daß sie darüber die Anwesenheit der anderen fast vergaß. Ihre Finger massierten die Schamspalte. Sie sehnte sich danach, daß sich etwas in sie hineinbohrte. Sie drehte sich auf die Seite, zu Marie-Anne hin, und mit geschlossenen Lidern öffnete sie weit ihre Beine. Sie mußte ihre Begierde ganz einfach noch einmal stillen. Ihre Finger strichen mit schnellen, sehr gleichmäßigen Bewegungen einige Minuten lang über die Innenseite ihrer Schamlippen, so lange, bis sie befriedigt war.

»Siehst du, ich kann mir mehrere Male hintereinander Lust verschaffen.«

»Machst du das oft?«

»Ja.«

»Wie oft am Tag?«

»Das kommt darauf an. Weißt du, in Paris war ich den größten Teil des Tages nicht zu Hause, sondern in der Fakultät oder bummelte durch die Geschäfte. Meist konnte ich mich morgens nur ein- oder zweimal befriedigen: beim Aufwachen und im Bad. Und dann zwei- oder dreimal abends vor dem Einschlafen. Und dann noch einmal nachts, wenn ich aufwachte. Aber in den Ferien habe ich nichts anderes zu tun: dann kann ich mir viel häufiger Lust verschaffen. Und hier habe ich ja die ganze Zeit Ferien!«

Still lagen sie nebeneinander und genossen die Freundschaft, die ihrer Offenheit entsprang. Emmanuelle war beglückt, daß sie es vermocht hatte, über diese Dinge zu sprechen, daß sie ihre Scheu überwunden hatte; glücklich war sie aber, ohne es sich ganz einzugestehen, vor allem deshalb, weil sie sich vor diesem Mädchen, dem das Zusehen Freude machte und das die Sinnenlust kannte, befriedigt hatte. Schon stattete sie sie in ihrem Herzen mit allen Vorzügen der Vollkommenheit aus. Sie erschien ihr jetzt so schön! Diese Elfenaugen... Und dieser träumende Spalt, der ebenso ausdrucksvoll, ebenso unnahbar, ebenso fleischig war wie der andere Schmollmund auch! Und diese gespreizten Schenkel, schamlos-unbekümmert in ihrer Nacktheit...

Sie fragte: »Woran denkst du, Marie-Anne? Du siehst so ernst aus.« Und zum Spaß zog sie an einem der Zöpfe.

»Ich denke an die Bananen«, sagte Marie-Anne.

Sie kräuselte das Näschen, und beide lachten, bis ihnen der Atem ausging.

»Wie gut, daß man keine Jungfrau mehr ist«, erläuterte die ältere. »Früher wußte ich nichts von Bananen und ahnte nicht, was ich mir entgehen ließ.«

»Und wie hat es bei dir mit den Männern angefangen?« erkundigte sich Marie-Anne.

»Jean hat mich defloriert«, sagte Emmanuelle.

»Vorher hat es niemanden gegeben?« rief Marie-Anne erstaunt und geradezu entrüstet, so daß Emmanuelle im Ton einer Entschuldigung antwortete:

»Nein. Jedenfalls nicht richtig. Natürlich haben mich Jungens gestreichelt. Aber sie wußten nicht so recht, wie sie es anfangen sollten!« Und dann fuhr sie, wieder selbstsicher, fort: »Jean hat sofort mit mir geschlafen. Deshalb habe ich ihn geliebt.«

»Sofort?«

»Ja, am zweiten Tag, nachdem ich ihn kennengelernt hatte. Am ersten ist er zu uns nach Hause gekommen; er war mit meinen Eltern befreundet. Er hat mich die ganze Zeit amüsiert angesehen, als wollte er mich wütend machen. Dann hat er es so eingerichtet, daß er allein mit mir blieb, und hat mich über alles ausgefragt: wie viele Flirts ich gehabt hätte, ob mir die Liebe Spaß machte. Mir war das schrecklich peinlich, aber ich konnte nicht anders, ich mußte ihm die Wahrheit sagen. So ähnlich wie bei dir! Auch er wollte alles möglichst genau wissen. Am Nachmittag des nächsten Tages hat er mich zu einer Spazierfahrt in seinem schönen Wagen eingeladen. Er sagte mir, ich solle mich ganz dicht neben ihn setzen, und streichelte sofort erst meine Schultern und dann meine Brüste, während er fuhr. Schließlich hat er den Wagen auf einem Weg im Wald bei Fontainebleau angehalten und mich zum erstenmal geküßt. In einem Ton, der mir, ich weiß nicht, weshalb, jede Angst vor dem, was folgen sollte, nahm, hat er zu mir gesagt: ›Du bist noch Jungfrau, ich werde dich öffnen.‹ Und dann sind wir lange dort sitzen geblieben, still und wortlos aneinandergeschmiegt. Endlich ließ mein Herzklopfen nach. Ich war glücklich. Es war genauso, wie ich es mir erträumt hatte (obwohl ich in Wirklichkeit niemals davon geträumt hatte). Jean sagte, ich solle mir mein Höschen selber ausziehen, und ich beeilte mich, ihm zu gehorchen, denn ich wollte bei meiner Deflorierung mithelfen, sie nicht untätig erdulden. Er befahl mir, mich auf die Sitzbank des Autos zu legen, dessen Verdeck geöffnet war: Ich sah in die grünen Wipfel der Bäume. Er stand an der Öffnung der Wagentür. Er hat gar nicht erst versucht, mich zu streicheln, sondern ist sofort in mich eingedrungen, jedoch so, daß ich mich nicht erinnern kann, Schmerzen empfunden zu haben. Im Gegenteil, meine Lustgefühle waren so überwältigend, daß ich ohnmächtig geworden oder eingeschlafen bin, ich weiß es nicht mehr. Jedenfalls kann ich mich an nichts mehr erinnern, bis wir in dem Restaurant im Wald saßen, wo wir beide zusammen zu Abend gegessen haben. Es war herrlich! Jean hat dann ein Zimmer genommen, und wir haben uns bis Mitternacht weitergeliebt. Ich habe es schnell gelernt!«

»Was haben deine Eltern gesagt?«

»Oh, nichts! Am nächsten Tag habe ich überall herausposaunt, daß ich keine Jungfrau mehr sei und mich verliebt hätte. Sie schienen das ganz normal zu finden.«

»Hat Jean um deine Hand angehalten?«

»Natürlich nicht! Weder er noch ich hatten die Absicht zu

heiraten. Ich war noch keine siebzehn. Ich hatte gerade mein Abitur gemacht. Und ich war viel zu froh, einen Geliebten zu haben, die Mätresse eines Mannes zu sein.«

»Warum hast du denn dann geheiratet?«

»Eines schönen Tages hat mir Jean ruhig wie immer erzählt, seine Gesellschaft schicke ihn nach Siam. Ich meinte, vor Kummer in die Erde versinken zu müssen. Aber dazu ließ er mir gar keine Zeit. Ohne große Umschweife fuhr er fort: ›Wir werden vor meiner Abreise heiraten. Sobald ich ein Haus gefunden habe, kommst du nach.‹«

»Wie hast du es aufgenommen?«

»Es kam mir vor wie ein Märchen, zu schön, um wahr zu sein. Ich lachte wie närrisch. Einen Monat später waren wir schon verheiratet. Daß ich Jeans Geliebte war, hatten meine Eltern für ganz natürlich gehalten, aber jetzt, da er mich heiraten wollte, war das Geschrei groß. Sie hielten ihm vor, daß er zu alt und ich zu jung und ›unschuldig‹ sei. Was sagst du dazu? Aber schließlich hat er sie überzeugt. Zu gern wüßte ich, wie ihm das gelungen ist. Besonders mein Vater muß hartnäckig gewesen sein: Er konnte sich nicht damit abfinden, daß ich die höhere Mathematik aufgab.«

»Mathematik?« fragte Marie-Anne.

»Ja, ich hatte schon ein Jahr Mathematik studiert.«

»Was für eine Schnapsidee!« Marie-Anne lachte.

»Es war Papas Idee. Ursprünglich sollte Jean gleich nach unserer Hochzeit abreisen, aber glücklicherweise hat sich das um ein halbes Jahr verzögert. So brauchten wir uns nicht gleich wieder zu trennen, sechs Monate führte ich das Leben einer Ehefrau, ebenso lange, wie ich seine Geliebte gewesen war. Ich fand es amüsant, verheiratet zu sein, und komisch, daß wir nun jede Nacht miteinander schliefen.«

»Und dann? Wo hast du während seiner Abwesenheit gewohnt? Bei deinen Eltern?«

»Aber nein! In seiner oder vielmehr in ›unserer‹ Wohnung, in der Rue du Docteur-Blanche.«

»Hat er keine Angst gehabt, dich so ganz allein zu lassen?«

»Angst? Wovor?«

»Nun, daß du ihn betrügst?«

Emmanuelle lachte auf. »Offenbar nicht. Wir haben nie darüber gesprochen. Dieser Gedanke ist ihm wohl gar nicht gekommen. Mir übrigens auch nicht.«

»Aber später hast du es dann doch wohl getan?«

»Nein, warum? Die Männer liefen mir zwar nach, aber ich fand sie lächerlich...«

»Dann hast du also im Club die Wahrheit gesagt?«

»Im Club?«

»Ja, gestern, erinnerst du dich nicht mehr? Du hast behauptet, du hättest noch nie mit einem anderen Mann als Jean geschlafen.«

Emmanuelle zögerte den Bruchteil einer Sekunde. Das jedoch genügte schon, um Marie-Anne hellhörig zu machen. Sie sprang auf, kniete vor Emmanuelle nieder, beugte sich vor und schleuderte ihren Verdacht heraus.

»Davon ist doch kein Wort wahr«, verkündete sie in der Pose der Anklägerin. »Man braucht dich nur anzusehen. Dein Gesicht verrät alles!«

Emmanuelle wand sich und sagte ohne große Überzeugung: »Erstens habe ich etwas Derartiges nie behauptet...«

»Aber hör mal, du hast doch zu Ariane gesagt, daß du deinen Mann nicht betrügst. Deshalb wollte ich ja gerade mit dir sprechen, ich habe dir nämlich nicht geglaubt. Und ich hatte recht damit, wie sich zeigt!«

Emmanuelle blieb bei ihren sophistischen Ausflüchten: »Dann irrst du dich eben. Ich habe es nicht so gesagt, wie du es wahrhaben willst. Ich habe nichts weiter gesagt, als daß ich Jean in Paris treu geblieben bin. Das ist alles.«

»Alles? Verbirgst du mir auch nichts?«

Marie-Anne sah Emmanuelle, die sich alle Mühe gab, ungezwungen zu erscheinen, forschend an. Unvermittelt änderte die Jüngere ihre Taktik und sagte schmeichelnd: »Warum hättest du denn treu sein sollen? Weshalb hättest du dir etwas entgehen lassen sollen?«

»Aber ich habe mir ja gar nichts entgehen lassen; ich hatte ganz einfach keine Lust.«

Marie-Anne verzog den Mund, dachte einen Moment nach und fragte dann: »Das heißt also, hättest du Lust gehabt, wärst du mit jemandem ins Bett gegangen.«

»Richtig.«

»Wie soll ich das glauben?« sagte Marie-Anne herausfordernd in kindlicher Streitsucht.

Emmanuelle sah sie unentschlossen an und sagte dann plötzlich: »Ich habe es getan.«

Marie-Anne sprang wie elektrisiert auf, setzte sich im Schneidersitz wieder hin und stützte beide Hände auf die Knie.

»Na also«, sagte sie vorwurfsvoll und entrüstet. »Und du wolltest mir das Gegenteil weismachen!«

»Es war nicht in Paris«, erklärte Emmanuelle geduldig, »sondern im Flugzeug. Im Flugzeug, das mich hierher gebracht hat. Verstehst du?«

»Und mit wem?« drängte Marie-Anne ungläubig.

Emmanuelle ließ sich Zeit, bevor sie sagte: »Mit zwei Unbekannten.«

Wenn sie geglaubt hatte, das würde Eindruck machen, so wurde sie enttäuscht. Marie-Anne setzte ungerührt ihr Verhör fort: »Waren sie richtig in dir drin?«

»Ja!«

»Sind sie in dir gekommen?«

»O ja.«

Instinktiv legte Emmanuelle eine Hand auf ihren Schoß.

»Streichle dich, während du erzählst«, befahl Marie-Anne.

Aber Emmanuelle schüttelte den Kopf. Sie schien plötzlich die Sprache verloren zu haben. Marie-Anne musterte sie kritisch. »Los«, gebot sie, »sprich!«

Emmanuelle gehorchte, anfangs widerwillig und verlegen, dann aber ließ sie sich, von ihrer eigenen Geschichte erregt, nicht weiter bitten und war sogar bemüht, kein Detail auszulassen. Sie erzählte, wie die griechische Statue sie entführt hatte. Dann hielt sie inne. Marie-Anne hatte ihr begierig zugehört und dabei mehrmals ihre Haltung gewechselt... Aber sie schien nicht sonderlich beeindruckt.

»Hast du es Jean erzählt?« erkundigte sie sich.

»Nein.«

»Hast du die beiden Männer wiedergesehen?«

»Nein, natürlich nicht.«

Für den Augenblick schien Marie-Anne keine Fragen mehr zu haben.

ANGELA CARTER

Die Braut des Tigers

Mein Vater verlor mich beim Kartenspiel an das Tier.

Es gibt eine bestimmte Verrücktheit, die überfällt die Reichen aus dem Norden, wenn sie das liebliche Land erreichen, in dem die Zitronen blühen. Wir kommen aus Ländern mit kaltem Klima, zu Hause liegen wir immer im Kampf mit der Natur, aber hier – ach! Man könnte meinen, man sei in die gesegneten Gefilde geraten, wo der Löwe neben dem Lamm ruht. Alles blüht, kein kalter Hauch stört diese sinnenfreudige Luft. Die Sonne schüttet Früchte über uns aus. Und die tödliche, sinnliche Lethargie des lieblichen Südens befällt das verhungerte Hirn; es keucht: ›Wohlleben! Mehr Wohlleben!‹ Aber dann kommt der Schnee, man kann ihm nicht entrinnen, er ist uns seit Rußland gefolgt, als wäre er hinter unserem Wagen hergelaufen, und in dieser düsteren, verbitterten Stadt hat er uns endlich eingeholt, treibt gegen die Fensterscheiben, um meinen Vater zu verspotten, der das ewige Vergnügen erwartet hatte. Die Adern an seiner Stirn schwellen und pochen, und seine Hände zittern, während er des Teufels Gebetbuch austeilt.

Von den Kerzen tropfte heißes Wachs auf meine nackten Schultern. Ich sah ihm zu mit dem wilden Zynismus, der jenen Frauen eigentümlich ist, die durch die Umstände dazu gezwungen sind, schweigend Zeuginnen der Torheit zu werden, während mein Vater, in seiner Verzweiflung von immer mehr Schlucken des Feuerwassers angespornt, das sie hier ›Grappa‹ nennen, die letzten Reste meiner Erbschaft verschleudert. Als wir Rußland verließen, besaßen wir fruchtbare schwarze Erde, blaue Wälder mit Bären und Wildschweinen, Leibeigene, Kornfelder, Bauernhöfe, meine geliebten Pferde, die weißen Nächte kühler Sommer, das Feuerwerk der Nordlichter. Welche Last muß ihm dieser Besitz bedeutet haben, denn er lacht fröhlich, als er sich jetzt zum Bettler macht; er ist von einer solchen Leidenschaft gepackt, daß er alles dem Tier schenkt.

Jeder, der in diese Stadt kommt, muß mit dem Grandseigneur eine Partie Karten spielen, es kommen freilich nur wenige. Man hatte uns in Mailand nicht gewarnt, oder wir hatten es nicht verstehen können – mein holpriges Italienisch, der verwirrende Dialekt dieser Gegend. Ja wirklich, ich selber schlug dieses abgelegene Provinzstädtchen vor, das seit zweihundert Jahren aus der Mode gekommen, weil es sich, o Ironie, keines Kasinos rühmen kann. Ich wußte nicht, daß der Preis für den Aufenthalt in seiner dezemberlichen Einsamkeit ein Spiel mit dem Herrn war.

Es war schon spät. Die feuchte Kälte dieses Ortes kroch in Steine und Knochen und tief in die Lungenbläschen; sie drang mit einem Schauer selbst in unseren Salon, wohin sich der Herr begab, um in der Verschwiegenheit zu spielen, die zu seinem Wesen gehörte. Wer hätte die Einladung zurückgewiesen, die uns sein Diener in unserem Quartier überreichte? Gewiß nicht mein zügelloser Vater; der Spiegel über dem Tisch gab mir seine Besessenheit wieder, meine Reglosigkeit, die flackernden Kerzen, die sich leerenden Flaschen, die bunten Gezeiten der Karten, die auf und nieder gingen, die starre Maske, die alle Gesichtszüge des Tiers verbarg außer seinen gelben Augen, die dann und wann über seine unbehaarte Hand zu mir hinüberstreiften.

»*La Bestia!*« sagte unsere Wirtsfrau und betastete scheu einen Briefumschlag mit seinem riesigen Wappen, einem Tiger im Sprung, und halb Furcht, halb Staunen lag auf ihrem Gesicht. Und ich brachte es nicht über mich zu fragen, warum sie den Herrn dieser Gegend La Bestia nannten – hatte es wohl mit diesem heraldischen Zeichen zu tun? Ihre Sprache war durch die träge, bronchitische Redeweise der Gegend so erstickt, daß ich sie kaum verstehen konnte, außer als sie bei meinem Anblick sagte: »*Che bella!*«

Seit ich krabbeln konnte, war ich immer die Hübsche gewesen, mit meinen glänzenden, nußbraunen Locken, meinen Rosenwangen. Ich war am Weihnachtstag geboren – meine Christrose, nannte mich meine englische Kinderfrau. Die Bauern sagten: »Das leibhaftige Ebenbild ihrer Mutter«, und schlugen ein Kreuz zum ehrfürchtigen Gedenken an die Tote. Die Lebensblüte meiner Mutter hielt nicht lange an; nur ihrer Aussteuer wegen von einem solchen Windhund aus dem russischen Adel geheiratet, starb sie bald an seiner Spielleidenschaft, seiner Hurerei, seinen ausschweifenden Festen. Und das Tier reichte mir die Rose aus seinem tadellosen, wenn auch altmodischen Knopfloch, als es eintrat, während der Diener ihm den Schnee von dem schwarzen Rock klopfte. Diese weiße Rose, unnatürlich und nicht aus dieser Jahreszeit, die meine nervösen Finger jetzt zerpflückten, Blatt für Blatt, wie mein Vater glorreich seine Laufbahn beendete, die nur aus Katastrophen bestand.

Dies ist eine schwermütige, in sich versunkene Gegend; eine sonnenlose, gestaltlose Landschaft, der träge Fluß schwitzt Nebel aus, die kahlen Weiden stehen krumm. Und eine grausame Stadt; die düstere Piazza, ein Platz, wie geschaffen für öffentliche Hinrichtungen, unter dem übergreifenden Schatten einer scheunenhaften, bedrohlichen Kirche. Man pflegte die Verurteilten in Käfigen an die Stadtmauer zu hängen; Unfreundlichkeit ist den Leuten hier selbstverständlich, ihre Augen sitzen eng beeinander, sie haben schmale Lippen. Ihr Essen ist kärglich, Nudeln, die in Öl schwimmen, gekochtes Rindfleisch mit einer Sauce aus bitteren Kräutern. Ein Friedhofshauch liegt über dem ganzen Ort, die Bewohner sind gegen Eis und Kälte so vermummt, daß man kaum ihre Gesichter erkennen kann. Und sie lügen und betrügen, Wirtsleute, Kutscher, alle. Du liebe Zeit, wie sie uns gemolken haben!

Der trügerische Süden, wo man meint, es gäbe keinen Winter, und vergißt, daß man ihn mit sich schleppt.

Meine Sinne wurden immer verwirrter von dem berauschenden Parfum des Herrn, ein viel zu starker Duft nach Zibet für diesen kleinen Raum und diese Enge. Er schien in diesem Parfum zu baden, seine Hemden und seine Unterwäsche damit zu tränken; wonach mag er wohl wirklich riechen, daß er es so übertönen muß?

Ich habe noch nie einen so großen Mann gesehen, der so zweidimensional wirkt, obwohl das Tier wunderlich elegant ist in seinem altmodischen Gehrock, der seinem Aussehen nach in jenen fernen Jahren gekauft sein mochte, die vor seiner selbstgewählten Abgeschlossenheit lagen; es empfindet es nicht mehr als notwendig, mit der Mode zu gehen. Etwas Ungeschlachtes ist in seinem Äußeren, etwas Riesenhaftes, nichts

Gewinnendes; das Tier strahlt eine sonderbare Selbstbeherrschung aus, als kämpfte es mit sich, aufrecht zu bleiben, obgleich es sich viel lieber auf allen vieren bewegen würde. Traurig verzerrt es unsere menschlichen Hoffnungen, göttergleich zu sein, das arme Ding; nur aus einer gewissen Entfernung könnte man meinen, das Tier unterscheide sich kaum von irgendeinem anderen Mann, obgleich es eine Maske trägt, auf die ein sehr schönes Männerantlitz gemalt ist. O ja, ein wunderschönes Gesicht; aber eins mit einer zu strengen Symmetrie der Züge, um ganz menschlich zu sein: Die eine Hälfte seiner Maske ist das Spiegelbild der anderen, zu vollkommen, unheimlich. Er trägt auch eine Perücke, falsche Haare, die mit einer Schleife zu einem Zopf gebunden sind, eine Perücke wie auf altmodischen Porträts. Ein passendes Seidentuch, mit einer Perle festgesteckt, verbirgt seinen Hals. Dazu Handschuhe aus hellem Ziegenleder, die jedoch so riesig und ungeschlacht sind, daß sie wohl keine Hände bedecken.

Er ist eine Karnevalsfigur aus Pappmaché und Kreppapierhaaren; aber am Kartentisch ist er gerissen wie ein Teufel.

Wenn er sich über sein Blatt beugt, hallt seine maskierte Stimme wie aus einer großen Ferne, und er leidet an einem so grollenden Sprachfehler, daß nur sein Diener ihn versteht und übersetzen kann, so als wäre sein Herr eine tolpatschige Puppe und er selbst ein Bauchredner.

Der Docht sank in das zerschmolzene Wachs, die Kerzen flackerten. Als meine Rose all ihre Blätter verloren hatte, war auch meinem Vater nichts mehr geblieben.

»Außer dem Mädchen.«

Spielen ist eine Krankheit. Mein Vater sagte immer, er liebte mich, und dennoch setzte er seine Tochter aufs Spiel mit den Karten. Er fächerte sein Blatt auf; im Spiegel sah ich, wie wilde Hoffnung seine Augen funkeln ließ. Er hatte sich den Kragen aufgeknöpft, seine zerzausten Haare standen zu Berge, er zeigte die Höllenqualen eines Mannes im letzten Stadium der Verkommenheit. Es zog durch alle alten Wände, und ich fror schlimmer als jemals zuvor in Rußland, wenn die Nächte dort am kältesten sind.

Eine Dame, ein König, ein As. Ich erkannte sie im Spiegel. Oh, ich wußte genau, daß er sich einbildete, er könnte mich nicht verlieren, mit mir würde sogar alles wieder zurückkommen, was er verloren hatte, mit mir wäre das verschleuderte Vermögen meiner Familie mit einem Schlag zurückgewonnen. Und wenn er nicht gewann, nun gut, dann also das Ahnenschloß des Tiers vor den Toren der Stadt, die unermeßlichen Einkünfte; die Ländereien entlang dem Fluß, die Renten, die Schatztruhe, die Mantegnas, Giulio Romanos, die Salzfässer von Cellini, die Titel... die ganze Stadt selbst.

Man darf nicht denken, daß mein Vater mich geringer schätzte als das Lösegeld für einen König, aber eben auch nicht höher.

Es war jetzt eiskalt in diesem Zimmer. Und mir, dem Kind aus dem unwirtlichen Norden, kam es vor, als wäre nicht mein Fleisch, sondern in Wahrheit meines Vaters Seele in Gefahr.

Mein Vater glaubte natürlich an Wunder; welcher Spieler tut das nicht? Waren wir nicht gerade zu der Jagd nach so einem Wunder aufgebrochen aus dem Land der Bären und Sternschnuppen?

So schwankten wir zum Rand des Abgrunds.

Das Tier brüllte und legte dann die drei übrigen Asse auf den Tisch.

Die ungerührten Diener glitten nun so glatt herbei, als ob sie auf Rollen liefen, um eine Kerze nach der anderen zu löschen. Wenn man sie betrachtete, so mochte man meinen, nichts von Bedeutung wäre geschehen. Sie gähnten ein wenig vorwurfsvoll; es war fast Morgen, wir hatten sie nicht ins Bett gehen lassen. Der Kammerdiener des Tiers brachte ihm den Mantel. Mein Vater blieb inmitten dieser Vorbereitungen zum Aufbruch sitzen und starrte noch immer auf die Karten, die ihn im Stich gelassen hatten.

Der Diener teilte mir knapp mit, daß er morgen um zehn Uhr mich und meine Koffer abholen und in den Palazzo des Tiers bringen würde. *Capisco?* Ich war so erschrocken, daß ich kaum etwas begriff. Geduldig wiederholte er die Anweisungen für mich, er war ein sonderbarer, dünner, behender kleiner Mann, der sich mit unregelmäßigen Schritten vorwärts bewegte, auf schief angesetzten Füßen, die in merkwürdigen, keilförmigen Schuhen steckten.

Hatte mein Vater vorher ein feuerrotes Gesicht gehabt, so

war er jetzt weiß wie der Schnee, der auf der Fensterbank lag. Seine Augen schwammen, gleich würde er weinen.

»Wie der gemeine Inder«, sagte er; er liebte es, Gedichte zu rezitieren, »einer, dessen Hand eine Perle fortwarf, reicher als sein ganzer Stamm... Ich habe meine Perle verloren, meine unbezahlbare Perle.«

Daraufhin stieß das Tier plötzlich einen wilden Ton hervor, halb Grollen und halb Brüllen; die Kerzen flackerten. Der flinke Diener, der unverschämte Heuchler, übersetzte, ohne mit der Wimper zu zucken: »Mein Herr will sagen: Wenn Sie so nachlässig mit Ihren Schätzen sind, dann sollten Sie damit rechnen, daß sie Ihnen abgenommen werden.«

Er bedachte uns mit der Verneinung und dem Lächeln, das uns sein Herr nicht bieten konnte, und sie verschwanden.

Ich schaute den Schneeflocken zu, bis sie, kurz vor der Morgendämmerung, zu rieseln aufhörten; starker Frost setzte ein, der nächste Morgen brachte ein Licht wie aus Eisen.

Die Kutsche des Tiers, ein elegantes, wenn auch altmodisches Modell, war kohlpechrabenschwarz und wurde gezogen von einem blanken schwarzen Wallach, der Dampf aus seinen Nüstern blies und so lebhaft auf dem festgetretenen Schnee herumstapfte, daß ich wieder Hoffnung schöpfte. Vielleicht war die ganze Welt doch nicht so von Eis umschlossen, wie ich es jetzt war. Ich hatte mich immer etwas an Gullivers Meinung gehalten, daß Pferde besser sind als wir, und an jenem Tage wäre ich ihm mit Freuden ins Königreich der Pferde gefolgt, wenn sich dazu nur eine Gelegenheit ergeben hätte.

Der Diener saß in einer schmucken schwarzgoldenen Livree hoch oben auf dem Bock und umklammerte ausgerechnet einen Strauß von seines Herrn verdammten weißen Rosen, als ob ein Blumengebinde eine Frau über irgendeine Demütigung hinwegtrösten könnte. Er sprang mit unnatürlicher Gelenkigkeit herab, um sie mir feierlich in meine widerstrebende Hand zu legen. Mein tränenüberströmter Vater will eine Rose zum Zeichen, daß ich ihm vergeben habe. Als ich eine abbreche, steche ich mir in den Finger, und so bekommt er seine Rose ganz mit Blut verschmiert.

Der Diener kroch um meine Füße herum, um mit einer sonderbaren Art von gleichgültiger Willfährigkeit die Decken um mich herum festzustopfen, vergaß jedoch seine Stellung so weit, daß er sich mit einem übermäßig beweglichen Zeigefinger genußvoll unter der Halbperücke kratzte, während er mir einen Blick zuwarf, den meine alte Kinderfrau ›altmodisch‹ genannt hätte; er war spöttisch, verschlagen, eine Spur Verachtung lag darin. Und Mitleid? Nein, kein Mitleid. Seine Augen waren feucht und braun, sein Gesicht überzogen mit der unschuldigen Listigkeit eines uralten Babys. Er besaß die irritierende Angewohnheit, ununterbrochen Selbstgespräche zu führen, während er die Gewinne seines Herrn einlud. Ich zog die Vorhänge zu, um nicht das Lebwohl meines Vaters sehen zu müssen; mein Groll war scharf wie eine Glasscherbe.

Verspielt an das Tier! Und was an ihm, so überlegte ich, mochte genau das ›Tierische‹ sein? Meine englische Kinderfrau hat mir einmal von einem Tigermann erzählt, den sie in London gesehen hatte, als sie ein kleines Mädchen war, das sollte mir einen Schreck einjagen, damit ich brav war, denn ich war ein wildes kleines Ding, und mit einem Stirnrunzeln oder einem Bestechungslöffel voll süßer Marmelade allein konnte sie mich nicht zähmen zur Unterwerfung. Wenn du nicht aufhörst, die Stubenmädchen zu ärgern, meine Schöne, dann kommt der Tigermann und nimmt dich mit. Sie haben ihn aus Sumatra von den indischen Inseln mitgebracht, erzählte sie; sein Hinterteil war ganz voll Fell, und einem Menschen ähnelte er nur vom Kopf abwärts. Das Tier jedoch geht stets maskiert, sein Gesicht kann nicht aussehen wie meines.

Aber der Tigermann konnte trotz seiner Behaarung wie jeder gute Christ ein Glas Bier in die Hand nehmen und leer trinken. Das hatte sie mit eigenen Augen gesehen, als sie gerade so groß war wie ich und noch stammelte und krabbelte. Dann pflegte sie aufzuseufzen vor Sehnsucht nach ihrem London jenseits der Nordsee und der vielen vergangenen Jahre. Wenn diese junge Dame aber nicht artig war und brav ihre Rote Bete aufaß, dann würde sich der Tigermann seinen großen schwarzen Reisemantel umwerfen, der genau wie der Mantel von deinem Papa mit Pelz gefüttert ist, er würde das schnelle Pferd des Erlkönigs mieten und durch Nacht und Wind geradewegs zum Kinderzimmer reiten, und –

Ja, meine Schöne! VERSCHLINGEN WÜRDE ER DICH!

Wie habe ich immer gequietscht in wonnigem Schrecken, habe ihr halb geglaubt und halb gewußt, daß sie mich nur nekken will. Es gab auch Dinge, von denen ich genau wußte, daß ich sie ihr nicht erzählen durfte. Auf unserem gemeinsamen Bauernhof, wo die kichernden Kindermädchen mich in das Geheimnis einweihten, was der Bulle mit den Kühen macht, hörte ich von der Tochter des Wagenmeisters. Pst, pst, das darf aber nicht deine Kinderfrau wissen, daß wir das gesagt haben; die Kleine vom Wagenmeister, Hasenscharte, Schielaugen, häßlich wie die Sünde, wer hätte die schon haben wollen? Und doch ist ihr zu ihrer Schande und unter dem grausamsten Gespött der Pferdeknechte der Bauch dick geworden, und sie tuschelten, der Sohn, den sie geboren hätte, stammte von einem Bären. Kam mit einem Fell und ausgewachsenen Zähnen auf die Welt; das war der Beweis.

Als er jedoch erwachsen war, wurde er ein guter Schäfer; nur geheiratet hat er niemals, er hauste vor dem Dorf in einer Hütte und konnte den Wind aus allen Himmelsrichtungen blasen lassen, und außerdem konnte er auch genau sagen, aus welchen Eiern Hähne und aus welchen Hennen schlüpfen würden.

Die verstörten Bauern hatten meinem Vater eines Tages einen Schädel gebracht, der auf jeder Stirnseite Hörner hatte, einen guten Finger lang, und sie weigerten sich, auf das Feld zurückzugehen, wo ihr armseliger Pflug das Ding aufgestöbert hatte, es mußte erst ein Priester kommen und mit ihnen gehen, denn dieser Schädel hatte den Kieferknochen eines Mannes, nicht wahr?

Altweibermärchen, Kinderstubenängste! Ich kannte nur zu gut den Grund für die Verzagtheit, die ich so angenehm herauskitzelte mit abergläubischen Wundergeschichten aus meiner Kindheit an jenem Tag, an dem diese Kindheit endete. Von nun an war meine Haut mein einziges Kapital auf der Welt, und heute muß ich sie zum erstenmal zu Markte tragen.

Wir hatten die Stadt weit hinter uns gelassen und überquerten jetzt eine breite, flache Mulde aus Schnee, in der Weidenstümpfe mit geschorenen Köpfen gefrorene Tümpel säumten; Nebel löste den Horizont auf und zog den Himmel tiefer, bis er nur noch ein paar Handbreit über uns zu schweben schien. So weit das Auge reichte, kein Lebewesen. Wie kümmerlich und armselig war die tote Jahreszeit in diesem falschen Garten Eden, in dem alle Früchte dem Frost erlegen waren! Und meine zarten Rosen, schon verwelkt. Ich öffnete den Wagenschlag und warf den sinnlosen Strauß auf den hochgepreßten, festgefrorenen Schlamm der Straße. Plötzlich erhob sich ein scharfer, beißender Wind und warf mir trockene Schneekörner ins Gesicht. Der Nebel hob sich so weit, daß sich vor mir ein Areal von halb zerfallenen Fassaden aus reinem rotem Backstein enthüllte, die riesige Menschenfalle, die größenwahnsinnige Zitadelle seines Palazzos.

Es war eine Welt für sich, aber eine tote, ein ausgebrannter Planet. Ich erkannte, daß sich das Tier mit seinem Geld nicht Luxus, sondern Abgeschiedenheit erkauft hatte.

Das kleine schwarze Pferd trabte geradewegs durch das mit Figuren verzierte Bronzeportal, das sich dem Unwetter wie ein Scheunentor geöffnet hatte, und der Diener half mir aus dem Wagen auf die zersprungenen Fliesen in der großen Halle, in die duftende Wärme eines Stalles, süß von Heu, beißend von Pferdemist. Unter dem großen Dach, wo die Balken dicht besetzt waren mit den letzten Schwalbennestern des Sommers, brach ein Chor von Gewieher und dumpfem Hufgetrappel aus; ein Dutzend grazile Nüstern reckten sich aus den Krippen und wandten sich uns zu, mit steil gespitzten Ohren. Das Tier hatte seinen Pferden den Speisesaal überlassen. Die Wände waren passend bemalt mit einem Fresko von Pferden, Hunden und Männern in einem Wald, in dem die Bäume gleichzeitig Blüten und Früchte an den Zweigen trugen.

Der Diener zupfte mich höflich am Ärmel. Der Herr wartet schon.

Gähnende Türen und zerbrochene Fenster ließen überall den Wind ein. Wir stiegen eine Treppe nach der anderen hoch, unsere Schritte hallten auf Marmor. Durch Bögen und Türen erblickte ich gewölbte Gemächer, die wie in einem Irrgarten eins aus dem anderen hervortraten wie chinesische Schachteln und in die unendlich verzweigten Räumlichkeiten dieses Ortes führten. Er und ich und der Wind waren das einzige, das sich hier regte; alle Möbel lagen unter Schleiern von Staub, die Kronleuchter waren mit Tüchern verhängt, Gemälde von ihren Haken genommen und mit der Bildseite an die Wand gehängt, als ob ihr Herr ihren Anblick nicht ertragen könnte. Der Palast war entkleidet, als wollte sein Eigentümer gerade ausziehen oder als wäre er noch niemals richtig eingezogen. Das Tier hatte sich entschieden, an einem unbewohnten Ort zu leben.

Der Diener warf mir aus seinen braunen beredten Augen einen beruhigenden Blick zu, in dem jedoch auch eine solch scheele Geringschätzung lag, daß er mich trösten konnte, und hüpfte weiter auf seinen schiefen Beinen vor mir her, wobei er leise vor sich hin murmelte. Ich hob den Kopf und folgte ihm; mein Herz aber war schwer, trotz all meines Stolzes.

Der Herr hat seinen Königssitz hoch oben im Haus, in einem engen, stickigen, düsteren Raum; er hält die Fensterläden noch am Mittag geschlossen. Als wir ihn endlich erreicht hatten, war ich außer Atem und erwiderte das Schweigen, mit dem er mich begrüßte. Ich will nicht lächeln. Er kann nicht lächeln.

In seiner kaum je gestörten Abgeschiedenheit trägt das Tier ein Gewand mit osmanischen Mustern, einen losen Mantel aus stumpfem Purpur, goldbestickt, am Halse hochgeschlossen und so lang, daß er seine Füße verbirgt. Die Füße des Sessels, in dem er sitzt, sind schön gearbeitete Klauen. Er versteckt seine Hände in weiten Ärmeln. Das kunstvolle Meisterwerk seines Gesichtes erschreckt mich. Ein kleines Feuer auf einem kleinen Rost. Windstöße lassen die Läden klappern.

Der Diener hustete. Ihm fiel die delikate Aufgabe zu, die Wünsche seines Herrn zu übersetzen.

»Mein Herr...« Ein Scheit fiel in die Asche und krachte mächtig in diese unheimliche Stille hinein, der Diener fuhr zusammen, verlor den Faden und begann von vorn.

»Mein Herr hat nur einen einzigen Wunsch.«

Der schwere, üppige, wilde Duft, mit dem der Herr auch am vorigen Abend parfümiert gewesen war, hängt um uns in der Luft, steigt in blauen Wolken aus den Löchern eines kostbaren chinesischen Räuchergefäßes.

»Er wünscht sich nur...« Hier begann der Diener im Angesicht meiner Teilnahmslosigkeit zu stammeln, seine spöttische Überlegenheit war dahin, denn der Wunsch seines Herrn, wie unbedeutend er auch sein mag, klang unerträglich anmaßend aus dem Mund eines Lakaien, und diese Rolle des Zwischenträgers war es offenbar, die ihn vor allem verlegen machte. Er schluckte, räusperte sich und stieß schließlich ohne Punkt und Pause eine Flut von Worten hervor.

»Der einzige Wunsch meines Herrn ist die schöne junge Dame unbekleidet zu sehen nackt ohne ihr Kleid und das nur ein einzigesmal wonach sie unbeschadet zu ihrem Vater zurückgebracht werden wird mit einem Barscheck in der Höhe jener Summe die er an meinen Herrn beim Kartenspiel verloren hat und außerdem einer Anzahl von schönen Geschenken wie Pelze Juwelen und Pferde –«

Ich blieb ruhig stehen. Während dieses Gespräches waren meine Augen auf gleicher Höhe wie die hinter der Maske, die jetzt den meinen auswichen, als ob er sich jetzt, zur Rettung seiner Ehre, für sein Ansinnen ebenso schämte wie für das Sprachrohr, das sie in Worte kleidete. *Agitato, molto agitato* rang der Diener die Hände in den weißen Handschuhen.

»*Denuda* –«

Ich traute kaum meinen Ohren. Ich stieß ein heiseres Gelächter aus; so lacht keine junge Dame! pflegte mich meine alte Kinderfrau zu ermahnen. Ich tat es trotzdem. Und tue es noch. Vor dem rauhen Krächzen meiner herzlosen Heiterkeit prallte der Diener entsetzt zurück, rang die Hände, als ob er sie loswerden wollte, verzweifelt und in stummem Flehen. Ich spürte, ich schuldete ihm eine Antwort in einem so fehlerlosen Toskanisch, wie ich es nur zustande brachte.

»Sie können mich in ein fensterloses Gemach bringen lassen, mein Herr, dann verspreche ich Ihnen, daß ich für Sie meinen Rock bis zur Taille hochheben werde. Es muß jedoch ein Tuch über mein Gesicht gezogen werden, damit es verborgen bleibt; das Tuch muß so locker auf mir liegen, daß es mich nicht erstickt. So werde ich von der Hüfte aufwärts vollkommen bedeckt sein, und es gibt kein Licht. Dort dürfen Sie mich einmal besuchen, mein Herr, und nur das einemal. Danach will ich direkt in die Stadt zurückfahren und auf dem Marktplatz abgeliefert werden, vor der Kirche. Wenn Sie wünschen, mir Geld zu zahlen, dann will ich es gerne entgegennehmen. Ich muß jedoch darauf beharren, daß Sie mir nur die Summe geben, die Sie unter Umständen jeder anderen Frau auch zahlen würden. Wenn Sie es jedoch vorziehen, mir gar kein Geschenk zu machen, so ist das Ihr gutes Recht.«

Wie freute ich mich, als ich sah, daß ich das Tier ins Herz getroffen hatte! Denn nach einem Dutzend Herzschlägen quoll eine einzige Träne schimmernd im Winkel des maskierten Auges. Eine Träne! Eine Träne, wie ich hoffte, der Scham. Die Träne bebte einen Augenblick am Rande des gemalten Jochbeins, rann über die gemalte Wange und tropfte schließlich mit einem hellen Klang auf den gekachelten Boden.

Der Diener scheuchte mich hastig unter murmelnden Selbstgesprächen aus dem Raum. Eine malvenfarbene Wolke von seines Herrn Parfum wallte mit uns in den eisigen Korridor hinaus und löste sich dort im Luftzug auf.

Eine Zelle war für mich gerichtet, eine wahrhaftige Zelle, ohne Fenster, ohne Luft, ohne Licht, in den tiefsten Eingeweiden des Palastes. Der Diener zündete eine Lampe für mich an; ein schmales Bett, ein dunkler Schrank mit geschnitzten Früchten und Blumen zeigten sich im Dämmer.

»Ich werde mein Bettlaken zu einer Schlinge knüpfen und mich damit aufhängen«, sagte ich.

»O nein«, erwiderte der Diener und musterte mich mit seinen großen und plötzlich melancholischen Augen, »o nein, das werden Sie nicht. Sie sind eine Frau von Ehre.«

Und was trieb er in meiner Schlafkammer, diese zappelnde Karikatur eines Mannes? War er mein Wärter, bis ich mich den Wünschen des Tiers unterwarf oder es sich den meinen? War meine Lage so beschränkt, daß man mir keine Kammerzofe mehr zugestand? Der kleine Diener klatschte, wie als Antwort auf meinen unausgesprochenen Wunsch, in die Hände.

»Um Ihre Einsamkeit zu lindern, Madame...«

Hinter der Schranktür Klopfen und Klappern, die Tür klappt auf, und heraus gleitet eine Soubrette aus einer Operette, schimmernde nußbraune Locken, rosige Wangen, blaue Kugelaugen; es dauert einen Augenblick, ehe ich sie erkenne in ihrer kleinen Haube, den weißen Strümpfen und gestärkten Unterröcken. In der einen Hand trägt sie einen Spiegel, in der anderen eine Puderquaste, und wo ihr Herz sitzen sollte, ist eine Spieldose; sie klingelt, während sie auf ihren winzigen Rädern auf mich zurollt.

»Hier lebt nichts Menschliches«, sagte der Diener.

Meine Kammerzofe hielt an, verneigte sich; aus einem gesäumten Schlitz an der einen Seite ihres Körpers ragt der Griff eines Schlüssels heraus. Sie ist eine wunderbare Maschine, das raffiniert ausbalancierte System von Schnüren und Rollen der Welt.

»Wir haben uns der Dienstboten entledigt«, sagt der Diener, »wir umgeben uns statt dessen zu unserm Nutzen und Vergnügen mit Attrappen, und wir sind nicht weniger zufrieden als die meisten anderen Herren.«

Mein Aufziehzwilling machte vor mir Halt, zirpte in ihren Eingeweiden ein Menuett aus dem 18. Jahrhundert und bot mir ein kühnes Lächeln. Klick, klick – sie hebt ihren Arm und pudert mir emsig die Wangen mit rosiger Kreide, daß ich husten muß; dann dreht sie mir ihren kleinen Spiegel entgegen.

Ich sah darin nicht mein eigenes Gesicht, sondern das meines Vaters, als hätte ich bei der Ankunft im Palast des Tiers wie eine Quittung für seine Schulden sein Gesicht aufgelegt. Was heulst du noch, du Narr in deinem Selbstbetrug? Betrunken dazu. Er stieß seinen Grappa zurück und warf den Becher fort.

Als der Diener meinen Schreck und mein Entsetzen sah, nahm er mir den Spiegel weg, hauchte ihn an, rieb ihn mit einer Kante seiner behandschuhten Faust blank und reichte ihn mir zurück. Jetzt sah ich nur mich selbst, hohläugig nach einer schlaflosen Nacht und so blaß, daß ich meine Kammerzofe und ihr Rouge brauchen konnte.

Ich hörte, wie sich der Schlüssel in der schweren Tür drehte und die Schritte des Dieners auf dem steinernen Gang verhallten. In der Zwischenzeit fuhr mein Ebenbild fort, die Luft zu pudern und ihre zirpende Melodie von sich zu geben, doch war sie, wie sich herausstellte, nicht unermüdlich; bald wurde ihr Pudern träger, ihr Metallherz in einer Nachahmung von Müdigkeit langsamer, ihre Spieluhr lief ab, bis sich die Töne so verzerrten, daß sie falsch klangen, wie einzelne Regentropfen, und schließlich, als ob der Schlaf sie überwältigt hätte, bewegte sie sich gar nicht mehr. Als sie eingeschlummert war, hatte ich nur den einen Wunsch, das gleiche zu tun. Ich sank wie gefällt auf das schmale Bett.

Zeit verstrich, aber ich weiß nicht, wieviel. Irgendwann

weckte mich der Diener mit Brötchen und Honig. Ich winkte ihm, das Tablett wieder fortzunehmen, aber er setzte es energisch neben der Lampe ab, nahm eine kleine Dose aus Chagrinleder herunter und überreichte sie mir.

Ich wandte meinen Kopf ab.

»Oh, meine Dame!« Wie verletzt knarrte seine hohe Stimme! Geschickt öffnete er den goldenen Verschluß; in einem Bett aus rotem Samt lag ein einzelner Diamantohrring, vollkommen wie eine Träne.

Ich klappte die Dose wieder zu und warf sie in eine Ecke. Diese plötzliche, heftige Bewegung muß auf den Mechanismus der Puppe gewirkt haben. Sie ließ ihren Arm emporschnellen, fast wie um mich zu strafen, und gab ein paar Gavottetriller von sich. Dann war sie wieder ruhig.

»Nun gut«, sagte der Diener beleidigt. Und kündigte mir an, es sei für mich an der Zeit, meinen Gastgeber abermals zu besuchen. Er gestattete mir nicht, mich zu waschen oder mir die Haare zu bürsten. Im Inneren des Palastes herrschte so wenig natürliches Licht, daß ich nicht unterscheiden konnte, ob es Tag war oder Nacht.

Es sah nicht so aus, als hätte sich das Tier, seitdem ich es das letztemal gesehen hatte, überhaupt gerührt; er saß in seinem großen Sessel mit den Händen in den Ärmeln, und die schwüle Luft war vollkommen still. Ich mochte eine Stunde geschlafen haben, eine Nacht oder einen Monat, seine steinerne Reglosigkeit, die erstickende Atmosphäre hatten sich nicht verändert. Der Weihrauch stieg aus dem Gefäß und zog noch immer die gleichen Kringel durch die Luft. Das gleiche Feuer brannte.

Soll ich für Sie meine Kleider ablegen, wie ein Ballettmädchen? Ist das alles, was Sie von mir verlangen?

»Ein Blick auf die Haut einer jungen Dame, die noch kein Mann gesehen hat...«, stammelte der Diener.

Ich wünschte, ich hätte mich mit jedem Bauernburschen auf meines Vaters Höfen im Heu gewälzt, um nur nicht die Voraussetzungen für diesen demütigenden Handel zu erfüllen. Daß er so wenig forderte, war der Grund, warum ich es nicht gewähren konnte; ich mußte mit dem Tier nicht sprechen, damit es mich verstand.

Eine Träne stieg ihm in das andere Auge. Und dann bewegte er sich; er verbarg sein Karnevalspappgesicht mit den schweren geknüpften Haaren in, wie ich sagen würde, seinen Armen; er zog seine, wie ich sagen würde, Hände aus den Ärmeln, und ich sah seine pelzigen Pfoten, seine Krallen, die Wunden reißen konnten.

Die Träne tropfte auf sein Fell und glänzte. Und in meiner Zelle hörte ich stundenlang diese Pfoten vor meiner Tür hin und her tappen.

Als der Lakai wieder mit seinem Silbertablett auftauchte, besaß ich ein ganzes Paar Diamantohrringe wie aus dem reinsten Wasser der Welt; ich warf den zweiten in die gleiche Ecke, in der der erste lag. Der Diener zitterte vor Kränkung und Bedauern, bot mir jedoch nicht wieder an, mich zum Tier zu führen. Statt dessen lächelte er einschmeichelnd und gab von sich: »Mein Herr, er sagt, er bittet die junge Dame zu einem Ausritt.«

»Was soll das?«

Er machte kurz das Galoppgetrappel nach und krächzte zu meiner Verwunderung tonlos: »Trapp trapp! Trapp trapp! Auf die Jagd wollen wir gehen!«

»Ich werde ausreißen, ich werde in die Stadt reiten.«

»O nein«, erwiderte er, »sind Sie nicht eine Frau von Ehre?«

Er klatschte in die Hände, und mein Kammermädchen klickte und hampelte sich zurecht für ihre Imitation von Leben. Sie rollte zum Schrank, aus dem sie gekommen war, und griff hinein, um mein Reitkleid herauszuholen und über ihren künstlichen Arm zu legen. Ausgerechnet das, mein eigenes Reitkleid, das ich in einem Koffer auf dem Dachboden jenes Landhauses vor Petersburg zurückgelassen hatte, das uns schon vor langer Zeit verlorengegangen war, lange bevor wir uns auf diese wilde Wanderschaft in den grausamen Süden gemacht hatten. Entweder war es wirklich das echte Reitkleid, das mir meine alte Kinderfrau genäht hatte, oder eine vollkommene Kopie, perfekt bis zum verlorenen Knopf am rechten Ärmel, bis zu dem ausgerissenen Saum, der nur mit einer Nadel festgesteckt war. Ich drehte und wendete den abgetragenen Stoff in meinen Händen, um einen endgültigen Beweis zu finden. Der Wind, der durch den Palast jagte, ließ die Tür in ihrem Rahmen beben; hatte der Nordwind meine Kleider quer durch Europa zu mir geblasen? Bei uns zu Hause konnte ein Bärensohn die Winde nach seinem Willen wehen lassen. Welche Zauberdemokratie herrschte in beidem, in diesem Palast und jenem Tannenwald? Oder sollte ich bereit werden, es als Beweis für das Lebensprinzip meines Vaters zu nehmen, der mir immer eingehämmert hatte: alles ist möglich, wenn man genug Geld hat?

»Hopp, hopp, Galopp«, schlug der Diener zwinkernd vor, ganz offensichtlich gefielen ihm das bevorstehende Vergnügen und meine Verwirrung. Das Aufziehmädchen hielt mir meine Jacke hin, und ich erlaubte mir, scheinbar widerstrebend hineinzufahren, dabei war ich halb verrückt danach, hinaus an die frische Luft zu kommen, fort von diesem todbringenden Palast, und wenn auch in einer solchen Gesellschaft.

Die Portale der Halle ließen den hellen Tag hinein; ich sah, daß es Morgen war. Unsere Pferde waren schon gesattelt und geschirrt, Tiere in Fesseln, und warteten auf uns. Sie schlugen mit ihren ungeduldigen Hufen Funken auf den Steinen, während ihre Stallgenossen gemütlich im Stroh lagerten und sich in der stummen Sprache der Pferde miteinander unterhielten. Ein oder zwei Tauben, das Gefieder aufgeplustert, um die Kälte abzuwehren, scharrten und pickten nach Körnern. Der kleine schwarze Wallach, der mich gebracht hatte, begrüßte mich mit einem schmetternden Wiehern, das in dem dunstigen Gebäude widerhallte wie in einem Schalloch, und ich wußte, ihn sollte ich reiten.

Ich habe Pferde immer verehrt, diese edelsten aller Geschöpfe, sie haben eine so verwundete Sensibilität in ihren weisen Augen, diese kluge Beherrschung der Kraft in ihrer angespannten Hinterhand. Ich schnalzte meinem blanken, schwarzen Gefährten zu, und er erwiderte meinen Gruß durch einen Kuß mit seinen weichen Nüstern auf meine Stirn. Da stand noch ein kleines zottiges Pony, das an den *trompe-l'œil*-Ranken unter den Hufen der gemalten Pferde auf der Wand herumschnoberte, und in seinen Sattel sprang der Diener mit einem Schwung wie im Zirkus. Dann kam das Tier, in einen mit schwarzem Pelz gefütterten Mantel gehüllt, und hievte sich auf eine ernste graue Mähre. Kein geborener Reiter; er klammerte sich an ihre Mähne wie ein schiffbrüchiger Matrose an den Mast.

Kalt war dieser Morgen, aber er schimmerte in jenem grellen Wintersonnenlicht, das die Netzhaut sticht. Ein wirbliger Wind blies, er schien uns zu begleiten, als trüge ihn der Maskierte, Gewaltige ohne Worte in seinem Mantel und ließe ihn je nach Belieben frei, denn er zerzauste zwar die Mähnen der Pferde, hob aber nicht den Nebel über der Ebene.

Eine karge Landschaft in trüben braunen und sepiafarbenen Tönen des Winters lag rings um uns, die Marschwiesen streckten sich düster bis an den breiten Fluß. Diese geschorenen Weiden. Dann und wann ein Vogelschwarm, klagende Schreie.

Ein abgründiges Gefühl der Fremdheit begann allmählich von mir Besitz zu ergreifen. Ich wußte, daß meine beiden Gefährten in keiner Hinsicht waren wie andere Männer, der äffische Gefolgsmann nicht und nicht der Herr, für den er sprach, mit den krallenbewehrten Vorderpfoten, der mit den Hexen im Bunde war, die im hohen Norden, nahe der Grenze nach Finnland, die Winde aus ihren zugeknöpften Taschentüchern fahren ließen. Ich wußte, sie lebten nach einer anderen Logik, als ich getan hatte, bis mich mein Vater mit seiner menschlichen Gedankenlosigkeit den wilden Tieren ausgeliefert hatte. Dieses Wissen jagte mir noch immer eine gewisse Angst ein; aber, wie ich sagen muß, keine große ... Ich war ein junges Mädchen, eine Jungfrau, und deshalb sprachen die Männer mir jeden Verstand ab, so wie sie ihn allen absprachen, die nicht genau wie sie waren, trotz ihres eigenen Unverstandes. Ich konnte in dieser verlassenen Wildnis um mich her keine einzige Seele entdecken, und auch wir sechs, Pferde wie Reiter, konnten uns nicht rühmen, daß es unter uns eine Seele gab, denn schließlich behaupten die besten Religionen der Welt kategorisch, daß weder Tiere noch Frauen mit solchen zerbrechlichen, unstofflichen Dingen ausgerüstet wurden, als Gott der Herr die Pforten des Gartens Eden aufstieß und Eva samt ihrer Sippe hinaustorkeln ließ. So wird man sicher verstehen, daß ich, wenn ich auch nicht gerade behaupten will, ich hätte mich insgeheim metaphysischen Spekulationen hingegeben, als wir so durch das Ried zum Fluß ritten, doch ganz gewiß über das Wesen meiner eigenen Situation nachdachte, wie ich gekauft und verkauft und von Hand zu Hand gegeben worden war. Das Aufziehmädchen, das mir meine Wangen puderte – war denn nicht auch mir nur das gleiche nachgeahmte Leben unter Männern zugewiesen worden, das der Puppenmacher ihr verliehen hatte?

Und dennoch, was die wahre Natur dieses krallenbewehrten Zauberers sein mochte, der auf seinem bleichen Pferd so ritt, daß ich mich daran erinnerte, wie Kublai Khans Leoparden auf Pferden zur Jagd geritten sein mochten, davon hatte ich noch keine Vorstellung.

Wir kamen an das Ufer des Flusses, der so breit war, daß wir nicht hinübersehen konnten, und so ruhig vor lauter Kälte, daß er kaum zu strömen schien. Die Pferde senkten ihre Köpfe, um zu trinken. Der Diener räusperte sich, wollte sprechen; wir befanden uns an einem Ort vollkommener Abgeschiedenheit, jenseits eines Dickichts aus winterkahlen Binsen, einer Hecke aus Ried.

»Wenn Sie sich ihm nicht ohne Kleider zeigen wollen...«

Mechanisch schüttelte ich den Kopf.

»...dann müssen Sie darauf gefaßt sein, meinen Herrn zu sehen, nackt.«

Der Fluß klatschte mit einem leisen Seufzer auf die Kiesel. Meine Fassung ließ mich im Stich; plötzlich befand ich mich am Rand einer Panik. Ich glaubte nicht, daß ich seinen Anblick ertragen könnte, wie immer er auch sein mochte. Die Mähre hob das tropfende Maul und schaute mich geradewegs an, als ob sie mich ermuntern wollte. Das Wasser brach sich wieder zu meinen Füßen. Ich war weit fort von zu Hause.

»Sie«, sagte der Diener, »müssen.« Als ich merkte, wie ängstlich er war, daß ich ablehnte, nickte ich.

Das Riedgras neigte sich unter einem jähen Windstoß, der einen Schwall des schweren Duftes seiner Verkleidung mit sich führte. Der Diener hielt den Mantel vor seinen Herrn, um ihn vor mir zu beschirmen, während er die Maske abnahm. Die Pferde scharrten mit den Hufen.

Nie wird sich der Tiger mit dem Lamm zur Ruhe legen; er erkennt keinen Vertrag an, der nicht gegenseitig ist. Das Lamm muß lernen, mit den Tigern zu laufen.

Eine große, katzenhafte, lohgelbe Gestalt, das Fell gemustert mit wilden geometrischen Gittern in der Farbe von versengtem Holz. Sein gewölbter, schwerer Kopf, so schrecklich, daß er ihn verbergen muß. Wie fein die Muskeln, wie fest sein Tritt. Die vernichtende Heftigkeit seiner Augen, wie Zwillingssonnen.

Ich spürte, wie es mir die Brust zerriß, als litte ich an einer herrlichen Wunde.

Der Diener trat vor, wie um seinen Meister zu verhüllen, nachdem ihn das Mädchen wahrgenommen hatte, aber ich sagte: »Nein.« Der Tiger saß still wie ein Wappentier in einem Pakt, den er mit seiner eigenen Wildheit geschlossen hatte, um mir kein Leid zu tun. Er war viel größer, als ich es mir hätte vorstellen können, wenn ich an die armseligen, schäbigen Tiere dachte, die ich einmal in der Menagerie des Zaren in Petersburg gesehen hatte, die goldene Frucht ihrer Augen getrübt, dahinwelkend in ihrer Gefangenschaft im hohen Norden. Nichts an ihm erinnerte mich an Menschliches.

Deshalb knöpfte ich mir nun bebend die Jacke auf, ich wollte ihm zeigen, daß auch ich ihm kein Leids tun würde. Aber ich war ungeschickt und errötete ein wenig, denn noch kein Mann hatte mich nackt gesehen, und ich war ein stolzes Mädchen. Stolz war es, nicht Scham, der meine Finger so lähmte, und eine gewisse Besorgnis, daß dieses schwache, kleine Ding aus der menschlichen Polsterwerkstatt vielleicht doch nicht großartig genug war, um seine Erwartungen an uns zu erfüllen, denn sie konnten ja auch in der endlosen Zeit seines Wartens unendlich groß geworden sein. Der Wind raschelte im Röhricht und kräuselte den Fluß.

Ich zeigte seinem tiefen Schweigen meine weiße Haut, meine roten Brustwarzen, und auch die Pferde wandten ihre Köpfe, um mich zu betrachten, als wären sie ebenfalls ganz höflich neugierig auf die leibliche Natur der Frauen. Dann senkte das Tier seinen riesigen Kopf. Genug! sagte der Diener mit einer Geste. Der Wind erstarb, alles war wieder still.

Danach gingen sie zusammen fort, der Diener auf dem Pony reitend, der Tiger wie ein Hund vor ihm herlaufend, und ich ging eine Weile am Flußufer spazieren. Ich hatte das Gefühl, als ob ich zum erstenmal in meinem Leben frei wäre. Dann wurde die Wintersonne blasser, ein paar Schneeflocken wirbelten aus dem verdämmernden Himmel, und als ich zu den Pferden zurückkehrte, sah ich, daß das Tier wieder auf seiner grauen Mähre saß, in Mantel und Maske und allem Anschein nach wieder ein Mann, während dem Diener eine gute Strecke von Schwimmvögeln an der Hand hing und ein frisch erlegter junger Rehbock hinter ihm an den Sattel gebunden war. Ich schwang mich schweigend auf den schwarzen Wallach, und so kehrten wir in den Palast zurück, während der Schnee immer dichter fiel und unsere Spuren auslöschte.

Der Diener brachte mich nicht zurück in meine Zelle, sondern in ein elegantes, etwas altmodisches Boudoir voller Sofas, die mit verschossenem rosa Brokat bezogen waren, einem Feenschatz an orientalischen Teppichen, leise klirrenden Kristallkronleuchtern. Kerzen in Kandelabern aus Geweihen ließen Regenbogenglanz aus den Prismenherzen meiner Diamantohrringe sprühen, die auf meinem neuen Ankleidetisch lagen, neben dem schon mein aufmerksames Kammermädchen mit ihrer Puderquaste und dem Spiegel bereitstand. In der Absicht, die Schmuckstücke an meinen Ohren zu befestigen, nahm ich ihr den Spiegel aus der Hand. Aber er hatte gerade wieder einen seiner Zaubermomente, und ich sah nicht mein eigenes Gesicht, sondern das meines Vaters; zuerst glaubte ich, er lächelte mir zu. Dann sah ich, daß er aus reiner Genugtuung lächelte.

Er saß, wie ich erkannte, in dem Wohnraum in unserem Hotel, am gleichen Tisch, an dem er mich verloren hatte, war jetzt allerdings emsig damit beschäftigt, ansehnliche Banknotenstapel durchzuzählen. Meines Vaters Verhältnisse hatten sich also bereits geändert; er war gut rasiert, ordentlich am Kopf, trug anständige neue Kleider. Ein beschlagenes Glas Champagner stand griffbereit neben einem Eiskübel. Das Tier hatte augenblicklich für seinen Blick auf meine Brüste sofort bar gezahlt, als hätte ich dabei auch sterben können. Dann sah ich, daß meines Vaters Truhen gepackt waren, fertig für die Abreise. Konnte er mich wirklich so leichtherzig hier zurücklassen?

Neben dem Geld lag eine Note auf dem Tisch, in einer klaren schönen Handschrift. Ich konnte sie ganz deutlich lesen. ›Die junge Dame wird unverzüglich eintreffen.‹ Von irgendeinem Windhund, mit dem er in seiner abgrundtiefen Gemeinheit sofort die nächste Liaison ausgehandelt hatte? Keineswegs. Denn in diesem Augenblick pochte der Diener an meine Tür und kündigte mir an, daß ich den Palast ab sofort jederzeit verlassen könne. Er trug einen sehr schönen Zobelmantel über dem Arm, mein eigenes kleines Geschenk, die Morgengabe des Tiers, mit dem es mich zum Packen anhielt und fortschickte.

Als ich wieder in den Spiegel sah, war mein Vater verschwunden, und ich fand ein blasses, hohläugiges Mädchen, das ich kaum wiedererkannte. Der Diener fragte höflich, für wann er den Wagen bestellen solle, als zweifelte er gar nicht daran, daß ich mich bei der ersten Gelegenheit mit meiner Beute aus dem Staub machen würde, während mein Kammermädchen, dessen Gesicht mehr das Abbild meines eigenen war, weiter über beide Wangen strahlte. Ich werde sie in meine eigenen Kleider stecken, aufziehen und zurückschicken, damit sie die Rolle von meines Vaters Tochter übernimmt.

»Laß mich allein«, sagte ich zu dem Diener.

Er brauchte jetzt nicht mehr die Tür zu verriegeln. Ich befestigte die Ohrringe an meinen Ohren. Sie waren sehr schwer. Dann zog ich meinen Reitanzug aus und ließ ihn auf dem Boden liegen, wo er war. Als ich jedoch bei meinem Hemd angelangt war, sanken mir die Arme herab. Ich war es nicht gewohnt, nackt zu sein. Ich war so wenig an meine eigene Haut gewöhnt, daß ich mich, als ich alle meine Kleider abgelegt hatte, fühlte, als würde ich gehäutet. Ich dachte, das Tier hatte wirklich wenig verlangt, verglichen mit dem, was ich mich anschickte, ihm zu geben. Aber für Menschen ist es nicht natürlich, nackt zu gehen, zumindest nicht mehr, seit wir uns zum erstenmal die Lenden mit Feigenblättern gürteten. Er hatte das Schändliche verlangt. Ich spürte eine so grausame Pein, als zöge ich mir mein eigenes Fell ab, und das lächelnde Aufziehmädchen stand erstarrt, vergaß, daß sie das Leben nur nachahmte, und schaute zu, wie ich mich entblößte bis auf das kalte weiße Fleisch unseres Kontrakts, und wenn sie mich nicht sah, dann war es um so mehr wie auf dem Marktplatz, wo die Augen, die einen beobachten, einem keine Existenz zumessen.

Und es kam mir vor, als wäre mein ganzes Leben, seit ich den Norden verlassen hatte, unter dem gleichgültigen Blick aus solchen Augen verlaufen, wie sie sie hatte.

Jetzt war ich splitternackt, bis auf seine untadeligen Tränen.

Ich hüllte mich in den Pelz, den ich ihm zurückgeben mußte, um mich vor den beißenden Winden zu schützen, die durch die Korridore pfiffen. Ich kannte den Weg zu seiner Höhle auch ohne den Diener.

Keine Antwort, als ich versuchsweise an seine Tür klopfte. Dann wirbelte der Wind den Diener den Gang entlang. Er hatte wohl beschlossen, daß, wenn einer nackt geht, alle nackt gehen. Ohne seine Livree zeigte er sich, wie ich vermutet hatte, als ein zartes Geschöpf mit seidigem, mottengrauem Fell, braunen Fingern, geschmeidig wie Leder, schokoladenfarbener Schnauze – das sanfteste Wesen der Welt. Er jieperte leicht, als er mich sah, mit meinem edlen Pelz und den Juwelen, zurechtgemacht, als ob ich in die Oper ginge, und in einer ganz zärtlichen Zeremonie zog er mir den Zobel von den Schultern. Der Zobel verwandelte sich daraufhin in eine Schar von schwarzen, quiekenden Ratten, die auf ihren harten kleinen Füßen sofort die Treppe hinunter raschelten und meinem Blick entschwanden.

Der Diener führte mich mit einer Verneigung in den Raum des Tiers.

Der purpurrote Morgenrock, die Maske, die Perücke lagen auf seinem Stuhl bereit, ein Handschuh schmückte jeden Ärmel. Die leere Hülle seiner äußeren Erscheinung war gerichtet für ihn, aber er hatte sie liegenlassen. Ein Geruch von Fell und Urin hing im Raum, das Weihrauchgefäß lag zerbrochen in Scherben auf dem Boden. Halbverbrannte Scheite aus dem verloschenen Feuer waren überall verstreut. Eine Kerze, die im eigenen Fett auf dem Kaminsims klebte, entzündete zwei winzige Flammen in den Pupillen seiner Tigeraugen.

Er trabte vor und zurück, vor und zurück, die Quaste seines schweren Schwanzes zuckte, während er die Länge und Breite seines Gefängnisses zwischen den abgenagten und blutigen Knochen abschritt.

Er wird dich verschlingen.

Kinderstubenängste erschufen Fleisch und Sehnen; früheste und archaischste aller Ängste, die Angst, verschlungen zu werden. Das Tier und sein Fleischfresserbett aus Knochen und ich, weiß, zitternd, roh. Ich näherte mich ihm, als wollte ich ihm mit mir selbst den Schlüssel zu einem friedlichen Königreich übergeben, in dem sein Appetit nicht meinen Untergang bedeuten muß.

Er wurde still wie ein Fels. Er fürchtete sich weit mehr vor mir als ich mich vor ihm.

Ich kauerte mich auf das feuchte Stroh und streckte meine Hand aus. Ich war jetzt im Kraftfeld seiner goldenen Augen. Er knurrte hinten in der Kehle, senkte seinen Kopf, ließ sich auf die Vorderpfoten nieder, fauchte, zeigte mir seine rote Kehle, seine gelben Zähne. Ich rührte und regte mich nicht. Er schnupperte, als wollte er meine Angst riechen. Es gelang ihm nicht.

Langsam, ganz langsam begann er, sein schweres, schimmerndes Gewicht über den Boden auf mich zuzuschleifen.

Ein ungeheures Dröhnen, wie von der Maschine, die die Erde dreht, erfüllte den kleinen Raum, er hatte begonnen zu schnurren.

Der süße Donner seines Schnurrens ließ die alten Mauern beben und die Läden gegen die Fenster schlagen, bis sie auseinanderbarsten und das weiße Licht des schneeigen Monds hereinließen. Ziegel fielen krachend vom Dach; ich hörte sie tief unten auf dem Hof zerschellen. Der Widerhall seines Schnurrens rüttelte an den Fundamenten des Hauses, die Mauern fingen an zu tanzen. Ich dachte: ›Alles wird auseinanderbrechen, alles wird sich auflösen.‹

Er schob sich immer dichter an mich heran, bis ich den rauhen Samt seines Hauptes an meiner Hand spürte, dann eine Zunge, schneidend wie Sandpapier. ›Er wird mir die Haut vom Leibe lecken!‹

Und jeder Schlag seiner Zunge riß mir eine Haut nach der anderen fort, all die Häute eines Lebens in der Welt, und übrig blieb eine eben geborene Patina aus glänzenden Haaren. Meine Ohrringe wurden wieder zu Wasser und sickerten mir auf die Schultern; ich schüttelte die Tropfen aus meinem wunderschönen Fell.

ANNE-MARIE VILLEFRANCHE

Armand macht Besuche

Für seinen ersten Besuch bei Madame de Michoux kleidete sich Armand sorgfältiger als üblich, um auf sie den besten Eindruck zu machen. Zufällig hatte er sie am Vortag kennengelernt, als sie mit Jeanne Verney auf der Terrasse des *Café de la Paix* einen Aperitif nahm. Er vermutete, daß sie in der Rue de la Paix und am Place Vendôme einen Einkaufsbummel gemacht hatten. Augenblicklich war er von Jeannes elegant gekleideter Freundin angetan, und das mußte offen in seinem Gesicht zu lesen gewesen sein, denn Jeanne warf ihm einen wissenden Blick zu, als sie ihm Gabrielle de Michoux vorstellte.

Armand und Jeanne waren schon lange befreundet. Tatsächlich waren sie beinahe zwei Jahre ein Liebespaar gewesen, und obwohl das nun vorbei war, mochten sie sich immer noch gern. Armand war sicher, daß er ihr erster Liebhaber nach ihrer Hochzeit war, denn bei ihrer ersten intimen Begegnung war sie so unerfahren wie eine Jungfrau. Ihr Verhältnis endete, als sie schwanger wurde – von ihrem Ehemann, wie sie sagte, obwohl das nicht nachzuprüfen war.

Er wußte einiges über Frauen, und so kam er, nachdem er die Terrasse des Cafés verlassen hatte, zu dem Schluß, daß Madame de Michoux von Jeanne lückenlos über seine Geschicklichkeit als Liebhaber, seine physischen Fähigeiten und seine unterhaltenden Werte im Bett informiert werden würde.

Für seinen Besuch wählte er seinen neuesten Anzug – einen silbergrauen Doppelreiher, das Jackett von einem Schneidermeister zugeschnitten, damit es knapp an seinem Körper lag. Dazu ein gepunktetes Halstuch und eine rosafarbene Nelke in seinem Knopfloch – das Komplet gekrönt von einem teuren grauen Homburg. Als er sich vor dem Weggehen in einem langen Spiegel abschätzend betrachtete, war er mit seiner Erscheinung mehr als zufrieden. Er fühlte sich stilgerecht mit einem Hauch von Zurückhaltung. Das schien ihm wichtig, denn Gabrielle de Michoux war offensichtlich eine höchst moderne junge Frau, die althergebrachte Werte noch schätzen könnte, wo sie doch in jungen Jahren eine Tragödie erleiden mußte. Sie war Kriegerwitwe wie so viele junge Französinnen.

Nach einer sorgfältigen Planung kann man sich seine Überraschung vorstellen, als das Mädchen, das ihm die Tür öffnete, mitteilte, daß Madame nicht zu Hause sei.

»Es tut mir leid, Monsieur, Madame muß den Tag verwechselt haben. Wen darf ich ihr melden, wenn sie zurückkommt?«

»Ich werde ihr eine Nachricht hinterlassen.«

»Sicher, bitte, kommen Sie herein.«

Hinter der Tür befand sich eine Halle mit Parkettboden und einem Seitentisch an einer Wand. Armand legte seinen schönen grauen Hut auf den Tisch, während er umsichtig auf die Rückseite einer seiner Visitenkarten schrieb: *Es tut mir außerordentlich leid, Sie verpaßt zu haben. Ich werde mir erlauben, Sie morgen am späten Vormittag anzurufen.*

Er gab dem Mädchen die Karte, die sie flüchtig ansah und sagte: »Ich bin untröstlich, Sie enttäuschen zu müssen, Monsieur Budin.«

Ihre Worte waren zwar konventionell, aber es war die Art, wie sie es sagte, die ihnen eine andere Bedeutung gab für jemanden mit Feingefühl für Nuancen. Armand schaute sie zum erstenmal genauer an. Er sah eine lebhafte Frau in den späten Zwanzigern; ihre Persönlichkeit war hinter der diskreten Kleidung verborgen. Aber bei näherer Betrachtung verdeckte das Spitzenhäubchen nicht ganz ihr glänzendes Haar, und das glatte schwarze Kleid und die ordentliche Schürze verbargen nicht die Schwellung ihres Busens. Sie bemerkte seine genaue Prüfung, wie es Frauen immer tun, und als er ihr wieder ins Gesicht blickte, lächelte sie so, daß ein Mann, der über diese Dinge Bescheid wußte wie Armand, es als direkte Einladung deuten konnte.

»Wie heißt du?« erkundigte er sich und strich sich seinen wie mit dem Bleistift gezogenen Schnurrbart mit der Fingerspitze.

»Claudine.«

»Wie du sagst, Claudine, es ist höchst ärgerlich, Madame nicht zu Hause anzutreffen. Es ist äußerst enttäuschend. Mehr als das, es ist frustrierend.«

»Es gibt nichts Schlimmeres, als die Absichten eines Gentlemans durch einen simplen Irrtum vereitelt zu sehen«, sagte sie mit Sympathie in der Stimme. »Leider sagte Madame, sie würde erst spät abends heimkehren. Ich weiß kaum, was ich Ihnen vorschlagen soll.«

Die Art, in der ihre Brüste unter dem Kleid wogten, als sie einen Schritt auf Armand zumachte, zeigten ihm, daß sie haargenau wußte, was sie vorschlagen sollte, wenn es an ihr lag.

»Ihr Besuch bei Madame hatte einen bestimmten Zweck, nicht wahr?« fragte sie mit warmem Interesse.

»Ja, warum? Ich freute mich auf das Vergnügen, eine Stunde in ihrer Gesellschaft zu verbringen, um über gewisse Dinge zu plaudern.«

»Wenn mir nur ein Weg einfiele, wie ich Ihnen helfen könnte.«

»Vielleicht gibt es da eine Möglichkeit«, sagte Armand und berührte wieder seinen Schnurrbart.

»Was meinen Sie, Monsieur Budin?« fragte sie, die Augen in gespielter Unschuld niedergeschlagen. »Sie sind sehr gütig, aber meine Konversation ist gegen Madames nur ein schwacher Trost.«

»Du darfst dich nicht selbst herabsetzen, Claudine. Ich finde die Unterhaltung mit dir höchst aufregend. Ich würde sie sogar als stimulierend bezeichnen.«

»Offensichtlich«, antwortete sie und ließ ihren Blick kurz über die wachsende Schwellung in seiner Hose hinweggleiten. »Gibt es noch irgend etwas, das ich tun kann, um Ihnen behilflich zu sein?«

Armand konnte sein Glück kaum fassen. Der Augenblick mußte verlängert werden.

»Ich glaube, es gibt schon etwas«, sagte er und machte nun seinerseits einen Schritt auf sie zu, »außer ich störe dich bei wichtigen Haushaltspflichten.«

»Nicht im mindesten. Alles ist in Ordnung, und ich habe frei, bis Madame spät nachts heimkommt.«

»Weißt du, Claudine, daß ich von der Zierlichkeit deines Kleids entzückt bin. Wenn du erlaubst...«

Er öffnete die Enden ihrer gestärkten Schürze an der Rundung über ihrem Busen. Das Kleid darunter war vom Nacken bis zur Taille durchgeknöpft.

»Ich wußte es immer«, sagte er leichthin, »Knöpfe an Frauenkleidern haben mich immer fasziniert. Sie regen sofort zu Vermutungen an. Es juckt einen in den Fingern, sie aufzumachen.«

»Wirklich? Das hätte ich nicht gedacht.«

Langsam öffnete er die Knöpfe von oben an und zählte sie laut, bis er den letzten, knapp oberhalb ihrer Taille, erreicht hatte.

»Knöpfe oder nicht, ich kann mir kaum vorstellen, daß meine Kleider Sie interessieren könnten«, sagte sie mit glänzenden Augen.

»Daß sich mein Interesse mehr auf das bezieht, was sie verbergen, weißt du sehr gut, da bin ich sicher.«

»Und was verbergen sie?«

Armands Hand war nun in ihrem Kleid, unter ihrem Hemdchen und streichelte eine der weichen Brüste.

»Dein steifes schwarzes Kleid birgt köstliche Reize, Claudine.«

»Mag sein, daß es diese Reize birgt, aber es scheint, sie haben eine bemerkenswerte Wirkung auf dich«, und sie ließ ihre Hand langsam an der verräterischen Ausbuchtung in seiner Hose auf und ab gleiten, um ihren Worten Nachdruck zu verleihen.

»Nicht bemerkenswert im Sinne von unüblich«, sagte er, »aber bemerkenswert im Sinne von beachtlich, wenn ich dir das erklären darf.«

»Ich danke dir dafür«, sagte sie grinsend.

Eine Weile verharrten sie so wie sie waren, jeder erforschte sanft die Vorzüge des anderen, fast wie ein Liebespaar auf einem Gemälde aus dem 18. Jahrhundert. Unter Armands Händen fanden ihre Brüste, Spielbälle von Qualität und Wert, Entzücken an der Berührung. Unter ihren Händen entfaltete sich der männliche Unterschied zu seiner vollen Größe in angenehmer Empfindung.

»Da ist noch etwas, was du für mich tun könntest, Claudine«, murmelte er endlich.

»Gerne, was ist es?«

»Wenn du dich umdrehen und dich auf den Tisch lehnen würdest...«

Sie drehte ihm den Rücken zu und legte ihre Hände flach auf die Marmorplatte des kleinen Wandtischchens, ihre Beine schön gespreizt. Armand schob ihren Rock auf den Rücken hoch und befestigte ihn in den Knoten ihrer Schürzenbänder.

»Ausgezeichnet. Ich bin äußerst angetan, Claudine. Beug dich noch ein bißchen vor, wenn es dir recht ist.«

Er streifte ihren weißen Baumwoll-Schlüpfer ihre Beine hinunter, während sie sich vorlehnte, um ihre Unterarme auf die Tischplatte zu legen und ihm ihren Rumpf entgegenzustrekken. Es war ein Hintern, der Männern das Herz schneller schlagen läßt, rund, prall und von glatter Haut.

»Ist das alles, was du verlangst?« fragte Claudine mit einem unterdrückten Lachen in der Stimme.

»Nicht ganz«, antwortete Armand, ein bißchen atemlos, so als betrachte er ein unterhaltsames Schauspiel, das ihm zur Ergötzung dargeboten wurde.

Er ließ seine Hände über die Zwillingsmelonen aus Fleisch gleiten und drückte sie.

»Ist da noch etwas, was du willst?« beharrte sie auf dem Thema.

»Du wirst gleich sehen, Claudine.«

Er knöpfte seine straff sitzende Jacke und seine Hose auf, befreite seinen aufragenden Penis und drängte ihn zwischen ihre Schenkel.

»Ah ja, da ist noch etwas«, rief sie aus, als er sanft zustieß. Dann, als er sie an den Hüften hielt und tief in sie eindrang, sagte sie: »Viel mehr als ich erwartet habe.«

»Aber nicht mehr, als du bereit bist anzunehmen?« fragte er.

»Nein, warum – ich stehe Ihnen vollkommen zu Diensten, Monsieur Budin.«

Armand hielt sie begeistert fest, als er mit voller Zufriedenheit zustieß. Zum Teufel mit Madame de Michoux, dachte er, als angenehme Gefühle seinen Körper durchfluteten, was könnte sie mir schon mehr geboten haben, als ich von ihrem Mädchen bekomme? Es gibt einen alten weisen Spruch, daß im Dunkeln alle Katzen grau sind.

Er hätte seinen langsamen Ritt endlos fortgesetzt und die Dinge so wie sie waren genossen, aber er rechnete nicht mit der Wirkung, die er auf Claudine ausübte. Sie war eine junge

Frau mit starken Trieben und natürlichen Reaktionen und es dauerte nicht lange, bis sie ihm ihren Hintern voll Begierde entgegendrängte, um ihn noch tiefer in sich aufzunehmen. Und als die Flut der Leidenschaft in ihr hochkam, stieß sie schneller und härter. Wie bei dieser kräftigen Behandlung nicht anders zu erwarten war, schwand Armands Selbstbeherrschung rasch und der Höhepunkt des Entzückens kam ihm allzu bald. Als er vor Ekstase brannte, klammerte er sich an Claudines bockende Hüften wie ein Reiter auf einem ausbrechenden Pferd. Sie fuhr fort, nach ihm zu stoßen, nachdem er schon längst fertig war, bis sie ihren Höhepunkt erreichte, den sie mit einem gellenden Schrei ankündigte.

Nachdem sie sich wieder etwas beruhigt hatte, glitt Armand von ihr ab und packte sein erschlafftes Glied wieder in seine Hose. Claudine ordnete ihre Kleider sorgfältig und wandte ihm ihr Gesicht zu, mit noch immer geröteten Wangen. »Ich hoffe, Ihr Besuch war nun doch nicht auf der ganzen Linie eine Enttäuschung«, sagte sie.

»Es war eine reine Wonne, du warst höchst zuvorkommend, und ich bin dir wirklich dankbar.«

Er drückte ihr einen Geldschein in die Hand. »Es würde mich freuen, wenn du dir hübsche Unterwäsche kaufst, Claudine. Die Reize, die deine Kleider verbergen, sollten mit Seide verwöhnt werden.«

»Es ist sehr nett von Ihnen, das zu sagen, insbesondere wo Sie doch nur einen denkbar flüchtigen Eindruck von diesen Reizen, die Sie zu bewundern scheinen, erhaschen konnten.«

Armand überlegte sich den unsittlichen Antrag. »Stimmt eigentlich – diese Eingangshalle setzt einer wirklich intensiven Prüfung deiner von den Kleidern verhüllten Anmut eindeutig Grenzen«, sagte er. »Wann, sagtest du, erwartest du Madame zurück?«

»Nicht vor dem späten Abend.«

»Dann haben wir vielleicht Zeit, unsere Bekanntschaft in einer bequemeren Umgebung zu vertiefen.«

»Genügend Zeit. Möchten Sie mein Zimmer sehen?« fragte sie.

»Nichts würde mir mehr Freude bereiten.«

Claudines Zimmer war klein, aber sehr ordentlich. Es enthielt ein niedriges Holzbett, das wichtigste Möbelstück, und einen altmodischen Kleiderschrank. Armand sah Claudine zu, als sie ihre Kleider auszog und sich auf das Bett legte. Sie verschränkte die Hände hinter dem Kopf und lächelte ihn an, die Haarbüschel unter ihren Armen hatten den gleichen Ton wie das Vlies zwischen ihren Beinen.

»Das Bett ist nicht sehr breit«, sagte sie, »aber um so besser.«

»Ja«, Armand gab ihr recht, während er sich auskleidete. »Wir werden gezwungen sein, ganz nahe beisammen zu liegen. Soweit es das Gewicht von zwei Personen aushalten kann...«

»Hab keine Angst deswegen«, antwortete sie mit einem Grinsen, »das kann ich dir garantieren.«

»Ich bin sicher, daß es durchaus getestet ist, Claudine, soweit es das Gewicht betrifft. Was aber ist mit seiner Kapazität, wirklich kraftvolle Bewegungen mitzumachen?«

»Wir werden sehen«, antwortete sie, als er sich neben sie legte und sie in seine Arme nahm.

Gabrielle de Michoux rief ihn am nächsten Morgen an, um sich für ihre Abwesenheit zu entschuldigen. Als Grund dafür nannte sie den Anruf eines Freundes, der auf einer Ausfahrt mit seinem neuen Auto beharrt hatte. »Welche Marke?« erkundigte sich Armand. »Irgend etwas Besonderes?«

»Ah, irgend so eine Maschine! Ein Sportwagen von Hispano-Suiza, geschoßförmig und mit einer ganz besonderen Ausstattung aus Tulpenholz.«

»Ohne Zweifel sehr schnell.«

»Eine unglaubliche Geschwindigkeit. Man hat das Gefühl, in einem Flugzeug zu sitzen.«

»Wart ihr weit weg?«

»Bis Deauville«, sagte sie, »es war ganz schön verrückt. Deauville außerhalb der Saison, können Sie sich das vorstellen?«

Ich habe einen ernsten Rivalen, dachte Armand, als sie weiterschwatzte, denn sicher hatte sie die Nacht mit ihm in Deauville verbracht oder vielleicht in einem kleinen Hotel auf der Rückfahrt. Ich zweifle daran, daß sie länger als eine Stunde zu Hause war. Warum sollte mich das überraschen? Eine so charmante Frau muß einfach eine ganze Menge Verehrer und sicherlich einen Liebhaber haben. Kann sein, daß ich diese Person, wer auch immer das sein mag, ausbooten muß. Jetzt verstehe ich, warum sie zu unserem Rendezvous, zu dem sie mich gestern gebeten hatte, nicht da war – dieser Typ mit dem teuren Wagen genießt mir gegenüber Vorrang. Das muß sich ändern, und zwar schnell. Und trotzdem war mein Nachmittag bei ihr zu Hause in keiner Weise vergeudet, selbst wenn sie ihren Kragen in irgendeinem lächerlich schnellen Auto riskiert hat. Seien wir ehrlich, Claudine hatte unerwartete Qualitäten in der Unterhaltung mit Männern.

Gabrielle lud ihn ein, sie am nächsten Tag um drei Uhr aufzusuchen und versprach, daß es dieses Mal keine Zwischenfälle geben und sie tatsächlich zu Hause sein würde. Er war erleichtert, daß sie den nächsten Tag und nicht diesen Nachmittag vorschlug. Natürlich war er in der Lage, die Pflichten eines Mannes zu erfüllen, aber es bestand doch die Möglichkeit, daß er so schnell nach der enthusiastischen Balgerei mit Claudine nicht seine beste Form erreichen könnte. Morgen würde er wieder in Top-Form sein. Trotzdem, seine Freude wurde von einem schwachen Anflug von Eifersucht getrübt bei dem Gedanken, daß auch Gabrielle einen Tag Zeit haben wollte, um sich von dem, was zwischen ihr und dem verrückten Motoristen stattgefunden haben mochte, zu erholen.

Zu dem vereinbarten Zeitpunkt begrüßte ihn eine lächelnde Claudine an der Tür.

»Madame erwartet Sie, hier entlang bitte.«

»Hast du schon deinen kleinen Einkaufsbummel gemacht, Claudine?«

»Noch nicht, mein freier Tag ist morgen.«

Die Ausstattung des Salons war erstaunlich modern, was Armand veranlaßte, seine vorgefaßte Meinung von der Dame, die er besuchte, zu revidieren. Wie ein exotisches Juwel in einer komplizierten Fassung lag Gabrielle bäuchlings, ihr Kinn in die Hand gestützt, inmitten eines Dutzends silberfarbener Kissen auf einem riesigen, halbkreisförmigen Diwan. Ihr schlanker Körper war in einen schwarzen, seidenen Hauspyjama gehüllt. Träge drehte sie sich auf die Seite und streckte ihm einen nackten Arm hin, so daß er ihr die Hand küssen konnte, und er bemerkte vorn auf ihre Pyjama-Tunika aufgestickt eine gewundene Schlange.

»Mein lieber Freund«, begrüßte sie ihn, »ich hoffe, Sie haben mir vergeben. Setzen Sie sich hierher«, und sie tätschelte die Kissen bei ihrem Kopf.

Sie unterhielten sich eine Zeitlang und benahmen sich dabei wie Fechter, die sich mit ein oder zwei Florett-Stößen abschätzen, bevor sie den eigentlichen Kampf beginnen. Jeder von ihnen wußte ganz gut, was geschehen würde. Sie hatten sich getroffen, um die Spielarten der Unterhaltung des anderen zu überprüfen. Vielleicht entpuppte sich dieses Zusammensein als ein nur beiläufiges Kennenlernen, das keiner von beiden fortzusetzen wünschte. Vielleicht würde es auch ganz anders kommen.

Zur Zeit war Armand ohne regelmäßige Begleiterin, und so hegte er für seinen Teil die Hoffnung, in Gabrielle eine nähere Bekanntschaft zu finden, die ihn so sehr entzückte, daß in ihm der Wunsch nach einer längeren – natürlich unverbindlichen – Affäre entstünde. Er wußte, wonach er suchte – eine Frau mit raffinierter Liebestechnik und mit genügend Witz, um in der Öffentlichkeit eine anregende Gefährtin zu sein. Gabrielle könnte diese Anforderungen erfüllen. Zugleich konnte er erraten, wonach sie suchte – dasselbe wie er und ein bißchen mehr. Von dem Telefonat mit Jeanne Verney, das er nach dem Treffen im *Café de la Paix* geführt hatte, hatte er den Eindruck, daß Gabrielle ein bißchen über ihre Verhältnisse lebte und daher einen Mann schätzte, dessen Vermögen den Standard, der ihr gefiel, bestreiten könnte.

In gewissem Sinne hatte sie bei dem ersten privaten Rendezvous einen leichten Vorteil ihm gegenüber. Er war ziemlich sicher, daß sie Jeanne im Detail über ihn ausgefragt hatte – seinen Umgang mit Frauen, seine intimen Vorzüge. Das waren alles Dinge, die Jeannne aus eigener Erfahrung von ihrem Verhältnis her kannte. Über Gabrielles Geschmack in Liebesdingen war er völlig uninformiert. Trotzdem, sein natürliches Selbstvertrauen machte ihn sicher, daß der Vorteil bei ihm als Mann liegen mußte. Also warteten, da die Vorsehung die Frauen mit mehr natürlichen Vorteilen als die Männer ausgestattet hatte, Überraschungen auf Armand.

Gabrielle stützte ihren Ellbogen auf die Kissen und ihr Gesicht in die Hand. Ihr herzförmiges Gesicht war von kastanienbraunem, kurzem Haar umrahmt. Ihre Augen waren blaugrün, ihr Mund rot und lebhaft. Ihr Gesichtsausdruck veranlaßte Armand, die Hand um ihre Schulter zu legen und sich zu ihr zu beugen, um ihre Lippen zu küssen. Durch die Seide ihrer schwarzen Pyjama-Tunika fühlten seine Fingerspitzen ihren warmen Körper, was sein Herz höher schlagen ließ.

Als er sie losließ, drehte sie sich langsam auf den Rücken, ihren Kopf in seinem Schoß, und ihre blaugrünen Augen blickten ihn mit einem distanzierten Ausdruck an. Sie blinzelte, als seine Hände ihre kleinen Brüste durch die schwarze Seide umfaßten.

»Ah, nun beginnt es«, sagte sie mit einem zierlich vorwurfsvollen Ton.

»Warum, was meinst du damit, Gabrielle? Das sagtest du sehr traurig. Stimmt etwas nicht?«

»Traurig? Das ist nicht das richtige Wort für das, was ich fühle. Du verstehst mich nicht.«

»Was sollte ich denn verstehen?« fragte er und spielte mit ihrer Brustwarze unter der weichen Seide.

»Diese schauerliche Sache mit der physischen Leidenschaft – wir sind niemals frei davon.«

»Ich hoffe doch nicht«, sagte Armand. »Aber warum nennst du es schauerlich? So war es meiner Erfahrung nach nie – eher das Gegenteil. Ich habe es immer als ein äußerst zivilisiertes Vergnügen betrachtet.«

»Zivilisiert? Dieses banale Abgreifen und Festhalten? Dieses tierische Haut-an-Haut-Reiben? Und mit welchem Resultat? Ein oder zwei Momente der sinnlosen Zuckungen, mehr nicht. Das kann niemand als zivilisiert bezeichnen.«

Sie sprach äußerst entmutigend, aber sie machte keinen Versuch, Armands liebkosende Hände von ihren Brüsten zu entfernen. Tatsächlich legte sie quasi als Abschluß ihrer Tirade ihren Kopf in seinen Schoß, so daß sich ihre Wange gegen seine Schenkel preßte. Da begann Armand zu verstehen, daß sie für sich selbst ungewohnte Spielregeln ausheckte. Er fand die Idee verlockend.

»Sicher sind Männer und Frauen Produkte der Zivilisation«,

sagte er und schlüpfte aus seiner Jacke. »Und Zivilisation ist das Produkt von Männern und Frauen. Das ist eine Tatsache.«

Diese Worte sagten nichts aus, aber es war notwendig, ihr eine Antwort zu geben, damit sie ihr Spiel fortsetzen konnte und ihm vielleicht eine Gelegenheit gab herauszufinden, um welche Spielregeln es ging.

Unmerklich bewegte er seine Beine so, daß Gabrielles Wange an die wachsende Härte in seiner Hose gepreßt wurde.

Sie zitterte und sagte: »Was kann noch jämmerlicher sein als dieser Mißbrauch von Körper und Geist?«

»Mißbrauch ist ein seltsames Wort, Gabrielle, für so etwas Natürliches. Du mußt etwas zu seiner Rechtfertigung finden, wenn ich es akzeptieren soll.«

Er hob ihre Pyjama-Tunika über ihre Taille, um ihre Brüste zu enthüllen. Sie waren besonders schön geformt und klein. Seine Finger spielten sanft über ihre Brustwarzen und erweckten sie.

»Man muß die volle Entfaltungsmöglichkeit von Männern und Frauen in Betracht ziehen«, sagte sie bebend. »Die Würde, zu der wir fähig sind, die außerordentliche Größe des menschlichen Geistes – und dann, wenn man die unaussprechliche Vergeudung betrachtet, all das in der Geistlosigkeit des Sex zu verzetteln...«

Ihre Worte verwehten in kleinen Seufzern des Vergnügens, das er ihr bereitete.

Armand wand sich aus seinen Schuhen und legte sich neben sie auf den Diwan, so daß er ihr Gesicht und ihre Haare küssen konnte, während er ihre Brüste streichelte.

»Du hast keine Antwort darauf«, murmelte sie.

»Aber natürlich habe ich eine – du übersiehst soviel in deinem Urteil. Denk an die besten Schriftsteller, Künstler und Komponisten von heute – und der Jahrhunderte zuvor –, kannst du bestreiten, daß sie, ohne jemals zu irren, immer wieder zum lustvollen Ursprung ihrer eigenen Natur zurückkehrten, um für ihre Werke inspiriert zu sein? Sag mir einen, der wahrhaft keusch war.«

Das mögen schon etliche gewesen sein, dachte er, aber es bleibt zu hoffen, daß sie sie nicht kennt.

»Falsch, falsch«, seufzte sie, als er ihre Brustwarzen küßte.

»Wenn von alldem, worauf du hinweist, nur etwas wahr ist, dann erlaubten sie sich, sich gelegentlich von ihrer wahren Größe durch die tierischen Instinkte ablenken zu lassen. Wenn sie sich nur besser unter Kontrolle gehabt hätten, wenn sie ihr ganzes Leben unbefleckt geblieben wären, wieviel größer hätten sie dann noch sein können!«

Ein interessanter Gedanke schoß Armand durch den Kopf – der Vergleich zwischen dem Mädchen und der Herrin. Claudine hatte ihre Dienste ohne Einschränkung aufgedrängt. Gabrielle schien vorzuhaben, die ihren zurückzuhalten. Claudine hatte damit begonnen, ihm einen wohlgerundeten Hintern zu offerieren. Was hatte die Herrin in diesem Ressort zu bieten?

Er setzte sich auf und rollte sie widerstandslos auf den Bauch. Ihre schwarze Pyjama-Hose ließ sich leicht ausziehen, ebenso das dünne Gewand aus Crépe-de-Chine darunter.

Es hatte Armand schon immer interessiert, Frauenhinterteile in Kategorien einzuteilen. Er glaubte fest, daß es zwischen Form und Größe des Pos und dem Charakter der Eigentümerin eine Verbindung gab. Der von Claudine war voll und breit, zwei pralle Melonen von geschmeidigem Fleisch. Als sie in der Eingangshalle standen, und er sie von hinten genommen hatte, hatte sie ihren Hintern so heftig gegen ihn gestoßen, daß er schnell die letzte Befriedigung erreichte. Später dann, auf dem niedrigen Bett, war er auf sie geklettert und hatte mit seinen Händen unter sie gelangt, um diese Kugeln fest zu pakken.

Ein anderer und äußerst faszinierender Typ waren die Frauen, deren Schenkel schlank waren und an der Innenfläche nicht zusammenstießen, so daß sie den pelzigen Hügel, ob von vorn, hinten oder unten betrachtet, völlig frei ließen. Jeanne Verney gehörte zu dieser Kategorie, und Armands Theorie war, daß ein derart geformter Hintern die Merkmale enthüllten, die einen sinnlichen Menschen kennzeichnen. Es gab Anzeichen, daß dies trotz ihres Mangels an Erfahrung auf Jeanne zutraf. Kein Zweifel, daß ein anderer glücklicher Mann nun erntete, was Armand gesät hatte.

Ein weiteres Objekt der Lust war für Armand ein Hintern, der spitz hervorsprang, auch wenn er völlig aus der Mode war und zweifellos eine Verlegenheit für jede gutangezogene Frau darstellte. Doch einmal befreit von irgendwelchen Beengungen, die ihre natürliche Lebensfreude unterdrückten, passen die Backen gut in die Hand eines Mannes und bieten viel unschuldige Freude.

Gabrielles Po war mager und straff, nicht sehr breit und frech. Ein individueller Hintern mit Feingefühl, dachte er, ein Hinweis auf ebendiese Qualität der Besitzerin. Er grapschte nach ihren Backen und preßte sie hart, entzückt von dem, was er entdeckt hatte – Gabrielle stieß einen kleinen Schrei aus, ob aus Protest oder aus Vergnügen, war nicht zu unterscheiden. Er biß sie sanft in beide Backen.

»Ah, welche Verderbtheit«, rief Gabrielle, »das ist nicht zu ertragen.«

Armand küßte die Stelle, wo er zugebissen hatte. »Das Herz ist der ehrlichere Führer für die Seele und den Verstand«, sagte er. »Das Herz hat seine Gründe, die der Geist nicht kennt.«

»Niemals«, antwortete sie, als seine Hand zart zwischen ihren Schenkeln nach dem natürlichen Eingang für seine nächste Bewegung tastete. »Niemals, du verdrehst die Worte eines berühmten Dichters für deine eigenen Absichten, und das ist infam.«

»Ich interpretiere seine Worte im Licht der menschlichen Erfahrung«, antwortete er, während er ihre Unterwäsche ganz auszog, um sich leichter Zutritt zu verschaffen. Er liebkoste die Innenseite ihrer Schenkel, bis sie sich ganz von selbst öffneten.

Gabrielles Gesicht glühte zwischen den silberfarbenen Kissen, und ihre Stimme war gedämpft, als sie grollend erwiderte: »Ausschweifung findet immer eine Ausrede.«

»Von Ausschweifung weiß ich nichts«, sagte Armand und ließ seine Hose herunter, »aber über Liebesbeziehungen zwischen Männern und Frauen kann ich aus eigener Erfahrung und mit aller Aufrichtigkeit sprechen.«

»Worte, leere Worte.«

»Wir brauchen uns nicht mit bloßen Worten zu begnügen. Die praktische Demonstration mag dich von der Wahrheit überzeugen.«

Er hob sie mit einer Hand hoch, um ein Kissen unter ihren Bauch zu schieben und so ihren verführerischen Hintern anzuheben. Einen Augenblick erforschte und streichelte er ihre Kurven, während Gabrielle ihr Gesicht tiefer in die Kissen grub. Armand legte sich auf ihren Rücken, kam zwischen ihre Beine und fand leicht Eintritt. Seine Hände schlüpften unter ihren Körper, um ihre Brüste zu umfassen.

»Diese schockierende Belästigung...«, stöhnte sie. »Es ist unerträglich.„

Während sie sich beklagte, bewegte sich ihr schmaler Hintern im Rhythmus mit seinen Bewegungen gegen ihn. Armand arbeitete drauflos, seine Fantasie war durch ihren Widerstand erregt. Seine Neugier war angestachelt – wie würde sie wohl im kritischen Moment reagieren, zu dem er sie mit harten Stößen hintrieb? Er fragte sich, ob ihre Entrüstung oder ihre Worte sich der letzten Beleidigung anpassen würden. »Nein, nein, nein«, keuchte sie im Rhythmus ihrer vereinigten Bewegungen.

»Ja«, rief Armand aus, als der Sturm seiner entfesselten Lust verschwenderisch in ihm anschwoll und in sie hineinwogte.

Gabrielle schrie, ihre geballten Fäuste schlugen in die Kissen, und ihr Körper krampfte sich unter ihm zusammen. Am Gipfel der Gefühle waren ihr die Worte ausgegangen.

Später, als sie Seite an Seite auf dem Diwan lagen, ihr Gesicht an seiner Brust, verfolgte er das Thema weiter.

»Meine liebe Gabrielle, ich hoffe, du bist durch meine kleine Demonstration überzeugt worden.«

»Du betrügst dich selbst, mein armer Freund«, antwortete sie. »Alles, wovon du mich überzeugt hast, ist die Wahrheit dessen, was ich vorhin gesagt habe.«

»Du sagtest soviel, meine Liebe. Was meinst du genau?«

»Daß die Würde des menschlichen Geistes in der ungezügelten Zurschaustellung der Entwürdigung vergeudet wird, der du mich unterworfen hast. Dein Betragen mir gegenüber war ausnahmslos tadelnswert.«

»Nicht im mindesten. Ich handelte in Übereinstimmung mit den Eingebungen meines Herzens. Wie kann das zu tadeln sein? Bestreitest du den Wert der edelmütigen Gefühle des Menschen?«

»Du machst dich mit Worten selbst konfus, Armand, und du versuchst, auch mich zu verwirren. Aber ich bin imstande, deine Täuschungen zu durchschauen. Ich fürchte, du bist zu blind für die Wahrheit.«

»Inwiefern?«

»Du nanntest als Beispiele die großen Schriftsteller und Maler, während du gerade beim Vorspiel warst, um meinen Körper zu mißbrauchen. Du sprachst von den Meisterwerken, die sie geschaffen haben, und dabei entweihten deine Hände meine intimen Stellen. Wo war die Aufrichtigkeit in deinen Worten? Letzten Endes haben Meisterwerke ihren Ursprung in der Seele und im Geist, nirgendwo sonst.«

»Und im Herzen, mußt du zugeben.«

»Das stimmt, im Herzen auch.«

Ihre Hand hatte den Weg unter sein Hemd gefunden, und ihre Finger ribbelten an seiner linken Brustwarze. »Hier ist dein Herz, Armand«, sagte sie, »ich fühle es unter meiner Hand schlagen.«

Sie hob den Kopf, um seine Stirn zu küssen. »Und hier sitzt dein Verstand«, sagte sie. »Nun, was folgt daraus?«

Ihre Hand war von seiner Brust verschwunden. Sie grub sich in seine immer noch offene Hose und nahm sein schlaffes Glied.

»Du verwechselst das eine mit dem anderen«, antwortete sie und küßte seine Augenlider. »Sag mir jetzt, ist das, was ich hier in der Hand halte, dein Herz oder dein Verstand?«

»Weder noch.«

»Genau. Du kannst mir nicht antworten, ohne die Falschheit deiner Argumente zu offenbaren. Deine schamlosen Handlungen waren weder vom Geist noch vom Herzen inspiriert. Was du getan hast, ging von *diesem* schändlichen Organen aus. Ist es nicht so?«

Die Art, wie sie ihn streichelte, veranlaßte ihn, in ihrer Handfläche wieder lang und hart zu werden. Diese Entwicklung war völlig akzeptabel für Armand, er begann, die Regeln, die zu Gabrielles kleinem Spiel gehörten, zu durchschauen.

»Ich kann dir nicht zustimmen, Gabrielle. Es ist für mich offensichtlich, daß die Verwirrung, wenn es sie gibt, bei dir liegt. Du verwechselst Schlüsse und Meinungen. Wenn ich dir sage, daß du eine charmante, bewundernswerte Frau bist, sagt meine Zunge diese Worte, obwohl die Empfindung von meinem Herzen ausgeht und von meinem Verstand formuliert wird.«

Ihre Hand glitt mit einer Gewandtheit, die auf lange Praxis hinwies, an seinem voll aufgerichteten Glied auf und ab. Ihre Worte stimmten mit ihren Bewegungen überein.

»Das klingt nach einem Trugschluß, Armand.«

»Ganz im Gegenteil, es liegt auf der Hand. Meine Zunge drückt das Kompliment aus, aber es war nicht das Kompliment meiner Zunge. Genauso, da mußt du zustimmen, ist der von dir als schändlich beschriebene Teil nichts anderes als ein anderes Ausdrucksorgan. Das Kompliment bleibt dasselbe, auch wenn es auf eine andere Art geäußert wird.«

Er half ihr auf den Rücken und zog ihr die schwarze Pyjama-Tunika aus, so daß sie völlig nackt auf den silbernen Kissen lag. Seine Hand lag zwischen ihren Beinen und streichelte die bezaubernde Bucht, die ihn gerade so willkommen geheißen hatte.

»Aber das ist gräßlich«, sagte sie, als er sanft nach ihrer versteckten Knospe tastete. »Nimmt diese Verderbtheit denn überhaupt kein Ende?«

»Wenn du die Stärke meines Arguments akzeptierst«, sagte Armand und beobachtete die kleinen Wonneschauer, die an Bauch und Schenkel über die Haut liefen.

Sie hielt ihre Augen geschlossen, ihr Gesicht war ruhig, nicht aber ihr übriger Körper. Ihre Fingernägel gruben sich in die Kissen. Ihre Beine zitterten. Ihre Brüste hoben und senkten sich im unruhigen Atmen.

Diesmal, versprach sich Armand, diesmal schau' ich dir im entscheidenden Augenblick ins Gesicht – ich lasse nicht zu, daß du es wieder vor mir in den Kissen versteckst, meine wollüstige Prüde. Ich werd' dir noch auf die Schliche kommen.

Er lag zwischen ihren Schenkeln und führte seine stämmige Größe in sie ein, wie er es ersehnte.

»Ich kann nicht glauben, daß es solche Bestialität gibt«, murmelte Gabrielle.

Armands Bewegungen waren ungestüm, aber er brauchte diesmal länger, um den Gipfel zu erreichen. Gabrielle wand sich die ganze Zeit unter ihm, ihre Augen fest geschlossen. Wild und immer wilder flog ihr Körper im leidenschaftlichen

Kampf, was ihr dabei auch immer durch den Kopf gehen mochte. Nicht einen Augenblick ließen ihre Hände von den Kissen ab, um nach Armand zu greifen und ihn festzuhalten, selbst dann nicht, als ihre Lenden mit seinen hochschnellten, um ihn tief eindringen zu lassen.

In dem Augenblick, als er sich entlud, sah Armand, daß ihre Augen weit geöffnet waren und ein bißchen hervortraten, als sie wieder ihren ekstatischen Schrei ausstieß – ein Klang, als würde Seide zerreißen. Ihr Körper wölbte sich über den Kissen, drängte sich im entscheidenden Augenblick wie rasend an ihn; nur auf ihren Schultern und Füßen trug sie das Gewicht seines Körpers.

Als sie erschlafft zurückfiel, die Augen wieder geschlossen, grinste Armand und sagte: »Aber du bist bewundernswert, Gabrielle.«

Nach diesem Tag wollten beide ihre Affäre fortsetzen. Armand war sich über seine Gründe im klaren, wenigstens dachte er das. Gabrielles Gründe schienen komplizierter zu sein. Sie sagte, sie hielte es für ihre Pflicht, ihn von seinem Irrtum zu überzeugen und von seiner unmöglichen Einstellung Frauen gegenüber zu befreien, und sie brachte dafür auch ein Dutzend durchaus überzeugender Argumente vor, die aber dennoch nichts anderes waren als die Fortsetzung ihres Liebesspiels.

Armands erste Gelegenheit, eine ganze Nacht mit ihr verbringen zu dürfen, war denkwürdig. Sie wollte in die Oper ausgeführt werden und bekundete ihr Entzücken über *La Traviata*, während Armand die Vorstellung für nicht mehr als passabel hielt. Vielleicht, dachte er, wollte Gabrielle ihm persönlich mit Verdis Darstellung einer modernen Mätresse, die an Tuberkulose und einer unglücklichen Liebe für einen jungen Mann mit aufgeklärten Ansichten stirbt, eine Nachricht zukommen lassen. Wollte sie ihm etwa andeuten, daß sie ihn liebte – die Idee schien fantastisch und zugleich unnötig romantisch. Andererseits, wer konnte schon sicher sagen, was im Kopf einer Frau vorging – besonders in diesem?

In der Vorstellung waren eine ganze Menge Leute, die sie beide kannten. Sie winkten von ihrer Loge, plauderten in den Pausen und stellten sich gegenseitig ihren Bekannten vor.

»Sie werden alle über uns tratschen«, sagte Gabrielle zu ihm. »Ich wurde schon gewarnt, daß du ein Mann mit eindeutigem Ruf bist. Jetzt, wo man uns zusammen in der Öffentlichkeit gesehen hat, werden meine Freunde das Schlechteste von mir denken.«

»Überhaupt nicht«, versicherte ihr Armand und unterdrückte ein Lächeln. »Niemand, der dich kennt, könnte glauben, daß du fähig bist, auch nur ein bißchen von deinem hohen Stand abzuweichen.«

Nach der Oper führte Armand sie zu einer ganz anderen Art von Unterhaltung: Ins *Le Bœuf sur le Toit* in der Rue Boissy d'Anglas. Das Lokal war, wie immer zu dieser Stunde, überfüllt – Paare, die zu Abend aßen oder tanzten. Gabrielle musterte die Anwesenden kühl und hielt sie – in Armands Augen ein herbes Urteil – für ›degeneriert‹. Trotzdem blieben sie ein oder zwei Stunden, aßen ausgezeichnet und amüsierten sich, denn trotz ihrer scharfen Kritik genoß Gabrielle es offensichtlich, an einem solchen Ort gesehen zu werden. Und tatsächlich grüßten sie mehrere Bekannte, Männer wie Frauen.

Endlich war er mit ihr allein im Schlafzimmer – und was für einem! Die Wände waren mit winkligen, geometrischen Mustern in lebhaften, knalligen Farben verziert, bis auf einen breiten, hexagonalen Spiegel, der hinter dem niedrigen, breiten Bett den meisten Raum einnahm. Die Laken waren aus pfirsichfarbener Seide, die Kissen groß und quadratisch und mit einer Borte, breit wie eine Männerhand, eingefaßt. Armand lag schon nackt im Bett, während Gabrielle noch ihre Vorbereitungen traf; das einzige Licht im Raum kam von einer milchigweißen Kugel auf dem Nachttisch, die von einer knienden Nackten in Silber gehalten wurde.

Gabrielle erschien in einem enganliegenden, halbdurchsichtigen schwarzen Nachthemd, das über ihren Brüsten tief ausgeschnitten war. Sie kniete sich neben ihn aufs Bett, ihre Arme hielt sie in der Pose der Lampenträgerin über den Kopf. Armand ließ seine Hände an ihren Seiten hinuntergleiten.

»Du trägst immer schwarz an deinem wunderschönen Körper«, sagte er. »Welche Farbe auch dein Kleid hat, darunter finde ich unverändert schwarze Unterwäsche. Und nun ein Nachthemd in derselben melancholischen Farbe? Machst du das, um den wundervollen Kontrast zu deiner Haut zu betonen?«

»Sicher nicht. Ich trage schwarze Unter- und Nachtwäsche als eine Art Trauer. Die Welt kann es nicht sehen, aber ich weiß es.«

»Trauer? Wegen deines Mannes?«

»Nicht seinetwegen. Ich kannte ihn kaum. Ich will immer daran erinnern, wie anstößig es ist, sich den niedrigen Launen des Körpers hinzugeben.«

Sie senkte ihre schlanken Arme und legte ihre Hände auf seine nackten Schultern.

»Aber wie kann ein so wundervoller Körper auch nur die geringste Scham für irgend etwas zu empfinden, was er doch ersehnt?« erkundigte sich Armand, seinen Blick auf die hervortretenden Brustwarzen gerichtet, die sich durch die dünne Seide abzeichneten.

»Ich werde es nie schaffen, daß du mich verstehst, du bist in deiner Verderbtheit verloren.«

Er schnippte ihr Nachthemd von ihren Schultern und ließ es auf ihre Taille hinuntergleiten. Bevor er sie berühren konnte, legte sie ihre kleinen Brüste in seine Hände.

»Schau«, sagte sie und sah ihn dabei direkt an, »du starrst auf diese unwichtigen, weiblichen Anhängsel, und deine Augen glühen. Ich kann nicht mehr zählen, wie oft du erklärt hast, sie anzubeten, oder wie oft deine Hände nach ihnen griffen.«

»Ich doch auch nicht«, sagte Armand schwärmerisch.

»Jetzt überleg einmal, mein armer Freund, was ist es wirklich, was du in solchen Augenblicken bewunderst? Fleisch, mehr nicht. Was für ein triviales Vergnügen für einen Mann mit deinen Talenten, meinst du nicht auch? Schau gut und urteile dann selbst. Da ist nichts von Bedeutung. Diese Brustwarzen, die du voller Verzückung küßt – was sind sie anderes als bloß rosa Knöpfe an Fleischhöckern? Wie kannst du solche Dinge als deiner Aufmerksamkeit wert ansehen?«

»Aber sie sind so elegant, deine kleinen Brüste«, sagte Armand und sah zu, wie sie mit ihrem Daumennagel verächtlich an ihren Nippeln schnippte.

»Ich fürchte, dir ist nicht zu helfen, Armand, du bist zu weit gegangen, um noch auf die Stimme der Vernunft hören zu können. Was soll bloß aus dir werden? Warum entehrst du dich sogar dann noch, wenn ich versuche, dir zu helfen, die Wahrheit zu erkennen, um dich von deinen Irrtümern abzubringen.«

Als Antwort schlug sie die Bettdecke zurück und enthüllte ihren nackten Körper.

»Indem du deinem Körper Erregung gestattest. Schau doch.«

Sie nahm sein steifes Glied zwischen Daumen und Zeigefinger und schwenkte es von einer Seite auf die andere. »Wie banal«, sagte sie, »bloß ein flüchtiger Blick auf einen Frauenkörper und *das* da schnellt hoch wie ein Signal.«

»Ein Kompliment für deine Reize, das in seiner ehrlichen Absicht nicht mißverstanden werden kann!«

»Mußt du immer an die wertlose Lust deines Körpers denken, Armand? Denke einen Moment daran, wie vergänglich sie ist, wie gewöhnlich. Werde ich dich je überzeugen können?«

»Ich denke sehr sorgfältig über deine Worte nach, ich versichere es dir, meine Liebe. Mach nur weiter, wenn du magst, denn jetzt denke ich noch nicht so wie du.«

»Weitermachen, ja! Aber wie weit? Du bist schon so weit von Anstand und gesundem Menschenverstand entfernt, daß du mich nach noch ein paar Bewegungen meiner Hand wieder besudeln wirst. Das ist die simple Wahrheit – gestehe es jetzt.«

»Noch nicht, obwohl in dem, was du über meinen momentanen Zustand sagst, ein Körnchen Wahrheit ist. Trotzdem darf man nicht übertreiben. Ich fürchte, du hast einen Hang zur Übertreibung.«

Ihre Hand blieb, wo sie war, und zu seinem Entzücken massierte sie ihn langwam.

»Warum sind diese primitiven körperlichen Reize für dich so wichtig, Armand? Kannst du mir das ehrlich beantworten?«

»Ganz einfach. Es liegt in der menschlichen Natur«, seufzte er.

»Die menschliche Natur hat es nicht nötig, versichere ich dir«, sagte sie und krümmte graziös ihren Rücken, um ihr Gesicht näher an seinen angeschwollenen Penis zu bringen. »Wie anstößig er nur beim Anblick meiner nackten Brüste gewachsen ist.«

»Und bei der zarten Berührung deiner Hand«, fügte Armand hinzu.

»Man könnte fast glauben, er hat seinen eigenen Willen, aber das muß nicht so sein. Du könntest dich im Zaum halten, wenn du nur wolltest, und ihn deinem Gehorsam unterwerfen. Oh, wenn dieses pflichtvergessene Glied lernen könnte, sittsam zu werden, würde ich es in keuscher Verehrung küssen.«

»Vielleicht würde ein Kuß der Unschuld ihn zurechtweisen«, murmelte Armand.

Ihre warmen Lippen preßten sich an seine Eichel. »Nein, meine Hoffnung auf eine Besserung wurde enttäuscht«, sagte sie. »Dieser Teil von dir ist vollständig verdorben. Von ihm kann keine Antwort auf die klare Bitte nach Keuschheit kommen.«

Armand setzte sich auf, um ihr das Nachthemd über den Kopf zu streifen.

»Es ist verabscheuungswürdig unschicklich, jemandem zu erlauben, einen nackten Körper zu sehen«, rief sie aus.

Ihre freie Hand flüchtete sich zu dem dunklen Pelzflecken zwischen ihren Beinen, als ob sie ihn vor seinen Blicken verstecken wollte.

»Es gibt keine Unschicklichkeit in der Freiheit der Liebe«, entgegnete Armand. »In dieser Freiheit ist alles erlaubt, ohne Scham und ohne Schuld.«

Er zog sie auf sich, bis sie über seinen Lenden kniete und sein ungestümes Organ an der Fuge ihrer Beine stand.

»Aber was tust du? Woran kannst du nur denken!«

Ohne eine Erwiderung nahm Armand sie bei ihren schmalen Hüften und drängte ihren Körper nach unten, um sie auf seinen Pfahl zu senken, bis er tief in sie eingedrungen war.

»Unglaublich!« japste Gabrielle. »Du kannst doch nicht ernsthaft von mir erwarten, aktiv Anteil an deinen lasterhaften Praktiken zu nehmen? Reicht es dir denn nicht, meinen Körper schon in der Vergangenheit geschändet zu haben? Das darf sich nicht wiederholen, niemals!«

Ihre Hüften bewegten sich langsam vor und zurück und sandten kleine Wellen der Genugtuung aus, die durch Armands Unterleib schäumten.

»Armand, Armand – soll ich mich entwürdigen? Ist es das, wozu du mich fähig hältst?«

»Du bist einer tiefen und dauernden Liebe fähig, davon bin ich überzeugt.«

»Wie kannst du dir nur einen winzigen Augenblick vorstellen, daß ich bei einer so schamlosen Handlung, wie du sie vorschlägst, deine Partnerin sein könnte.«

Vor und zurück, vor und zurück, ihre Bewegungen wurden ein wenig schneller.

»Meine liebe Gabrielle, fühlst du nicht die Harmonie unseres Zusammenseins? Mir erscheint seine Tugendhaftigkeit vollkommen. Ehrlich, ich kann mir keinen besseren Weg vorstellen, dir die Kraft meiner Achtung zu demonstrieren, die ich in diesem Moment für dich empfinde. Du mußt diese Kraft spüren.«

Ihre Bewegungen dauerten an und wurden zunehmend fordernder und schneller. Ihre Hände lagen auf ihren Brüsten, als wollte sie sie anstandshalber vor ihm verbergen. »Kraft nennst du das«, japste sie, »ich spüre sehr wohl unerbittliche Härte gegen meine gepflegten Ansichten ... dein brutales Eindringen in meine heilige Privatsphäre ... dein gieriger Wunsch, meinen armen Körper zu beflecken ... ich spüre all das mehr, als du dir vorstellst ...«

»Härte ist nur die Entschlossenheit der Absicht«, stieß Armand nun hervor. »Was du am meisten pflegst, ist das, was ich auch bewundere und besser kennenlernen möchte ...«

»Heuchler«, rief sie wild, als ihre Hüften in völliger Hingabe stürmisch vor- und zurückstießen. »Plünderer, Satan ...«

Bevor sie noch Zeit hatte, ihre Gefühle in Worte zu fassen, trug sie die Kraft ihrer eigenen Bewegungen über die Schwelle des Erträglichen. Sie stieß ihren schrillen Schrei aus, ihr Körper krampfte sich zusammen. Ihre Finger packten ihre Brust, trieben die Brustwarzen zur vollsten Größe heraus.

Unter ihr, überwältigt von ihrer Wollust, ergoß sich Armand in Strömen der Leidenschaft.

Die Streitgespräche der beiden über Fragen der Moral setzten sich so einige Monate fort. Armand bewunderte Gabrielles unbeugsame Prinzipien und die Leichtigkeit, mit der sie sie gerade in dem Augenblick in Worte fassen konnte, in dem Worte von der Turbulenz der orgiastischen Empfindung weggewischt wurden. Eine solche Frau hatte er nie vorher getroffen. Bei keiner Gelegenheit drückte sie irgendeine Bewunderung für ihn aus. Ganz im Gegenteil – immerfort tadelte sie ihn wegen seiner vergnügungssüchtigen Einstellung zum Leben und seiner Hingabe an die Sinnlichkeit. Sie bemühte sich mächtig, ihn zu bessern, sogar in den Wehen der Leidenschaft ersparte sie sich keinen Aufwand, um ihm ihren Standpunkt klarzumachen. Armand widerstand ihren Argumenten mit all seiner Kraft, und das nötigte sie noch mehr, es zu versuchen – bis zu dem Punkt, an dem beide vollkommen erschöpft waren von der Gewalt ihrer Diskussionen.

Die Affäre war amüsant, interessant, pikant, und dennoch geisterte in Armands Kopf eine Frage herum, die nie verschwand, wie sehr er sich auch bemühte, sie zu unterdrücken. Schließlich entschloß er sich, ein für allemal seine Zweifel zu beheben, obwohl das hieß, Zuflucht zur Ausflucht zu nehmen.

Da er sie regelmäßig besuchte, war es keine Schwierigkeit für ihn, der Concierge mit einem freigebigen Bestechungsgeld einen Schlüssel zu Gabrielles Apartment abzuluchsen. Anlaß zu diesem Schritt war ein Telefongespräch, das er halb mitanhörte, in dem Gabrielle den Anrufer einlud, sie am nächsten Abend um acht Uhr zu besuchen.

»Wer war das?« fragte er, als sie den Hörer niedergelegt hatte.

»Eine alte Freundin, Louise Tissot.«

»Aber du hast vergessen, daß wir morgen abend zu der Party bei den Daudiers gehen?«

»Himmel, das war mir entfallen. Ich muß Louise zurückrufen und mich entschuldigen.«

»Ja, tu das.«

»Ich mach' es später. Sie sagte, sie sei gerade im Aufbruch.«

Es gab keinen Zweifel für Armand, daß sie Ausflüchte suchte. Die Party bei Daudiers würde eine großartige Sache sein. Gabrielle hatte dafür schon ein neues Abendkleid gekauft. Es konnte nicht sein, daß sie den Termin einfach vergessen hatte. Also was bedeutete der Unsinn, jemanden für einen

Zeitpunkt einzuladen, von dem sie bereits jetzt wußte, daß sie nicht zu Hause sein würde?

Um sechs Uhr am nächsten Abend rief Armand Gabrielle an, ließ seine Stimme heiser klingen und sagte ihr, daß er eine höchst ärgerliche Verkühlung habe und nicht zur Party zu gehen wage. Mit tausend Entschuldigungen schlug er vor, sie solle ohne ihn gehen. Er würde sie morgen wieder anrufen und sich erkundigen, ob die Party so gut war, wie sie erwarteten. Und so weiter – die üblichen kleinen Lügen, die Männer und Frauen sich bei solchen Gelegenheiten erzählten, wenn sie etwas planen, was sie geheimhalten wollen.

Um Viertel vor acht benutzte Armand seinen Schlüssel, um sich leise in Gabrielles Wohnung zu schleichen. Er hörte Claudine in der Küche singen, als er in Socken in Gabrielles Schlafzimmer schlich, um dort zu warten. Er war nervös und fühlte sich mehr als närrisch, aber er hatte ein klares Ziel, und sein Entschluß stand fest.

Nach einer Weile hörte er die Türglocke und wie Claudine zur Tür trippelte. Er stand an der Schlafzimmertür, die gerade einen Spalt offen war. Er konnte kein Wort verstehen, nur daß Claudine in der Eingangshalle sich mit einem Mann unterhielt. Die Konversation dauerte länger.

Er hörte Schritte in der Halle, dann das Geräusch einer auf- und zugehenden Tür. Sein Herz schlug in seiner Brust, und er fühlte, daß die Antwort auf die Frage, die ihn solange gequält hatte, bevorstand. Lautlos ging er langsam den Gang bis zur Zimmertür des Mädchens. Er preßte ein Ohr gegen das Holz und konnte gerade das Gemurmel von Worten erhaschen, aber zu undeutlich, um das Thema der Unterhaltung herauszuhören. Als er sich auf die Knie niederkauerte, um durch das Schlüsselloch zu lugen, überkam ihn plötzlich das Gefühl der Verlegenheit – es war eine unwürdige Position für einen Mann seiner Qualitäten, aber doch notwendig, wenn er das Rätsel lösen wollte.

Durch das Schlüsselloch hatte er nur eine begrenzte Sicht auf das Fußende des Bettes, auf dem er sich damals mit Claudine gewälzt hatte. Ein ungefähr fünfunddreißigjähriger Mann in Abendkleidung saß mit ausgestreckten Beinen auf der Bettkante. Claudine, das Profil Armand zugewandt, kniete in ihrem straffen schwarzen Kleid mit der Schürze zwischen den Beinen des Mannes und fingerte an seinen Knöpfen herum. Sie befreite seinen aufgeblähten Phallus aus seiner Verpackung. Eine Spur von Neid färbte Armands gequälte Gefühle, als er die imponierende Größe von dem sah, was das Mädchen da in der Hand hielt.

Sie sagte etwas zu ihrem Begleiter, was Armand nicht verstand. Offensichtlich war es etwas Anerkennendes, denn der Mann lächelte stolz und nickte, als Claudines Finger um seine herrische Ausstattung kräuselten und sie aufgeregt ribbelten.

Was mache ich nur hier? fragte sich Armand. Es ist schamlos, hier den Voyeur zu spielen. Die gelegentlichen Affären eines Dienstmädchens gehen mich doch wirklich nichts an.

Trotzdem war er von der Szene gebannt, die sich auf der anderen Seite der Tür abspielte. Claudine benutzte ihre andere Hand, um die Hoden des Mannes voll in Armands Blickfeld zu bringen. Für Armands aufgewühlte Fantasie schien es, als ob die Ausstattung des Unbekannten unter Claudines Behandlung noch an Größe zugenommen hätte, wenn das überhaupt noch menschenmöglich gewesen wäre. Was sie betraf, schien sie mit Freude dabeizusein, ein vergnügliches Lächeln spielte um ihren Mund. Als sie den Kopf neigte und gut die Hälfte des angeschwollenen Penis in den Mund nahm, unterdrückte Armand ein Schlucken. Sein eigenes Gerät wurde von seiner Kleidung eingeengt, und sein Unbehagen wurde noch bedrohlicher, als er sah, wie Claudine ihre Zunge und Lippen an ihrem Partner spielen ließ.

Armand hatte niemals zuvor beim intimsten Akt zugesehen. Im Pigalle, so hatte Armand von Freunden, die Zeugen einer solchen Vorstellung gewesen waren, erfahren, gab es Hinterzimmer, wo man für einen gewissen Preis in Gesellschaft von zehn oder zwanzig anderen Kunden einem Mann, meistens einem Schwarzen, zusehen konnte, der zwei oder drei Mädchen in rascher Abfolge bestieg und bediente. Die Frauen standen dann den zahlenden Gästen zur unmittelbaren Verfügung, noch heiß und naß von den Umarmungen des männlichen Darstellers. Aber Armand hatte keinen Hang zu einer solchen Unterhaltung, er war anspruchsvoll genug, das als Degradierung zu betrachten.

Und doch stand er hier, beobachtete etwas Ähnliches durch das Schlüsselloch eines Schlafzimmers! Er war nun an einem Punkt der Erregung angelangt, an dem ihn nichts mehr von dieser Szene weggebracht hätte, seine früheren Scham- und Schuldgefühle waren von einem lebendigeren Gefühl weggewischt.

In wachsender Neugier richtete er seinen starren Blick von dem geschäftigen Mund des Mädchens auf das Gesicht des Mannes. Wie sah ein Mann im Zugriff der Leidenschaft aus? Wie Frauen aussehen, wußte er gut aus eigener Erfahrung – war es anders oder das gleiche? Tatsächlich atmete der Mann schnell durch den Mund, seine Augen waren zu Schlitzen verengt und sein Ausdruck sagte alles in allem wenig aus.

Aber wie kann er das aushalten? fragte sich Armand, als er die Gier bemerkte, mit der Claudine über ihn herfiel.

Seine Frage war bald beantwortet. Der Mann ergriff Claudine bei den Schultern und warf sie neben sich auf das Bett. Sofort war er auf ihr, beide halb auf dem Bett, halb außerhalb, seine Hände fummelten und zerrten ihren Rock nach oben und ihre gestärkte Unterwäsche nach unten. Er stöhnte laut genug, Armand konnte ihn durch die Tür hören.

Die Heftigkeit ihres Besuchers überraschte Claudine. Sie wand ihren Po auf dem Bett, als ob sie ihm dabei helfen wollte, ihr die Unterwäsche über die Beine zu streifen. Es gab ein scharfes ›Ratsch‹, als das Material unter der Gier von vier Händen zerriß.

Als der Mann Claudine nach unten preßte, konnte Armand ihr Gesicht nicht mehr sehen. Das Schlüsselloch bot ihm nur den seitlichen Blick auf die Unterleiber. Der teuer behoste Hintern des Mannes hüpfte einen Augenblick wie wahnsinnig auf und ab, dann hörte er ebenso abrupt auf, wie er begonnen hatte.

Er löste sich von Claudine, stand auf und zog sich hastig wieder an. Claudine setzte sich im Bett auf, ihr Gesicht wieder in Armands Blickfeld. Ihr Ausdruck war überrascht und enttäuscht, dachte er, nicht der einer befriedigten Frau. Sie stand auf, ließ ihre zerrissene Unterwäsche an ihren Beinen hinuntergleiten, schob ihren Rock zurecht und glättete ihre faltige Schürze.

Der Mann sagte leise etwas zu ihr, nahm Geld aus seiner Tasche und gab es ihr. Armand richtete sich langsam auf und kroch von der Tür weg, diesmal in Gabrielles Salon. Er ließ die Tür angelehnt und hörte Claudine in der Halle ihrem Besucher höflich auf Wiedersehen sagen. Die Tür wurde geschlossen, er hörte Schritte, noch eine Tür wurde geschlossen. Sie war wieder in ihrem Zimmer, und der Moment war für Armand gekommen, seine Nachforschungen fortzusetzen.

Er klopfte leise an ihre Tür und ging sofort hinein. Claudine lag, von Kissen gestützt, auf ihrem Bett. Der Rock war ihr über die Taille hinaufgeschoben, ihre Knie waren aufgerichtet und gespreizt, und ihre Hand glitt rasend zwischen ihren Schenkeln hin und her, die dichten schwarzen Haare dort fast verbergend. Sie starrte Armand erstaunt an.

»Aber – wie kommen sie herein?« stammelte sie, ihre Knie klappten zusammen.

»Das erkläre ich dir später«, sagte Armand und lächelte sie an. »Aber im Moment...«, und er setzte sich auf die Bettkante, drückte ihr die Knie auseinander, um seine Hand auf den warmen Punkt zu legen, wo ihre Hand einen Augenblick vorher gelegen hatte.

Ihre Überraschung und Furcht verschwanden sofort, und sie erwiderte sein Lächeln, als er diesen gefühlvollen Winkel berührte und Schauer des Vergnügens durch sie hindurchschickte.

»Aber warum sind Sie hier?« schnurrte sie.

»Um mit dir zu sprechen, Claudine.«

»Mit mir zu *sprechen*?«

»Ja, es gibt ein paar Dinge, über die ich gerne Auskünfte hätte.«

»Ich stehe völlig zu Ihrer Verfügung.«

»Das sehe ich«, sagte er, wieder lächelnd. »Was für ein erfreulicher Gedanke.«

»Erfreulich für uns beide«, seufzte sie, als das, was er mit ihr machte, sehr positive Wirkung zu zeigen begann.

»Meine Fragen sind höchst delikater Natur, Claudine. Es ist unmöglich, sie zu überstürzen. Zuerst müssen wir die rechte Stimmung schaffen.«

Ihre Hand lag auf Armands Schenkel, strich sanft aufwärts,

und die Wärme ihrer Handfläche drang durch den Stoff seiner Hose.

»Sie haben bereits die richtige Atmosphäre geschaffen«, sagte sie. »Ich bin nun für Sie bereit.«

»Fast bereit. Gleich wird die Stimmung perfekt sein.«

»Wenn Sie noch lange warten, wird es zu spät sein«, rief sie. »Dann müssen wir sofort handeln.«

Armand zog schnell sein Jackett aus, öffnete seine Hose und lag in voller Größe auf Claudine, aber mehr tat er nicht.

»Schnell«, bettelte sie, »ich sterbe.«

»Du sollst alles haben, was du willst«, beruhigte er sie, »zuerst aber versprich mir etwas.«

»Alles.«

»Versprich mir, daß du nachher meine Fragen ehrlich beantwortest.«

»Ja, ja, ja, alles, was Sie wollen.«

»Schwöre es.«

»Ich schwöre.«

Armand rutschte nach vorn und fand den Eingang, den ein anderer für ihn präpariert hatte. Sehr gut präpariert, denn in Claudines glühendem Zustand war allein schon das Eindringen wirkungsvoll genug, um ihre Leidenschaft auszulösen. Sie wand sich wimmernd und stöhnend unter ihm. Die Szene, deren Zeuge er durch das Schlüsselloch gewesen war, hatte Armands Gefühlstemperatur extrem aufgeheizt. Claudines Zuckungen trieben das Quecksilber in seinem Thermometer als unaufhaltsamen silbernen Faden hinauf, und in plötzlicher Lust japste auch er und krampfte sich zusammen.

»Mein Gott, das war nötig«, sagte Claudine, als sie sich erholt hatten.

»Das war auch mein Gefühl, als ich hereinkam.«

Sie kicherte in sich hinein, nicht im mindesten beschämt. »Also, wie sind Sie hereingekommen?«

»Später. Du mußt dein Versprechen halten und ehrlich antworten.«

»Was wollen Sie wissen?«

»Fang bei deinem Besucher an, wer war das?«

»Er heißt Henri Chenet. Warum wollen Sie das wissen?«

»Ein Freund von dir?«

»Natürlich nicht. Er ist ein Freund von Madame. Er wollte ihr einen Besuch machen, aber sie ist ausgegangen, und so nahm er mit mir vorlieb.«

»So wie ich das erstemal, als ich hierherkam und Madame ausgegangen war?«

»Haargenau.«

»Claudine, deine Antwort führt zu neuen Fragen. Ich möchte gern die ganze Geschichte hören.«

Claudine war Armand im Augenblick gut gesonnen – wegen der Art und Weise, wie er ihr in ihrer Notlage geholfen hatte. Dem Mann, der der Grund für ihre Notlage war, war sie weniger gut gesonnen. Sie ließ sich von Armand das Wort geben, daß er niemals über das reden würde, was sie ihm erzählte, und danach legte sie freimütig los. In den nächsten Minuten erfuhr Armand die Wahrheit des alten Sprichworts, daß Horcher oft Dinge hören, die sie lieber nicht hören sollten.

Madame de Michoux war so anspruchsvoll in allen Belangen, erklärte Claudine, daß sie, wann immer sie die Bekanntschaft eines Mannes machte, der gern in den Genuß kommen wollte, ihr Liebhaber zu werden, private Nachforschungen anstellte, um sicherzugehen, daß er akzeptabel war, bevor sie irgendein Zeichen ihrer eigenen Zuneigung gab. Man erkundigte sich bei gemeinsamen Freunden und Bekannten, und darüber hinaus wurde seine Herkunft und sein finanzieller Status überprüft. Diese Recherchen wurden durch Untersuchaungen seines Liebesstils ergänzt, und dafür bediente sich Madame de Michoux der Fähigkeiten ihres Mädchens. Dies Verfahren war gut eingeführt – der arglose Kandidat für Madames Gunst wurde zu ihr nach Hause eingeladen, nur fand er nicht sie, sondern Claudine vor, die insgeheim ihre Nachforschungen anstellte.

Armand hörte mit Amüsement und Bestürzung zu. »Also, als ich zum erstenmal hierherkam, war das ein simpler Test – ist es das, was du sagen willst?«

»Ein erfreulicher Test natürlich«, sagte sie keck, »alles in allem bin ich weder alt noch häßlich, und ich habe einige Erfahrungen mit dem Geschmack der Herren in diesen Dingen.«

»Offensichtlich habe ich den Test bestanden.«

»Mit allen Ehren. Ihre Manieren waren so bezaubernd, und

Sie haben diese Situation so fachmännisch gemeistert, daß ich nicht weniger tun konnte, als Sie bei Madame höchlichst zu empfehlen.«

»Und sie ist genauso angetan?«

»Sie ist Ihnen sehr verbunden. Sie bewundert Ihren Stil und die Art, wie Sie mit ihr umgehen. Sie hat mir das mehr als einmal gesagt.«

»Warum also hast du dann diese Chenet-Person für sie getestet?« wollte Armand wissen. »Warum soll ich ersetzt werden, sag mir das.«

»Hören Sie – wollen Sie diese Fragen wirklich alle beantwortet haben? Warum lassen Sie die Dinge nicht, wie sie sind? Ich möchte Sie nicht bekümmert sehen.«

»Ich will es wissen«, beharrte Armand.

Er griff nach seinem Jackett, um alle Banknoten, die er bei sich hatte, neben ihr auf dem Bett auszustreuen.

»Das ist keine Geldfrage«, sagte sie.

»Was dann?«

»Es ist eine Frage der Loyalität.«

»Gut gesagt. Das ist eine Eigenschaft, die ich bewundere, Claudine. Ich respektiere deine Skrupel. Aber nun, wo du so weit gegangen bist, warum nicht fortfahren? Nach allem sind wir beide alte Freunde. Dieses Geld ist in keiner Weise eine Bestechung, die dich von deiner Loyalität abbringen soll, sondern ein simples Zeichen meiner Achtung vor dir.«

»Sehr gut, unter diesen Umständen kann ich es akzeptieren. Ich habe in meinem Herzen ein kleines Kämmerchen für Sie.«

»Und nicht nur in deinem Herzen, Claudine.«

»Ah, was das betrifft...«, sie berührte sich zwischen den Beinen und lächelte ihn an.

»Später, ganz gewiß«, sagte Armand, »es wird mir eine Ehre sein, von deinem kleinen Kämmerchen vollständigen Gebrauch zu machen. Aber zuerst erzähl mir mehr – von Chenet zum Beispiel.«

»Sie müssen wissen, daß Monsieur Chenet reich ist.«

»Das habe ich mir gedacht, aber auch ich bin nicht gerade arm.«

»Natürlich, Madame kennt keine armen Menschen. Aber Monsieur Chenet ist zugänglicher als die meisten ihrer Bewunderer. Er hat Madame schon gesagt, daß er sie liebt und ihr einen sanften Wink gegeben, daß er bereit wäre, sie zu heiraten.«

»Den Teufel hat er.«

»Bis jetzt hat sie ihm nicht die leiseste Ermutigung gegeben, verstehen Sie, aber er ist sehr hartnäckig.«

»Keine Ermutigung? Aber sie hat ihn eingeladen.«

»Nur weil sie wußte, daß sie nicht zu Hause sein würde.«

»Ist doch gleichgültig...«

»Sehen Sie, Madame weiß, daß es höchst unwahrscheinlich ist, daß Sie sie fragen, ob sie Sie heiraten will, obwohl Sie sich um sie kümmern.«

»Um ehrlich zu sein, der Gedanke an eine Hochzeit ist mir noch nie durch den Kopf gegangen.«

»Sie versteht das. Aber zugleich ist es nur natürlich, daß sie auch an ihre Zukunft denkt. Monsieur Chenet war ein möglicher Ehemann, oder sie glaubte es, obwohl das nun nicht mehr in Frage kommt.«

»Warum sagst du das?«

»Er ist in gewisser Hinsicht schrecklich. Madame könnte möglicherweise die Plumpheit, mit der er mich behandelte, nicht tolerieren. Nein, Sie können sicher sein, er wird nicht wieder eingeladen.«

»Und das ist der ganze Trost, den du mir anbieten kannst?«

»Der Trost meines Körpers«, schlug Claudine vor.

»Das natürlich. Aber mein Herz ist gebrochen.«

Claudine schaute ihn treuherzig an. »Wir müssen praktisch denken«, sagte sie. »Sie sind der Herrscher über Madames Herzen. In den Monaten, in denen Sie sie kennen, haben Sie einen Standard gesetzt, an dem andere Männer gemessen werden müssen. Unter diesem Standard darf jetzt nichts mehr liegen, denn Madame ist eine extrem eigenwillige Person.«

»Extrem«, stimmte Armand gepreßt zu.

ANNA RHEINSBERG

Marlene in den Gassen

Mit gradem gespannten Rücken die 100 Stufen zum Montmartre hinauf. Das Haar gebändigt mit zwei Kämmen, Männerhose mit Jacket, die Augen unterm Schleier so cool, so blaß der Blick.

Ich lehn' mit Blaufuchs an der Wand, lässig die Hand am Colt und warte auf den schwulen Freund, der gerade bei der zwanzigsten Stufe angelangt ist.

Montmartre im Sommer. Ich träum' von schwarzumrandeten Augen, Indianerknaben mit Stirnband und Kajal, im Ohr blitzt ein Knopf aus Rubin.

Ach, ich bin Marlene in den Gassen.

Nachts, wenn es kühler wird, gehen wir den gewohnten Gang.

Die steile Straße hinauf zu den Treppen.

Einst zogen Frauen aus, den König zu fangen.

Ich nehme die Nacht. Es steht eine Bank im Park bei den Rosen – eine Bank mit zierlichen Füßen, weißlackiert – hier sitzen wir in der Kühle der Nacht, mit Rosen, und ich spreiz' die Beine wie ein Mann in Männerhose.

Wie Judith bei der türkisschimmernden Brücke überm Teich will ich einen Knaben. Einen feingliedrigen mit weichem Haar.

Es ist die Zeit, da ich den Geliebten verlassen habe, ich ziehe mit dem Freund in die Stadt, vergessend das Zuhause, wartend auf den Mann, der uns folgen wird in wenigen Tagen.

Gestern war der Abend, als ich den Knaben auf der Mauer liegend fand. In Erinnerung an frühere Jahre beugte ich ihm den Kopf, küßte ihm den Mund – sein langes schwarzes Haar in Zöpfen geflochten, fiel nach hinten, und der Kuß schmeckte wie Anis. Aber ich ließ ihn zurück, und auf dem Weg zum Haus trotze und weine ich. Ich stampfe mit dem Fuß auf: Ich will ihn haben! Meine Ehrbarkeit hebt mahnend den Finger, ich darf nicht, und mein schwuler Freund lacht und sagt, es liege an mir, ihn zu haben oder es zu lassen.

Es wird mehr Nächte geben, sagt er.

Heute in den Gassen, den König zu fangen, sitzen wir auf der Bank mit den Kieselsteinen zu unseren Füßen.

Wir rauchen schwarze Zigarren und Judith fällt mir ein, auf der Wiese: ihr Hintern mit ein wenig Gänsehaut wiegt sich im Rhythmus des Grases, und Halme streicheln ihre Vagina.

Während ich rauche und den Blaufuchs seitwärts über die Schulter lege, sehe ich den Knaben mit dem roten Haar.

Ein Stück von uns entfernt, er hockt auf den Steinen.

Seine Hose ist gebunden und weiß wie sein Hemd. Ach, er ist schmal, mit schlanken Fingern, und ein wenig hellen Flaum hat er auf seinem Bauch. Ich kann es schon im voraus sagen, denn ich habe ihn gesehen. Locken hat er, die fallen bis zum Rücken, und er sieht mich nicht, denn die Bank steht günstig hinter dem Rosenbusch.

Ich wiege mich und Glut fällt von der Zigarette.

Judith auf der Wiese. Als ich aufstehe, weiß der Freund, wohin ich gehe. Er wird auf mich warten.

Vergessen das Vergangene, gehe ich, den Schleierhut tief ins Gesicht gezogen: Mein Knabe hebt den Blick, und ich hocke mich vor ihn auf die Kiesel.

Jung ist er noch, und er spricht nicht – ich wüßte nicht, welche Sprache er verstünde – sein Gesicht kann ich sehen, und ich streichle sein Haar.

Beim Berühren spüre ich den Leberfleck auf seinem Rücken.

Seine Arme sind ein wenig muskulös, und ich lege die Hand um seine Hüfte.

Dunkel ist es am Montmartre und wenig Menschen hier:

Ich ziehe ihn neben mich auf die Seite und schlinge Bein um ihn, grad so, daß meine Vagina sich reiben kann.

Jacket ist fort und Schleierhut liegt obenauf. Die Klitoris wandert auf und ab – so wie im Bett zu Haus' am Kissen.

Sein Haar duftet, und während ich reibe, umfaßt er meine Brust, so wie ich's mag. Er ist mir nah, ich habe ihn nie zuvor gesehen, und nun kenn' ich ihn, als wären's tausend Jahr.

Er preßt ein wenig fester als zuvor, und schneller wird mein Reiben. Ich kann schreien zuletzt und an ihm liegen, mein schöner Junge spricht kein einziges Wort.

Ich streichele sein Haar, seinen Rücken, die Beine.

Montmartre im Sommer.

Wir sitzen auf der Bank, wir drei, rauchen schwarze Zigarette, der Schleierhut grinst frech.

Zu Hause essen wir Blaubeeren vom Markt, mit Milch und Zucker. Die Nacht, die bleibt, geht in den Tag, und Marlene mit dem rotlackierten Mund stellt Colt und Männerhose in die Ecke – wir kriechen unter eine Decke.

Mein schöner Knabe mit Holunderhaaren, den langen Beinen, dem kleinen Po, legt Kopf in meine Achselhöhle.

Ich bin Marlene in den Gassen.

Des Abends hinkle ich die Stufen zum Montmartre empor, will fangen den König: Mir gehört die Nacht!

Mein König ist sanft, mit weichem Haar.

Den Blaufuchs hänge ich zum Lüften auf den Balkon.

Dort liegt er gern und blinzelt in der Sonne.

CLAUDIA RIESS

Ehebruch

Bei bisherigen romantisch angehauchten Begegnungen mit Fremden war die Stimme der Vernunft immer sofort mit ein paar Worten auf den Plan getreten: Sei kein Schmock, flüsterte sie, als ich eines Morgens im Siebenuhrdrei-Zug von Hampton Village kommend in die traurigen braunen Augen eines Al-Pacino-Ebenbildes sah und mir eine klammheimliche Leidenschaft ausmalte, die in Glückstränen im Essex House gipfelte. Du infantile Fotze, murrte diese Stimme, als ich den Blick eines gutaussehenden jungen Querschnittsgelähmten erwiderte, der eines Sonntags mit dem Rollstuhl durch Sears kurvte, und mit dem ich mir ausgedehnte Zungenküsse aus Freigebigkeit und Dankbarkeit für mein restliches Leben vorstellte.

Al Pacino war in dem Moment vergessen, in dem er in Masspequa ausstieg, und für den gutaussehenden jungen Querschnittsgelähmten platzte die Seifenblase, als ich den Flash-Gordon-Comic sah, der aus seiner Tasche schaute.

Aber jetzt erfaßte mich ein übermächtiges Gefühl, das sich auf alle Bereiche meines Lebens erstreckte, vom Kitzel meiner Klitoris bis zum Wohlergehen meiner Seele, und die Stimme der Vernunft konnte nur noch Hosianna singen.

Ich legte den Telefonhörer auf die Gabel, und als ich ihm meine Hand hinhielt, gab er mir seine. Seine Hand war groß und warm, und er hielt kaum wahrnehmbar in der Bewegung inne, ehe er sie zurückzog. »Ich bin Gil.«

»Ich bin Joan. Sie sind etwas zu früh. Nehmen Sie Platz.« Ich errötete.

Er fuhr sich mit der Hand durch sein dichtes kastanienbraunes Haar. Dann ließ er seine großgewachsene Gestalt mit einem zögernden Lächeln auf den Ledersessel mir gegenüber sinken. »Ich habe nicht so lange für die Fahrt gebraucht, wie ich dachte.«

Das Lächeln hellte seine ausgeprägten Züge auf und überzog sie mit jungenhaftem Charme. Eine winzige Ecke, die von einem Schneidezahn abgebrochen war, machte sein Lächeln unwiderstehlich.

»Nicht so lange? Oh«, sagte ich. »Ich dachte, Sie hätten viel Verkehr.« Ich schätzte sein Alter auf etwa zweiunddreißig.

»Nein, gar nicht. Es war nicht schlimm.«

»Oh.« Meine Begabung für geistreiche Frotzeleien, die mich früher nie im Stich gelassen hatte, wenn ich einen Mann kennenlernte, war im Zustand völliger Lähmung.

Gil bewegte eines seiner langen Beine, und die Muskeln seines Oberschenkels zeichneten sich unter seiner grauen Flanellhose ab. Ich konnte seine kantige Kniescheibe sehen, die sich gegen den grauen Stoff preßte.

»Es sieht nach Regen aus«, sagte er.

»Ach, wirklich?« fragte ich und malte mir aus, wie ich mich in seinen Regenmantel kuschelte.

»Ja, ich denke schon.« Unsere Blicke trafen sich in süßer Verlegenheit. Er rückte seine Nickelbrille zurecht, die mich nicht gegen die durchdringenden dunkelbrauen Augen abschirmen konnte.

Als ich Gil gegenübersaß, war der alte Liebhaber, der in meiner Fantasie existierte, so überholt wie die laufenden Kontoauszüge eines Ladens, der längst geschlossen war. Ich sah auf meine Hände, die ich auf dem Schreibtisch gefaltet hatte, und ich wünschte, ich hätte nicht an meiner Nagelhaut gepuhlt. »So, dann sehen wir doch mal, was wir für Sie haben.«

Gil lehnte sich zurück und legte seine Hände auf seine gespreizten Knie. Er lächelte nervös, und jede seiner Gesten vermittelte mir seine selbstbewußte, verletzliche Sinnlichkeit.

»Ich hole die Unterlagen.« (Jetzt muß ich aufstehen und den Ordner aus dem Regal holen. Er wird meinen Körper abschätzend mustern und meinen feuchten Rock bemerken.) Ich erhob mich beiläufig und strich mir mit der Hand über den Rock, als wolle ich die Falten glattstreichen. Das tat ich, um zu überprüfen, ob die Säfte meiner impertinenten Schleimhäute durch mein Nylonhöschen gesickert waren. Nein, Gott sei Dank nicht. Ich holte den Ordner, in dem das Richtige für ihn sein konnte, und setzte mich. »Hier finden wir sicher etwas für Sie.« Ich lächelte. (Fühlte ich mich jetzt etwas tapferer?) Er räusperte sich. »Das hoffe ich doch.«

Ich sah auf den Ordner und versuchte, meine Aufmerksamkeit auf die Mietobjekte zu konzentrieren und von der flehentlichen Bitte abzulenken, die aus der Furche zwischen meinen Beinen aufstieg. »Wie groß ist die Familie, die in dem Haus Platz haben soll?« (Wie raffiniert.)

»Nur ich. Im Grunde genommen suche ich eine bescheidene Unterkunft, um dort zu arbeiten. Etwas mit Meerblick kann ich mir nicht leisten. Es wäre schön, aber das muß nicht sein. Ich würde gern vor dem Frühstück lange Spaziergänge am Strand machen.«

(Ich werde um fünf Uhr morgens aufstehen. Wir werden zusammen spazierengehen, und du wirst meine Zehe küssen, wenn ich mich an einer Muschel geschnitten habe, und dann mache ich Spiegeleier mit Toastbrot.) »Woran arbeiten Sie, wenn ich fragen darf?«

»Ich schreibe ein Buch über Astrophysik und möchte den endgültigen Entwurf vor dem Wintersemester beendet haben.«

(Nach den Eiern mit Toast werde ich für dich tippen und dir Vorschläge zum Satzbau machen.) »Astrophysik gehört zu meinen Bildungslücken«, sagte ich und raschelte mit den Prospekten.

Während wir die Wohnungen und Häuser durchgingen, die in der entsprechenden Preislage zu haben waren, und uns über die Geschäfte, Restaurants und sonstigen Einrichtungen im Ort unterhielten, gewöhnte ich mich an die Aufdringlichkeit meiner Möse und fand es wieder leichter, mich mit den anstehenden geschäftlichen Angelegenheiten zu arrangieren.

Aber als er im Auto neben mir saß und ich sein wirres Haar riechen und die kleine Narbe auf seinem Hals und die Sommersprossen auf seinem Ohrläppchen sehen konnte, mußte ich wieder darum kämpfen, die Oberhand über das Aufbäumen meines Körpers zu gewinnen.

Und als ich mit dem Schlüssel zu einem kleinen Häuschen in Hampton Village im Schloß rumfummelte und er ihn mir aus der Hand nahm, berührten sich unsere Finger, und meine Lippen öffneten sich instinktiv.

Jeder Wandel, ob im Wetter, in Lehrsätzen, in der Haarmode, im Kinoprogramm oder in den herrschenden Einstellungen zum unbeschwerten Fick, trifft mit Verzögerung im

Osten von Suffolk ein. Vielleicht trägt das dazu bei, meine Ungeschicktheit zu erklären, als Gil die Anträge meiner geöffneten Lippen annahm und sich zaghaft vorbeugte, um sie zu küssen, wobei er kaum einen Abdruck auf der schimmernden Schicht aus kirschfarbenem Lippenstift hinterließ. Er schloß die Tür auf.

»Es tut mir leid«, entschuldigte er sich, als er meinen bestürzten Blick bemerkte. »Ich dachte, Sie... normalerweise würde ich..., ach, gehen wir doch rein.«

Ich sah sein unsicheres Lächeln. Verdammt noch mal, was machte diese Empfindung so köstlich? Was war vorhin im Büro passiert? Hatte die schlichte Choreographie, die ihn die Tür genau *so* öffnen ließ, einen tief verborgenen Primakkord anklingen lassen?

Ich wußte nicht, was ich sagen sollte, und ich bemühte mich, wenigstens verständnisvoll zu lächeln, als ich an ihm vorbeiging und ins Haus trat. Mit einer Entschlossenheit, die sich selbst Lügen strafte, machte ich mich an eine Besichtigung der Innenräume. Ich fing mit dem zentralen Raum des Hauses an, der als Wohn- und Eßzimmer mit Kochnische diente; ich sah mir prüfend den Herd, das Spülbecken, den Kühlschrank, die Decke, die Wände und die Sitzmöbel, an.

Gil, der mir ins Haus gefolgt war und die Tür geschlossen hatte, stand mitten im Zimmer und wirkte verwirrt.

Ich warf einen Blick in das winzige Schlafzimmer mit der fröhlichen Tapete mit roten und gelben Tulpen und versuchte, die Gefühle zu unterdrücken, die das Doppelbett, das für dieses Zimmer zu groß war, in mir wachrief. Ich malte mir aus, welche Freuden vergangener Sommer unter der genoppten weißen Tagesdecke verborgen sein mochten.

Ich wandte mich diesem Raum ab, stellte meinen Blick auf eine neutrale Vase mit getrocknetem Laub direkt hinter Gils Schulter scharf und fragte ihn, ob ihm das Haus gefiele.

»Ich denke schon«, sagte er und drehte ebenfalls seine obligatorische Runde.

Anschließend standen wir wie zwei Tölpel im Wohnzimmer, die auf das Stichwort eines Souffleurs warteten. »Es wäre schöner, wenn es näher am Meer wäre«, sagte ich.

»Für mich reicht es, und es kostet auch nicht viel mehr, als ich mir leisten kann. Fünf Jahre Sommerkurse sollten ausreichen.«

Ich ging den Gefahren des Rattanmöbels, einem kleinen Zweiersofa, aus dem Weg und setzte mich auf einen der dazu passenden Stühle, die mit Kissen mit blauweiß gemusterten Überzügen gepolstert waren. Gil setzte sich auf den Korbstuhl mir gegenüber. »Kann ich jetzt gleich unterschreiben?«

»Wollen Sie sich nicht noch mehr ansehen?«

»Ich habe mich bereits entschieden.«

»Sie machen den Eindruck, als würden Sie solche Entscheidungen täglich treffen.«

»Nein, es ist eine ganz neue Erfahrung für mich.« Er sah auf seine Hände.

Meine Brüste preßten sich gegen den einengenden BH. Mein Gesicht war gerötet. Der Eingang zwischen meinen Beinen lechzte danach, durchschritten zu werden, und meine Hände verlangten danach, sich auszustrecken und zu berühren. »Ich denke, daß Harrison den Mietvertrag in einer Woche fertig machen kann.«

»Gut. Was ist mit einer Anzahlung?«

»Eine kleine genügt.«

»Ist es Ihnen recht, wenn ich nachher im Büro einen Scheck ausschreibe?«

»Ja.«

Keiner von uns beiden machte Anstalten zu gehen. Plötzlich legte Gil den Schlüssel des Ferienhauses auf den Tisch mit der Glasplatte, der uns voneinander trennte. »Haben Sie Kinder?« Er stellte die unerwartete Frage mit einem Blick auf den Ehering, der an meinem Finger steckte.

»Einen Sohn und eine Tochter.«

»Und Ihr Mann? Ist er im Immobiliengeschäft tätig?«

»Er ist Wirtschaftsprüfer... in Riverhead.« Ich dachte an Stuart, der in seinem Büro aus Leder und Chrom saß und der spröden Miß Larkins Anweisungen gab, ohne sich darüber bewußt zu sein, daß ich in eben diesem Moment meine Seele einem Fremden preisgab.

»Sie haben nicht immer hier draußen gewohnt, oder?« fragte Gil.

»Nein, wir sind vor rund acht Jahren aus Manhattan hierhergezogen, als Stuart – mein Mann – als Partner in das Geschäft eines staatlich geprüften Wirtschaftsprüfers eingestiegen ist, der sein Büro in Riverhead hatte. Beruflich war es eine günstige Gelegenheit. Sein Partner ist vor einigen Jahren gestorben. Er macht die Sache jetzt allein.«

»Leben Sie gern so weit draußen?«

»Ich könnte glücklicher sein.« (Neckisches Luder.) »Wie ist das bei Ihnen?«

»Ich mache mir nichts aus Dreifachschlössern, aber in Teds Schuhen möchte ich auch nicht stecken.«

»Ted. Das ist der Freund, bei dem Sie wohnen.«

»Richtig. Er unterrichtet draußen am Southampton College Meeresbiologie.«

»Ich nehme an, das hat etwas von einer vorzeitigen Pensionierung.«

»Ja, aber in seinem Innersten ist er ein fauler Cousteau.«

»Und Sie sind der emsige Kopernikus?« Ich sah vor meinen Augen einen saftigen Sexualakt unter den sich wandelnden Sternbildern des Hayden Planetariums. Ich blickte unbeirrt in die juwelenbesetzte Dunkelheit auf, mein Haar gegen die Kopfstütze gepreßt, mein Arsch auf der Sitzkante, während er sich vor mir hinkniete, sein Geschlechtsteil zwischen meine Beine stieß und sein Gesicht in meinen Hals grub.

Er lächelte. »Na ja, ich arbeite ziemlich hart.«

Das kleine Zweiersofa war geradezu aufdringlich präsent und leer. »Kommen Sie oft nach Manhattan rein?« fragte er.

»Etwa einmal im Monat. Das törnt richtig an.«

»Mit Ihrem ... Gatten?«

»Er mag keine Hektik.«

»Ich habe zwei Karten für das Hollander-Gastspiel im Alice Tully am nächsten Samstag. Hätten Sie vielleicht Lust, mitzukommen?« Er setzte sich anders hin und sah weg. Zu spät, die Einladung war ausgesprochen. »Ich ... äh ... habe eine Karte für meine Schwester besorgt, die nächste Woche in die Stadt kommen wollte, aber sie schafft es nicht. Er spielt Copland und Brahms.« (Wen, zum Teufel, interessiert, was er spielt!) »Das klingt prima. Ich komme gern.«

Er drehte sich wieder zu mir um. »Wollen wir vorher zusammen essen gehen?«

Essen gehen? Und – oh! Bis dahin war ich nur eine latente Sünderin. In diesem Augenblick sah ich mich auf einen lebensechten, erschlichenen und unzulässigen Fick zusteuern. Und Stuart? Arglos, schuldlos und, wie seine Mutter sagen würde: ›Er hat es gut gemeint!‹ Der kleine Bar-Mitzwe-Junge, der tief im Herzen meines kultivierten Vaters begraben war, ließ einmal mehr seine Ethik durchscheinen, die sich mit der des kleinen katholischen Cherubs vermischte, der in verborgenen Winkeln der Erinnerung meiner Mutter mit den Flügeln flatterte. Aber ich wies alle Bedenken und jeden Kodex von mir, bot meine Courage auf und antwortete tapfer: »Okay.«

»Ich rufe Sie im Lauf der Woche an. Wann sind Sie im Büro anzutreffen?«

»Sehr unregelmäßig. Vielleicht sollte ich Sie anrufen.«

»Ich gebe Ihnen meine Privatanschrift und meine Telefonnummer.«

Ich warf einen Blick auf die Informationen, die er auf meinem Block festgehalten hatte. Welche Genüsse harrten meiner in Apartment 5b in der Hundertachtzehn, Ecke Broadway? Ich steckte den Block in meine Tasche und stand auf, um zu gehen. »Ich glaube, wir sollten jetzt wieder ins Büro fahren.«

Gil stand langsam auf, und sein beiges Cordjackett rutschte über seinem Oberkörper zurecht, den ich mir sehnig vorstellte. Er nahm den Schlüssel von dem kleinen Teetisch, während ich schon zur Tür ging.

Wir hörten den Regen, als wir einander vor der Tür gegenüberstanden. »Sie haben recht gehabt mit dem Regen«, sagte ich und sah seine Hand an, die sich hob, um mein Gesicht zu berühren. Meine Wange und mein Ohr prickelten, als er zart mit seiner Hand darüberstrich, und der leichte Duft seiner Haut schmolz meine letzten Vorbehalte. Seine Hand wanderte zu meinem Nacken, unter mein Haar, Finger spreizten sich und tasteten sich über meine Kopfhaut. Dann wieder über mein Gesicht mit Fingerspitzen, die meine Wimpern streiften.

Zu meinem eigenen Erstaunen machte ich den nächsten Zug. Der Geruch seiner warmen Handfläche war ein ausreichender Katalysator. Ich wurde aus meiner blutleeren Ethik und meiner idiotischen Vernünftigkeit herausgerissen, der Gewohnheit enthoben und auf mich selbst zurückgeworfen.

Es war, als habe ein Tier, das jahrelang in mir eingesperrt war, plötzlich die Freiheit gewittert; es sprang mit einem Satz an seinen Dompteuren und Wärtern vorbei (die sich abwandten und ihm insgeheim Glück wünschten) und stürmte den Freuden der freien Wildbahn entgegen.

Na und, zum Teufel. Ich schlang meine Arme um seinen Hals und brachte ihn fast aus dem Gleichgewicht. Er erholte sich von seinem Schock und erwiderte meine Umarmung. Der Schlüssel fiel auf den Boden. Unsere Münder trafen so heftig aufeinander, daß ich mir trotz meiner in Flammen stehenden Möse Sorgen um meine verdammten Zähne machte. Unsere Zungen kamen zusammen und waren verschlungen, während ich gierig unsere vermengten Säfte schluckte und tief Atem holte. Sein Atem, der nach gegrilltem Käse roch, machte mich noch gieriger, und ich preßte mich dichter an ihn. Unsere Herzen schlugen gleichzeitig, als er seine Hände auf meinen Arsch fallen ließ. Im selben Moment ging mir ein schrecklicher Gedanke durch den Kopf. (Soll ich es ihm sagen? Nein, noch nicht. Warte noch.)

Er packte meinen Hintern, zog mich näher, teilte die beiden Hälften so weit wie möglich (mein Rock behinderte ihn) und zog die begehrliche Spalte auseinander. Ich spürte, wie sein Schwanz an meinem Rock härter wurde, und als ich keuchend Luft holte, tauchte seine Zunge tiefer in meinen Mund, und seine Hände hoben meinen Rock und fanden ihren Weg von unten in meine Unterhose. (Sag es ihm jetzt. Nein!)

Ich riß mich von ihm los. Ich mußte meine Kleider ausziehen. Durch das Zusammenleben mit meinem zimperlichen Ehemann (wenn Eier erröten könnten, würden die von Stuart erröten) war ich sonst so züchtig wie ein junges Mädchen, dem gerade erst Titten gewachsen sind. Aber jetzt mußte ich ganz entgegen meiner Art (oder endlich mir gemäß) meinen Körper verfügbar machen, und zwar schnell. Das Tier verzehrte sich danach, zu fressen und gefressen zu werden.

Wir zogen uns eilig aus, ohne uns voneinander abzuwenden – mich trieb eine Lust, die endlich Früchte tragen sollte – und warfen unsere Kleidungsstücke auf einen Haufen auf den Boden. Wir blieben kurz stehen und sahen einander an.

Er war schlank, aber sehnig. Seine Körperbehaarung war

hellbraun und am dichtesten unten auf seinem flachen Bauch über dem hinreißenden prallen Schwanz. Seine Brille war leicht verrutscht, was ihm den Anschein der Unerfahrenheit verlieh und das Feuer der Leidenschaft um einen Funken mütterlicher Gefühle bereicherte. Als wir demselben Ziel zustrebten und zu Boden taumelten, fiel ihm die Brille runter. Er schob sie zur Seite.

Wir umklammerten uns auf dem weißen Noppenteppich, und die harten, heißen Küsse, die er mir auf Hals und Schultern drückte, sandten genüßliche Schauer über meine Arme und meine Brust. Die spürbare Gegenwart dieses neuen Mannes brachte mich fast um den Verstand – die ungewohnte feste Haut, das sprödere Haar, der schmalere Körperbau, der aufreizende Moschusduft.

Jeder Tast- und Geruchsnerv war erwacht und forschte und stürzte sich begierig auf alle neuen Eindrücke. Ich saugte an seinen Lippen, seinem Hals, seinen Achseln und biß ihn, um ihn stärker zu schmecken. Meine Brüste schienen anzuschwellen, um in Kontakt mit seiner Haut zu kommen, und die weichen Wände meiner Möse, die in den dunklen, schlüpfrigen Tunnel führten, schrien stumm danach, zart berührt, roh mißhandelt und auseinandergepreßt zu werden.

Ich spürte seine Gegenwart so stark, und unsere Konfrontation war so schwindelerregend hier und jetzt und wirklich, daß sie surreal wurde und Traumgestalt annahm. Die tastenden, packenden Bewegungen seiner Hände und Lippen zählten.

Er legte sich auf mich, und meine Beine öffneten sich weit und weiter. Dann schlang ich sie um seinen Rücken und reckte mich dem berstenden Schwanz entgegen, der sich Eintritt in meine ausgehungerte Scheide verschaffte. (Jetzt? Nur noch ein bißchen, ein ganz kleines bißchen.) Ich stöhnte dankbar, als dieses große Glied den brennenden Mund dehnte und sich tief in meinem Bauch begrub.

Wir waren ineinander verschlungen und drängten auf eine gemeinsame Ekstase zu, als ich ihm aus grauen Himmeln der Fakten und Konsequenzen mit meiner zweiten Überraschung eine kalte Dusche verpaßte. Ich konnte nicht mehr warten.

»Halt!« schrie ich heiser auf. »Ich habe mein Pessar nicht eingesetzt!«

Gil zog sich blitzschnell zurück und vergeudete seine orgasmischen Zuckungen direkt unter meinem Nabel. Meine Vagina blieb in einem Schockzustand zurück, und mein Magen war mit klebrigem Samen bedeckt.

Diese Enttäuschung! Wie wenig hatte es von diesen schön schmutzigen Sachen, die ich immer aus der Ferne bewundert hatte – bei denen sich der Verstand nicht in die Leidenschaft einmischte und alle Konsequenzen außer acht gelassen wurden. Und dieses Fegefeuer hatte ich mir selbst auferlegt! Hat man das schon mal gehört? Wer zum Teufel verpaßt einen grandiosen Augenblick wegen eines Gummitrampolins?

Total durchnäßt und schlaff lag ich da und hielt die Tränen der Enttäuschung zurück. »Es tut mir leid.«

»Das macht doch nichts. Das macht gar nichts«, flüsterte er. Er preßte seinen Mund auf mein Ohr und strich zärtlich das nasse Haar aus meinen Schläfen.

Dann kniete er sich über meinen ausgelaugten Körper und wandte ihm mit neugeschöpfter Energie seine Aufmerksamkeit zu. Ich lag nur da, gab nichts und bekam alles.

Er legte einen seiner Arme unter meinen Rücken, und meine Augen schlossen sich, als er anfing, mit der freien Hand meine Brüste zu streicheln. Er ließ den Spuren seiner Hand feste, feuchte Küsse folgen. Als seine Zunge in die Nähe meiner Brustwarzen kam, blieb mir die Luft weg, und als sie diesen steifen Huppel liebkoste, ging mein Atem schneller. »Mach weiter, mach weiter.« Er saugte und biß liebevoll in die Brustwarze, und als seine Zunge und seine Lippen über die feuchten Kugeln wanderten, um sich um die andere Brustwarze zu schließen, hob ich meine Arme über den Kopf, und mein Bekken bewegte sich ruckartig.

Er zog seinen Arm unter mir heraus, um meine Brüste und meinen Bauch zu massieren – die klebrig von seinem Samen waren –, bis ich die Beine spreizte, soweit es ging, und die Knie anzog, damit er meinen schmerzenden Mittelpunkt sehen konnte. »Bitte, bitte.«

Seine Hände strichen fest über die Innenseite meiner Oberschenkel und streichelten den feuchten Mund, der zu der heißhungrigen Öffnung führte, in der sich alle Begierde aufgestaut hatte. Er preßte und streichelte zärtlich die schwellende Klitoris und die heißen, saftigen Schamlippen und erregte mich bis zum Wahnsinn. Ich spürte, daß sich sein Körper zu diesem Zentrum meines stummen Flehens niederbeugte. Seine Finger öffneten die Lippen, und sein geöffneter Mund senkte sich auf diesen sehnsüchtig offenstehenden Mund, seine Lippen preßten sich darauf und sogen so stark an mir, daß ich keuchte. Ich hielt seinen Kopf zwischen meinen Händen und hatte Angst, er könnte ihn zurückziehen, aber er wühlte sich nur tiefer in mich hinein und saugte an dieser kribbelnden Erhebung, die von köstlichen Qualen gepeinigt war.

Die Muskeln meiner Schenkel fingen an, sich in wildem Rhythmus um seinen Kopf zu spannen und sich wieder zu lokkern, und ich ließ meine Hüften kreisen und rieb mich an ihm, um das Saugen, das Beißen, das Lecken, das Küssen, das mich in eine genüßliche, unkontrollierte Raserei versetzen wollte, noch mehr auszukosten. »Hör nicht auf«, flehte ich.

Seine Hände glitten unter meinen Hintern und hielten mich fest im Griff, während seine Zunge auch die Tiefe dieses Schlundes erforschte. Und plötzlich bog sich mein Rücken ihm entgegen, meine Arme fielen ausgestreckt herunter, und meine Fotze gab sich einer Woge genüßlicher Zuckungen hin. Er hörte nicht auf, seine Lippen auf mich zu pressen und seine Zunge in mich zu stoßen, und wieder bäumte ich mich auf, und das Erschauern zog sich noch weiter in meinen Bauch hinein und rieselte kribbelnd und prickelnd durch meinen ganzen Körper.

Schließlich öffnete ich die Augen. Meine Beine klafften entspannt auseinander, und dazwischen tropfte es vor Wonne. Eine offene Wunde, geheilt.

Gil hatte sich über mich gebeugt und sah mir ins Gesicht. Von den geleisteten Diensten waren seine Lippen voller und glänzender, und er rieb sie an meinem Hals und küßte dann zart meinen Mund. Wir umarmten einander und atmeten einige Augenblicke lang schweigend die Ausdünstungen von Schweiß und Sex ein.

Und dann, ganz langsam, wie auf ein Stichwort hin, sahen wir einander an, verharrten in einer Zeitlupeneinstellung und grinsten. Verrucht.

»Komisch, was der Regen mit dir macht«, sagte er.

»Ich weiß selbst nicht, was in mich gefahren ist.«

Ich hatte meine Abschlußarbeit über den logischen Positivismus geschrieben – hundertdreiundfünfzig Seiten, maschinegeschrieben! Ich hatte zwei Kinder gepflegt und durchgebracht, als sie an einem Virus unbekannten Ursprungs erkrankt waren! Sieh sich das einer an! Nach ausnahmsloser vaginaler Bedachtsamkeit habe ich diesen lächelnden Schlitz mit dreister Unanständigkeit den durchbohrenden Augen, den Fingern, der Zunge et cetera dieser nackten Gestalt offeriert, deren Geist – wo weilt er jetzt? – die fernsten Ausläufer des Universums erforscht haben muß!

Wir explodierten vor Lachen – wie Kinder. Die Verrücktheit war für mich eine ebenso bedeutsame Erlösung wie ein Orgasmus. Nie hatte ich mich so frei gefühlt. Das Gelächter, absurd und grundlos und ebenso hemmungslos, wie ich mich gerade dem Sex überlassen hatte, drang aus den Tiefen der Unschuld herauf.

Ich rutschte herum und wand mich unter ihm, als er meinen Hals mit seinen Lippen und Zähnen kitzelte und meine unmoralische Spalte mit seinem Knie anstachelte. Schließlich ließ er mich frei, und wir taumelten auf unsere Füße. Im Bad machten wir unsere Gesichter und Bäuche naß und tupften uns gegenseitig mit Toilettenpapier trocken. Wir fanden den Schlüssel unter seiner Unterhose und seine Brille unter meinem Rock. Ich setzte ihm die Brille auf die Nase. Sie war etwas aus der Form geraten.

Während wir uns wieder anzogen, versuchte ich, mich in die Welt der früheren Verpflichtungen, des abendlichen Heimkehrens und des Wildbrets zurückzukämmen und zurechtzustreichen. Angezogen fehlten uns die Worte.

Wir verließen das Haus als vertraute Fremde, Status undefiniert. Als ich die Tür aufmachte, riefen mir der Regen und mein Volkswagen deutlicher ins Gedächtnis zurück, daß ich nach wie vor Mrs. Hiller war, und ich bereitete mich auf eine Woge von Schuldgefühlen vor, die mein entsprungenes Tier wieder zurück in die Gefangenschaft treiben würden.

Aber meine Schuldgefühle waren in etwa so nachhaltig wie Großmutters Kuß, und mein Tiger, der die Freiheit gekostet hatte, schleckte sich den Rachen, und Großmutter hastete zurück in ihr Wohnzimmer.

ANAÏS NIN

Zwei Schwestern

Es waren einmal zwei junge Schwestern. Die eine war untersetzt, dunkelhaarig, lebhaft, die andere graziös und zart. Dorothy war kraftvoll. Edna besaß eine schöne Stimme, die die Menschen faszinierte; sie wollte Schauspielerin werden. Die Schwestern stammten aus einer wohlhabenden Familie, die in Maryland lebte. Ihr Vater verbrannte im Keller des Hauses feierlich die Bücher von D. H. Lawrence – ein Beweis dafür, wie rückständig die Familie im Hinblick auf die Entwicklung der Sinnesfreuden war. Dennoch liebte es der Vater sehr, die kleinen Mädchen mit feucht-glänzenden Augen zu sich auf den Schoß zu ziehen, ihnen die Hand unter die Kleidchen zu stekken und sie zu streicheln.

Edna und Dorothy hatten zwei Brüder, Jake und David. Noch ehe die Jungen Erektionen bekommen konnten, spielten sie mit den Schwestern ›Liebe‹. Stets taten sich David und Dorothy, Edna und Jake zusammen. Der zierliche David liebte seine stämmige Schwester, und der virile Jake liebte Ednas zarte Zerbrechlichkeit. Die Brüder legten ihren weichen, jungen Penis zwischen die Beine der Schwestern, aber das war auch alles. Und es geschah stets in aller Heimlichkeit auf dem Teppich des Eßzimmers, in dem Gefühl, das schwerste aller sexuellen Verbrechen zu begehen.

Dann plötzlich hörten diese Spiele auf. Die Jungen hatten die Welt der Sexualität mit anderen Jungen entdeckt. Die Schwestern wurden schüchtern und wuchsen heran. In der Familie machte sich der Puritanismus breit. Der Vater wetterte und wehrte sich gegen jedes Eindringen der Außenwelt. Er murrte über die jungen Männer, die zu Besuch kamen. Er murrte über Bälle, über alle möglichen Gesellschaften. Mit dem Fanatismus eines Inquisitors verbrannte er die Bücher, die er bei seinen Kindern fand. Er hörte auf, seine Töchter zu liebkosen. Er wußte nicht, daß sie sich Schlitze in die Höschen gemacht hatten, damit sie sich bei ihren Stelldicheins zwischen den Beinen küssen lassen konnten, daß sie häufig mit Jungen zusammen in Autos saßen und deren Glieder in den Mund nahmen, daß der Rücksitz des Familienautos mit Spermaflecken übersät war. Er tat alles, um zu verhindern, daß seine Töchter heirateten.

Dorothy studierte Bildhauerei. Edna wollte immer noch zur Bühne. Doch dann verliebte sie sich in einen Mann, der älter war als sie, den ersten richtigen Mann, den sie kennenlernte. Die anderen waren für sie nur Jungen; sie weckten eine Art mütterlicher Sehnsucht in ihr, den Wunsch, sie zu beschützen. Harry dagegen war schon vierzig und bei einer Firma angestellt, die mit reichen Leuten Kreuzfahrten veranstaltete. Als Unterhalter auf diesen Kreuzfahrten war es seine Aufgabe, dafür zu sorgen, daß sich die Gäste nicht langweilten, daß sie einander kennenlernten, daß ihnen jeglicher Luxus geboten wurde – und die üblichen Intrigen. Er half Ehemännern den wachsamen Blicken ihrer Frauen zu entrinnen, und umgekehrt. Die Erzählungen von seinen Fahrten mit diesen verwöhnten Reichen erregten Edna.

Sie heirateten. Und planten eine gemeinsame Weltreise. Auf dieser Reise machte Edna die Entdeckung, daß ihr Mann, der Unterhalter, einen beträchtlichen Teil der sexuellen Intrigen persönlich lieferte.

Bei der Rückkehr von dieser Reise war Edna ihrem Mann entfremdet. Sexuell hatte er sie nicht geweckt. Warum, wußte sie nicht. Manchmal meinte sie, weil sie entdeckt hatte, daß er schon mit so vielen Frauen zusammen gewesen war. Von der ersten Nacht an schien es, als besitze er nicht sie selbst, sondern eine Frau wie viele hundert andere. Er hatte keinerlei Gefühle gezeigt. Als er sie auszog, hatte er nur gesagt: »Ach, was für breite Hüften du hast!«

Sie fühlte sich gedemütigt, nicht begehrenswert. Das untergrub ihr Selbstvertrauen, behinderte das freie Verströmen ihrer Liebe und ihrer Sehnsucht nach ihm. Zum Teil aus Rache begann sie ihn ebenso objektiv anzusehen wie er sie, und was sie entdeckte, war ein vierzigjähriger Mann, dessen Haar schütter wurde, der bald schon sehr dick sein würde und der wirkte, als sei er bereit, sich in ein stumpfes Familienleben zurückzuziehen. Er war nicht mehr der Mann, der die ganze Welt gesehen hatte.

Da kam Robert, dreißigjährig, dunkelhaarig, mit brennenden, braunen Augen wie ein Tier, das zugleich hungrig und zärtlich dreinblickt. Er war fasziniert von Ednas Stimme, von ihrem samtweichen Klang. Er war von ihr restlos in den Bann geschlagen.

Er hatte gerade das Stipendium einer Bühnengesellschaft gewonnen. Er teilte Ednas Liebe zur Bühne. Er erneuerte ihren Glauben an sich selbst, an ihre eigene Anziehungskraft. Er war sich nicht einmal so ganz klar darüber, daß es wirkliche Liebe war. Er behandelte sie ungefähr wie eine ältere Schwester, bis sie eines Tages hinter der Bühne, als alle anderen nach Hause gegangen waren und Edna ihm seinen Text abgehört hatte, in einen Kuß versanken, der nicht mehr endete. Er nahm sie auf dem Sofa der Bühnendekoration, ungeschickt, hastig, aber mit einer so großen Intensität, daß sie ihn fühlte, wie sie ihren Mann niemals gefühlt hatte. Seine lobenden, bewundernden Worte, seine staunenden Ausrufe entflammten sie, und sie erblühte in seinen Händen. Sie fielen zu Boden. Der Staub drang ihnen in die Kehle, aber sie hörten nicht auf, sich zu küssen, zu liebkosen, und Robert bekam eine zweite Erektion.

Edna und Robert waren unzertrennlich. Ihr Alibi Harry gegenüber war ihr Schauspielstudium. Es war eine Zeit des Rausches, der Blindheit, des Lebens ausschließlich mit Händen, Mund und Körper. Edna ließ Harry allein auf Kreuzfahrt gehen. Daher war sie für sechs Monate frei und lebte heimlich zusammen mit Robert in New York. Seine Hände besaßen eine so große magnetische Kraft, daß seine Berührung, und sei es nur seine Hand auf ihrem Arm, sie ganz und gar mit Wärme erfüllte. Sie war stets offen und empfänglich für seine Gegenwart. Und er empfand das gleiche in bezug auf ihre Stimme. Um sie zu hören, rief er sie zu allen Tageszeiten an. Sie war wie ein Lied, das ihn aus sich selbst und aus seinem eigenen Leben herauslockte. Alle anderen Frauen wurden von ihrer Stimme ausgelöscht.

Er drang ein in ihre Liebe mit einem absoluten Gefühl des Besitzens, der Sicherheit. Sich in ihr zu verbergen, in ihr zu schlafen, sie zu nehmen, sich an ihr zu erfreuen war ein und dasselbe. Es gab keine Spannungen, keine Augenblicke widerstreitender Gefühle, keinen Haß. Ihre Liebe wurde nie wild und grausam, niemals zu einem tierischen Akt, bei dem der eine den anderen zu vergewaltigen, das Eindringen in den anderen zu erzwingen, den anderen mit Gewalttätigkeit oder Begierde zu verletzen sucht. Nein, es war ein miteinander Verschmelzen, ein gemeinsames Versinken in einem weichen, dunklen, warmen Schoß.

Harry kehrte heim. Und gleichzeitig kam Dorothy aus dem Westen zurück, wo sie ihre Bildhauerkunst ausgeübt hatte. Sie war jetzt sehr selbstsicher geworden, ähnelte einem Stück hochglanzpoliertem Holz; ihre Züge waren fest und klar, die Stimme erdhaft, die Beine stämmig, das Wesen hart und kraftvoll – wie ihre Arbeiten.

Dorothy sah, was mit Edna vorging, wußte aber nicht, wie sehr entfremdet sie Harry war. Sie glaubte Robert schuld an der Situation und haßte ihn dafür. Sie hielt ihn für einen flüchtigen Liebhaber, der Harry und Edna nur zum Vergnügen auseinandergebracht hatte. Sie glaubte nicht, daß es Liebe war. Sie bekämpfte Robert. Scharf, heftig. Sie selbst glich einer unzugänglichen Jungfrau, doch keineswegs puritanisch oder zimperlich. Sie war so freimütig wie ein Mann, gebrauchte derbe Ausdrücke, erzählte zotige Geschichten, lachte über Sex. Und blieb doch für all das unzugänglich.

Frohlockend spürte sie Roberts Feindseligkeit. Sein Feuer, die zornigen Dämonen in ihm, die nach ihr schnappten, sie anfauchten, gefielen ihr. Denn die Tatsache, daß die meisten Männer in ihrer Gegenwart den Mut verloren, ganz klein und schwach wurden, war ihr aus tiefstem Herzen zuwider. Nur die Schüchternen näherten sich ihr, als suchten sie ihre Kraft. Am liebsten hätte sie sie zerschmettert, wenn sie sah, wie sie auf ihren baumstarken Körper zugekrochen kamen. Die Vorstellung, zu dulden, daß sie ihr den Penis zwischen die Beine schoben, erschien ihr so abstoßend, als lasse sie ein Insekt an sich heraufkriechen. Während der anstrengende Versuch, Robert aus Ednas Leben zu verdrängen, ihn zu demütigen, zu vernichten, Begeisterung in ihr auslöste. Dann saßen sie zu dritt beisammen; Edna verbarg ihre negativen Gefühle für Harry, und Robert erbot sich nicht, mit ihr fortzugehen, dachte nicht nach, lebte nur in der romantischen Gegenwart – ein Träumer. Dorothy warf ihm dies vor. Edna verteidigte ihn;

und die ganze Zeit saß sie da und dachte daran, wie ungestüm Robert sie beim erstenmal genommen hatte, dachte an die schmale Couch, auf der sie gelegen, an den staubigen Teppich, auf dem sie sich gewälzt hatten, dachte an seine Hände und daran, wie er in sie eingedrungen war.

»Das verstehst du nicht«, sagte Edna zu ihrer Schwester. »Du hast nie so geliebt.«

Daraufhin verstummte Dorothy.

Die beiden Schwestern schliefen in benachbarten Zimmern. Dazwischen lag ein großes Bad. Harry war wieder einmal für sechs Monate verreist. Bei Nacht ließ Edna Robert zu sich herein.

Eines Morgens, als sie aus dem Fenster blickte, sah Dorothy, daß Edna das Haus verließ. Sie wußte nicht, daß Robert noch in ihrem Zimmer schlief. Sie ging ins Badezimmer, um zu baden. Edna hatte ihre Zimmertür offen gelassen, und Dorothy, die sich allein glaubte, machte sich nicht die Mühe, sie zu schließen. An dieser Tür war ein Spiegel befestigt. Dorothy betrat das Bad und warf ihren Kimono ab. Sie steckte sich die Haare auf und schminkte sich das Gesicht. Sie besaß einen herrlichen Körper. Jede Bewegung, die sie vor dem Spiegel machte, brachte die provokativen, vollen, festen Rundungen ihrer Brüste und Gesäßbacken zur Geltung. In ihrem Haar glänzten Lichter; sie bürstete es. Dabei tanzten ihre Brüste. Sie stellte sich auf die Zehenspitzen und reckte sich zum Spiegel, um sich die Wimpern zu tuschen.

Als Robert erwachte, bot sich ihm vom Bett aus dieser Anblick – klar und deutlich im Spiegel zu sehen. Sofort durchflutete Wärme seinen Körper. Er warf die Decke zurück. Dorothy war immer noch im Spiegel zu sehen. Sie streckte sich, um nach der Haarbürste zu greifen. Robert konnte es nicht mehr aushalten. Er ging zur Badezimmertür und blieb dort stehen. Dorothy schrie nicht auf. Er war nackt; sein Penis reckte sich ihr entgegen, der Blick seiner braunen Augen versengte sie.

Als er einen Schritt auf sie zutrat, wurde Dorothy von einem seltsamen Zittern überfallen. Wider Willen drängte es sie, sich ihm zu nähern. Sie fielen einander in die Arme. Halb zerrte, halb trug er sie zum Bett. Es war wie die Fortsetzung ihres früheren Kampfes, denn sie wehrte sich heftig, doch jede ihrer Bewegungen veranlaßte ihn nur, den Druck seiner Knie, seiner Hände, seines Mundes zu verstärken. Robert war rasend vor Gier, ihr weh zu tun, sie seinem Willen zu unterwerfen, ihr Widerstand reizte seine Muskeln an und schürte seinen Zorn. Als er sie nahm, ihre Jungfräulichkeit durchstieß, biß er sie, um den Schmerz zu vergrößern. Das Gefühl, das sein Körper auf dem ihren hervorrief, ließ sie keine Notiz davon nehmen. Wo er sie berührte, geriet sie in Flammen; und nach dem anfänglichen Schmerz schien es, als stehe ihr Schoß ebenfalls in Flammen. Als es vorbei war, sehnte sie sich schon wieder nach ihm. Jetzt war sie es, die seinen Penis in die Hand nahm und ihn wieder einführte, und stärker als der Schmerz war die Ekstase, als er sich in ihr bewegte.

Robert hatte ein heftigeres Gefühl, einen kräftigeren Druck entdeckt: den Geruch von Dorothys Haar, ihres Körpers, ihre Kraft, als sie ihn umschloß. Innerhalb einer Stunde hatten sie seine Gefühle für Edna ausgelöscht.

Hinterher war Dorothy stets wie besessen, wenn sie an Robert dachte, der auf ihr lag und so weit emporglitt, daß er seinen Penis zwischen ihren Brüsten reiben konnte, der dann noch weiter emporglitt, bis zu ihrem Mund, und stets wurde sie von einem Schwindelgefühl überfallen, wie man es erlebt, wenn man an einem Abgrund steht, von einem Gefühl des Stürzens, der Vernichtung.

Sie wußte nicht, wie sie Edna je wieder in die Augen sehen sollte. Sie war zerrissen vor Eifersucht. Sie fürchtete, Robert werde versuchen, sie beide zu halten. Doch er hatte lediglich das Gefühl, wieder zum Kind zu werden, als er an Ednas Seite lag, den Kopf an ihre Brust bettete und ihr – in dem Bedürfnis nach einer Mutter – alles gestand, ohne einen Gedanken daran, wie weh er ihr damit tun mußte. Ihm war allerdings klar, daß er nicht länger bleiben konnte. Darum erfand er eine Reise. Er bat Dorothy, ihn zu begleiten. Dorothy antwortete, sie werde nachkommen. Er ging nach London.

Edna folgte ihm. Dorothy ging nach Paris. Weil sie Edna liebte, versuchte sie von Robert loszukommen. Sie begann eine Affäre mit Donald, einem jungen Amerikaner, nur weil er Robert ähnlich sah.

Robert schrieb, er könne nicht mehr mit Edna schlafen, er müsse sich jedesmal verstellen. Er hatte entdeckt, daß sie am gleichen Tag wie seine Mutter geboren war, und identifizierte sie immer mehr mit ihr. Das lähmte ihn. Er wollte ihr nicht die Wahrheit sagen.

Kurz darauf ging er nach Paris. Dorothy traf sich auch weiterhin mit Donald. Dann verreiste sie mit Robert. In dieser gemeinsam verlebten Woche glaubten sie beide, wahnsinnig zu werden. Roberts Liebkosungen versetzten Dorothy in einen solchen Zustand, daß sie ihn anflehte: »Bitte, nimm mich!« Er tat, als weigere er sich, nur um zu sehen, wie sie sich in köstlicher Qual vor ihm wand, ständig so dicht vor dem Orgasmus, daß er sie nur noch mit seinem Penis zu berühren brauchte. Dann lernte sie, ihn ebenfalls zu reizen, ihn zu verlassen, wenn er kurz vor dem Höhepunkt war. Sie tat, als sei sie eingeschlafen. Und er lag da, gemartert von dem Wunsch, von ihr berührt zu werden, aber voll Furcht, sie zu wecken. Dann rückte er nahe an sie heran, drängte sein Glied an ihr Gesäß, versuchte es daran zu reiben, zu kommen, indem er sie nur leicht berührte, aber das ging nicht, und dann gab sie vor, aufzuwachen, begann wieder, ihn zu berühren und zu küssen. Das taten sie beide so oft, daß es zur Qual wurde. Ihr Gesicht war von seinen Küssen geschwollen, am Körper trug sie die Male seiner Zähne, und dennoch durften sie einander auf der Straße nicht berühren, nicht einmal beim Spazierengehen, ohne sofort wieder von Wollust erfüllt zu sein.

Sie beschlossen zu heiraten. Robert schrieb Edna.

Am Tag der Hochzeit kam Edna nach Paris. Warum? Es war, als wolle sie alles mit eigenen Augen sehen, den Kelch bis zum letzten Wermutstropfen leeren. In wenigen Tagen war sie zur alten Frau geworden. Einen Monat zuvor noch war sie blühend, bezaubernd, war ihre Stimme wie ein Lied, wie eine Aureole, ihr Gang leicht, ihr Lächeln überwältigend gewesen. Und jetzt trug sie eine starre Maske. Auf diese Maske hatte sie Puder gestäubt. Darunter glühte keinerlei Leben. Ihr Haar war tot. Ihre glasigen Augen glichen den Augen einer Sterbenden.

Dorothy wurde ganz schwach, als sie sie sah. Sie rief ihr. Edna antwortete nicht. Sie starrte nur.

Die Hochzeit war gespenstisch. Donald platzte mitten in die Feier herein wie ein Rasender, bedrohte Dorothy, weil sie ihn betrogen habe, drohte mit Selbstmord. Als alles vorbei war, wurde Dorothy ohnmächtig. Edna stand da, mit Blumen im Arm, eine Gestalt wie der Tod.

Robert ging mit Dorothy auf Reisen. Sie wollten alle Plätze aufsuchen, an denen sie einige Wochen zuvor gewesen waren, die gleichen Wonnen noch einmal auskosten. Ihr Körper hatte eine Wandlung erfahren. Das Leben war aus ihm gewichen. Es ist die Belastung, dachte er, die Belastung des Wiedersehens mit Edna, der Hochzeit, der Szene, die Donald gemacht hat. Deswegen war er sehr behutsam. Er wartete. In der Nacht weinte Dorothy. In der folgenden Nacht war es das gleiche. Und in der nächsten ebenfalls. Robert versuchte sie zu liebkosen, aber ihr Körper vibrierte nicht unter seinen Händen. Selbst ihr Mund antwortete dem seinen nicht. Es war, als wäre sie gestorben. Nach einer Weile verbarg sie es vor ihm, gab vor, Lust zu empfinden. Aber wenn Robert sie nicht anschaute, sah sie genauso aus wie Edna am Tag der Hochzeit.

Sie behielt ihr Geheimnis für sich. Robert ließ sich täuschen, bis sie eines Tages ein Zimmer in einem billigen Hotel nahmen, weil die guten alle besetzt waren. Die Wände waren dünn, die Türen schlossen nicht dicht. Sie gingen zu Bett. Sobald sie das Licht ausgemacht hatten, hörten sie das rhythmische Quietschen der Bettfedern im Nebenzimmer, hörten zwei schwere Körper im Takt gegeneinanderklatschen. Dann begann die Frau zu stöhnen.

Dorothy richtete sich im Bett auf und weinte um das, was sie verloren hatte.

Undeutlich empfand sie, was geschehen war, als Strafe. Sie wußte, es hatte etwas damit zu tun, daß sie Edna Robert weggenommen hatte. Sie glaubte, bei anderen Männern wenigstens die körperliche Reaktion wiederfinden, sich möglicherweise dadurch befreien und zu Robert zurückkehren zu können. Als sie nach New York heimkehrten, suchte sie Abenteuer. In Gedanken hörte sie stets das Stöhnen und die Lustschreie des Paares im Hotelzimmer. Sie wollte nicht ruhen, bis auch sie wieder so empfinden konnte. Edna durfte ihr das nicht nehmen, durfte nicht alles Leben in ihr abtöten! Das war eine zu schwere Strafe für etwas, das nicht allein ihre Schuld war.

Sie traf sich wieder mit Donald. Aber Donald hatte sich verändert. War härter geworden, wie versteinert. Ehemals ein gefühltsbetonter, impulsiver junger Mann, war er jetzt vollkommen unpersönlich reif, und suchte nur noch das Vergnügen.

»Du weißt natürlich, wer dafür verantwortlich ist«, sagte er zu Dorothy. »Ich hätte ja nichts dagegen gehabt, wenn du entdeckt hättest, daß du mich nicht liebst, wenn du mich verlassen hättest, zu Robert gegangen wärst. Ich wußte, daß du dich zu ihm hingezogen fühltest, aber ich wußte nicht, wie sehr. Und ich konnte es dir nicht verzeihen, daß du uns in Paris beide gleichzeitig hattest. Wahrscheinlich habe ich dich oft genug nur wenige Minuten nach ihm genommen. Du hast die Gewalttätigkeit selbst herausgefordert. Ich wußte nicht, daß du von mir verlangtest, ich sollte Robert übertreffen, ihn aus deinem Körper vertreiben. Ich dachte, du wärst nur beinahe wahnsinnig vor Begierde. Also habe ich entsprechend reagiert. Du weißt, wie ich die Liebe mit dir betrieben habe, ich habe dich gebrochen, gebeugt, gequält. Einmal hast du sogar geblutet. Dann nahmst du ein Taxi und fuhrst von mir direkt zu ihm. Und außerdem hast du mir erzählt, daß du dich nach der Liebe nicht wäschst, weil du den Geruch liebst, der deine Kleider tränkt, weil du den Geruch liebst, der noch den ganzen Tag lang an dir haftet. Als ich das alles erfuhr, bin ich beinahe verrückt geworden; am liebsten hätte ich dich umgebracht.«

»Ich bin ausreichend bestraft worden«, gab Dorothy heftig zurück.

Donald sah sie an. »Wie meinst du das?«

»Seit ich mit Robert verheiratet bin, bin ich frigide.«

Donald hob die Augenbrauen. Dann nahm sein Gesicht einen ironischen Ausdruck an. »Und warum erzählst du mir das? Erwartest du etwa von mir, daß ich dich wieder bluten lasse? Damit du, naß zwischen den Beinen, zu Robert zurückkehren und endlich bei ihm deinen Genuß finden kannst? Gott weiß, daß ich dich noch immer liebe. Aber mein Leben hat sich verändert. Ich halte jetzt nichts mehr von Liebe.«

»Und wie lebst du?«

»Ich habe meine kleinen Freuden. Ich lade gewisse, ausgewählte Freunde ein; ich biete ihnen zu trinken an; sie sitzen in meinem Zimmer – dort, wo du jetzt sitzt. Dann gehe ich in die Küche, mixe noch mehr Drinks und lasse sie eine kurze Weile allein. Sie kennen schon meinen Geschmack, meine kleinen Schwächen.

Wenn ich zurückkomme... nun, dann sitzt sie vielleicht mit emporgestreiftem Rock in deinem Sessel, und er kniet vor ihr, betrachtet oder küßt sie, oder er sitzt im Sessel und sie...

Was mir gefällt, ist die Überraschung und der Anblick der beiden. Sie bemerken mich nicht. Irgendwie ist es, wie es mit dir und Robert gewesen wäre, hätte ich Zeuge eurer kleinen Szenen sein können. Möglicherweise irgendeine Erinnerung. Und jetzt kannst du, wenn du magst, ein paar Minuten warten. Gleich wird ein Freund eintreffen. Ein ausnehmend attraktiver Mann.«

Dorothy wollte gehen. Doch da entdeckte sie etwas, das sie innehalten ließ. Die Tür zu Donalds Bad stand offen. Auf einer Seite war ein Spiegel daran befestigt. Sie wandte sich zu Donald um. »Hör zu«, sagte sie, »ich bleibe hier. Aber darf ich auch einen Wunsch äußern? Einen, der deine Befriedigung nicht im geringsten beeinträchtigen wird?«

»Was denn?«

»Statt in die Küche zu gehen, wenn du uns allein läßt – würdest du dich für eine Weile ins Bad zurückziehen und in den Spiegel dort sehen?«

Donald war einverstanden. John, sein Freund, trat kurz darauf ein. Er war von fabelhafter Statur, sein Gesicht jedoch verriet eine merkwürdige Dekadenz, eine Schlaffheit um Augen und Mund, einen Zug an der Grenze der Perversität, die Dorothy faszinierten. Es war, als fände er in keiner der üblichen Liebesfreuden Befriedigung. In seinem Gesicht stand eine seltsame Unersättlichkeit und Neugier – er hatte ein wenig von einem Tier. Seine Lippen ließen die Zähne sehen. Als er Dorothy bemerkte, schien er zu erschrecken.

»Ich liebe Frauen feiner Art«, sagte er sofort und warf Donald einen dankbaren Blick zu für das Geschenk, die Überraschung, die ihre Anwesenheit hier darstellte.

Dorothy war von Kopf bis Fuß in Pelze gehüllt – Hut, Muff,

Handschuhe, sogar ihre Schuhe waren mit Pelz besetzt. Ihr Parfüm hatte die Luft geschwängert.

John blieb lächelnd vor ihr stehen. Seine Gesten wurden ungezwungener. Plötzlich beugte er sich vor wie ein Bühnenregisseur und sagte: »Ich habe eine Bitte an Sie. Sie sind so schön! Ich hasse es, wenn eine Frau von Kleidern verhüllt ist. Und dennoch hasse ich es auch, sie auszuziehen. Würden Sie etwas für mich tun, etwas ganz besonders Schönes? Bitte entkleiden Sie sich nebenan und kommen sie nur in Ihren Pelzen zurück. Würden Sie das für mich tun? Ich werde Ihnen auch sagen, warum ich Sie darum bitte. Nur rassige Frauen sind schön in Pelzen, und Sie sind rassig.«

Dorothy ging ins Bad, schlüpfte aus ihren Kleidern und kehrte nur in ihre Pelze gehüllt zurück. Die Strümpfe und ihre kleinen, pelzbesetzten Schuhe hatte sie nicht abgelegt.

Johns Augen strahlten vor Freude. Er saß da und sah sie an. Seine Erregung war so stark und ansteckend, daß Dorothy spürte, wie ihre Brüste an den Spitzen empfindlich wurden. Sie hatte den Wunsch, sie zu entblößen, den Pelz zu öffnen und Johns Freude zu sehen. Gewöhnlich ging die Wärme und die Empfindsamkeit der Brustwarzen Hand in Hand mit der Wärme und der Empfindsamkeit ihres Geschlechtsmundes.

Heute fühlte sie jedoch nur ihre Brüste, den Zwang, sie zu entblößen, sie mit den Händen anzuheben, ihm darzubieten. John beugte sich vor und berührte sie mit den Lippen.

Donald war verschwunden. Er wartete im Bad und blickte in den Türspiegel. Er sah Dorothy, ihre Brüste in den Händen, vor John stehen. Der Pelz hatte sich geöffnet und entblößte ihren ganzen Körper, schimmernd, glühend, üppig in dem Pelzwerk wie ein juwelengeschmücktes Tier. Donald war erregt. John berührte ihren Körper nicht, sondern sog nur an ihren Brüsten und hielt zuweilen inne, um den Pelz mit dem Mund zu berühren, als küsse er ein schönes Tier. Der Duft ihres Geschlechts – würziger Muschel- und Seegeruch, als sei sie wie Venus dem Meer entstiegen – mischte sich mit dem Duft des Pelzes, und John sog immer heftiger. Donald, der Dorothy im Spiegel sah, der das Haar ihres Geschlechts wie das Haar ihrer Pelze sah, Donald hatte das Gefühl, wenn John sie zwischen den Beinen berührte, müsse er ihn schlagen. Er kam, den erigierten Penis entblößt, aus dem Bad und schritt auf Dorothy zu. Dies glich so sehr der ersten Szene ihrer Leidenschaft zu Robert, daß sie vor Glück aufstöhnte, sich von John losriß, sich ganz und gar Donald zuwandte und verlangte: »Nimm mich! Nimm mich!«

Mit geschlossenen Augen stellte sie sich vor, es sei Robert, der über ihr kauerte wie ein Tiger, der ihren Pelz aufriß und sie mit zahllosen Händen, Mündern und Zungen liebkoste, der jeden Teil ihres Körpers berührte, der ihre Beine teilte, sie küßte, biß, leckte. Sie trieb die beiden Männer zur Raserei. Nichts war zu hören außer dem Atmen, den kleinen Schmatzlauten, dem Geräusch des Penis in ihrer Feuchtigkeit.

Benommen ließ sie die beiden zurück, zog sich an und eilte so rasch hinaus, daß sie es kaum wahrnahmen. Donald fluchte: »Sie kann's nicht abwarten! Sie kann's nicht abwarten, sie muß zu ihm zurückkehren wie früher! Ganz naß und feucht von der Liebe anderer Männer.«

Es stimmte, daß Dorothy sich nicht wusch. Als Robert wenige Minuten nach ihr zu Hause eintraf, war sie ganz angefüllt mit schweren Gerüchen, war sie weit offen, vibrierte noch immer. Ihre Augen, ihre Bewegungen, ihre träge Pose auf der Couch luden ihn ein. Robert kannte ihre Stimmungen. Und reagierte sofort. Er war glücklich, daß sie wieder so war wie vor langer Zeit. Sie würde jetzt feucht zwischen den Beinen sein, empfindsam. Er drang in sie ein.

Robert konnte nie genau sagen, wann sie kam. Der Penis nimmt diesen Spasmus der Frau, nimmt diese kleinen Zukkungen nur selten wahr. Der Penis fühlt nur seine eigene Ejakulation. Diesmal wollte Robert aber den Spasmus, diese wilde, kleine Umklammerung in Dorothy spüren. Er hielt den eigenen Orgasmus zurück. Sie konvulsierte. Der Augenblick schien gekommen. In der Woge seiner eigenen Lust vergaß er, sie zu beobachten. Und Dorothy hatte Erfolg mit ihrer Täuschung – unfähig, den Orgasmus zu erreichen, den sie erst eine Stunde zuvor erlebt hatte, als sie sich mit geschlossenen Augen vorstellte, es sei Robert, der sie nahm.

MAUDE HUTCHINSON

Der Lift

Ich klingelte nach dem Lift. Ich trug ein schwarzes Abendkleid, Perlen um den Hals und sehr hohe Absätze, die mir ein wenig Angst machten, mir aber schick und mondän vorkamen. Die Haut meiner Beine schimmerte blaß-ocker durch die zarten schwarzen Strümpfe, und meine Finger schienen länger als sonst und biegsamer, und mein Nagellack flammte leuchtendorange. Ich zählte meine Finger, und es waren genau zehn. Ich war mir meiner Brüste bewußt, fest und rund und jung, sanft gestützt von einem Spitzenbüstenhalter, dessen Träger ein wenig in meine Schultern schnitten, aber das gab mir ein angenehmes Gefühl von Sicherheit. Ich hatte die Klingel geläutet, wo AUF stand, und die Gewölbe meiner Füße über den einmalig hohen Absätzen waren bereit und in Erwartung. In der Stille des leeren Korridors, wo nur ich war und das Bild, das ich mir von mir selbst machte, konnte ich deutlich den ungleichmäßigen Schlag meines Herzens hören, wie das eines Jagdhundes oder eines Kolibris etwa, und in meinen Eingeweiden schien ein Faden zu sein, ganz aus Gold, aber sehr fein wie ein blondes Haar, und ich konnte seinen Verlauf und sein Ende mehr sehen als fühlen. Ich klingelte nochmals, drückte zart auf die Klingel, wo AUF stand, und als ich dies tat, tauchte der Lift nieder, eine Flut bläulichen Lichts, und eine Art Schwindelgefühl sagte mir, daß endlich mein Weg aufwärts führte, und ich atmete tief ein. Die Schiebetüren öffneten sich, und eine angenehme, aber teilnahmslose Stimme sagte, Aufwärts, Japan, und das gleiche Schwindelgefühl gab mir den Eindruck des Absinkens, meine Fersen fühlten sich schwer und mein Kopf leicht.

Fährt niemand sonst nach Japan? sagte ich, da mir die Aussicht, allein reisen zu müssen, einiges Unbehagen bereitete.

Selten fährt niemand sonst, sagte der Liftführer, und ich fragte mich, ob das eine doppelte Verneinung war.

Wie lang wird das dauern? fragte ich, und ich nahm aus meiner Tasche einen kleinen Spiegel, um mir Mut zu machen. Ich sah darin zwei große braune Augen in zwei blauen Emaille-Mandeln schwimmen (wer hat das gesagt?). Die Augen blickten mich liebevoll an, und ich sagte, Liebling, sehr leise, aber nicht so leise, daß es der Liftführer nicht hörte, ich sah, wie seine Ohren sich anlegten, und seine Hand zitterte an der Steuerung. Ich muß Distanz bewahren, dachte ich, und ich sagte kühl, Ich bin nämlich verheiratet, immer schon. Der Liftführer sagte nichts. Ich senkte den Spiegel und schaute meine Nase an, es war eine liebe kleine Nase, die Nasenflügel dünn wie die papierfeine Zuckerhülle um eine Nougatstange, und ich spürte Vanillegeruch. Süß, sagte ich, und der Liftführer zitterte. Werde ich wissen, wann ich in Japan bin? sagte ich, um ihn zu beruhigen, und ich steckte den Spiegel in meine Tasche zurück und fühlte mich wieder erleichtert, vielleicht weil sich der Liftführer nicht so fühlte. Ich schaute auf den Anzeiger über seinem Kopf, und die Stockwerke rasten so rasch vorbei, daß die Ziffern ineinander verflossen und wir in den Tausendern oben waren.

Wir sind schon in Japan, sagte er.

O nein, sagte ich sanft, ich würde es sicher wissen, wenn ich in Japan bin, ich meine, wäre.

Der Liftführer nahm seine Schirmmütze ab und legte sie auf den Hocker neben sich. Ich bemerkte, daß sie voll Stiefmütterchen war. Ein Licht blitzte im Anzeiger auf. Das sind die Quinseys, sagte er, nun kriegen Sie Gesellschaft. Er schob die Türen auf, und das plötzliche Anhalten, wenn es sich auch sanft vollzog, hob mein Haar an, und meine Wimpern bogen sich nach oben, stachen mich.

Zwei ältere Amerikaner betraten Hand in Hand den Lift, und der Liftführer sagte, Aufwärts.

O nein, sagte die alte Dame, ich für meine Person möchte nach unten.

Nach oben, sagte der alte Herr, Herzchen. Mach keine Umstände.

Vielleicht hat die Dame etwas vergessen, gab der Liftführer freundlich zu bedenken.

Ich habe meinen Namen vergessen, sagte die alte Dame, es dauert nur eine Minute.

Es ist nicht nötig, einen Namen zu haben, sagte der Liftführer.

Aber ich komme mir ganz verloren ohne ihn vor, wimmerte sie.

Niemand wird vorgestellt, sagte der Liftführer, aber ich kann eine Minute warten, wir haben einen Zeitvorsprung, falls Sie ihn holen wollen.

O vielen Dank, sagte die alte Dame, und sie sprang aus dem Lift, hob die Röcke ein gutes Stück über die Knie und schlitterte über den gewachsten Fußboden wie ein Kind auf einem Teich. Huii! quiekte sie, Sekunde, komme gleich, und sie war auch im Nu wieder da.

Braves Kind, sagte der alte Herr. War er, wo er immer ist?

Ja, flüsterte sie laut heraus, im WC. Ich fürchtete, ich hätte ihn hinuntergespült, aber ich habe ihn, wenn auch ein wenig naß.

Pssst, sagte der alte Mann.

Es ist ja niemand hier, sagte die alte Dame, außer jener rosa Narzisse in der Ecke.

Niemand sonst, der nach Japan fährt? fragte der alte Mann im Gesprächston, während er die Hand der alten Dame preßte, bis sie das Gesicht verzog.

Selten, sagte der Liftführer abgehackt.

Ich fahre nach Japan, sagte ich höflich. Das alte Paar gefiel mir, sie erinnerten mich an etwas, ich weiß nicht, was, vielleicht an zwei Gummipflanzen, die immer in Töpfen in unserer Vorhalle auf Long Island standen. Ich fahre nach Japan, wiederholte ich ein wenig lauter, ohne Zweifel waren sie ein bißchen taub, aber niemand antwortete.

Das rote Licht blitzte wieder auf, und wieder brachte der Liftführer den leuchtenden Käfig sanft zum Stehen, aber die alte Dame sagte, Oh, Sie haben mich erschreckt, sind wir da? Ihr strähniges Haar stand aufrecht auf ihrem kahl werdenden Schädel, und ihr Rock blähte sich auf und flog in die Höhe.

Für gewöhnlich schon, sagte der Liftführer. Aufwärts, sagte er freundlich, Japan. Er streckte seinen Hals vor und schaute auf dem Korridor hin und her.

Ich klingelte Abwärts, sagte eine angenehm gefärbte Stimme, aber traurig, sehr traurig, als ob... als ob...

Der Tod, dachte ich, er ist tot.

Der andere Fahrstuhl geht abwärts, Sir, sagte der Liftführer zurücktretend, aber ich fahre aufwärts, Japan ist oben.

Wie dumm von mir, sagte die Stimme, es tut mir schrecklich leid... aber Sie sind ganz besetzt. Ich werde warten, ich habe nicht die mindeste Eile.

Es ist niemand hier drin, sagte der Liftführer, Sir, außer den Quinseys und einer rosa Narzisse.

Dann werde ich einsteigen, sagte die Stimme geduldig, letzten Endes werden Sie auf alle Fälle abwärts fahren.

Ich bin hier, setzte ich an, sagte es aber dann doch nicht, ich fühlte, wie von mir statt dessen ein starker Duft ausging. Ein Gefühl von Unsicherheit ließ mich wieder meinen kleinen Spiegel herausnehmen, und als ich ihn senkte, sah ich meinen Mund, voll und rosig; ich hatte heute früh, vor einem Jahr, meinen Lippenstift sorgfältig aufgetragen, daß mein Mund wie ausgeschnitten aussah, fast schwarz, und meine Zähne sahen aus wie weiße Kekse. Ich wollte gerade meine Zunge herausstrecken, um ihr liebliches Rosa, ihre fleischige Anbetungswürdigkeit zu bewundern, als ich die wäßrigen Augen des alten Mannes spürte; es war, als hätte sich auf jedem Augenlid eine einzelne Fliege niedergelassen.

Charlie, sagte die alte Dame, wird dir schlecht?

Ich, murmelte der alte Mann, ich...

Entschuldigen Sie, daß ich störe, sagte die Stimme und kam herein, die Türen glitten mit einem Seufzen zu.

Fast im gleichen Augenblick ging das boshafte kleine Licht an, und der Liftführer sagte, Jeder will, scheint's, heute abend nach Japan.

Haben Sie Japan gesagt? sagte die alte Dame. Ich fahre zu meiner Schwester im zehnten Stock. Charlie, sag ihm, er soll den Lift anhalten.

Still, Kätzchen, sagte der alte Mann.

Eine sehr schöne Frau in einem japanischen Kimono stand vor uns. Ihr schwarzes Haar glänzte, ihre zarten Nasenflügel bebten, ihre üppigen Lippen öffneten sich über strahlenden, milchweißen Zähnen, ihr langer zylindrischer Hals war frisch gepudert, und durch das dünne kostbare Gewebe ihres Seidenkimonos konnte man ihre violetten Brustwarzen und tiefer unten den Schatten ihres Nabels sehen, ihre Füße waren nackt und ihre Zehen gekrümmt, so als ob ihr kalt sei.

Jacob! rief sie dem Liftführer zu. Jacob! ich habe mich wieder ausgesperrt. Es tut mir leid, ich weiß, du mußt wichtige Leute zu wichtigen Schlüssen bringen...

Entschuldigt mich, Leute, sagte der Liftführer, ich bin gleich wieder hier.

Die Stimme sprach in mein Ohr, Christus, sagte sie leise, Jesus Christus. Ich fühlte seine Schulter an meiner und die ganze Länge seines Schenkels, aber ich konnte ihn nicht sehen.

Wer sind Sie? flüsterte ich, aber er antwortete nicht.

Der Liftführer kam zurückgeeilt, seine Hüften drehend und im Selbstgespräch. Er trug nicht mehr seine Hoteluniform, sondern war mit einem Frack und einer weißen Krawatte bekleidet. Er sah sehr hübsch aus, so als ob er an die Front ginge, hatte einen silbernen Stern an seinem Rockaufschlag und auf seiner rechten Wange den schönen klassischen Abdruck des Mundes einer schönen Dame, scharlachrot. Als er, mit dem Rücken zu uns, die Kontrolle des Fahrstuhls wieder aufnahm, bemerkte ich zwischen den Rockschößen seines Fracks das Glänzen eines Reißverschlusses. Wie eigenartig, dachte ich, und ich schämte mich wegen meines kleinlichen Interesses, aber es war wirklich etwas Neuartiges, ein Paar tadellose Beinkleider vor sich zu sehen, die zwischen den Gesäßbacken einen Reißverschluß trugen, ganz ungewöhnlich, nicht wahr.

Entschuldigen Sie, Mister, sagte die Stimme, Sie geben mir das Gefühl, völlig unbekleidet zu sein, ich glaube, ich muß hier aussteigen, ich komme mir nackt vor.

Das sind Sie auch, Sir, sagte der Liftführer. Ich wollte nichts sagen, aber Sie können hier nicht aussteigen, weil wir da nicht angehalten haben.

Ich glaube, es ist ein Traum, sagte die Stimme zärtlich, du wirst bald aufwachen, Liebster, mach dir keinen Kummer.

Ich muß im fünftausendsten Stockwerk einen Diplomaten abholen, sagte der Liftführer, wenn Sie dort aussteigen wollen, können Sie die Feuerleiter nach unten benutzen.

Fünftausendstes Stockwerk! schrillte die alte Dame, die geschlafen zu haben schien, und sie wippte sanft auf ihren Füßen, ich habe gesagt, zehntes, meine Schwester wohnt im zehnten, in einer sehr hübschen Atelierwohnung, Südseite, Blick auf den Sutton Place. Im Vorraum hängt ein Matisse.

Jetzt sind wir ganz oben, sagte der Liftführer teilnahmslos, und der Plafond ist nur hundertzwanzig Meter, dort können wir nicht landen, das ist unmöglich.

Oh, oh, oh, oh! schrie die alte Dame. Charlie, sag dem Mann, wer du bist.

Immer, seit der mit der schönen Stimme so zärtlich zu sich selbst gesprochen hatte, hatte ich ein Gefühl der Verwandtschaft, beinahe eine Sehnsucht nach ihm empfunden. Daß er nackt war, rührte mich bis in meine Tiefen, zumindest fühlte ich eine Verwicklung in meinen Eingeweiden, als ob jemand mit einem Silberlöffel in mir rührte. Ich blickte in meinen Spiegel und sah die Tränen der Lust in meinen Augen, und meine Unterlippe saugte an meiner Oberlippe, meine papierweißen Nasenflügel mühten sich um mehr Luft, mehr Wohlgeruch, mehr Brunnenkresse.

Liebling, sagte die Stimme zu sich selbst.

Mein Schätzchen, sagte ich zu mir.

Der Liftführer hustete warnend, als hätte er einen ungehörigen Vorgang in seinem Lift wahrgenommen, aber wahrscheinlich bildete ich mir das nur ein. Der alte Herr starrte auf meinen Mund und hatte einen leichten Schluckauf, ich fragte mich, wer er sei, und meine Leidenschaft ließ nach. Er betastete eine schwere goldene Uhrkette, die sich straff über seinen dicken Bauch spannte, und ich bemerkte die Légion d'honneur in seinem Knopfloch, er hob seine schweren Augenlider, und ich sah in seinen rauchigen alten Augen den Wüstling und das Tier. Ich zitterte vor Angst. Er ist der Ehrengast, dachte ich, früher oder später muß ich ihm die Hand geben.

Die alte Dame schlief fest, ihr Mund stand offen, sie atmete flach.

Ich bin noch immer nackt, sagte die Stimme meines Allerliebsten, ich bin weiß wie ein geschälter Weidenzweig und ebenso glatt und wohlriechend. Ich bin die Begierde. Ein leises klagendes Geräusch ging von ihm aus, als ob jemand im Gästezimmer das Fenster offen gelassen hätte und zeitig am Morgen ein Wind aufgekommen wäre. Ein blasser schwacher Stern, ausgebleicht und verlassen, verblieb so standhaft er konnte am westlichen Himmel, gerade über dem violetten Horizont.

Der Diplomat trat ein. Er sah aus wie ein Seemann. Ein kräftiger Geruch von Seeluft kam mit herein, als habe jemand einen Sack davon geöffnet, und er trug einen zweiten Papiersack davon in seiner Faust.

Tut mir leid, Euer Gnaden, nur ohne Gepäck, sagte der Liftführer, er hielt die Hand über den Purpurfleck auf seiner Wange und verbeugte sich, die Hacken zusammenschlagend, so sind die Bestimmungen, Sir, albern, aber unverrückbar.

Ist nur Seeluft, sagte der Diplomat, ich bringe sie einem Kollegen in Japan. Er ist Präsident von Standard Vacuum.

Es gibt dort mehr als genug davon, sagte der Liftführer, ein Paar Nylonstrümpfe wären ihm lieber gewesen, glauben Sie nicht?

Bitte lassen Sie mich's mitnehmen, sehr schön bitte, sagte der Diplomat, er lächelte breit, und seine weißen Zähne schimmerten, er war blond und gebräunt, und in seinen Ohren und in der Kinnfalte hatte er getrocknetes Salz.

Na schön, sagte der Liftführer verdrießlich und stampfte mit dem Fuß.

Fein, sagte der Diplomat, und wir fuhren wieder los.

Ich starrte den Diplomaten an wie eine dumme Liese, fragte mich, warum er ein Seemann sei, was er augenscheinlich war, aber er nahm faktisch keine Notiz von mir oder dem alten Paar. Vorsicht, Sir, sagte der Liftführer, als er (der Diplomat) direkt in die alte Dame hineinrannte, die wie ein Kegel schwankte, aber wieder auf ihren Füßen zum Stillstand kam.

War er blind?

Er hob den Kopf und schaute in meine Richtung, und ich erkannte den unbegrenzten Blick, die unerträgliche Leere des wirklich Blinden. Ein mitfühlendes Schluchzen entfuhr mir, und ich streckte meine Hand aus, die langen und schmal zulaufenden göttlich gegliederten Finger, die es für ihn nicht gab, die orange Flamme der Nägel wie Feuerwerk, um ihn in meinen Schoß zu führen.

Aber ich war bestürzt, als das Innere meiner Hand die nackte Brust der Stimme berührte, die nun zwischen mir und dem blinden Seemann stand. Bei der zärtlichen Erwiderung des glatten Weidenzweiges, der so weiß sein mußte, wie er gesagt hatte, wandelte sich mein Schluchzen zu einem Aufschrei der Lust. Ich ließ meine Hand zur Gabelung des Zweigs hinuntergleiten. Ich fühlte, daß sie sich in zwei schlanke Stämme verzweigte. Mit beiden Handflächen streichelte ich diese erregende köstliche Nacktheit, die ich nicht sehen konnte, die so weiß war, so jung, so feucht, so zart. Ich schwelgte nach Herzenslust, meine Hände in emsiger Wonne, dabei schaute ich ununterbrochen in die zwei Löcher im Kopf des Seemanns, in das Kaspische Meer, in die horizontlose unendliche Tiefe seiner Blindheit.

Der Knabe ist nackt, sagte er plötzlich, wird er sich nicht erkälten? und meine Bestürzung hätte mich fast um den Verstand gebracht. Ich endete meine Liebkosungen.

Er träumt, sagte der Liftführer, er kommt immer so nackt an Bord.

Ich glaube nicht, daß die anderen, wenn es andere hier gibt, etwas dabei finden.

Ich bezweifele, daß die anderen ihn sehen, sagte der Liftführer, irgend mehr, als Sie die anderen sehen, wenn Sie mir den Einwand gestatten, Sir.

Ich rannte gegen etwas schrecklich Schlaffes, sagte der Seefahrer-Diplomat.

Mrs. Quinsey, sagte der Liftführer, obwohl ich keine Namen angeben soll, aber sie trägt ihren heute abend zufällig bei sich, es ist also in Ordnung, moralisch einwandfrei, wenigstens zeitweilig. Und nebenbei bemerkt, sie schläft. Sie sind die einzigen Passagiere, die ich habe, außer einer hochgewachsenen Narzisse, die in Jamaika zugestiegen ist.

Kann sie sprechen? fragte der Diplomat.

Gewiß kann ich das, sagte ich ungehalten, und ich bin keine Narzisse, ich ging nach Foxcroft und debütierte in Chicago und heiratete... von Long Island. Ich merkte, daß der Name meines Mannes als leere Stelle verblieb, so versuchte ich meinen eigenen, ich bin..., aber ich konnte es nicht sagen. Ich meinte die Ohren des Liftführers zucken zu sehen, aber wenn mich auch jemand gehört hatte, so antwortete doch niemand, und für lange Zeit waren das beinah angenehme Brummen des Lifts und das leichte Schnarchen der alten Dame alles.

Ich schaute wieder in die zwei Löcher im Kopf des Diplomaten wie in zwei Luken, und ich sah eine Möwe vorbeifliegen, und dann noch eine. Ich sah im V seines Hemds eine Menge Seetang und Muscheln an seinem Hals. Ich schaute auf seine Hände, und sie waren rostig. Er umklammerte immer noch den Papiersack mit Seeluft, aber obwohl er aufrecht stand, wie auf einem Deck und in schönem Gleichgewicht, erkannte ich plötzlich, daß er tot war, und ich schauderte. Mir wurde eiskalt, ein Nordost, dachte ich.

Wie stehen die Dinge in Washington D.C.?, sagte der Liftführer, als ob er bestrebt wäre, in seiner bescheidenen Weise den Diplomaten zu unterhalten.

Es ist noch immer unter Wasser, erwiderte der Diplomat, und meine Spannung verging bei seinem ziemlich gelangweilten Konversationston.

Gracie! sagte der alte Mann plötzlich, wach auf und hör sofort damit auf.

Ich schaute die alte Dame an und sah, daß sie eine strahlend schöne junge Frau war, vollständig nackt, ihr Kopf in blaßrosa Haar gehüllt wie in einen Schal, ihr Mund purpurrot wie eine Pflaume, und ihre Augen weiß und strahlend wie Diamanten. Ihr Körper war prall, ihre Brüste rund wie Äpfel, ihr Bauch leicht geweitet, und ihre Knie mit Grübchen, sie hielt die Beine eng beisammen und verbarg ihr Geschlecht, und sie hatte ein wenig einwärts gekrümmte Zehen, aber das vermehrte nur noch ihren Reiz, halb Frau, halb Mädchen, aus der Zeit von 1904. Sie öffnete diese Pflaume von einem Mund und lachte, und dann sagte sie, Hilary! das ist alles.

Der Seemann sagte: Lassen Sie sie träumen, wie schön sie ist.

Aber der alte Mann nahm sie bei den Schultern und schüttelte sie, riß sie hoch und setzte sie unsanft zu Boden, und sie wimmerte, Charlie, und da stand sie, die alte Dame, die schlaffe alte Dame, kraftlos, albern. Ich muß auf die Toilette, sagte sie mitleiderregend.

Wie eine gute Hostess begann der Liftführer einen der bekannteren Bach-Choräle zu summen. Ich fühlte wieder den Fliegenleimblick des alten Mannes auf mir, der große Anstrengungen machte, mich mit seinen Augen zu entkleiden. Wie ein fleischiger Finger, der an Knöpfen und Ösen herumtastet, erprobte der Wüstling mich mit dem Blick. Einer meiner Strümpfe rollte am Bein herunter, und die Haken meines Strumpfbandgürtels gingen auf, meine linke Brust sprang aus dem Büstenhalter, aber ich schrie nicht um Hilfe, ich kam mir einfach lächerlich vor. Meine Lippen kräuselten sich. Sie bringen mich zum Lachen, sagte ich, mit Ihrem impotenten Herumtappen, Sie alter Bock. Aber wie gewöhnlich hörte mich niemand, meine Stimme hatte ihre Tragkraft eingebüßt, sie lag in meiner Kehle; überdies war, was ich gesagt hatte, vulgär.

Liftführer, sagte ich, hier ist Jamaika, können Sie mich hören? Ende.

Negativ, sagte der Liftführer.

Oh, oh! sagte er plötzlich, ich muß zurück, ich habe etwas vergessen. Der Lift fiel abwärts wie ein Apfel vom Baum, und jeder von uns stieß an die Decke an, daß wir aussahen wie eine Menge von Stalaktiten in einer Höhle, mit Ausnahme des Seemannes, der mit seinem gebeugten Kopf eher den Eindruck eines Erhängten machte. Ist er ein Verbrecher, dachte ich, oder was? aber die alte Dame, die wie ein alter Christbaumschmuck baumelte, schrie auf, Sag dem Mann, wer du bist, Charlie! Dafür sollte er seinen Posten verlieren!

Aber der Liftführer brachte den Lift so geschickt zum Stehen, daß wir ganz *piano piano* herunterkamen, ohne den geringsten Aufprall. Die alte Dame rümpfte die Nase: Na, tun Sie's ja nicht wieder, sagte sie.

Die Türen glitten zurück, und eine Lichtflut fiel uns in die Augen, die uns fast blendete. Hot Jazz bombardierte unsere Ohren. Nach der Stille des Fahrkorbs und dem Zwielicht hier drinnen war das unerträglich. Nein Nein Nein Nein Nein Nein.

Verzeihen Sie, Sir, kreischte der Liftführer, ich habe Sie wie gewöhnlich vergessen. Aber der große schwarze Mann erstickte fast vor Lachen, während er versuchte, die Arme des Mädchens von seinem Hals zu lösen. Nein nein nein nein! Geh nicht, Jo Jo! Sie waren zu dritt, zwei blonde Mädchen in schimmernden kurzen Kleidern, ihre Rücken nackt und voll Schweiß, und ein farbiges Mädchen mit heller Haut und Augen wie große Backpflaumen und einem geschmeidigen halbbekleideten Körper, den sie ruckweise bewegte und abwinkelte. Sie biß den Schwarzen in die Wange, und die blonden Mädchen klammerten sich an seine Schenkel und nickten mit den Köpfen im Rhythmus des donnernden Jazz.

Schon gut! Schon gut! schrie er. Ihr wißt doch, ich muß gehen. Mit staunenswerter Kraft und Wendigkeit machte er sich von den Frauen los, er streichelte jede flüchtig mit der Hand und glitt in unseren Lift herein, und der Liftführer schloß ganz flink die Türen, als ob er diesen Ablauf gewohnt sei, aber einer der schrillen Schreie des Mädchens war hereingedrungen: Jo Jo Jo Jo! schluchzte er. Der Liftführer fing ihn in seiner Kappe voll Stiefmütterchen und erledigte ihn mit den scharfen Nägeln seines Daumens und Zeigefingers. Ein helles Blitzen vom Ballsaal und ein halbes Dutzend Vierteltöne vom Klavier her, und wieder stiegen wir sanft im Halbdunkel auf.

Japan? fragte der Liftführer, und ich sah ihn zwinkern.

Klare Sache, sagte der Schwarze.

Ich fahre zu meiner Schwester im zehnten Stock, sagte die alte Dame, aber sie sagte es zaghaft, es war beinahe eine Frage. Ein Matisse im Vorraum?

Natürlich fahren Sie, Jo Jo, Süße, aber diesmal ist's ein Picasso.

Bitte sehr, Sir, sagte der Liftführer, und er langte nach unten und zog einen kleinen Korb herauf, den ich vorher nicht bemerkt hatte. Reste vom letzten Ausflug, sagte er. Der kleine Korb war voll mit Strichpunkten, Kommas, Ausrufungszeichen, et cetera, et cetera, et cetera.

Jo Jo nahm ein kleines Notizbuch heraus und schaute umher, er sah direkt auf mich und schien mich zu erkennen, wenigstens zu entdecken. Guten Abend, sagte er.

Guten Abend, sagte ich ziemlich hochmütig. Ich hatte meine linke Brust zurückgesteckt und meinen Strumpfbandgürtel zugehakt und meinen Strumpf hochgezogen.

Sie sind jünger und hübscher als in meinem letzten Buch, sagte er. Ihr Mund, fügte er hinzu, ist zu groß, aber die hohen Absätze und die Perlen sind vollendet. Wie würden Sie die Farbe dieses Kleides nennen? Er hielt seine Feder in der Luft und taxierte mich, glaube ich, kritisch.

Flohfarben, sagte ich von irgendwoher.

Der Liftführer lachte in sich hinein. Schwierigkeiten? sagte er zu dem Schwarzen.

Flohfarben? sagte der Schwarze. Ist das nicht von Henry James? Gott, wie lang ist es her, daß sie das bei *Atlantic* abgelehnt haben. Ja, ich habe Sie doch in Flohfarben gehabt, was immer das zum Teufel auch sein soll, es hört sich an wie ein Furz. Na komm schon, Kleine, raus mit der Sprache, Pappi möchte wissen, was für eine Farbe dein hübsches Fähnchen hat.

Paah, sagte ich, ich spaße nicht, mein guter Mann.

Nur so weiter, já, sagte Jo Jo grinsend.

Meine Mutter war aus Virginia, ich bin in Richmond aufgewachsen, ich kann nicht tolerieren...

Wie buchstabieren Sie tolerieren? sagte Jo Jo, und er kritzelte in seinem Notizbuch.

Mein Blut raste durch meine Arterien und verstopfte meine Venen. Ich war wütend auf chemischer Basis.

Verlassen Sie das Zimmer, kreischte ich, Sie Nigger aus dem Norden!

Jo Jo warf den hübschen Kopf mit der kurzgeschorenen Schädeldecke zurück und lachte und lachte, seine Mandeln sahen wie rosa Aprikosen aus.

Oh, Miß Mary Ann, er schluchzte beinahe, so heftig lachte er, Sie waren einfach hinreißend in diesem Buch, aber seit ich diese Zeilen für Sie geschrieben habe, sind die Zeiten anders geworden. Scheiße, sagte er, ernüchtert, sprich nicht so zu mir, ich habe mit dir in der Verkleidung von einem Dutzend Helden geschlafen, und es hat dir viel Spaß gemacht im letzten Kapitel. Du liegst doch am Schluß immer in den Armen des Helden, nicht wahr? Auch hast du eine Menge gelernt, und das hast du mir zu verdanken. Im nächsten wirst du ganz toll sein, richtig toll, eine richtige Puppe, eine...

Oh! Oh! sagte ich.

Oh! Oh! sagte sie, schluchzte, spuckte, schnaubte, paffte. Höllisch, sagte er, und er strich es aus. Schau, sagte er, du wirst in dem da eine ›Dame‹ sein, wie ich es immer genannt habe, also beruhige dich, aber dekadent, siehste? wirklich schmutzig, schamlos, nein, nicht schamlos, sondern verwirrt, armes kleines Ding, aber du wirst deinen Orgasmus haben.

Halt den Mund, sagte er, keine Anführungszeichen, hier sprech' jetzt ich statt deiner, von nun an. Wenn du dich nicht benimmst, steck' ich dich mit Hilary ins Bett, erinnerst du dich an Hilary? Deinen Mann von Long Island? Den Polospieler?

Hilary! kreischte die alte Dame.

Zu Ihnen komme ich später, Süße, sagte der Schwarze, Lady Teasdale.

Ich hab' ihn ins WC hinuntergespült, sagte die alte Dame.

Wen? sagte der Schwarze, seinen Bleistift in der Luft.

Meinen Namen, sagte die alte Dame.

Sie ist eine Gummipflanze, sagte ich. Es war immerhin etwas, daß mich jemand hier hören konnte.

Der Schwarze schrieb es auf und lächelte.

Sie glaubt, ich wäre eine rosa Narzisse, sagte ich, und ich lachte einen schönen Triller wie Quinten auf einem Spinett. Du hast mir beigebracht, so zu lachen, sagte ich, glücklich durch seinen Beifall und sein Interesse.

Du hast alles, was ich habe, sagte er, ich bin wieder sehr in dich verliebt, aber ich muß mir Zeit lassen, es soll auf zweihundert Seiten kommen.

Ich kann es kaum erwarten, sagte ich.

Er schrieb rasch, und ich liebte seine Konzentriertheit, sein seltsames Nicht-Hiersein. Seine dunkle Haut riß mich hin, er blätterte um, und ich streckte meine Hand aus und legte sie mit der Innenfläche auf seinen Hals.

Warte, warte, sagte er nervös, noch nicht.

Ich bin schwarz, murmelte er, schwarz wie Ruß, sie fürchtet, ihre Hände könnten etwas davon abbekommen, ihre Hände mit, ihre blassen Hände mit, rosigen Spitzen, so weich, nein, luftgefüllt, nein, weich wie – auslassen. Zuerst hasse ich sie, mein Blut haßt sie, meine Rasse haßt ihre blassen Eingeweide, ich ekle sie ebenso an, aber sie ist dekadent, sie will ein zerebrales Verhältnis mit einem Nigger.

Nein, sagte ich heiser, ich will das Übliche.

Halt doch den Mund, sagte er, das entwickelt sich nicht, wie es sollte, ich bin ein gutaussehender Neger, sinnlich, Schädel wie ein Affe, tonnenförmige Brust mit feinem Haar drauf, gekraust, nein, glatt, gerade wie Vogelspuren im Sand, im Sand, am Ufer, nasses Ufer, tonnenförmige Brust ist schlecht, ich habe den Torso eines griechischen Gottes, Scheiße, das ist schrecklich, ich habe den Torso... hat hier wer eine Zigarette?

Hier, sagte ich.

Nein, nicht von dir, du rauchst nicht.

Ich habe einen Kautabak, sagte der alte Mann.

Der Schwarze lachte, Sie haben einen langen Weg hinter sich seit Orest, sagte er.

Orest! schrie die alte Dame. Er ist Orest, und er wird den Liftführer hinauswerfen.

Bitte, seien Sie still, sagte der Schwarze, ich werde ein anderes Mal auf Sie zurückkommen. Er berührte die welke Wange der alten Dame mit einem langen schwarzen Finger, der in einen bläulichen Nagel endete. Sie werden prall sein mit einem runden Bauch, runden Brüsten, alles rund, konzentrisch, das ist fein.

Werden Sie mich mit Hilary ins Bett legen? sagte sie, und ihr Mund sah einen Augenblick wieder einer Pflaume ähnlich, gespalten von einem scharfen Messer, es sah aus wie...

Blut auf ihren Lippen, murmelte der Schwarze. Er schüttelte seinen Kopf, Torso, sagte er, ich habe einen Torso...

Ein Torso in der Farbe von Ebenholz balancierte auf seinen schmalen Hüften wie eine Vase auf einem Sockel, schlug ich vor und war gespannt.

Gut, ich hab's, sagte er, aber es ist ein wenig spröde wie eine Radierung, ich bin ein schmieriger Neger, eher wie ein Steindruck, ich bin voll Musik, meine Sprache ist unverständlich, mit Schmutz vermengt, aber sie hat das gern, sie ist verrückt danach, Sag es noch einmal, bettelt sie, sag noch so was in mein Ohr mit deinem feuchten Mund, aber das kommt viel später...

Sag mir noch einmal, was du mit mir tun wirst, bat ich.

Später, später, sagte er, hetz mich nicht.

Aber ich brenne, sagte ich.

Er blickte mich mit glühenden Augen an, eine blaue Flamme flackerte darin.

Um Christi willen warte, flehte er, Absatz. Wenn ich's kann, kannst du's auch. Sie, murmelte er, und schrieb dabei in sein kleines Buch, ihre blassen Hände flatterten über meine Schwärze, wie, wie weiße, nein, farblose, Nachtschmetterlinge? soll man's mit einem weißen Taschentuch versuchen, nein, es müßten zwei sein, und zwei weiße Taschentücher ist schlecht, warum weiß ich nicht. Ihre blassen Hände machten mich rasend, als ich auf dem Rücken lag, sie flatterten über meinen schwarzen Körper in der Dunkelheit des Zimmers wie, als wäre das alles von ihr, zwei körperlose weiße Hände. Ich zwang sie auf mich herab, und ich stöhnte...

Ich flehe dich an, nicht zu stöhnen, es macht mich fertig, ich kann es nicht aushalten, sagte ich.

Ich stöhnte, schrieb er, und sie konnte es nicht aushalten, ich kann es nicht aushalten, sagte sie.

Er schaute mich streng an: Du wirst es noch viel länger aushalten müssen, sagte er, und er strich aus, was er geschrieben hatte. Führ sie in eine Spelunke, sie ist fasziniert, hat nie vorher so was gesehen, die großen Nigger und die weißen Mädchen, die Musik dringt in sie ein, sie scheint davon zu schwellen, die himmelblauen, nein, die Venen an ihrer Schläfe sehen wie Knoten aus, nein, wie blaue Glasperlen.

Bitte! flüsterte ich.

Paß auf! schrie er, in den nächsten zwei Wochen wirst du nicht mit mir schlafen, verstanden? Laß dir das durch dein hübsches Patrizier-, nein, laß dir das durch deinen gottverdammten Schädel gehen. Es fehlen noch hundertfünfzig Seiten, schloß er, also *laß mich gefälligst in Ruhe.* Er drehte sich zum Liftführer: Gib ne Kippe her, Kumpel. He du! Daddy-o, sagte er im Jargon, beim Teufel! Wer ist dein Schneider? Ein Reißverschluß an deinem Arsch.

Man konnte den Hals des Liftführers rot anlaufen sehen. Du solltest es wissen, murmelte er, Vetter.

Ohne Spaß, ich? sagte Jo Jo.

Doubleday schmiß es 47 raus, sagte der Liftführer, sagte, es ginge ein wenig zu weit, erinnerst du dich? Du hast es ungern fallen lassen. Ich nahm es auf.

Och, Tantchen, lachte Jo Jo, jetzt kann ich mich erinnern.

Ich bin ziemlich durcheinander, sagte der Liftführer kleinlaut, Sir.

Mach dir nichts draus, sagte Jo Jo, wir versuchen's eben ein anderes Mal. Ich schreibe jetzt, was mir paßt. Ich bin ein Klassiker.

Schönen Dank, Sir. Solang ich das eine oder das andere bin, Sir. Pfirsichblüte macht mir immer noch Kummer, Sir, Sie schreiben ja so überzeugend, Sir, sie kann es einfach nicht glauben, daß ich nicht interessiert bin, Sir, seit dieser Hongkong-Sache. Ich hatte wirklich Spaß dran, Sir, es war eine wunderbare Prosa, aber danach, Sir, Sie erinnern sich an jene Gefängnisszene, in der Sie mich eingebaut haben? ich glaube nicht, daß Sie sie jemals veröffentlicht haben, Sir, aber seit damals bevorzuge ich – entschuldigen Sie, Sir, alle Ihre Charaktere sind unschuldig, Sir, so daß ich, selbst wenn Damen anwesend sind, Sir, wirklich der Sodomie den Vorzug gebe.

Flohfarben! sagte die alte Dame, als sei es das einzige Wort, das ihr einfiele.

Ich hätte nichts gegen ein Verhältnis mit Pfirsichblüte, sagte der alte Mann.

Nein, das werden Sie nicht, rief der Liftführer erregt, ich liebe sie immer noch, sie steht sozusagen unter meiner Hut.

Braver Bursche, sagte Jo Jo, und er schrieb es auf, sie steht sozusagen unter meiner Hut. Er klopfte dem Liftführer auf die Schulter, Und wo haben Sie Ihren Hut? sagte er grinsend.

Streichen Sie's aus, sagte der Liftführer, indem er seine eigene Antwort vorwegnahm.

Ein sehr seltsamer Aufbewahrungsort, sagte Jo Jo.

Ja, Sir, seltsam, aber er hält das Wetter ab.

Nicht zur Sache gehörig, aber amüsant, sagte Jo Jo am Rande. Sie, wandte er sich an den alten Mann, gehen mir langsam auf die Nerven.

Ich bin einer Ihrer ersten, sagte der alte Mann unter Schluckauf.

Ich habe nie wirkliches Mitleid mit Ihnen gehabt, sagte Jo Jo, ich war zu jung.

Bitte, sagte der alte Mann, zerstören Sie mich nicht, zerreißen Sie mich nicht. Es wäre, zitterte er, es wäre – Mord.

Jo Jos Augen leuchteten auf.

Schonen Sie mich, sagte der alte Mann.

Spülen Sie ihn ins WC hinunter, sagte die alte Dame. Er langweilt mich zu Tode.

Vielleicht kann ich etwas mit Ihnen anfangen, sagte Jo Jo; dann, zum Teufel, nein, Sie sind veraltet.

Bitte, Boß, noch eine Dame, eine sehr kleine.

Ja wissen Sie, sagte Jo Jo, ich kann sie nie loswerden, alle miteinander, ich liebe sie alle, sie alle sind ich selbst. Wie alt sind Sie, sagte er, wann hatten Sie Ihre letzte Erektion? Ich werde mir Sie notieren, und er vermerkte es, obwohl der alte Mann keine Antwort gegeben hatte. Da werden wir eine verdammte Menge Auslassungszeichen brauchen, scherzte er.

Ich, ich bin noch immer da, sagte ich mit meiner kehligsten anziehendsten Stimme, obwohl der gewöhnliche Gesprächston der andern mich längst abgekühlt hatte; und ich hatte schreckliche Angst davor, Jo Jo könnte mich in die Arme des Wüstlings treiben, nur um ihn loszukriegen; tatsächlich betastete mich der Alte wieder mit seinen blutunterlaufenen Augen.

Ach, Narcissa, sagte Jo Jo, kannst du nicht warten?

Gib ihm ein Schulmädchen, sagte ich.

Jo Jo blickte überrascht. Warum nicht, murmelte er, und der Anzeiger blitzte.

Hier habe ich noch nie gehalten, sagte der Liftführer. Aufwärts, Japan.

Leb wohl, Liebling, mein Schatz, mein einziges befruchtetes Ei, ich habe alles für dich getan, was ich konnte, und eine schöne Frau, elegant gekleidet und mit frischem Make-up, schob ein kleines Mädchen in den Lift. Du wirst deine Algebra und die Geschichte des Altertums nicht brauchen, gib sie mir her, und das kleine Mädchen warf ein mit einem Lederriemen verschnürtes Bündel Bücher zurück in die Halle. Die Türen glitten zu.

Ich bekam flüchtig den Kopf eines Mannes hinter der elegant gekleideten Frau zu sehen, und in diesem Bruchteil einer Sekunde sah ich, daß er ihren Nacken küßte.

Tag, sagte das Schulmädchen, aber überhaupt niemand hatte sie vielleicht gehört und nicht geantwortet.

Ich musterte das Kind, witterte ich eine Rivalin? aber es war nicht meine Art, auf Schulmädchen eifersüchtig zu sein; Jo Jo würde sich niemals mit einem knochigen Balg mit schmutzigem Hals identifizieren. Aber als sie ihren Kopf hob, sah ich ein keckes und vorspringendes kleines Gesicht mit Kommmal-her-Augen; Jo Jo machte Notizen, und das kleine Mädchen streckte die Zunge heraus, flink wie eine Eidechse.

Flink, wie eine Eidechse, hörte ich ihn sagen.

Jo Jo, rief ich, Daddy-o.

Die scheinbar unschuldige Geste war obszön, sagte Jo Jo, und ich...

Nicht *du,* verbesserte ich, der alte Mann, er sitzt auf einer Parkbank und tut so, als ob er die Eichkätzchen fütterte, er forderte das kleine Mädchen auf, sich neben ihn hinzusetzen, sie streckt ihm die Zunge heraus. Er streichelt ihr nacktes Bein über dem Knie, und sie gibt ihm, *ihm,* Jo Jo, nicht dir, sie gibt ihm einen Blick, das Kind ist verdorben.

Verdorben, schrieb Jo Jo.

Ein schriller Schrei ertönte, und die alte Dame öffnete ihre Augen. Orest! mahnte sie, und dae Schulmädchen schrie auf: Weg mit deinen dreckigen Pfoten, Alter, und der alte Mann begann zu weinen.

Siehst du, sagte ich zu Jo Jo, konzentriere dich immer nur auf eine Sache.

Wie wär's mit einem Motel, sagte Jo Jo zu sich selbst, Dem Kind gefällt's, sie findet die Tapeten hübsch und den Fernsehapparat, in den man eine Münze wirft. Der Alte möchte sie ausziehen und ins Bett legen.

Mama! schrillte das Schulmädchen.

Ich mußte lachen. Dieser Stoff liegt dir nicht, sagte ich, überlaß es Nabokov, ich bin deine Puppe, obwohl ich das Wort nicht mochte. Und du bist ein Nigger, süß, schwarz wie Ruß, das Haar an deiner Brust und an deinem Bauch wie Vogelspuren auf einem feuchten Strand. Ich bin die erste weiße Frau, die du je gehabt hast, und du verachtest mich, aber du kannst nicht warten...

Jo Jo schaute mich gequält an, Narcissa, murmelte er.

Zerreiß das andere Zeug, sagte ich.

Ich werde es weglegen, sagte er.

Hören Sie mal, sagte er und wandte sich an den alten Mann, machen Sie, daß Sie hier wegkommen. Senilität brauchen wir nicht, ich habe mit Ihnen nicht das geringste Mitleid. Du auch, sagte er zu dem kleinen Mädchen, ich werde dich zu deiner Mama zurückschicken, der mit dem Muttermal am Oberschenkel; ich kann mir kein verdorbenes Schulmädchen vorstellen, ja, wenn du unschuldig wärst, wirklich unschuldig...

Das Kind sah ihn zärtlich an, ihre Augen wurden groß, und der kleine Mund, der eben noch so schamlos vorgeschoben war, wurde sanft, beweglich und allerliebst.

Vati, sagte sie.

Zum Teufel nein! gellte Jo Jo. Hör auf damit, ich kann Kinder nicht ausstehen.

Der Liftführer hielt den Lift an.

Wir sahen grüne Hügel und einen Bach.

Geh im Bach paddeln, sagte Jo Jo freundlich und gab dem Kind einen Schubs.

Der alte Bursche kann die Feuertreppe nach unten nehmen, sagte der Liftführer, und er half ihm hinaus.

Schreib mir mal eine Karte, sagte Jo Jo zerstreut.

Stinktier, murmelte der alte Mann.

Ich dachte schon, ich hätte ihn für alle Zeiten auf dem Hals, seufzte die alte Dame, genug ist genug. Das Begräbnis? sagte sie und schaute Jo Jo an.

Es wird kein Begräbnis geben, sagte er ärgerlich.

Ach, das ist aber schade, daß es kein hübsches Begräbnis geben wird, sagte die alte Dame. Meine Güte, da hätte ich was zu tun gehabt. Lieber Himmel, o du meine Güte, mein Lebtag lang.

Wo haben Sie denn diesen Unsinn aufgeschnappt? schrie Jo Jo. Lassen Sie mich in Ruhe, um Christi willen ohne Anführungszeichen, hören Sie?

Sie haben mich vernachlässigt, schluchzte die alte Dame, ganz schrecklich, und jetzt wollen Sie auch noch Ihren Schreibtisch ausräumen, ich kann es fühlen, und mich zerreißen.

Jesus, sagte Jo Jo, das tu' ich nicht. Sie sind eine meiner liebsten Nebenfiguren.

Neben – stimmt, schnappte die alte Dame. Was ist eigentlich mit Hilary geschehen? sagte sie hoffnungsvoll.

Ich bin Hilary, sagte Jo Jo.

Was Sie nicht sagen, sagte die alte Dame gehässig. Sie sind ganz schön braun geworden von der vielen Sonne in Southampton.

Jo Jo lachte. Wenn Sie mich hier mit Narcissa friedlich zu

Ende kommen lassen, sagte er, versprech' ich Ihnen, daß ich für zwei Wochen mit Ihnen ans Mittelmeer gehe und Sie aufwärme.

Hilary?

Der wird ganz gewiß dort sein.

Der Pflaumenmund der alten Dame schnappte zu, während ihre Kinnbacken sich entspannten, und sie schlief ein, und ein paar Bluttröpfchen sprenkelten ihr Kinn.

Jo Jo starrte. Christus, sagte er, ich bin zu gut!

Mit krampfartigem Entsetzen merkte ich, daß Jo Jo, als er, an seinem Bleistift kauend, wieder in meine Richtung blickte, mich nicht zu sehen schien.

Daddy-o! rief ich, ich hatte ein Gefühl von Entmaterialisierung wie morgendliche Übelkeit. Ich schwankte auf meinen einmalig hohen Absätzen.

Daddy-o! flehte ich. Seine Augen waren blau.

Anschnallen! gellte der Liftführer über den Lautsprecher. Wir gehen in Sturzflug.

Jo Jo handelte rasch. Er hob den Liftführer hoch und setzte ihn hart in der Ecke ab, gleichzeitig öffnete er geschickt den Reißverschluß an der makellosen Hose. Die rosa Gesäßbacken sprangen wie ein Paar Mädchenbrüste heraus.

Erster Mai! schrie er. Turm, Turm! Erster Mai!

Mit ausdrucksloser Miene schlug ihm Jo Jo ins Gesicht und übernahm die Führung. Er sah hinreißend aus in seiner Air-Force-Uniform; er strich sich eine blonde Haarlocke aus der Stirn und studierte die Instrumente, Lichter flammten auf, und die Nadel des Höhenmessers zitterte.

Gib mir meinen Steuerknüppel, schluchzte der Liftführer.

Laß das bleiben, sagte Jo Jo, wir sind auf automatischer Steuerung. Ich sah, wie seine Lippen sich bewegten, als er zum Turm sprach; es war, als ob er jemanden küßte.

Roger, sagte der Turm.

Roger, sagte Jo Jo.

Daddy-o, rief ich noch einmal, und ich hörte den Turm sagen, Ich kann Sie nicht hören.

Narcissa, sagte der Seemann, und ich fühlte einen stechenden Schmerz in meinen Lenden. Ich hatte ihn vergessen.

Nein, sagte ich, nein, das ist alles längst vorüber.

Schwester, sagte er, Schwester, ich höre ihn rufen, obwohl es meine dienstfreie Nacht war.

Du bist ertrunken, sagte ich grausam, du bist ertrunken, ruf nicht mehr nach mir.

Schau die weißen Bänder an, sagte er, und man konnte das Meer in seiner Stimme hören, die du in die Haare auf meiner Brust geflochten hast, die Liebesknoten hast du sie genannt, und er entblößte sich bis zum Gürtel.

Muscheln, sagte ich und schauderte, und deine Hände sind rostig, faß mich nicht an.

Miß Atkins, sagte die alte Dame unfreundlich, wo ist die Seekarte?

Sind wir irgendwohin unterwegs? sagte ich unverschämt zu dem Oberaufseher, und ich hörte den Air-Force-Leutnant lachen.

Sie sind wegen Untauglichkeit und Unverschämtheit entlassen, sagte die alte Dame.

Sonst noch was? fragte ich sarkastisch.

Schwangerschaft im Dienst, keifte die alte Dame.

Eine Welle von Übelkeit kam auf mich zu, Alain, murmelte ich, Alain.

Ich war's nicht, sagte der Air-Force-Leutnant, du kleine Hure.

Alain, ich schwöre es, nur du kannst es sein.

Meinethalben kannst du die Wahrheit wissen, sagte er kalt, ich liebe dich nicht, ich habe dich nie geliebt.

Packen Sie zusammen und scheren Sie sich, sagte die alte Dame, und lassen Sie Ihre Haube im Schrank.

Du hast meinen besten Freund ertränkt, knurrte Alain, meinen Kumpel, meinen teuersten Kumpel. Er schluchzte. Rollo! rief er.

Der Seemann seufzte tief. Alain, murmelte er.

Jesus, sagte der Liftführer, wir kommen vom Kurs ab.

Ich habe ihn nicht ertränkt, schrie ich aus Leibeskräften, er ertrank im Kaspischen Meer.

Du hast ihm die Luft ausgesaugt, sagte Alain. Er war jung, und du hast ihn verführt, aber ich habe ihn geliebt. Ich habe ihn zärtlich geliebt.

Der Liftführer kicherte. Ich würde nicht ins Detail gehen, Boß, wenn ich Sie wäre.

Alain schnellte herum. Du! Mit deiner dreckigen Fantasie!

Schon gut, Boß, Sir, okay. Würden Sie die Güte haben, den Reißverschluß hinten hochzuziehen, Sir? Vielen Dank, Sir.

Nicht der Rede wert, Tantchen.

Narcissa? Wo bist du?

Baby! Meine Kräfte strömten zurück, als ob ich wirklich ein kleiner privater Badestrand und auf Ebbe Flut gefolgt wäre. O Gott sei Dank, sagte ich, ich habe begonnen, diese schrecklich entnervende Liebe für dich zu empfinden, Alain, wie wunderschön du warst, so poetisch und in deiner Uniform... Jo Jo trug jetzt ein rosa Hemd, offen bis zum Nabel und enge Hosen...

Ich *war* reizend, nicht wahr? sagte er. Ein kleiner Homo, Christus, es war köstlich, Rollo...

Alain, hauchte der Seemann.

Es fiel mir auf, daß Jo Jo blaue Lidschatten auf seinen schweren Augenlidern hatte, und das Aussehen, das er dadurch bekam, war sehr beunruhigend.

Rollo? sagte er.

Nein, Jo Jo, sagte ich, bitte nicht! und ich streckte meine lange weiße Hand aus und legte sie auf seinen schwarzen Hals.

Er schüttelte sich vor Ekel. Warum? Weil ich eine Frau war? Oder weil ich weiß war? Meine blassen Eingeweide, dachte ich.

Übernehmen Sie, sagte er zu dem Liftführer, steht alles zu Ihrer Verfügung. Und zum Turm signalisierte er: Alpha, Union, Tango, Oboe, Romeo. Ende.

Er kam auf mich zu, aber der Seemann stand zwischen uns, er umklammerte noch immer seinen Papiersack voll Seeluft. Sein Blick ertrunkener Unschuld war weg, und eine Grimasse verzerrte seinen Mund, der ein wenig offen stand, und man konnte sehen, daß seine Zunge zerbissen und aufgeschwollen war. Wir hörten das gespenstische Anschlagen von Sturzwellen gegen die Felsen und ein wimmerndes Vibrieren wie von Lüften in der Takelage. Aber der Seemann besaß eine erregende körperliche Ausstrahlung. Seine nasse Hose klebte an den Schenkeln und an seinem Becken, und man konnte sein

Geschlecht sehen, straff geformt und wie lebendig. Ich sehnte mich...

Sie sehnte sich danach, es zu liebkosen und zu küssen, sagte der Autor, aber Jo Jo selbst war bleich unter seiner rußigen Haut und warf ihm einen lavendelfarbenen Blick zu, elektrisch. Ich umschlang den Nacken des Seemanns und versuchte mich seinem Mund mit meinem zu nähern, aber er war eisig kalt, und irgendeine Gegenströmung trennte uns. Trotz meinem Entsetzen verlangte ich nach ihm.

Ich fühlte Jo Jos große warme Hände auf meinen Hüften und seinen süßriechenden Atem in meinen Nüstern. Ich ließ vom Seemann ab.

Jo Jo! sagte ich, um Gottes willen!

Christi willen, verbesserte Jo Jo, das ist stärker.

Um Christi willen, Jo Jo, wirf ihn raus, wie den alten Mann und das verdorbene Schulmädchen.

Alain, sagte der Seemann, es war kaum hörbar.

Ich kann nicht, sagte Jo Jo.

Aber er ist tot, Liebling, er ist sowieso schon ertrunken, er schwankt auf seinen Füßen wie eine Pflanze auf dem Grund des Ozeans. Er ist fürchterlich.

Aber du begehrst ihn, nicht? sagte der Autor.

Nein, nein, nein! Ich leugnete es.

Ich begehre ihn, und du auch. Er zog mich an sich und küßte meinen Mund mit einem leichten Schauer, den ich durch seinen ganzen Körper hinunter verfolgen konnte. Er ist ertrunken noch schöner, als er es je lebend war. Rollo, lieg still.

Wir umarmten uns leidenschaftlich, Jo Jo und ich. Sein Herz schlug wie eine große Trommel. Er hat Musik in sich, erinnerte ich mich, und zum erstenmal fühlte ich die schreckliche Lust der Ambivalenz.

Jo Jo trat zurück, ich fiel beinahe hin. Noch nicht, sagte er. Ich sah, daß seine Augen noch immer blau waren.

Ein Nigger-Harlekin, dachte ich, und Jo Jo lächelte.

Nicht schlecht, sagte er. Wirklich fantastisch.

Nein, nein, sagte ich, richtig schwarz, ganz Nigger, rußig, blaue Flammen in deinen Augen wie brennende Kohlen... Aschenglut...

Aschenglut... blau, sagte er, wog die Worte ab.

Du bist nicht mehr Alain, sagte ich leise, du bist Jo Jo. Bring mich in diese Spelunke, sagte ich, ich geh' hinauf und zieh' mich um, nimm dir was zu trinken.

Wisch die Lidschatten weg, hörte ich ihn zu sich selbst sagen.

Und Jo Jo, sagte ich gleichzeitig, ich würde keinen Lidschatten tragen, wenn ich du bin, wäre, Süßer. Als wir letztesmal in dieser Spelunke waren, gab es da ein paar Kongreßmitglieder, du willst sie doch nicht in Versuchung führen, oder?

Du warst noch gar nicht dort, sagte er, aber möglicherweise... ich sah ihn zögern...

Nein, nein, du Schlimmer, sagte ich, diesmal bist du ganz und gar männlich, ein richtiger Hengst sozusagen, und dein...

Teufel, ich glaube, das kann ich nicht sagen, sagte Jo Jo, du bist eine Weltdame, du kannst solche Worte nicht kennen, aber später werde ich dich alles sprechen lassen, was mir paßt. Dreck.

Ja, sagte ich beflissen.

Du hast dich geändert, sagte er. Seine Augen waren schwarz, undurchdringlich. Nigger-Harlekin war gut, sagte er, ich bewahre es auf.

Hör mal, Mann, knurrte ich, ich habe deinen Mangel an Konzentration satt, diese hohen Absätze bringen mich um.

Zieh sie aus, sagte er, du tanzt in Strümpfen, und du bist betrunken. Du hast den Rhythmus heraus und bist mitten auf dem Tanzboden. Alle sind schwarz außer dir. Die Musik wird zum gleichmäßigen Dröhnen wie Donner, nein, wie eine Lokomotive, die in den Grand Central einfährt, die Trompeten schlagen gegen die Decke, der Rhythmus ist wie eine Armee, eine Armee von wilden, die die Festung einnimmt. Du! Dein blondes Haar, deine langen mageren leuchtenden Beine, deine orangeflammenden Fingernägel. Sie wollen dich kreuzigen, in Stücke reißen, opfern, dich lebendig essen. Du brennst, deine Gesten werden immer unanständiger und verlockender. Dein Becken arbeitet wie eine Mühle. Dein scharlachroter Mund ist weit offen, und deine Zunge schießt wie eine Flamme hinein und heraus, du leckst deine Lippen mit einer kreisenden Bewegung.

Christus, sagte ich, hab Erbarmen.

Ich bin fast fertig, sagte er, ich nehme dich mit zu mir nach Hause, ja wirklich, nach Hause, mein verrücktes Zimmer, Kaltwasser-Bude in Harlem. Das Dämchen macht mich verrückt, ich hasse sie so, ich verabscheue sie, du ekelst mich an...

Jo Jo!

Er gab mir einen Schlag ins Gesicht, Weiße göttliche Hündin, sagte er.

Oh!

Ich mach' das Taxi später, sagte er, da gibt's eine gute Szene, sie ist halb nackt, sie bettelt richtiggehend darum da im Taxi, die blitzenden Lichter vom Theater lassen ihr Gesicht wie Konfetti erscheinen, ein Polizeiauto ist da, eine Sirene, keine Zeit für Interpunktion.

Nein, nein, Jo Jo, mach diesen Teil später.

Eine Pöbelszene? fragt er sich selbst, zwischen Schwarzen und Weißen?

Jesus, nein, sagte ich und versuchte meine Röcke zu ordnen und war auf der Suche nach meinen Schuhen, mein Büstenhalter ist weg, und ich halte mir das Kleid mit beiden Händen hoch. Bring mich in dein Zimmer. Rasch! Rasch!

Es ist wichtig, daß ich dich in schimpflicher Weise behandle, sagte der Autor, als er seinen Schlüssel ins Schlüsselloch steckte. Weiß Gott, wo er ihn aufbewahrt hatte, er war übermäßig groß, sein Hemd stand bis zum Nabel offen, und seine Hosen saßen stramm wie frische Farbe. Vielleicht, rätselte ich und schaute zwischen seine Beine...

Kein Surrealismus, sagte er, ich habe eine Menge.

Er schob mich ins Zimmer. Zieh dich aus, sagte er, nein, verbesserte er sich, ich mach dir das schon.

Aber dieses Zimmer? sagte ich...

Halt den Mund, sagte er, und zerriß mein Kleid, riß es auf vom Busen zum Knie.

Du bist zu mager, sagte er. Sie ist eine häßliche kleine Hure, und ihre Haut ist trocken. Die Schwarzen sind glatt wie Seide und naß.

Aber dieses Zimmer..., sagte ich, ist das eine Kaltwasserbude?

Das ist nur das Zimmer, wo ich schreibe, sagte der Autor, ich mag es.

Es war ein angenehmes Zimmer, ziemlich aufgeräumt, wenn man von dem großen Schreibtisch absah, der ein Durcheinander von Papier war; luftige, große Fenster mit Rolljalousien, ein hübscher Khorassan-Teppich auf dem Fußboden.

Das Bett? fragte ich, war aber schon abgekühlt. Bitte, gib mir was zum Anziehen, sagte ich, und ich fühlte mich rot werden, ich hatte nichts an als ein schwarzes Spitzenhöschen.

Ich muß es heute nacht fertig machen, sagte er. Das ist mein Termin, und ich habe noch andere Sachen zu schreiben.

Ich bin müde, sagte ich, der Kopf tut mir weh.

Und ich glaube, du hast gerade deine Tage, sagte der Autor sarkastisch. Hör mal, ich zieh' mich nicht aus, weil du mich gern in dieser Aufmachung siehst, mein rosa Hemd, meine engen Hosen. Du hast Lust, aber das ist es, wie du's magst. Es spielt sich alles in deinem Bewußtsein ab, so wie es ist, dein Bewußtsein. Wenn du meinen ganzen schwarzen Körper mit seiner, nun, mit seiner Vorderseite sähest, sozusagen, du würdest ohnmächtig werden, wie?

Da herein, sagte er brüsk, und dann, Komm, Püppchen.

Seine singende Stimme durchlief mich wie ein Schauer. Seine schwarzen Hände umschlossen mich. Narcissa, und er goß Sprache wie Gift in mein Ohr. Es floß durch meine Arterien und trommelte in meinen Venen. Weißes Luder, flüsterte er, seinen nassen Mund in meinem Ohr, und seine Worte stauten sich in meinen Sinnen bis zum Bersten. Fremdartiger und faszinierender Dreck...

Dreck, sagte er, Abschaum, verfaulte Frucht.

Frucht, sagte ich, laß mich daran saugen.

Er nahm meine Schenkel zwischen seine Beine. Bist du soweit? fragte er.

Ja! Ja!

Sag es, sagte er, und ich wiederholte, was er mir ins Ohr flüsterte. Sag es und paß auf.

Er versuchte mir den großen Schlüssel hineinzustecken.

Hör auf, lachte ich, kein Surrealismus, gib mir reichlich.

Ich schloß meine Augen und bleckte die Zähne, aber er sprang von mir herunter auf den Fußboden.

Es ist fertig, sagte er.

Aber, Jo Jo?

Er verschwand in einen kleinen Nebenraum, und er kam heraus und schaute aus wie der Autor, er trug sogar eine Krawatte, aber seine Füße waren nackt.

Christus sei Dank, sagte er, nun kann ich mit dem nächsten weitermachen.

Ein diskretes Klopfen an der Tür, und ohne auch nur im geringsten meine Gefühle zu berücksichtigen, sagte der Autor aufgeräumt, Herein.

Es fehlt an Hilfskräften, Sir, sagte der Liftführer, der Hotelpage ist mit einer Schlampe die Stiege hinuntergefallen. Sie haben Sekt bestellt, Sir? Für die Narzisse, und Ingwerbier für die Gummipflanzen?

Ein Ingwerbier, sagte der Autor.

Mein Versehen, Pilotenpech, sagte der Liftführer, indem er seine Mütze berührte, einige der Stiefmütterchen guckten hervor. Übrigens, Sir, der alte Herr wollte Sie sehen, ich sagte ihm, Sie hätten sich zurückgezogen, aber er will nicht weg, er hat dieses Kind bei sich. Er sagt, er kann nicht, Sir, und was er mit ihr anfangen soll. Hm.

Der Autor sah ziemlich bestürzt aus. Senilität, sagte er. Uff, schauderte er. Ich bin erschöpft, sagte er. Sag ihm, ich weiß die Adresse der Mutter nicht mehr. Ich kann mich nicht einmal an die Mutter erinnern.

Verzeihen Sie, Sir, es war im sechstausendsten Stockwerk, und der Name ist Héloise, Sir, aber...

Aber was? Aber was soll's mit Ihren drei Punkten?

Héloise setzt einem Herrn zu, der behauptet, man habe ihm keinen Namen gegeben, mit diesem Muttermal auf ihrem Oberschenkel. Entschuldigen Sie, Sir, wenn die kleine Dame aber noch unschuldig ist...

Unschuldig, quatsch! unterbrach der Autor. Laß sie hinauf und sich umsehen; wenn sie trotzdem lästig wird, sperr sie in ihr Zimmer ein und sag ihr, sie soll... aber er strich es aus.

Ich habe Sie klar und deutlich verstanden, Sir, sagte der Liftführer. Gute Nacht, Sir, wünschen Sie nicht, daß ich die Pflanzen wegnehme? Das Kohlendioxyd, drei Punkte.

Nein, nein, scher dich weg, sagte der Autor, ich bin erschöpft. Hier, gib das morgen früh meiner Sekretärin.

Nein, nein, noch nicht! schrie ich so laut ich konnte, aber es kam kein Ton.

Shirley, Sir?

Ja, und sag ihr, sie soll die Rechtschreibung korrigieren.

Sehr wohl, Sir. Sir.

Fragezeichen, sagte der Autor gequält.

Sie ist ein hübsches kleines Mädchen, sagte der Liftführer, wie das halt bei Mädchen so ist, Shirley, meine ich.

Der Autor warf einen Blick in sein Inneres.

O mein Gott, hauchte ich, muß ich es nun auch noch mit seiner Tippse aufnehmen?

Sie hat ein sehr interessantes Leben geführt, drei Punkte, sagte der Liftführer.

Ich will sie mir notieren, sagte der Autor in Klammern. Gute Nacht, sagte er fest, Absatz. Er versuchte die Tür zu schließen.

Alain, flüsterte der Liftführer, soll ich dich zudecken?

Verschwinde, du alter Päderast! schrie der Autor und schlug die Tür zu.

Er drehte die Flasche Champagner ein paarmal im Eiskübel, öffnete sie geschickt und geräuschlos, indem er seinen Daumen vorsichtig gegen den Kork preßte, und goß zwei Gläser, Seite an Seite, voll.

Jo Jo, sagte ich, aber er hörte mich nicht.

Alain? flüsterte ich.

Es kam mir vor, als drehte er den Kopf, weil er etwas gehört hatte, aber er erhob sein Glas: Auf den Autor, sagte er, und er lächelte in den Spiegel. Er hob das zweite und sagte: Auf Narcissa.

Autor! Autor! rief ich, und er lächelte und verneigte sich, aber nicht vor mir, vor dem Publikum.

Er trank den Sekt aus, entkleidete sich, putzte sich die Zähne, zog einen Seidenpyjama an und schlüpfte in sein schmales Autorenbett, es war fast ein Kinderbett. Er streckte seinen langen Arm aus, wobei er mich fast umgestoßen hätte, und löschte das Licht.

Aber er konnte nicht schlafen.

Die Tür ging leise auf, und wie ein schmaler Lichtstrahl trat ein schlanker nackter Knabe ein.

Nein, hörte ich den Autor murmeln.

Ich erkannte den Jungen, obwohl ich ihn nie zuvor gesehen hatte. Er träumte, er war die Stimme, er war der geschälte Weidenzweig, Begierde.

Alain, Liebster, sagte er. Er kam und blieb ganz nah beim Bett stehen. Alain, Liebster, wiederholte er: Etwas wie Bühnenlicht fiel auf sein blondes Haar, und es war fast grün. Wie ich sagte, war er ein Lichtspalt im dunklen Raum.

Ich möchte schlafen, sagte der Autor, bitte, bitte, geh fort.

Alain?

Der Autor setzte sich im Bett auf und strich mit den Fingern durch sein Haar, zog daran.

Gottverdammt, sagte er, du bist nichts als eine Redefigur. Du bist nichts als ein Zweig. Ich habe dich immer im Wald abgeschält, als ich sechs Jahre alt war. Warum mußt du gerade jetzt kommen? Ich möchte schlafen.

Aber der entzückende Weidenknabe war auf eine sanfte Art beharrlich. Ich sah, wie er den Autor zu seinem Schreibpult führte und ihm einen frischgespitzten Bleistift reichte.

BRIGITTE BLOBEL

Kätzchen

Merkwürdig, sie hatte keinerlei Gewissensbisse, als sie Joël in dieser Nacht über die Hotelflure in sein Zimmer folgte. Ja, es kam ihr nicht einmal in den Sinn, daß sie im Begriff war, etwas Verbotenes zu tun, etwas, das ihre Freundinnen zu Hause als Skandal lustvoll verbreiten würden.

Gunda folgte einfach ihrem Gefühl, folgte diesem heftigen Verlangen ihres Körpers, der sich nach Joëls Körper sehnte. Vor drei Tagen war Gunda in dem französischen Hotel an der Côte d'Azur angekommen, das sich Grand Hotel nennen durfte, obwohl rechts und links an dem schmalen Strand inzwischen viel prächtigere Hotelbauten entstanden waren. Dieses Hotel war alt, ein bißchen verwohnt, aber es hatte die liebenswürdigen Schnörkel der Vorkriegszeit, die sie liebte. Gunda war ein Doppelzimmer zugewiesen worden, obwohl nur ein Einzelzimmer bestellt war; das Hotel war nicht ausgebucht, und sie genoß nun den Luxus des großen luftigen Raumes mit einem schmiedeeisernen Balkon, der zum Meer hin lag. Sie genoß die himbeerrote Damastdecke über dem Bett, und vor allem das Badezimmer, geräumig und mit schwarzweißem Marmor gekachelt, in dem sie morgens hin und her ging, eine lustvolle Genießerin, sich ein Bad einlaufen ließ, es mit duftenden Essenzen veredelte, sich cremte, salbte, ausgiebig und liebevoll ihren Körper pflegte, während nebenan der Zimmerkellner in dem knappen weißen Jäckchen den Frühstückstisch vor der offenen Balkontür für sie deckte, und erst, wenn sie im weißen Bademantel hereinkam, die schmale Vase mit der einzelnen Rose in die Tischmitte setzte, dieses entwaffnende Kellnerlächeln im Gesicht, das ein hohes Trinkgeld verlangt.

Alles rückte von ihr fort, das graue Hamburg, ihr Ehemann, die Tochter mit den Schulproblemen, alles legte sie ab, Stück für Stück, so als habe sie es wie Kleidungsstücke getragen gegen die Kälte, aber nun, da sie in der Wärme, in der Sonne war, nun brauchte sie das alles nicht mehr.

Jeden Tag wurden ihre Augen klarer, ihre Haut strahlender, ihr Gang leichter, gelöster.

Gestern abend hatte sie nach dem Essen in der Bar noch einen Cognac getrunken und dabei einen kurzen, eher zufälligen Augenflirt mit Joël begonnen, der ihr an dem Bartresen schräg gegenüber saß und die nackten Schultern einer anderen Frau streichelte, während er in Gundas Augen eine Liebeserklärung sandte. Nachts, in ihren Träumen war dann die andere Frau verschwunden, und es waren ihre nackten Schultern, die Joël streichelte, und ihre Lippen, die seine Zunge berührte.

Am nächsten Tag hatte sie erfahren, daß Joël Tennislehrer im Hotel war, und es ist schon möglich, daß es auch zu seinen Aufgaben gehörte, sich um die einsamen Frauen zu kümmern. Auf jeden Fall war er der Mittelpunkt, wo immer er auftauchte, keine Frau blieb unberührt von seinen federnden Bewegungen, dem Spiel von Muskeln und Sehnen unter der sonnengebräunten Haut. Seine Körperlichkeit war geradezu aufdringlich. Gunda hatte das Gefühl, daß Joël jede seiner Bewegungen, auch wenn er dem Tennisball nachspurtete, genau auf ihre Wirkung hin steuerte, er hatte weiche, wellige glänzende Haare und einen schwarzen Schnurrbart, unter dem unglaublich weiße, ebenmäßige Zähne blitzten.

Es war schon möglich, daß Joël unbedingt ein geistreicher Mann war, aber das spielte in diesem Augenblick keine Rolle. Zum erstenmal in ihrer zwanzigjährigen Ehe spürte Gunda das heftige, heiße Verlangen, mit diesem Mann in einem Bett zu liegen, seine Hände und seine Lippen auf ihrer Haut zu fühlen, seinen Bauch an ihrem Bauch, und sie wünschte sich, daß er sie so heftig und lustvoll begehren würde, wie es ihr Ehemann nicht ein einzigesmal während ihrer glücklichen, harmonischen, langweiligen Ehe getan hatte.

An diesem Abend war eine Tanzveranstaltung im Grand Hotel angesagt. Gunda hatte ihr hautenges, flachsgelbes Kleid angezogen, in ihrem Körper war noch die Hitze eines heißen Sommertages, vor ihren Augen noch das Flimmern der gleißenden Sonne, sie hatte ein bißchen zu schnell den eiskalten Wein getrunken, ein bißchen zu laut gelacht, ein bißchen zu aufreizend getanzt, und Joël hatte während des ganzen

Abends zu ihr herübergeschaut. Sie hatte seine Bewunderung, seine Neugier, sein Interesse, sein Verlangen in den Blicken gelesen, hatte ihren Körper vor seinen Augen geräkelt wie eine Katze, die in der Frühlingssonne liegt.

Joël hatte mit ihr getanzt, immer nur die ganz langsamen Tänze, die Blues und English Waltz, alles sehr altmodisch, aber gab es eine bessere Methode einander näherzukommen, sich zu spüren? Er hatte sofort gewußt, daß sie dieses Kleid über die nackte Haut gezogen hatte, er schob seine Hand in ihren Rückenausschnitt, und Gunda wand sich unter seiner Berührung, er spürte, wie ihre Haut sich zusammenzog, er näherte seine Lippen ihrem Ohrläppchen, er flüsterte etwas, das sie nicht verstand, aber sofort erriet, als sie ihm in die samtenen Augen schaute.

Und jetzt folgte sie ihm in sein Zimmer. Schaute zu, wie er aufschloß, sie beobachtete seinen Rücken, der sich unter dem dünnen weißen Hemd spannte. Seine schmalen Hüften, der kleine Hintern, verrückt, daß eine Frau wie ich auf einmal auf so etwas reagiert.

Gunda war zweiundvierzig Jahre und hatte noch nie mit einem jüngeren Mann geschlafen, hatte auch, bis sie Joël gesehen hatte, niemals das Bedürfnis empfunden. Aber dieser Körper reizte sie, brachte in ihr etwas zum Sirren und Summen, sie wollte von ihm angefaßt werden, wollte, daß er ihren Körper betrachtete, streichelte, wollte seinen Körper fühlen, diese junge feste Haut, diese sehnigen Arme.

Sie liebte ihn nicht. Sie wollte keine große Angelegenheit daraus machen. Keine Grundsatzdiskussionen führen, keine herzzerreißenden Liebesbriefe schreiben, die unter Tränen geschrieben und in aller Heimlichkeit abgeschickt wurden. Nie würde sie zwischen Joël und ihrem Mann wählen müssen. Der lag jetzt wahrscheinlich in der rechten Hälfte des Ehebettes, das in einem mit sonnengelber Rauhfasertapete ausgestatteten Schlafzimmer stand, ein Südost-Zimmer, in das morgens, zumal an klaren Wintertagen, die Sonnenstrahlen sogar das Kopfkissen erreichten.

Ihr Mann lag jetzt – höchstwahrscheinlich allein – in diesem Ehebett in ihrer Vierzimmerwohnung und überlegte das Plädoyer, das er morgen vor dem Gericht halten würde. Ihr

Mann war 48 Jahre alt, er war Rechtsanwalt und hieß Claus, mit C.

In wenigen Tagen würde sie wieder in der linken Hälfte des Ehebettes liegen, den Kopf auf dem Daunenkopfkissen, dessen Zipfel sich immer wie eine Kapuze an ihre Ohren schmiegten; sie würden sich über die Bettdecke hinweg die Hand geben, er würde sagen, ›schlaf gut, mein Schatz‹, und sie würde das schmatzende Küßchen-Geräusch nachahmen, mit dem die Tochter Jasmin sich kurz zuvor von ihnen verabschiedet hatte. Deshalb, weil alles in ihrem Leben so klar, so überschaubar und so sicher war, hatte sie auch keine Gewissensbisse, als Joël nun die Tür zu seinem Zimmer aufschloß, »Augenblick« murmelte, in das Dunkel hineintappte und dann eine kleine Nachttischlampe anzündete, die das Bett rötlich beleuchtete.

Sie stellte innerhalb eines Atemzuges zwei Dinge fest: erstens, er hatte eine rote Glühbirne in die Fassung geschraubt, weil er das wahrscheinlich irgendwie mondän oder verrucht fand, und zweitens, das Bett war beängstigend schmal.

Für einen Mann, der einen derart fantastischen Ruf bei den weiblichen Gästen hatte, eine ziemlich billige Inszenierung. Über dem einzigen Stuhl lag noch sein Tennishemd, die blauen Shorts mit den weißen Streifen. Die Socken, verfärbt vom rötlichen Kies, steckten in den Turnschuhen. An der Wand über dem Bett ein Poster von einem Tennisstar, weiblich. Gunda kannte sich nicht gut genug aus, um in der schummrigen Beleuchtung sofort zu erkennen, um welchen Star es sich handelte. Aber bestimmt, dachte sie mit einem amüsierten Lächeln, wird er es mir sagen, nachher. Nachher sprechen die Männer immer gern über die Dinge, die wirklich wichtig sind. Sport ist für Männer zum Beispiel wirklich wichtig.

Joël kam zu ihr zurück. Schaute sie nachdenklich-prüfend an. »Bist du okay?« fragte er. Sein Akzent war reizend. Dieses rollende R, dann die sehr dunkle Stimme, die sich immer anhörte, als spreche etwas Rauhes gegen einen dunklen Vorhang aus Samt. Er war Bulgare, hatte er ihr gesagt, eigentlich Ingenieur, lebte nun aber schon lange im Westen. Seit zwei Jahren war er Tennislehrer im Grand Hotel. Er sagte es so, als wäre es ein Abstieg, aber wenn sie ihn beobachtete, tagsüber zwischen

Bar, Swimming-pool und Tennisplatz, dann hatte sie doch das Gefühl, daß er alles genoß. Den unverhohlenen, bewundernden Blick der Frauen, die ihm nachsahen, während der ahnungslose Ehemann weiter im *Capital* blätterte. Er trug immer sehr enge Polohemden und sehr kleine Shorts. Er war braungebrannt ›all over‹, wie eine Amerikanerin kreischend ausrief, als sie einmal versehentlich in der Herrenumkleidekabine gelandet war. Solche Verwechslungen kamen in diesem Hotel, in dem keine Kabine beschriftet war, häufiger vor. Gunda hatte den Verdacht, daß es vielleicht nicht ohne Absicht geschah. In keinem anderen Hotel, in dem sie bisher allein Urlaub gemacht hatte, konnte man so leicht und ungeniert Anschluß finden wie hier.

»Alles in Ordnung, mein Kätzchen?« fragte Joël. Er legte die Hände auf ihre Schultern und schaute sie an.

Sie lächelte. »Alles in Ordnung«, murmelte sie.

Das hatte sie schon gehört, in den Tagen, an denen sie Joël beobachtet hatte, daß er alle Frauen, mit denen er ein lockeres Urlaubsgeplänkel veranstaltete, ›mein Kätzchen‹ nannte. Wahrscheinlich brachte er sich dadurch nie in die Verlegenheit, einen Namen nicht mehr zu wissen, oder ihn womöglich zu verwechseln mit dem Namen, der dem Mädchen der letzten Nacht gehörte.

Er hatte schon sein Hemd aufgeknöpft, zog es sich jetzt über den Kopf, das kleine, goldene Kreuz, das sich immer wieder in den krausen Brusthaaren verfing (sie hatte auch das tagsüber schon beobachtet) blitzte auf. Er zog den Hosengürtel auf, stieg aus den dunkelblauen Cordhosen, er trug keinen Slip.

Sie setzte sich auf das Bett, streifte die Sandalen ab und ließ sie auf den kleinen roten Bettvorleger fallen. Dann schob sie die Träger ihres dünnen Sommerkleides über die Schultern und ließ das Oberteil herunterrutschen. Er stand vor ihr und schaute sie an.

Er war sehr schön. Sie hatte lange nicht einen so schönen Körper gesehen, es war Jahre her, daß sie mit einem solchen Mann geschlafen hatte. Er wirkte auf sie irgendwie elastisch, irgendwie leicht, und das hatte ihre Begierde gesteigert, nachdem sie nun einmal beschlossen hatte, Claus mit diesem Mann zu betrügen, und sei es auch nur ein einzigesmal, und sei es vielleicht auch überhaupt das letztemal. Sie fragte sich immerzu, ob ein derart geschmeidiger, kraftvoller Mann anders wäre im Bett, leichter vielleicht, ob alles, diese ganzen Übungen, ohne die es ja nun einmal nicht ging, vielleicht irgendwie selbstverständlicher, natürlicher und nicht wie Leistungssport wirken könnten. An das Keuchen und Stöhnen, mit dem Claus seine diesbezüglichen Anstrengungen begleitete, hatte sie sich zwar gewöhnt, aber richtig damit abfinden konnte sie sich nie. Als sie vollkommen nackt war, legte sie sich auf das Bett, auf die Bettdecke, die frisch wirkte. Sie fragte sich, ob er jeden Tag die Bettwäsche wechselte und weiter, ob das Hotel wohl für diese Unkosten aufkäme, denn sicherlich war es nicht üblich, daß dem Personal die gleiche Aufmerksamkeit des Zimmermädchens gelten sollte wie den Gästen. Es sei denn, dachte sie, er hat auch etwas mit dem Zimmermädchen. Und nicht einmal das hätte sie in diesem Augenblick gestört. Er trat an das Bett, blickte auf sie herunter, schaute sie aufmerksam an, und sie war froh, daß ihre Haut von der Sonne gebräunt und vom Meerwasser glatt und fest war. Sie wußte, daß es Frauen gab, in ihrem Alter, die keine so feste Haut mehr hatten, und auf ihren Busen war sie stolz, auch wenn es genug Details an ihrem Körper gab, die sie sich anders gewünscht hätte.

Joël nickte. Er schaute sie an. »Du bist eine schöne Frau«, sagte er in diesem bulgarischen Deutsch, und seine Stimme hüllte sie ein wie ein Cape aus Samt.

Sie rückte dicht an die Wand, aber er setzte sich nur auf die Kante, mit der rechten Hand zeichnete er die Linien ihres Körpers nach, sehr aufmerksam, so wie sie sich als junges Mädchen immer vorgestellt hatte, daß ein Maler sein Modell behandeln würde. Voller Aufmerksamkeit und voller Bewunderung für die Schöpfung. In den Augen eines Malers mußte jedes Mädchen, hatte sie früher immer gedacht, ein Kunstwerk sein. Überhaupt war es damals das Ziel aller ihrer Wünsche gewesen, von einem solchen Mann geliebt und anschließend in Öl gemalt zu werden, als ewig währendes Denkmal einer rauschenden Liebesnacht.

Sie war in ihrer Jugend sehr romantisch gewesen, inzwischen, während ihrer Ehe mit einem Juristen, hatte sich das etwas gelegt. Trotzdem zog sich ihre Haut jetzt unter den Berührungen zusammen, trotzdem empfand sie einen wollüstigen Schock, als seine Hand sanft zum erstenmal ihre Schamlippen berührte, das kleine Dreieck zwischen ihren Schenkeln streichelte und sie dabei beobachtete.

Er legte sich neben sie, er hatte seinen Arm aufgestützt, er lag auf der Seite, um die rechte Hand frei zu haben, sie weiter streicheln zu können, seine Lippen umkreisten ihre Brustwarzen. Gunda strich mit gespreizten Fingern durch seine krausen Haare, dabei konnte sie die Augen nicht lassen von dem Poster mit dem blonden Tennisgirl, das von der roten Glühbirne auf eine schon etwas perverse Art beleuchtet wurde. Überhaupt war der Reiz an diesem Zimmer seine Häßlichkeit. Sicherlich gab es nebenan eine Dusche. Es beruhigte sie, daß es in diesem Zimmer kein Waschbecken gab. Es hatte sie früher immer geniert, ansehen zu müssen, wie die Männer sich wuschen, so als spülten sie voller Hast alles ab, für das sie sich vorher beinahe aus Begierde entleibt hätten.

Joël spreizte ihre Schenkel, er kniete zwischen ihren Beinen, er richtete sich auf und schaute sie an. »Ich habe gewußt«, sagte er, »daß es schön wird mit dir. Du liebst den Sex. Das habe ich gewußt. Du magst deinen Körper, nicht wahr?«

Gunda lächelte. »Ich mag deinen Körper«, sagte sie, und das war die Wahrheit. Sein Schwanz war schöner, als sie zu hoffen gewagt hatte. Er war so wunderbar weiß und glatt, sie wünschte, er würde ganz langsam zu ihr kommen, sie hatte das lange nicht mehr gespürt, dieses Drängen, diese Hitze, es war ihr, als würden in ihr lange versperrte Schleusen geöffnet und als strömte ihm nun alles entgegen. Sie wollte das so lange wie möglich auskosten.

Er befeuchtete seine Fingerspitzen mit der Zunge und legte sie dann auf ihren Mund, sofort umschlossen ihre Lippen diese Finger, als wollten sie den ganzen Mann in sich hineinziehen. Auf einmal spürte sie so viele Öffnungen, so viele Stellen ihres Körpers, die ihn aufnehmen konnten, die ihn in sich einschließen konnten, und dann, endlich, als das Blut schon in ihren Schläfen pochte, als sie den Kopf hin und her warf und stöhnte, kam er zu ihr, schob er seinen schönen, harten Schwanz in sie hinein, und sie wußte, daß sie recht gehabt hatte, daß dieser Schwanz genauso war, wie ihn ihr Körper verlangte, genauso groß, genauso lang, genauso gebogen, um in sie einzutauchen, einzugleiten. In ihrer Vagina zuckte es, ihre Schamlippen reagierten auf die kleinste Bewegung. Joël beugte sich über sie, hatte die Arme rechts und links neben ihrem Kopf aufgestützt, er kam mit seinem Gesicht ganz dicht zu ihr herunter, mit der Zunge streichelte er ihr Gesicht. »Ist es schön?« fragte er, und sie lachte ihn an, »ja«, sagte sie atemlos, »schön. Es ist schön. Schön.«

Er hob sie hoch, sie wußte nicht, wie er es machte, vielleicht hatte er sich auf die Knie gestützt. Ohne sich von ihr zu lösen, drehte er sich auf den Rücken, so daß sie jetzt auf ihm war, er ihre Brüste umfassen konnte, über ihren glatten Bauch streichen, sie ansehen konnte. »Du lachst ja so«, sagte er, und es stimmte, sie lachte, sie fühlte das Glück, die Freude über diesen Augenblick, die Leichtigkeit der Liebe. Alles an ihr lachte, ihre Augen, ihre Lippen, ihre Nase lachte, das mußte die Lust sein, von der sie immer geträumt hatte, die Lust, die nichts mit Anstrengungen und Seelenqualen zu tun hatte, die Lust an einem wunderschönen Körper, der in diesem Augenblick ihr gehörte, die Lust an ihrer eigenen Begierde, und dann hatte sie auch gar keine Scheu. Sie lachte, weil sie glücklich war, und er schaute sie immerzu an und murmelte: »Du bist wundervoll, weißt du, daß es mich verrückt macht. Wie du lachst. Wahnsinn. Das ist wirklich Wahnsinn.«

Sie lachte, sie hatte ihr Gesicht in seinem Nacken vergraben, und sie lachte und rief: »Schön, Joël, oh, das ist so schön, ich bin so glücklich, o Joël, es ist herrlich.«

Als er sie auf die Seite rollte, ganz behutsam, und seinen Kopf etwas weiter zurückbog, schaute er sie an und sagte: »Deine Augen lachen immer noch. Was bedeutet das? Warum?«

»Ich nehme an«, sagte Gunda, »weil ich glücklich bin.«

»Ich habe so etwas noch nie erlebt«, antwortete Joël kopfschüttelnd. »Es ist verrückt. Es ist nicht normal.«

Gunda lachte. »Was ist schon normal«, sagte sie und küßte ihn.

Er drehte ihre Schamhaare zu kleinen, feuchtglänzenden Löckchen. »Da hast du recht«, sagte er, »was ist schon normal.«

Am nächsten Morgen war sie immer noch voller Glück, hatte sie immer noch dieses Lachen in sich, an das sie gar keine Erinnerung mehr gehabt hatte, nur noch so ein vages Gefühl, daß es etwas mit der Kindheit zu tun hatte, mit Losgelöstheit, Ausgelassenheit.

Sie saß auf ihrem Balkon und frühstückte, als es an der Tür klopfte.

»Ja bitte«, sagte sie.

»Ich bin's.« Joël stand in der Tür, ein neues Polohemd, dieses Mal hellblau mit weißen Streifen, neue Shorts, knapp und eng wie immer, aber rot. Er kam auf sie zu, schaute sich flüchtig, neugierig in ihrem Zimmer um, schaute über die Balkonbrüstung, ob auch niemand sie sehen konnte, und gab ihr einen leichten Kuß auf die Stirn. »Ich darf eigentlich gar nicht hier sein«, sagte er, »die Hotelleitung sieht es nicht gerne.«

»Aber jeder weiß doch, was du treibst, Joël«, sagte Gunda amüsiert, »so heimlich mußt du auch wieder nicht tun.«

Es gefiel ihr, wie er sie küßte, wie er sie anfaßte, dieser sanfte, wissende Griff an ihren Busen, und wie er einmal flüchtig an den Innenseiten ihrer Beine entlangstreifte. Sie hätte schon wieder mit ihm schlafen können. Sie wußte es, und er wußte es auch.

»Das war wunderbar gestern abend«, sagte er. »Wunderbar. Ich habe die ganze Nacht überlegt, wie wir es noch besser machen können.«

»Noch besser?« verblüfft schaute sie ihn an. »Was meinst du damit?«

Er lachte. »Tu nicht so keusch, Gunda. Ich weiß, daß du nur so tust. Du bist nicht die liebe, brave, kleine Ehefrau. Du bist ein ganz geiles Mädchen, weißt du das?«

Gunda sagte nichts. Sie zog es vor, geheimnisvoll zu lächeln.

»Keine Gewissensbisse?« fragte Joël.

»Weshalb?«

»Nun, wegen deinem Mann. Ich denke, du bist verheiratet.«

»Ach das«, sagte Gunda, »das ist etwas anderes.« Und das stimmte ja auch.

Joël nickte erleichtert. »Wie gut. Ich hasse Frauen, die nachts wie wilde Panther sind und am nächsten Morgen mit tränenüberströmtem Gesicht kommen und sich ausweinen bei mir, weil sie ihren lieben, gütigen Ehemann betrogen haben.«

»Das ist lächerlich«, sagte Gunda. »Ich wollte mit dir schlafen und ich wußte, daß ich deswegen kein schlechtes Gewissen haben würde.«

»Aha, du machst so etwas öfter«, sagte Joël.

Gunda nahm wieder ihre Zuflucht in ein geheimnisvolles Schweigen. Joël lehnte an der Brüstung, er hatte die Hände über der Brust verschränkt, er schaute sie an.

»Es gibt da ein Mädchen«, sagte er langsam, »das möchte ich dir gerne einmal zeigen.«

»Ein Mädchen?« fragte Gunda irritiert, »was denn für ein Mädchen?«

»Eine kleine Französin. So ein knabenhafter Typ, ganz schmal, ganz kleiner Busen, kurze schwarze Haare. Sie ist gestern angekommen. Mit ihren Eltern. Hast du sie nicht gesehen?«

Gunda überlegte. Sie hatte eine undeutliche Erinnerung an eine kleine Schwarzhaarige, die in abgeschnittenen Jeans und rotem Bikinioberteil gelangweilt über den Minigolfplatz geschlendert war.

»Trug sie abgeschnittene Jeans? Und so kreolische Ohrringe?«

Joël strahlte. »Ich habe es gewußt!«

»Was hast du gewußt?«

»Daß sie dir auffallen würde. Ich habe gewußt, daß du auf andere Frauen stehst.«

»Ich?« Gunda starrte ihn an. »Ich steh' auf Frauen? Was für ein Unsinn! Ich habe nie etwas mit einer Frau gehabt.«

Joël amüsierte sich köstlich. Gunda spürte, daß er ihr nicht glaubte. Sie wurde rot, und es ärgerte sie, daß sie rot wurde. Sie stand auf und riß dabei beinah das Frühstückstablett vom Tisch.

»Du benimmst dich lächerlich«, sagte sie wütend. Sie ging ins Zimmer, setzte sich vor den Spiegel und begann, ihre Haare zu bürsten. Joël war sofort bei ihr. Er kniete hinter ihr, schob den Bademantel von ihren Schultern und bedeckte die Haut mit vielen kleinen Küssen. Im Spiegel konnte sie nur seinen Haarschopf sehen. Vielleicht war er froh, daß er ihr nicht in die Augen schauen mußte.

»Ich warte schon so lange auf eine Frau, die so ist wie du. Genau wie du. Ich weiß, daß du Frauen magst. Ich bin ganz sicher, du mußt mir jetzt nicht antworten. Aber du hast genau die Figur, die solche Frauen haben. Und die Art. Sehr erotisch, aber anders als Frauen, die einem Mann gefallen wollen. Ich spüre das sofort. Ich habe einen guten Blick dafür. Ich finde dich so wahnsinnig erotisch, ich habe gleich am ersten Tag, als du zum Tennisplatz gekommen bist, gedacht, sie kennt das Geheimnis, das nur die guten Frauen kennen. Sie weiß, wie man es mit ihnen machen muß, damit sie sich fallenlassen, damit sie die letzte Scham vergessen, damit die letzte Schranke wegfällt. Komm, widersprich mir nicht, alle Frauen, auch wenn sie noch so vulgär oder ordinär sind, haben immer noch eine letzte Hemmung dem Mann gegenüber. Frauen mit Frauen sind ganz anders. Schamloser. Aber auch zärtlicher. Auch sanfter. Ja, ich weiß, sie kennen die kleinen Stellen, die sie nie einem Mann verraten, die kleinen Stellen, die sie erregen können, wenn sie allein sind, wenn sie es mit sich selber tun. Sie kennen die Träume, die Frauen haben, wenn sie an Sex denken. Ihr denkt nicht an einen Mann, ihr denkt nicht an seinen Schwanz, ich weiß es genau, oh, ich weiß es. Ich habe dein Gesicht gesehen gestern abend, und wie du gelacht hast, ich habe es sehr genau gehört, es war ein Lachen, daß eine Frau verrückt gemacht hätte, die kleine Schwarzhaarige würdest du mit diesem Lachen um den Verstand bringen und mit deinen Händen, du hast anders angefaßt, ja bestimmt. Du bist anders. Du bist super.«

Gunda hatte aufgehört ihre Haare zu bürsten, weil es lächerlich war, weil es ihr plötzlich vorkam wie in einem schlechten Film. Als er nichts mehr sagte, drehte sie sich zu ihm um und steckte die Drahthaarbürste in seine krausen Haare.

»Was du für dummes Zeug redest«, sagte sie zärtlich. »Und was für Gedanken da in deinem Kopf sind. Immer nur Sex. Und ich dachte, du würdest immer nur über Tennis reden.«

»Immer nur über Frauen«, sagte Joël. »Ich liebe die Frauen, ich bin verrückt nach ihnen. Ich möchte immer zwischen Frauen sein. Bitte, mein Kätzchen, bitte tu es.«

»Was soll ich tun?« fragte Gunda.

»Geh zu dem Mädchen und frag sie, ob sie heute nacht zu dir kommen will. Und dann könnt ihr beide es machen, und ich schaue nur zu.«

»Du bist verrückt«, sagte Gunda.

»Bitte!«

»Ein Mann, der aussieht wie du, will nur zuschauen! Die kleine Französin flippt doch aus, wenn du sie einlädst auf dein Zimmer. Sie findet es bestimmt pervers.«

»Die nicht«, sagte Joël. »Diesen Typ kenne ich.«

Gunda schüttelte den Kopf. »Ich muß mir das überlegen, Joël. Ich kann dir jetzt keine Antwort geben.«

Joël stand sofort auf. »Okay«, sagte er, »überleg es dir. Wollen wir heute mittag zusammen essen? Ich finde dich. Ich weiß, wo du bist.«

Gunda nickte. Joël verschwand, ohne ihr einen Abschiedskuß gegeben zu haben.

Verrückt, dachte Gunda, als sie mit ihren Badesachen an den Strand ging. Ein Mädchen! Ein junges Mädchen! Und ich! Ausgerechnet ich! Wie kommt Joël nur auf diese perverse Idee? Wie kann er nur annehmen, daß ich solchen Blödsinn mitmache?

Der Tag war vielleicht ein bißchen weniger schön als die vorhergegangenen, die Sonne hatte sich hinter einem dünnen Wolkenschleier verzogen, es ging ein leichter, kühler Wind, der das Meer kräuselte und kleine, tote Seesterne ans Ufer spülte.

Gunda, die sich vorgenommen hatte, einen langen Strandspaziergang zu machen, blieb angewidert stehen, als sie eine tote Maus sah, die mit ihrem aufgedunsenen Bauch nach oben, die starren Beine von sich gespreizt, zwischen zwei Liegestühlen lag.

Als sie sich von ihrem Ekel erholt hatte und aufsah, schaute sie in das Gesicht der kleinen Französin. Das Mädchen schien sie sofort erkannt zu haben.

»Schrecklich«, sagte sie. »So ein Tier.«

Sie war keine Französin, sondern Schweizerin, stellte Gunda fest, sie sprach Deutsch mit diesem Schwiezer-Dütsch-Tonfall, der in ihren Ohren immer etwas Einfältiges hatte, wie ein Singsang, mit dem man kleinen Kindern den Belzebub austreiben will.

»Da hinten«, sagte Gunda, »wird der Strand noch dreckiger. Ich kehre lieber um.«

»Ich komme mit!« sagte die Französin. Mit einem unsicheren Blick auf Gunda fügte sie höflich hinzu, »wenn ich darf.«

Gunda lächelte einladend.

»Heute nacht gab es einen Sturm«, sagte die Französin, »er hat das Meer ganz durcheinandergebracht.«

»Mich auch.« Gunda mußte plötzlich lachen.

»Wie bitte?« Die Augen des Mädchens wurden, falls das überhaupt möglich war, noch ein bißchen größer.

»Ich sage, mich hat der Sturm auch ein bißchen durcheinandergebracht. Ich heiße übrigens Gunda.«

»Gabrielle.«

Sie streckten sich die Hand hin und merkten im gleichen Augenblick, wie lächerlich die Geste war. Aber trotzdem hatten sich ihre Hände schon berührt und Gunda war erstaunt, wie angenehm leicht und trocken Gabrielles Hand war. Unwillkürlich mußte sie an Schmetterlinge denken.

»Ich habe Sie gestern schon gesehen«, sagte Gabrielle, »Sie hatten einen sehr schönen Badeanzug an. Er ist nicht von hier, oder?«

»Aus New York«, sagte Gunda, und im gleichen Augenblick dachte sie, komisch, daß das Kind mich gesehen hat, wieso falle ich ihr auf? Ich bin zwanzig Jahre älter als sie. Es gibt überhaupt keinen Grund...

»Ich bin mit meinen Eltern hier«, sagte Gabrielle, »ich fürchte, es ist sehr langweilig. Aber meine Eltern meinten, ich müßte mich erholen.«

»Waren Sie krank?«

»Ich weiß nicht«, meinte Gabrielle vage, »es war vielleicht mehr eine Krankheit der Seele als das Körpers.«

»Hoffentlich geht es Ihnen jetzt besser.«

»O jaaa, danke...« Gabrielles Stimme verlor sich, Gunda warf ihr einen aufmerksamen Blick zu. Dabei stellte sie fest, daß Gabrielle wunderbar gebogene, dichte, schwarze Wimpern hatte. Eine kleine, schmale Nase, einen sehr festen energischen, aber auch melancholischen Mund. Ihre Figur (sie trug nur einen roten Bikini) war sehr schmal, fast dünn. Die Knochen des Schlüsselbeines traten hervor, man sah sogar die Wirbelansätze am Rücken. Ihre Beine waren sehr schlank und glatt, die Oberschenkel rieben nicht aneinander wie bei ihr. Sie hatte kleine zierliche Füße, die Nägel waren blau lakkiert.

»Blaue Nägel«, sagte Gunda, »das habe ich noch nie gesehen.«

»Gefällt es Ihnen?« fragte Gabrielle.

»Nun, es ist... lustig, finde ich.«

»Ich könnte sie natürlich auch anders färben. Rot. Oder gelb. Ich mache das immer, wenn ich mich langweile. Ich habe einen Koffer mit lauter verschiedenen Nagellacks dabei.«

Gunda lächelte. »Was es alles gibt.«

»Das ist ganz natürlich. Es hat mit meinem Beruf zu tun. Ich bin Maskenbildnerin. Da braucht man immer mal so komische Einfälle.«

Aha, dachte Gunda. Maskenbildnerin. Und auf mich wirkt sie wie die Schülerin eines Mädchen-Pensionats. So kann der Mensch sich irren.

»Wenn Sie Lust haben«, sagte Gabrielle, »könnte ich Sie einmal schminken. Abends, zum Beispiel, vor dem Dinner. Wenn es Ihnen Spaß machen würde.«

Gunda sah Gabrielle verblüfft an. »Würde es Ihnen denn Spaß machen?«

»O ja, sehr sogar!« sagte Gabrielle, und es klang geradezu sehnsüchtig. »Sie haben einen wunderschönen Mund. Ich würde gern Ihre Lippen schminken.«

Mehr sprachen sie eigentlich nicht, bis sie den Hotelstrand wieder erreicht hatten. Gabrielle lief dann, ohne sich zu verabschieden, ins Wasser, die Wellen spritzten um ihre Beine, als sie mit staksigen Schritten hineinlief, dann tauchte sie unter, und Gundas Herz setzte für einen Herzschlag aus, als Gabrielles Kopf nirgendwo wieder auftauchte.

Aber plötzlich war da wieder etwas Schwarzes, dann streckte sich ein Arm, und sie rief: »Hallo? Gunda? Es ist herrlich!«

Gunda winkte zurück. Sie setzte sich in ihren Liegestuhl, cremte sich sorgfältig ein und griff dann zu dem Roman, den sie mitgebracht, in dem sie aber erst zwanzig Seiten gelesen hatte.

Als Gabrielle plötzlich wieder auftauchte, war die Sonne vollkommen hinter den Wolken verschwunden. Gabrielle zitterte, und ihre Haut war fast blau. Gunda sprang erschreckt hoch.

»Was haben Sie denn gemacht! Sie zittern ja vor Kälte!«

Gabrielles Zähne schlugen aufeinander, aber sie lachte unbekümmert.

»Ich glaube, ich bin zu weit rausgeschwommen. Darf ich Ihr Handtuch einmal schnell nehmen?«

»Bitte. Natürlich.«

Gundas Badetuch war aus gelbem Frotteevelour und so groß, daß Gabrielle sich vollkommen darin einwickeln konnte.

In einer Art mütterlichem Impuls rubbelte Gunda Gabrielles Schultern, ihren Rücken, ihre Beine. Gabrielle sah sie dankbar an.

»Das ist toll. So was machen die Eltern nur mit einem, wenn man klein ist, dabei ist es so schön.«

Also rubbelte Gunda weiter. Gabrielle hatte wirklich sehr schöne schlanke Beine. Einen ganz festen, flachen Bauch.

»Ich glaube«, sagte Gabrielle, »ich zieh' schnell den BH aus. Das ist so ein scheußliches Gefühl.«

Ihr Busen war winzig. Kleine, ganz helle Brustwarzen. Ein paar Leberfleckchen da, wo der Busen besonders weiß war. Gunda rieb jetzt etwas vorsichtiger. Sie tupfte die Brustwarzen ab, sie wagte nicht, stärker zu reiben, aus einer unerklärlichen Scheu, aber andererseits fand sie es plötzlich aufregend, den Körper dieses jungen Mädchens zu berühren. Sie sah, wie die Brustwarzen Gabrielles hart wurden. Gabrielle fuhr mit der Zunge über die Lippen.

»Sie machen das schön«, sagte sie. »Ich könnte das immer weiter so haben. Jetzt ist mir schon ganz warm.«

»Soll ich aufhören?« fragte Gunda.

»O nein, bitte. Meine Beine sind noch so naß. Ich glaube, ich ziehe auch schnell das Höschen aus.« Sie streifte sehr geschickt das winzige Höschen ab, immer noch eingehüllt in das Frotteetuch und stellte sich dann wieder mit diesem entwaffnenden, auffordernden Lächeln vor Gunda hin.

Also rieb Gunda auch ihre Beine, rubbelte ein bißchen an der Außenseite der Oberschenkel, dann an der Innenseite, fuhr ganz schnell und flüchtig über den Bauch, etwas tiefer, Gabrielle zog plötzlich die Luft ein. »Oh«, sagte sie nur.

Als ihre Augen sich begegneten, Gundas ängstlich-erschrockene und Gabrielles blitzende Augen, da sagte Gunda plötzlich: »Wenn Sie wollen, können wir auf mein Zimmer gehen. Es ist ohnehin gemütlicher. Keine Sonne mehr. Schauen Sie, die anderen Leute sind auch alle weg.«

Gabrielle nickte. »Zu Ihnen oder zu mir?« fragte sie.

»Ich weiß nicht«, sagte Gunda. »Ich habe oben einen großen Bademantel, den könnte ich Ihnen leihen.«

Sie rafften hastig Gundas Sachen zusammen, Gabrielle hob nur ihren Bikini auf und knüllte ihn in der Hand zusammen.

»Welche Zimmernummer?« fragte sie.

»412«, sagte Gunda.

»Gut, ich komme gleich. Ich hole nur meine Sachen.«

Gunda wartete mit klopfendem Herzen. Sie wußte nicht genau, was das Spiel bedeuten sollte, sie fragte sich jetzt, als sie allein in ihrem Zimmer stand, auf einmal, wie es überhaupt dazu kommen konnte, daß sie Gabrielle hierher eingeladen hatte. Was wollte sie eigentlich von ihr?

Aber da klopfte es schon, die Türklinke wurde heruntergedrückt und Gabrielle stand da, immer noch nackt, immer noch in diesem zitronengelben Handtuch, das Gunda auf einmal scheußlich fand. »Was für ein häßliches Handtuch«, sagte sie, »für so ein schönes Mädchen.«

»Gelb steht mir auch überhaupt nicht«, sagte Gabrielle. Sie warf das Handtuch achtlos auf einen Stuhl. Dann ging sie in dem Zimmer herum, nackt, mit bloßen Füßen und sah sich alles an. »Das ist schön«, sagte sie. »So hell. Und viel größer als meines. Und Sie können sogar das Meer sehen!«

Gunda sagte nichts. Sie stand da zwischen Bett und geblümtem Leinensofa und betrachtete den schmalen nackten Mädchenkörper und fragte sich, wieso ihr Herz so schlug.

Gabrielle drehte sich wieder um. »Das war schön«, sagte sie, »wie Sie mich da abgetrocknet haben. Ihre Hände sind so zart. Mir ist jetzt ganz warm. Schauen Sie.« Und sie hob Gundas

Hände auf und legte sie an ihr Gesicht. Ihre Wangen glühten.

»Heiß, nicht?« sagte Gabrielle lächelnd.

Gunda nickte.

Sie wollte die Hände zurückziehen, aber Gabrielle hielt sie fest, zog sie herunter und legte sie plötzlich auf ihren Bauch. »Aber da ist es noch kalt«, sagte sie. Und dann sah sie auf ihre kleinen Brüste. »Und da auch«, sagte sie. »Ich habe immer einen eiskalten Körper und ein heißes Gesicht. Komisch, nicht?«

»Sie müssen etwas anziehen«, sagte Gunda. Ihre Stimme klang rauh, unnatürlich. Sie schämte sich für ihre Stimme, schämte sich für ihre Verlegenheit, die ganz ungerechtfertigt war. Gabrielle war ein natürliches, junges Mädchen, die nicht mit so viel Scham und Komplexen erzogen worden war wie sie, Gabrielle dachte sich nichts dabei, sie konnte sich ja nicht vorstellen, welche verrückten, wahnsinnigen Gedanken Joël am gleichen Morgen in Gundas Kopf gesetzt hatte.

Gunda lief ins Badezimmer und kam mit dem Bademantel zurück. Er war ganz weiß und aus weichem, dickem Frottee. Sie hielt den Mantel auf. »Kommen Sie«, sagte Gunda, »ziehen Sie ihn an.« Gabrielle lächelte. Sie schlüpfte sofort hinein und kuschelte sich in den hohen Kragen. »Mhm«, machte sie. »Schön.«

Dann setzte sie sich, die Knie angezogen, auf das kleine geblümte Sofa. »Wenn man jetzt eine Bar hätte«, sagte sie genießerisch, »würde ich am liebsten einen Campari trinken.«

»Ich habe eine Bar«, sagte Gunda, »mal sehen, ob es auch einen Campari gibt.«

Das kleine Barschränkchen stand im Flur. Sie kam zurück mit zwei Fläschchen Campari, einem Mineralwasser und einem Eiswürfelbehälter.

»Toll!« rief Gabrielle begeistert, »soll ich mixen? Ich mach' das für mein Leben gern.«

Also tranken sie. Sie saßen nebeneinander auf dem Sofa, Gabrielle erzählte aus ihrem Leben, von ihrer Arbeit, von Genf und Zürich, wo sie gearbeitet hatte, von dem Hund, der unter die Räder einer Straßenbahn gekommen war, von dem Autorennfahrer Jean-Pierre, der sie verlassen hatte, und Gunda trank und hörte zu und schaute sie an und trank und hörte zu und schaute sie an.

Irgendwann legte Gabrielle ihre kleinen zierlichen Füße in Gundas Schoß und Gunda begann, während Gabrielle von der Bar erzählte, in der sie ihren ersten Joint geraucht hatte, ihre kleinen, runden Zehen zu massieren, mit dem Zeigefinger zwischen ihre Zehen zu gehen, ihre Fußsohle zu reiben, bis sie ganz warm wurden, sie umfaßte ihre Fesseln und stellte fest, daß sie schmaler waren als ihre Hand, sie fuhr mit den Fingerkuppen über ihre glatten Beine, an denen es kein Härchen gab, aber sie konnte Gabrielle nicht fragen, ob sie ihre Beine rasierte oder einen Haarentferner benutzte, denn Gabrielle sprach gerade von der Fremdsprachenschule, aus der man sie ausgewiesen hatte, als sie die Unterschrift ihres Vaters gefälscht hatte. Gunda deckte den Bademantel etwas zurück, um Gabrielles Beine ganz zu sehen, von den Füßen bis zu den Schenkeln. Das Wort Lenden fiel Gunda auf einmal ein, das Wort Schoß. Was genau war eigentlich der Schoß? War es das Stück zwischen Venushügel und Bauchnabel?

Oder das kleine Dreieck, was das Bikinihöschen immer so schamhaft verborgen hatte? Welch eine zarte glatte Haut. Anders fühlte sie sich an, als die Haut eines Mannes. Alles war kleiner, enger, sanfter. Joël hatte recht, sie genoß jeden Zentimeter dieses Körpers, sie streichelte die Innenseiten der Schenkel so, wie sie einem Mann nie die Schenkel gestreichelt hätte. Dieses kleine schwarze, krause Dreieck faszinierte sie derart, daß ihre Finger es immer wieder umkreisten, flatternd, unruhig, auch ängstlich, auch scheu, weil sie nicht wußte, was Gabrielle dachte, weil sie sich nicht mehr konzentrieren konnte auf die Geschichten, die Gabrielle erzählte, es rauschte in ihren Ohren, wie das Rauschen eines Baches, wie das Plätschern eines ewigen Regens, der über eine verstopfte Dachrinne fällt. Sie beugte sich vor und versuchte, den anderen Körper zu riechen, versuchte, den Geruch der Haut einzuatmen, aber die Haut roch nach Meer und nach Salz und nach Tang. Die Schamhaare waren ganz schwarz, darunter leuchtete die Haut kalkweiß, ein kleines weißes Dreieck. Sanft teilte Gunda die Haare auseinander, bis das Rosa der Schamlippen aufleuchtete.

Die Schamlippen fühlten sich weich an, sonderbar dick waren sie, und als Gabrielle, in diesem Augenblick sich leise räkelnd, eine neue Geschichte über eine andere Begebenheit in ihrem Leben erzählen wollte, so als gehöre das, was da unten zwischen ihren Beinen mit ihr geschah, gar nicht zu ihrem Körper, da sagte Gunda: »Komm, wir legen uns auf mein Bett. Da ist es bequemer.« Gabrielle stand sofort auf, zog sich den Bademantel aus und schlüpfte unter die Bettdecke. Als Gunda, jetzt auch nackt, sich neben diesen kleinen, kühlen Körper legte, sagte Gabrielle plötzlich, während ihre Augen groß und erstaunt unter den dunklen, gebogenen Wimpern hindurchschauten, »ich habe das noch nie getan, Gunda.«

»Ich auch nicht, Gabrielle«, antwortete Gunda, und dann beugte sie sich über sie und küßte die runden, melancholischen Lippen. Wie fremd das war, diesen Körper zu streicheln, wie aufregend es war, diesen kleinen, festen Busen zu fühlen, die Achselhöhlen mit den weichen Haaren, diese runden Schultern. Wie Gabrielle erschauerte, als ihre Hände über die Wirbelsäule glitten, wie Gabrielles Körper sich an sie schmiegte, wie sie auf einmal ihre Schenkel an den eigenen fühlte, und wie ihre Finger ganz selbstverständlich jene wunderbar zarte, feuchte Stelle fanden, wie sie auf einmal all die Spiele wußten, all die Zärtlichkeiten kannten, wie Gabrielles flüchtiger Atem an ihrem Hals zu spüren war, ihre kleinen, kalten Finger, die sich an ihr festhielten, wie schön es war, wenn sich zwei Frauenbrüste berührten, wie schön es war, wenn sich zwei Frauenmünder küßten, wie herrlich ihre Körper zueinander paßten, wie sie sich umschlungen hielten, wie sie eingewiegt wurden von der gleichen wunderschönen Melodie, die sie trug wie eine Welle, die sie herumtrudelte und weiter fortspülte, der Sonne und dem Himmel entgegen, den gleißenden Strahlen, die manchmal wie Pfeilspitzen in die Augen fielen, da schrie Gabrielle, und Gunda flüsterte, »ja, mein Kleines, schrei nur. Schrei nur, ich weiß, wie du dich fühlst«, aber Gabrielle schrie wieder, schrie anders, wand sich plötzlich, verkrampfte sich, ihr Körper wurde ganz starr, sie setzte sich auf und starrte auf die Tür.

Als Gunda begriffen hatte, was geschehen war, stand Joël mitten im Zimmer, der schöne Joël, der lächelte, der strahlte, der Gunda dankbar zuzwinkerte, der schöne Joël, der in wenigen Sekunden sich ausgezogen hatte und sich ihnen nun zeigte, der Mann, der schöne, athletische Mann, der schönste Mann, den Gunda je gesehen hatte, der sich jetzt auf das Bett kniete, Gabrielle anschaute und sagte, »wenn du soweit bist, mein Kätzchen, dann sag Bescheid. Wenn du willst, daß ich zu dir komme, dann gib mir ein Zeichen, ja?«

Gunda schaute zu ihrer kleinen Gabrielle herunter, sah durch die dichten schwarzen, gebogenen Wimpern das ungläubige Staunen und auch gleichzeitig das Erschrecken in ihren Augen, aber sie machte sich trotzdem keine Illusionen.

Joël hatte sie ihr weggenommen. Joël hatte wieder bekommen, was er haben wollte, dieser Egoist, dieser Schuft. Dieser Kerl, der sich nicht darum scherte, was Frauen fühlten, oder was die Frau dachte, die er gestern in seinem Bett hatte. Gunda ließ Gabrielle los.

Gabrielle merkte es nicht, und Joël merkte es auch nicht, Joël kniete vor Gabrielle und starrte sie an.

Er war so schön, er sah so stark aus. Er war so unwiderstehlich. Gunda wußte es ja selbst. Gunda mußte sich keine Illusionen machen. Sie rückte langsam zur Seite, erlaubte, daß Joël sich zwischen sie und Gabrielle legte und daß er seine Hand genau dorthin legte, wo Gundas Wange zuvor sich so wohl gefühlt hatte.

»Mir ist ganz kalt«, flüsterte Gabrielle, die kleine Schlange.

»Das haben wir gleich, mein Kätzchen«, sagte Joël, »gleich wird dein schöner Körper heiß sein wie ein glühender Diamant. O bist du schön, mein Kätzchen, ich habe es gleich gesehen, als du gekommen bist, gestern, in deinen ausgeblichenen Jeans, ich habe gleich gewußt, daß du einen wunderschönen Körper hast, mein Kätzchen.«

Gunda lag auf dem Rücken, mit geschlossenen Augen. Sie lauschte auf Joëls Stimme, die genau den gleichen Tonfall hatte wie gestern, sie lauschte auf den Klang seiner Worte, der genauso war wie der Klang am gestrigen Tage, auch der Name hatte sich nicht geändert, er sagte Kätzchen zu Gabrielle, wie er gestern zu ihr Kätzchen gesagt hatte. Gunda lag auf dem Rücken, legte die Hand auf ihren Busen, dort, wo sie das Herz vermutete, und sie wartete darauf, daß es langsamer schlüge.

ERICA JONG

Ein Bericht vom Kongreß der Träume oder der Leiber

Dr. Goodlove führt den Vorsitz bei dem Meeting, das im feuchten Souterrain der Universität stattfindet. Hier, in diesem fensterlosen Raum mit den amphitheatralisch ansteigenden, ausgeleierten, hölzernen Klappsitzen befleißigt er sich (immer in demselben löcherigen Hemd) seines offiziellen Gehabes, sorgfältig Silbe an Silbe (englisch) artikulierend, vor sich die (polyglotten) Zuhörer, die sich, ein wenig spärlich, auf die Sitzreihen verteilen.

Er sieht aus wie Christus beim Abendmahl. Zu seiner Rechten und Linken dunkelgekleidete Psychoanalytiker mit Schlips und Kragen. Ernsten Gesichts beugt er sich zum Mikrofon vor, saugt an seiner Pfeife und faßt den ersten Teil des Meetings – den wir versäumt haben – noch einmal zusammen. Sein nackter Fuß schwingt vor und zurück, während die ausgelatschte Sandale friedlich unter dem Tisch liegt.

Ich gebe Bennett zu verstehen, daß ich in der letzten Reihe sitzen möchte, in der Nähe der Tür – und so weit fort wie möglich von der Hitze, die Adrian ausstrahlt. Bennett wirft mir einen mißbilligenden Blick zu, der besagt, daß ihm das nicht paßt, marschiert nach vorne und läßt sich neben einer hennahaarigen Teilnehmerin aus Argentinien nieder.

Ich sitze in der letzten Reihe und starre Adrian an. Adrian starrt zurück. Er saugt an seiner Pfeife, als sauge er an mir. Das Haar fällt ihm in die Augen. Er streicht es zurück. Mein Haar fällt mir in die Augen. Ich streiche es zurück. Er nuckelt an seiner Pfeife. Ich nuckle in Gedanken an seinem Schwanz. Unsere Augen scheinen durch kleine Blitze miteinander verbunden zu sein – wie in einem Raumfahrt-Comic. Kleine Hitzewellen verbinden unsere Becken wie in einem Porno-Comic.

Oder sieht er mich vielleicht gar nicht an?

»... was bleibt, ist natürlich das Problem der äußeren Abhängigkeit des Patienten von seinem Analytiker«, sagt ein Psychotherapeut links von Adrian.

Adrian grinst mich an.

»...äußerste Abhängigkeit, die nur durch die Realitätsanpassung des Patienten abgeschwächt werden kann, was aber, wenn man die kafkaische Atmosphäre des Instituts in Betracht zieht, wohl kaum ins Gewicht fällt...«

Kafkaisch? Ich dachte immer, es hieße kafkaesk.

Ich bin sicher der erste Fall einer Neunundzwanzigjährigen im Klimakterium. Ich habe Wallungen. Fliegende Hitze. Ich habe das Gefühl, daß mein Gesicht knallrot ist, mein Herzschlag rast wie der Motor eines Sportwagens, meine Wangen prickeln wie von tausend winzigen Nadelstichen. Die untere Hälfte meines Körpers hat sich verflüssigt und tropft langsam auf den Boden. Es handelt sich längst nicht mehr um feuchte Höschen – ich schmelze dahin.

Ich greife nach meinem Notizblock und fange an zu kritzeln.

»Ich heiße Isadora Zelda White Stollerman Wing«, schreibe ich, »und ich wünschte, ich hieße Goodlove.«

Das streiche ich durch.

Dann schreibe ich:

Adrian Goodlove
Dr. Adrian Goodlove
Mrs. Adrian Goodlove
Isadora Wing-Goodlove
Isadora White-Goodlove
Isadora Goodlove
A. Goodlove
Mrs. A. Goodlove
Dame Isadora Goodlove
Isadora Wing-Goodlove, Member of the Order of the British Empire
Sir Adrian Goodlove
Isadora und Adrian Goodlove
wünschen Ihnen
ein frenetisches
Julfest.

Isadora White Wing und Adrian Goodlove
sind außer sich vor Freude,
die Geburt ihrer Tochter
Sigmunda Keats Whitewing-Goodlove
– ein Kind der Liebe –
bekanntzugeben.

Isadora und Adrian
bitten Sie zu einer *Housewarming-Party*
in ihre neue Bleibe
35 Flask Walk
Hampstead
London NW 3
Hasch, LSD usw.
für den eigenen Bedarf
sind mitzubringen.

Ich streiche das alles hastig durch und blättere um. Mit so einem Quatsch habe ich mich nicht mehr abgegeben, seit ich ein fünfzehnjähriges, bis über beide Ohre verliebtes Ding war.

Ich hatte gehofft, nach dem Meeting mit Adrian sprechen zu können, doch Bennett zerrte mich mit sich, bevor es Adrian gelungen war, sich aus dem Gedränge rund um das Podium zu befreien. Wir bildeten bereits ein recht barockes Trio. Bennett spürte meine explosiven Gefühle und setzte alles daran, mich so rasch wie möglich fortzubekommen. Adrian spürte meine explosiven Gefühle und sah Bennett immer wieder an, um festzustellen, wieviel er wußte. Und mir kam es bereits so vor, als würden die beiden mich in zwei Teile reißen. Dafür konnten sie natürlich nichts. Sie symbolisierten lediglich den Kampf, der sich in mir abspielte. Bennetts rechtschaffene, zwanghafte, langweilige Beständigkeit stand für meine eigene Panik vor Veränderungen, für meine Angst vor dem Alleinsein, für mein Verlangen nach Sicherheit. Adrians bizarres Benehmen, seine Hinterntätschelei stand für den Teil von mir, den es vor allem nach zügelloser Ungebundenheit verlangte. Es war mir nie gelungen, diese beiden Teile meines Wesens miteinander zu versöhnen. Mir war nicht mehr gelungen, als den einen Teil (zeitweise) zu unterdrücken – auf Kosten des anderen. Die bürgerlichen Tugenden: Ehe, Sicherheit, Arbeit gehen vor Vergnügen, hatten mich nie zufriedengestellt. Ich war zu neugierig und abenteuerlustig, um mich nicht an diesen Beschränkungen wund zu scheuern. Doch ich litt auch an nächtlichen Angstanfällen, die sich bis zur Panik steigern konnten – ausgelöst durch die Tatsache, daß ich so allein war. Und so endete es immer damit, daß ich mit jemandem zusammenlebte – oder heiratete.

Doch abgesehen davon glaubte ich wirklich, daß eine dauerhafte, innige Beziehung zu *einem* Menschen das Erstrebenswerte sei. Es entging mir keineswegs, daß es *à la longue* zu nichts führte, von einem Bett ins andere zu hüpfen und eine Menge seichter Affären mit einer Menge seichter Leute zu haben. Ich hatte die unaussprechlich trostlose Erfahrung gemacht, neben einem Mann aufzuwachen, mit dem ich unmöglich auch nur ein Wort hätte wechseln können – und das war schließlich auch kein sehr befreiendes Gefühl. Leider gab es wohl keinen Weg, die Vorzüge der Ungebundenheit mit denen der Dauerhaftigkeit in *einem* Leben zu vereinen. Die Tatsache, daß schon klügere Köpfe als ich über dieses Problem nachgegrübelt hatten, ohne eine schlüssige Antwort darauf zu finden, tröstete mich auch nicht sonderlich; es gab mir lediglich das Gefühl, daß meine Sorgen banal und alltäglich waren. Wenn ich wirklich etwas Besonderes wäre, dachte ich, würde ich mir nicht stundenlang den Kopf über Ehe und Ehebruch zerbrechen. Ich würde losziehen und das Leben mit beiden Händen packen und, was immer ich täte, weder Reue noch Schuldgefühl empfinden. Daß ich mich mit diesen alten Hüten herumschlug, bewies mir nur, wie durchschnittlich ich war.

Am Abend begannen die vorgesehenen Festivitäten mit einem ›geselligen Beisammensein‹ aller Kongreßteilnehmer in einem Lokal in Grinzing. Es war eine höchst unelegante Angelegenheit. Große phallische Knackwürste mit Sauerkraut bildeten das Freudsche Hauptgericht. Zur Unterhaltung sangen die Wiener Studenten der Psychiatrie – die Gastgeber – unter anderem ›*When the Analysts Come Marching in...*‹ (zur Melodie von ›*When the Saints...*‹). Der Text schien englisch zu sein – oder doch zumindest eine Sprache, von der ein Wiener Student annehmen könnte, es sei Englisch.

Alle lachten und applaudierten heftig, während ich dabei saß wie Gulliver unter den Yahoos. Ich runzelte die Stirn und dachte an das Ende der Welt. Wir würden allesamt in einer nuklearen Hölle untergehen, während diese Clowns hier saßen und ihre Psychoanalytiker ansangen. Trostlos. Adrian sah ich nirgends.

Bennett sprach mit jemand vom Londoner Institut über die Ausbildung von Psychoanalytikern, und schließlich stürzte ich mich in eine Unterhaltung mit meinem Gegenüber, einem chilenischen Analytiker, der in London studierte. Als er sagte, er sei aus Chile, fiel mir dazu bloß Neruda ein. Also unterhielten wir uns über Neruda. Ich steigerte mich in einen meiner hektischen Rede-Paroxysmen hinein und sagte ihm, was für ein Glück er habe, Südamerikaner zu sein, in einer Zeit, in der die größten lebenden Schriftsteller alle Südamerikaner seien. Ich dachte, was für eine gräßliche Angeberin ich doch wäre, doch er schien erfreut. Als hätte ich *ihm* ein Kompliment gemacht. Auf diesem absurden literarisch-chauvinistischen Gleis lief die Unterhaltung weiter. Wir sprachen über den Surrealismus und seine Beziehung zur südamerikanischen Politik – worüber ich weniger als nichts wußte. Doch im Surrealismus kannte ich mich aus. Er ist sozusagen mein Leben.

Als ich gerade etwas über Borges und seine *Labyrinthe* hervorsprudelte, tippte Adrian mir auf die Schulter. Wenn man vom Minotaurus spricht... Dort stand er, dicht hinter mir – von Kopf bis Fuß gehörnt. Mein Herz machte einen Sprung – bis hinauf in die Nase. Ob ich tanzen wolle? Natürlich wollte ich tanzen, und nicht nur das.

»Ich hab' Sie den ganzen Nachmittag gesucht«, sagte er. »Wo haben Sie gesteckt?«

»Bei meinem Mann.«

»Er sieht ziemlich angeschlagen aus, wie? Womit haben Sie ihn unglücklich gemacht?«

»Mit Ihnen, nehme ich an.«

»Vorsicht«, sagte er. »Lassen Sie nicht die Eifersucht ihr grauses Haupt erheben.«

»Das ist schon geschehen.«

Wir sprachen miteinander, als wären wir bereits ein Liebespaar, und in gewissem Sinne waren wir das auch. Wenn der

Vorsatz so schwer wiegt wie die Tat, war das Urteil schon gefällt – wie bei Paolo und Francesca. Aber wo hätten wir hingehen sollen? Außerdem gab es keine Möglichkeit, sich zu verdrücken, fort von den Leuten, die uns beobachteten. Also tanzten wir.

»Ich tanze nicht besonders gut«, sagte er.

Das stimmte. Doch er machte es dadurch wett, daß er lächelte wie Pan. Er scharrte mit seinen kleinen gespaltenen Hufen. Ich lachte – eine Spur zu schrill.

»Tanzen ist wie ficken«, sagte ich, »es kommt nicht darauf an, wie es aussieht – Hauptsache, wie einem dabei ist.« Einfach toll, wie ich mir kein Blatt vor den Mund nahm! Und wozu diese Show einer weltgewandten Dame?

Ich schloß die Augen und überließ mich wollüstig dem Rhythmus. Ich wand mich wie eine Schlange, ließ mein Bekken kreisen und stieß es immer wieder gegen das seine. Irgendwann, in den längst vergangenen Tagen des Twist, war mir plötzlich aufgegangen, daß *niemand* wußte, wie das eigentlich geht – also wozu Hemmungen? *Chuzpe* ist alles – sowohl beim Gesellschaftstanz wie im gesellschaftlichen Leben. Von da an wurde ich eine ›gute Tänzerin‹ – oder das Tanzen machte mir zumindest Spaß. Es war wirklich wie ficken: Rhythmus und Schweiß.

Adrian tanzte auch die nächsten fünf oder sechs Tänze mit mir, bis wir – total erschöpft und tropfnaß – soweit gewesen wären, miteinander ins Bett zu fallen. Dann tanzte ich mit einem der österreichischen Teilnehmer – um den Anschein zu wahren, was ohnehin immer schwieriger wurde. Und dann tanzte ich mit Bennett, der ein fabelhafter Tänzer ist. Ich genoß es, daß Adrian mir zusah, während ich mit meinem Mann tanzte. Bennett tanzte um so vieles besser als Adrian, und er tat es genau mit der Eleganz und Grazie, die Adrian abging. Wenn Adrian beim Tanzen ein hoffnungsloser Oldtimer war, so war Bennett ein stromliniger Jaguar XKE. Und Bennet war so verdammt *lieb* zu mir. Seit Adrian auf der Bildfläche erschienen war, war Bennett wieder so galant und dazu unablässig um mich bemüht. Er machte mir von neuem den Hof. Das gestaltete das Ganze *noch* viel schwieriger. Wenn er doch bloß ein Ekel gewesen wäre, wie einer von diesen Ehemännern in Romanen – gemein und tyrannisch, ein Mann, der es *verdient*, daß man ihm Hörner aufsetzt! Statt dessen war er einfach entzückend. Und das Teuflische daran war, daß das meine Begierde nach Adrian um keinen Deut verringerte.

Meine Begierde hatte wahrscheinlich mit Bennett gar nichts zu tun. Warum mußte es immer ›entweder – oder‹ sein? Ich wollte sie einfach beide haben. Die *Wahl* war das Unmögliche.

Adrian brachte uns in seinem Wagen ins Hotel zurück. Während der Fahrt, die gewundene, abfallende, von Grinzing stadteinwärts führende Straße hinunter, sprach er über seine Kinder – zehn oder zwölf Jahre alt – die poetischerweise Anaîs und Nikolai hießen und bei ihm lebten. Die anderen beiden, Mädchen, und zwar Zwillinge, deren Namen er nicht nannte, lebten bei ihrer Mutter in Liverpool.

»Es ist arg für meine zwei, daß sie keine Mutter haben«, sagte er, »aber andererseits bin ich ihnen eine ganz gute Mama. Ich koche sogar recht gern. Mein Curry-Reis ist nicht von schlechten Eltern.«

Daß er so stolz darauf war, eine gute Hausfrau zu sein, entzückte und amüsierte mich. Ich saß in Adrians *Triumph* vorne auf dem Beifahrersitz, Bennett auf dem Notsitz hinter uns. Wenn er doch bloß verschwinden, sich auflösen, aus dem offenen Sportwagen hinausschweben und sich im Wald verlieren würde. Und natürlich haßte ich mich auch dafür, *daß* ich das wünschte. Warum bloß war alles so kompliziert? Warum konnten wir nicht freundschaftlich und offen darüber reden. »Du nimmst es mir doch nicht übel, Schatz, aber ich muß jetzt mit diesem schönen Fremden vögeln.« Warum konnte es nicht einfach und aufrichtig und ohne tierischen Ernst vor sich gehen? Warum mußte man sein ganzes Leben aufs Spiel setzen – für einen lumpigen Spontanfick.

Am Hotel angekommen, sagten wir einander Aufwiedersehen. Welche Heuchelei, mit einem Mann aufs Zimmer zu gehen, mit dem man *nicht* ficken möchte, und den, mit dem man möchte, allein und einsam zurückzulassen, und sich dann, im Zustand großer Erregung, von *dem* ficken zu lassen, mit dem man *nicht* ficken möchte, und sich dabei vorzustellen, er sei derjenige, mit dem man möchte. Das nennt man eheliche

Treue. Das nennt man Monogamie. Das nennt man das Unbehagen in der Kultur.

Am nächsten Abend fand die offizielle Eröffnung des Kongresses statt, der, im Dämmerlicht des scheidenden Tages, ein Cocktail-Empfang im großen Innenhof der Hofburg – einem der Wiener Paläste aus dem 18. Jahrhundert – voranging. Das Palais war innen renoviert worden, so daß die für die Öffentlichkeit bestimmten Räume den ganzen herkömmlichen Charme amerikanischer Motel-Restaurants aufwiesen, doch im Innenhof waberten noch die Nebel des 18. Jahrhunderts.

Wir erschienen zur blauen Stunde – acht Uhr abends spät im Juli. Lange Tische säumten den Innenhof. Kellner, Tabletts mit Champagnergläsern (die leider, wie sich herausstellte, süßlichen deutschen Sekt enthielten) über ihren Köpfen balancierend, wanden sich durch die Menge. Selbst die Psychoanalytiker glitzerten in der violetten Dämmerung. Rose Schwamm-Lipkin trug einen rosafarbenen, perlenbestickten Abendpulli aus Hongkong, dazu einen roten Seidenrock und ihre schicksten orthopädischen Sandalen. Judy Rose glitt in einem BH-losen hautengen Hosenanzug aus Silberlamé an uns vorüber. Sogar Dr. Schrift trug eine weinrote samtene Smokingjacke und dazu eine riesige azaleenfarbene Frackschleife aus Seide. Und Dr. Frommer war in Frack und Zylinder erschienen.

Bennett und ich schoben uns durch die Menge, auf der Suche nach jemand, den wir kannten. Wir wanderten ziellos umher, bis einer der Kellner uns zuvorkommend sein Tablett mit Champagnergläsern hinhielt und uns etwas zu tun gab. Ich trank schnell und hastig, in der Hoffnung, in Windeseile betrunken zu sein – was mir meistens mühelos gelingt. Nach etwa zehn Minuten schwebte ich durch purpurnen Nebel dahin; in den Augenwinkeln sah ich Sektperlen spielen. Ich tat, als sei ich auf der Suche nach der Damentoilette (während ich in Wirklichkeit natürlich auf der Suche nach Adrian war). Ich fand Tausende von ihm; sie erstreckten sich in der langen barocken Spiegelgalerie (in deren Nähe sich die Damentoilette befand) bis ins Unendliche.

Er schimmerte in all den Spiegeln. Eine unendliche Anzahl von Adrians in beigefarbenen Cordhosen und pflaumenfarbenen Rollkragenpullovern und braunen Wildlederjacken. Eine unendliche Anzahl schmutziger Zehennägel in unzähligen indischen Sandalen. Eine unendliche Anzahl von Meerschaumpfeifen zwischen ebenso vielen makellos geschwungenen Lippen. Meine Traumnummer? Mein Mann unter dem Bett! Vervielfältigt wie die Liebenden in *Letztes Jahr in Marienbad.* Vervielfältigt wie Andy Warhols Selbstporträts, wie die tausendundein Buddhas im Tempel von Kioto. (Jeder Buddha hat sechs Arme, jeder Arm hat ein eigenes Auge... wieviel Schwänze hatten wohl diese Millionen von Adrians? Und war jeder Schwanz ein Symbol für die unendliche Weisheit und das unendliche Erbarmen Gottes?)

»Hallo, Schätzchen«, sagte er, sich nach mir umwendend.

»Ich hab' was für Sie«, sagte ich und überreichte ihm das Buch mit Widmung, das ich den ganzen Tag mit mir herumgetragen habe. Die Ränder der Seiten wurden schon unansehnlich von meinen feuchten Handflächen.

»Wie süß von dir!« Er nimmt das Buch. Arm in Arm gehen wir durch die Spiegelgalerie. *»Galeotto fu il libro e chi lo scrisse«*, wie mein alter Kumpel Dante gesagt hätte. Die Gedichte hurten um Liebe, wie ihre Autorin. Das Buch meines Leibes war aufgeschlagen und der zweite Kreis der Hölle nicht fern.

»Weißt du«, sage ich, »wir werden uns wahrscheinlich nie wiedersehen.«

»Vielleicht tun wir es deshalb?« sagt er.

Wir gehen hinaus und in einen anderen Innenhof, der jetzt hauptsächlich als Parkplatz dient. Inmitten dunkler Schatten von Opels, Volkswagen und Peugeots umarmen wir einander. Mund an Mund und Leib an Leib. Sein Kuß ist zweifellos der nasseste Kuß in der Geschichte der Menschheit. Seine Zunge ist überall, wie das Weltmeer. Wir segeln davon. Sein Penis (der sich in seiner Cordhose aufbäumt) ist der hochaufragende rote Schornstein eines Ozeandampfers. Und ich streiche an ihm entlang, ächzend und stöhnend wie der Meereswind. Und ich sage all die törichten Dinge, die man sagt, wenn man sich auf einem Parkplatz abknutscht und versucht, ein Verlangen, eine Sehnsucht in Worte zu fassen, die nicht in Worte zu fassen ist – außer vielleicht im Gedicht. Und alles klingt so lahm. Ich liebe deinen Mund. Ich liebe dein Haar. Ich liebe deine Ohren. Ich muß dich haben. Ich muß dich haben. Alles, um nicht zu sagen: Ich liebe dich. Denn das hier ist fast zu schön, um Liebe zu sein. Zu prickelnd und köstlich für etwas so Ernsthaftes und Nüchternes wie Liebe. Mein ganzer Mund hat sich verflüssigt. Sein Mund schmeckt köstlicher, als die Brustwarze einem Baby schmeckt. (Und komm mir jetzt nicht mit deinen psychiatrischen Interpretationen, Bennett, ich schlag' sofort zurück. Infantil. Regressiv. Zutiefst inzestuös. Zweifellos. Doch ich gäbe mein Leben dafür, wenn ich ihn nur immer weiter so küssen könnte, und wie willst du *das* analysieren?) Inzwischen hat er beide Hände in meinen Hintern geschlagen. Mein Buch hat er auf dem Kotflügel eines Volkswagens abgelegt und dafür meinen Hintern gepackt. Schreibe ich denn nicht deswegen? Um geliebt zu werden? Ich weiß es nicht mehr. Ich weiß nicht einmal mehr, wie ich heiße.

»Ich kenne keinen Arsch wie deinen«, sagt er. Und das macht mich glücklicher, als wenn ich soeben den *National Book Award* verliehen bekommen hätte. Den *National Arsch Award* – den will ich haben! Den transatlantischen Arschpreis 1971.

»Ich komme mir vor wie Mrs. Amerika auf dem Kongreß der Träume«, sage ich.

»Du *bist* Mrs. Amerika auf dem Kongreß der Träume«, sagt er, »und ich will dich lieben, so intensiv ich kann, und dann verschwinden.« Gewarnt ist gewappnet, heißt es. Doch wer achtet schon darauf? Alles, was ich hörte, war das dumpfe Hämmern meines Herzens.

Der Rest des Abends war ein Traum aus Spiegelbildern und Sektkelchen und angetrunkenem Psychiatrie-Geschwätz. Wir gingen durch die Spiegelgalerie zurück zur Gesellschaft. Wir waren so erregt, daß wir uns kaum die Mühe machten, eine neue Verabredung zu treffen. Ich sah Bennett. Die rothaarige Argentinierin hatte ihn untergehakt, und er lächelte sie an. Ich trank noch ein Glas Sekt und machte mit Adrian einen Rundgang. Er stellte mich allen anwesenden Analytikern aus London vor und schwatzte eine Menge Zeug über meinen bis dato noch ungeschriebenen Artikel. Ob sie bereit wären, sich von mir interviewen zu lassen? Ob sie sich für meine journalistische Arbeit interessierten? Und die ganze Zeit lag sein Arm um meine Taille und seine Hand hin und wieder auf meinem Hintern. Sehr diskret benahmen wir uns nicht gerade. Jeder konnte es mitkriegen. Sein Analytiker. Mein Ex-Analytiker. Der Analytiker seines Sohnes. Der Analytiker seiner Tochter. Der frühere Analytiker meines Mannes. Mein Mann.

»Die Frau Gemahlin?« fragte einer der älteren Herren aus London.

»Nein«, erwiderte Adrian, »aber ich wünschte, sie wäre es. Wenn ich ganz großes Glück habe, wird sie es vielleicht noch.«

Ich schwebte dahin. In meinem Kopf summte es von Sekt und Heiratsgesprächen. Meine Gedanken kreisten um die Vorstellung, New York, diesem öden Kuhdorf, den Rücken zu kehren, und statt dessen in *swinging* London zu leben. Ich war nicht mehr recht bei Sinnen. »Sie ist mit irgendeinem Engländer durchgegangen«, hörte ich meine New Yorker Freundinnen sagen, nicht ohne Neid. Alle haben sie lauter Klötze am Bein: Kinder und Babysitter-Sorgen und Weiterbildungskurse und Lehrstellen und psychiatrische Behandlung und Patienten. Und ich flog auf meinem geklauten Besenstiel durch die purpurnen Wolken von Wien. Ich war diejenige, die ihre Fantasien für sie zu Papier bringen mußte. Ich war diejenige, die ihnen immer komische Geschichten über meine verflossenen Liebhaber erzählte, diejenige, die sie nach außen hin beneideten und über die sie im stillen lachten. Ich sah im Geiste den Bericht über die Ereignisse in *Class News* vor mir:

Isadora White Wing und ihr neuer Mann, Dr. Adrian Goodlove, leben in London in der Nähe von Hampstead Heath – nicht zu verwechseln mit Heathcliff (dies für die Mathe-Studenten unter euch). Isadora würde zu gern gelegentlich etwas von ihren früheren Kommilitoninnen, die sich gegebenenfalls im Ausland aufhalten, hören. Sie arbeitet eifrig an einem Roman und wird demnächst auch einen neuen Gedichtband veröffentlichen. Im Augenblick nimmt sie am Internationalen Psychoanalytiker-Kongreß in Wien teil, wo sie...

Alle meine Fantasien drehten sich um Heirat. Kaum war ich im Geist dabei, dem einen Mann davonzulaufen, da sah ich mich bereits an einen anderen gebunden. Ich war wie ein Schiff, das immer einen Anlaufhafen braucht. Ich konnte mir mich selbst ohne Mann einfach nicht vorstellen. Ohne Mann kam ich mir vor wie ein Hund ohne Herr, wurzellos, gesichtslos, konturlos.

Aber was war denn eigentlich an der Ehe so großartig? Ich war ja nun bereits zum zweiten Male verheiratet. Es hatte seine guten, aber auch seine schlechten Seiten. Die sogenannten Vorzüge der Ehe standen zumeist unter negativem Vorzeichen. Unverheiratet in einer Männerwelt zu leben, bedeutete eine solche Mühsal, daß *alles* andere besser sein mußte als das. Die Ehe *war* besser. Aber nicht viel. Ziemlich raffiniert, wie die Männer ledigen Frauen das Leben so unerträglich zu machen gewußt haben, daß die meisten mit Freuden sogar eine schlechte Ehe vorziehen würden. Fast alles bedeutete eine Verbesserung, verglichen mit der Strampelei, sich mit einem schlecht bezahlten Job durchschlagen zu müssen und sich in seiner Freizeit unattraktive Männer vom Leibe zu halten, während man verzweifelt bemüht ist, sich einen attraktiven zu angeln. Obwohl ich nicht daran zweifle, daß ledig zu sein für einen Mann die gleiche Einsamkeit bedeutet, so fällt bei ihm immerhin die zusätzliche Erschwerung der Lebensgefahr fort, die das Alleinsein für eine Frau darstellt, und es hat nicht automatisch Armut und unweigerlich den Status eines sozialen Parias zur Folge.

Würden die meisten Frauen überhaupt heiraten, wenn sie wüßten, was ihnen blüht? Ich denke an die jungen Frauen, die ihren Männern folgen, wohin der Beruf ihre Männer auch führt, und wie sie sich unversehens weit entfernt von ihren Freunden und Angehörigen wiederfinden. Ich sehe sie in Orten leben, wo sie keine Arbeit finden, wo sie die Sprache nicht sprechen. Ich sehe sie aus lauter Einsamkeit und Langeweile Kinder in die Welt setzen, ohne zu wissen, warum. Ich denke an ihre Männer, immer gehetzt und müde von der Jagd nach dem Geld. Ich denke daran, wie sie einander nach der Hochzeit seltener sehen als zuvor. Ich denke daran, wie sie abends ins Bett fallen, zu erschöpft zum Vögeln. Ich denke daran, wie sie sich schon im ersten Ehejahr fremder gegenüberstehen, als sie es, bevor sie einander heirateten, bei zwei Menschen auch nur für möglich gehalten hätten. Und dann denke ich an die beginnenden Wunschträume. Er schielt nach den vierzehnjährigen Lolitas im Bikini. Sie ist scharf auf den Fernsehmonteur. Das Baby wird krank, und sie treibt es mit dem Kinderarzt. Er vögelt seine masochistische kleine Sekretärin, die *Cosmopolitan* liest und sich für ein tolles Weib hält. Nicht: Wann begann alles schiefzulaufen? Sondern: Wann war jemals alles in Ordnung?

Ein trübes Bild. Nicht alle Ehen sind so. Ich denke da an die Ehe, von der ich in meiner idealistischen Pubertät träumte (als ich glaubte, daß Beatrice und Sidney Webb sowie Virginia und Leonard Woolf eine vollkommene Ehe führten). Was wußte ich schon? ›Vollkommene Übereinstimmung‹, ›Kameradschaft‹, ›Gleichheit‹ – das war es, was ich von der Ehe verlangte. Wußte ich etwas davon, wie Männer sich hinter ihrer Zeitung verschanzen, während man den Tisch abräumt? Wie sie tun, als hätten sie zwei linke Hände, wenn man sie bittet, einen Saft-Cocktail zu mixen? Und wie sie, wenn sie Freunde mitbringen, von einem erwarten, daß man die Herren von vorn und hinten bedient, und sich andererseits das Recht herausnehmen, zu schmollen und sich zurückzuziehen, sobald man selbst einmal jemanden mitbringt? Welches idealistische, heranwachsende junge Mädchen könnte sich das alles wohl vorstellen, während es Shaw und Virginia Woolf und Beatrice und Sidney Webb liest?

Ich kenne einige gute Ehen. Meistens sind es zweite Ehen. Ehen, in denen beide Partner dem ›Ich-Tarzan‹-›Du-Jane‹-Schwachsinn entwachsen sind und ihr Bestes tun, den Alltag zu bewältigen, indem sie einander helfen, einander mit Rücksicht und Güte begegnen, den täglich anfallenden häuslichen Kleinkram ohne Murren erledigen, ohne sich allzu viele Gedanken darüber zu machen, wer was tut. Manche Männer erreichen diesen wunderbar lässigen Gemütszustand um die Vierzig herum, oder nach ein paar Scheidungen. Vielleicht sind diejenigen Ehen die besten, in denen die Partner im mittleren Alter stehen. Wenn all der Unsinn wegfällt und man begreift, daß man einander lieben *muß*, da man eines Tages doch sterben wird.

Wir waren alle blau (ich dunkelblau), als wir uns in Adrians grünen *Triumph* quetschten und losfuhren, in irgendein Nachtlokal. Wir waren zu fünft: Bennett, Marie Winkleman (eine vollbusige Studiengenossin von mir, inzwischen Psychologin, die Bennett auf dem Fest aufgerissen hatte), Adrian (der uns fuhr, wenn man es so nennen kann), ich (mit zurückgelegtem Kopf, wie die erste Isadora nach ihrer Strangulation) und Robin Phipps-Smith (ein farbloser krausköpfiger englischer Doktorand mit einem deutschen Brillengestell, der ununterbrochen davon redete, wie sehr er ›Ronnie‹ Laing verabscheue – was ihn Bennett teuer machte). Adrian dagegen war ein Laing-Anhänger; er hatte bei ihm studiert und konnte seinen schottischen Akzent wunderbar nachahmen – allerdings wußte ich damals noch nicht, wie Laing sprach.

Wir zickzackten durch die Straßen von Wien, über Kopfsteinpflaster und Straßenbahngleise, und überquerten die schöne, schmutzigbraune Donau.

Wie die Diskothek hieß oder die Straße oder sonstwas, weiß ich nicht mehr. Ich habe Zustände, in denen ich meine Umgebung nicht mehr zur Kenntnis nehme, ausgenommen die Männer darin und die Vibrationen, die sie in meinen verschiedenen Körperteilen (Herz, Bauch, Brustwarzen, Möse) auslösen. Das Lokal flirrte von Silber. Chromfarbene Tapeten. Grellweißes Licht. Überall Spiegel. Gläserne Tische auf Gestellen aus Chrom. Mit weißem Leder bezogene Stühle. Ohrenbetäubende Rock-Musik. Nennen Sie das Beisl, wie Sie wollen: *The Mirrored Room, The Seventh Circle, The Silvermine, The Glass Balloon.* Ich weiß nur noch, daß es ein englischer Name war. Sehr schick und ebenso leicht zu vergessen.

Bennett, Marie und Robin sagten, sie wollten sich an einen Tisch setzen und Drinks bestellen. Adrian und ich begannen zu tanzen; unsere trunkenen Windungen wiederholten sich in den endlosen Spiegeln. Schließlich suchten wir uns einen toten Winkel zwischen zwei Spiegeln, wo wir uns küssen konnten, beobachtet einzig und allein von uns selbst in zahllosen Exemplaren. Ich hatte das deutliche Gefühl, meinen eigenen Mund zu küssen – wie damals, als ich, mit neun Jahren, mein Kopfkissen mit Speichel befeuchtete und die Stelle dann küßte, um eine Vorstellung davon zu bekommen, wie ein ›Zungenkuß‹ wohl schmecke.

Als wir uns auf die Suche nach dem Tisch mit Bennett und den anderen machten, befanden wir uns unversehens in einem Irrgarten von ineinander übergehenden Nischen und abgeteilten Sitzecken. Immer wieder traten wir uns selbst entgegen. Wie in einem Traum gehörte keines der Gesichter an den Tischen jemandem, den wir kannten. Wir suchten und suchten in zunehmender Panik. Mir war, als sei ich in eine Spiegelwelt versetzt, wo ich, wie die *Rote Königin,* laufen und laufen mußte, bis sich herausstellte, daß ich rückwärts lief. Und nirgends eine Spur von Bennett.

Blitzartig ging mir auf, daß er Marie nach Hause gebracht hatte, um mit ihr ins Bett zu gehen. Entsetzen überfiel mich. *Ich* hatte ihn soweit gebracht. Das war das Ende. Ich würde den Rest meines einsamen Lebens ohne Mann, ohne Kinder, ohne menschliche Anteilnahme zubringen.

»Gehn wir«, sagte Adrian. »Sie sind nirgends zu sehen. Sicher sind sie fortgegangen.«

»Vielleicht konnten sie keinen freien Tisch finden und warten draußen auf uns.«

»Schon möglich«, sagte er.

Doch ich kannte die Wahrheit. Bennett hatte mich verlassen. Für immer. Jetzt, in diesem Augenblick, umfaßte er mit beiden Händen Maries gewaltigen kellerbleichen Arsch und vögelte ihr Freudsches Gemüt.

Während meines ersten Trips nach Washington, mit zehn Jahren, bin ich meinen Angehörigen abhanden gekommen, während wir das FBI-Gebäude besichtigten. Ausgerechnet dort habe ich mich verirrt. Abteilung vermißte Personen. Fahndung veranlassen.

Die McCarthy-Ära war auf ihrem Höhepunkt, und ein FBI-Mann mit verkniffenem Mund erklärte den Anwesenden ausführlich, wie man am besten Kommunisten fängt. Ich lungerte vor einer Glasvitrine herum und war vertieft in den Anblick der darin ausgestellten Fingerabdrücke, als die ganze Gesellschaft um eine Ecke bog und verschwunden war. Ich wanderte umher, betrachtete mein Spiegelbild im Glas der Vitrine und versuchte, meine Angst zu bezwingen. Sie würden mich nie wiederfinden. Die Fingerabdrücke eines behandschuhten Verbrechers waren leichter aufzuspüren als ich. FBI-Beamte mit Bürstenhaarschnitt würden mich auf teuflische Weise verhören, bis ich gestand, daß meine Eltern Kommunisten seien (sie waren tatsächlich irgendwann Kommunisten gewesen), und wir alle würden unsere Tage wie die Rosenbergs beenden, in unseren feuchten Zellen *God Bless America* singen und daran denken, wie es wohl sei, auf dem elektrischen Stuhl zu sterben.

Und dann begann ich zu brüllen. Ich brüllte so lange, bis die ganze Gesellschaft zurückgerannt kam und mich dort fand – in einem Saal mit lauter Hilfsmitteln zur Spurensicherung. Aber jetzt konnte ich nicht brüllen. Und außerdem war die Musik so laut, daß niemand mich gehört hätte. Plötzlich begehrte ich Bennett so heftig, wie ich vor wenigen Minuten Adrian begehrt hatte. Und Bennett war fort. Wir gingen hinaus und stiegen in Adrians Wagen.

Auf dem Weg zu seiner Pension geschah etwas Sonderbares. Oder, besser gesagt: Es geschah zehnmal etwas Sonderbares. Wir verfuhren uns zehnmal. Und jedesmal war einzig in seiner Art – nicht, daß wir etwa immerzu in die Runde gefahren wären. Und nun, da wir einander bis in alle Ewigkeit auf dem Halse hatten, schien das Bett im Augenblick an Dringlichkeit verloren zu haben.

»Ich habe nicht vor, dir von all den anderen Männern zu erzählen, mit denen ich im Bett war«, sagte ich. Ich kam mir recht kühn vor.

»Das ist recht«, sagte er und tätschelte mein Knie. Statt dessen fing er an, mir von all den Frauen zu erzählen, die *er* aufs Kreuz gelegt hatte. Das hatte ich nun davon.

Zunächst mal war da May Pei, die junge Chinesin, an die Bennett ihn erinnerte.

»May Pei – erst HI-FI und dann *bye-bye*.«

»Sehr witzig.«

»Witzig oder nicht – wie ging es denn aus?«

»Ich hab' schwer dafür büßen müssen. Ich habe noch Jahre daran geknabbert.«

»Du meinst, nachdem Schluß war, hast du immer noch an ihr geknabbert? Nicht schlecht. Der Spukfick. Den könntest du dir patentieren lassen. Leute von historischen Berühmtheiten ficken lassen: von Napoleon, Karl II., Ludwig XIV.. . . . so ähnlich, wie Dr. Faustus die schöne Helena fickt...« Ich alberte zu gern mit ihm herum.

»Halt den Mund, Votze – laß mich zu Ende erzählen, von May...« und dann, während die Bremsen aufkreischten, drehte er sich zu mir: »Mein Gott, bist du schön...«

»Sieh vor dich, auf die Straße, du Spinner«, sagte ich – verzückt.

Meine Gespräche mit Adrian klangen immer wie Zitate aus *Alice hinter den Spiegeln.* Etwa so:

Ich: »Wir scheinen immerzu im Kreise zu fahren.«

Adrian: »Darum geht es ja gerade.«

Ich: »Würdest du bitte meine Aktentasche tragen?«

Adrian: »Wenn du mir versprichst, daß du vorläufig nichts für mich trägst.«

Oder:

Ich: »Ich hab' mich hauptsächlich deswegen von meinem ersten Mann scheiden lassen, weil er verrückt war.«

Adrian (seine Laingschen Brauen runzelnd): »Aber das scheint mir ein guter Grund zu sein, jemanden zu *heiraten*, nicht, sich von ihm scheiden zu lassen.«

Ich: »Aber er sah jeden Abend fern.«

Adrian: »Ach so... *dann* versteh' ich gut, daß du geschieden bist.«

Wieso hatte May Pei Adrians Leben durcheinandergebracht?

»Sie ließ mich sitzen und ging zurück nach Singapur. Sie hatte ein Kind dort, das lebte bei seinem Vater, und das Kind hatte einen Autounfall gehabt. Sie *mußte* wohl zurück, aber sie hätte wenigstens schreiben können. Monatelang bin ich herumgegangen und hatte das Gefühl, daß es nur noch Roboter auf der Welt gibt. So deprimiert wie damals war ich nie. Das Aas heiratete dann zum Schluß den Kinderarzt, der das Kind behandelte – irgend so 'n amerikanisches Rindvieh.«

»Und warum bist du ihr nicht nachgereist, wenn sie dir so viel bedeutete?« Er sah mich an, als sei ich verrückt – als wäre ihm so etwas nie in den Sinn gekommen.

»Ihr nachreisen? Wieso?« (Er bog mit rauchenden Reifen um eine Ecke. Es war wieder mal die verkehrte Ecke.)

»Weil du sie liebtest.«

»Das Wort habe ich nie ausgesprochen.«

»Aber du hast es doch so empfunden, warum also nicht?«

»Meine Arbeit ist wie Hühnerhalten«, sagte er. »Es muß doch jemand da sein, der den Dreck wegmacht und die Körner streut.«

»Das ist Bockmist«, sagte ich. »Ärzte benutzen ihre Arbeit immer als Entschuldigung dafür, sich unmenschlich zu verhalten. *Die* Tour kenne ich.«

»Nicht Bockmist – Hühnermist«, sagte er. »Und welche Tour kennst du noch nicht?«

Ich lachte.

Nach May Pei kam eine ganze UN-Vollversammlung von Damen aus Thailand, Indonesien und Nepal. Dann gab es eine Afrikanerin aus Botswana und ein paar französische Psychoanalytikerinnen und eine französische Schauspielerin, die ›eine Zeitlang in der Klapsmühle‹ war.

»*Wo* war sie?«

»In der Klapsmühle – du weißt schon, im Narrenhaus. Im Irrenhaus, meine ich.«

Adrian idealisierte den Irrsinn auf typisch Laingsche Weise. Schizophrene waren die wahren Dichter. Jeder tobende Irre ein Rilke. Er wollte, daß ich mit ihm zusammen Bücher schriebe. Über Schizophrene.

»Ich wußte doch, daß du was von mir willst«, sagte ich.

»Stimmt. Ich will mich deines Zeigefingers und deines niedlichen Däumchens bedienen.«

»Den kannst du dir sonstwo reinstecken.«

Wir sagten uns immerzu Grobheiten, wie Zehnjährige. Unsere einzige Möglichkeit, Zuneigung auszudrücken.

Was die Frauen in seiner Vergangenheit anging, so hätte Adrian gut in unsere Familie gepaßt. Vögele niemals eine Rassengenossin, schien sein Wahlspruch zu sein. Seine gegenwärtige Freundin (die, wie ich erfuhr, seine Kinder hütete) stand ihm in der Beziehung noch am nächsten: Sie war Jüdin und stammte aus Dublin.

»Molly Bloom?« fragte ich.

»Wer?«

»Du weißt nicht, wer Molly Bloom ist???« Ich konnte es kaum glauben. Alle die kultivierten englischen Silben und er hat nicht einmal Joyce gelesen. (Ich habe auch lange Partien aus *Ulysses* überschlagen, aber ich erzähle jedem, daß es mein Lieblingsbuch sei. *Tristram Shandy* desgleichen.)

»Ich bin Analphabet«, sagte er höchst selbstzufrieden. Er sprach es wie Anal-phabet aus. Noch so 'n doofer Doktor, dachte ich. Wie die meisten Amerikaner nahm ich naiverweise an, daß ein englischer Akzent gleichbedeutend mit Bildung und Kultiviertheit sei.

Na wenn schon. Literarisch gebildete Männer sind, wie sich später oft genug herausstellt, Charakterschweine. Oder Widerlinge. Aber ich war doch enttäuscht. Wie damals, als sich herausstellte, daß mein Analytiker noch nie etwas von Sylvia Plath gehört hatte. Da hatte ich nun tagelang über ihren Selbstmord geredet und daß ich geniale Gedichte schreiben und meinen Kopf in den Gasherd stecken wolle. Und er hatte wahrscheinlich die ganze Zeit dabei an Heringssalat gedacht.

Ob Sie es glauben oder nicht – Adrians mollige Freundin hieß zwar nicht Molly Bloom, dafür aber Esther Bloom. Sie war ein dunkler Typ und krankte, wie er sagte, an ›allen jüdischen Leiden. Sehr sinnlich und neurotisch.‹

Eine Art jüdischer Prinzessin (auf der Erbse?) aus Dublin.

»Und deine Frau – wie war die?« (Inzwischen hatten wir uns so hoffnungslos verfahren, daß wir einfach irgendwo an einem Randstein stehenblieben.)

»Katholisch«, sagte er, »eine Papistin aus Liverpool.«

»Hatte sie einen Beruf?«

»Sie war Hebamme.«

Eine eigenartige Kurzinformation. Ich wußte nicht genau, wie ich darauf reagieren sollte.

›Er war mit einer katholischen Hebamme aus Liverpool verheiratet‹, sah ich mich schreiben. (In meinem Roman würde ich Adrian einen exotischeren Namen geben und ihn ein gutes Stück größer sein lassen.)

»Warum hast du sie geheiratet?«

»Weil ich ihr gegenüber Schuldgefühle hatte.«

»Auch ein Grund.«

»Doch, es ist einer. Als Medizinstudent hatte ich irgendwie dauernd ein schlechtes Gewissen. Puritanisch bis in die Knochen. Ich meine, es gab schon Mädchen, mit denen ich mich wohl fühlte – aber gerade das machte mir angst. Eine war dabei, die mietete öfters eine riesige Scheune, lud dann Gott und die Welt ein und jeder sollte mit jedem ficken. Bei ihr war mir wohl – also mißtraute ich ihr natürlich. Und bei meiner späteren Frau fühlte ich mich schuldig – also heiratete ich sie. Ich war wie du. Ich traute dem Genuß und meinen eigenen Impulsen nicht. Ich hatte Todesangst, wenn ich mich glücklich fühlte. Und als die Angst übermächtig wurde, habe ich geheiratet. Genau wie du, Schätzchen.«

»Wie kommst du darauf, daß ich aus Angst geheiratet habe?« Ich ärgerte mich, weil er recht hatte.

»Ach, wahrscheinlich fandest du, daß du zuviel rumvögelst, einfach nicht nein sagen konntest und manchmal machte es dir sogar Spaß, und dann fühltest du dich schuldig. *Weil* es dir Spaß machte. Wir sind für das Leiden programmiert, nicht für den Genuß. Der Masochismus wird uns schon sehr früh eingepflanzt. Arbeiten mußt du und leiden – und das Schlimme daran ist, daß man es auch noch glaubt. Nun, das ist auch Bockmist. Ich habe sechsunddreißig Jahre gebraucht, bis ich begriffen habe, was für 'n *Haufen* Bockmist das ist, und wenn es etwas gibt, das ich für dich tun möchte, dann ist es folgendes: Ich möchte dich dazu bekehren, daß auch du das begreifst.«

»Du hast allerlei mit mir vor, wie? Du willst mich lehren, was Freiheit ist, was Genuß ist, du willst Bücher mit mir schreiben, mich bekehren... Warum wollen Männer mich immer zu irgend etwas bekehren? Sehe ich so bekehrungsbedürftig aus?«

»Du siehst *rettungs*bedürftig aus, Schatz, in hohem Maße rettungsbedürftig. Du schlägst deine großen kurzsichtigen Augen zu mir auf, als wäre ich Big Daddy, der Große Psychotherapeut. Du bist ständig auf der Suche nach einem Mentor, und wenn du ihn gefunden hast, wirst du so abhängig von ihm, daß du anfängst, ihn zu hassen. Oder du wartest, bis er seine Schwächen zeigt, und dann verachtest du ihn, weil auch er nur ein Mensch ist. Du sitzt da und beobachtest, machst dir im Kopf Notizen, siehst die Menschen als Romanfiguren oder ›Fälle‹ – ich kenn' das Spielchen. Du redest dir ein, daß du Material sammelst. Du redest dir ein, daß du die ›menschliche Natur‹ studierst. Die Kunst kommt vor dem Leben, wie auch immer. Eine andere Version von diesem puritanischen Bockmist.

Nur, daß du noch 'n zusätzlichen Schlenker drin hast. Du hältst dich für eine Hedonistin, weil du abhaust und dich mit mir rumtreibst. Aber es ist und bleibt doch die gute alte Arbeitsmoral, denn im Grunde willst du nur über mich *schreiben*. Also ist es *doch* Arbeit, *n'est-ce pas*? Du kannst mit mir ficken und es Poesie nennen. Gar nicht so dumm. Auf diese Weise betrügst du dich selbst mit Erfolg.«

»Und du bist ganz groß darin, Analysen wie für 'ne Illustrierte loszulassen. Wie so 'n Fernsehpsychiater.«

Adrian lachte. »Ich kenne all das von mir selbst. Psychoanalytiker spielen nämlich genau dasselbe Spielchen. Sie sind darin wie Schriftsteller. Alles wird mit Abstand betrachtet, als Fall, als Studienobjekt. Auch sie haben gräßlichen Bammel vor dem Sterben – genau wie die Dichter. Ärzte hassen den Tod – deshalb werden sie Arzt. Und sie müssen dauernd Wirbel machen und immer auf'm Trab sein, um sich selbst zu beweisen, daß sie noch leben. Ich kenn' dein Spielchen, weil ich es selber spiele. Es ist kein solches Mysterium, wie du glaubst. Du bist ziemlich leicht zu durchschauen, weißt du.«

Es machte mich wütend, daß er mich noch zynischer sah als ich selbst. Ich glaube immer, mich am besten vor den Ansichten anderer Menschen über mich zu schützen, indem ich mich selbst möglichst negativ betrachte. Und dann stelle ich plötzlich fest, daß selbst dieses negative Bild noch geschmeichelt ist. Wenn ich verletzt bin, verfalle ich in mein Schul-Französisch: *»Vous vous moquez de moi.«*

»Da hast du verdammt recht. Paß auf – du sitzt in diesem Augenblick neben mir, weil dein Leben unehrlich und deine Ehe tot ist – oder sie liegt, von Lügen vergiftet, in den letzten Zügen. Und diese Lügen sind dein Werk. Und nun mußt du dich irgendwie retten. Aber es ist *dein* Leben, das du verpfuschst, nicht meines.«

»Ich dachte, du sagtest, ich wollte, daß *du* mich rettest?«

»Stimmt. Aber in *die* Falle gehe ich nicht. Irgendwann werde ich dich enttäuschen, und zwar nachhaltig, und dann wirst du mich noch mehr hassen, als du deinen Mann haßt...«

»Ich hasse meinen Mann nicht.«

»Kann sein. Aber er langweilt dich – und das ist schlimmer, nicht wahr?«

Ich gab keine Antwort. Nun war ich wirklich deprimiert. Die Wirkung des Sekts begann nachzulassen.

»Warum versuchst du jetzt schon, mich zu bekehren? Du hast mich ja noch nicht mal umgelegt.«

»Weil dir das das Wichtigste ist.«

»Dummes Zeug, Adrian. Das Wichtigste ist mir im Augenblick, daß du mich aufs Kreuz legst. Und kümmere dich nicht um mein Innenleben.« Doch ich wußte, daß ich log.

»Wenn Sie umgelegt werden wollen, Gnädigste, werden Sie umgelegt.« Er ließ den Wagen anspringen. »›Gnädigste‹ ist eigentlich gut. Werd' ich jetzt immer zu dir sagen.«

Doch ich hatte kein Pessar und er keine Erektion, und als wir endlich in seiner Pension ankamen, waren wir von der langen Herumfahrerei beide zu Tode erschöpft.

Wir lagen auf seinem Bett und hielten uns umschlungen. Zärtlich und mit belustigtem Staunen betrachteten wir gegenseitig unsere Nacktheit. Das beste daran, nach so vielen Ehejahren mit einem anderen Mann zu schlafen, war die Wiederentdeckung des männlichen Körpers. Der Körper des eigenen Mannes ist eines Tages praktisch wie der eigene Körper. Man kennt alle Einzelheiten, alle Gerüche, den Geschmack, jede Falte, die Behaarung, die Muttermale. Adrian jedoch war wie ein fremdes Land. Meine Zunge begann, es zielstrebig zu erkunden. Ich fing bei seinem Mund an und glitt langsam abwärts. Sein sonnengebräunter kräftiger Hals. Seine Brust mit den rötlichen Löckchen. Sein Bauch, ein wenig dicklich – so anders als Bennetts bräunlich-magere Straffheit. Sein schlaffer, rosafarbener Penis, der leicht nach Urin schmeckte und sich in meinem Mund nicht aufrichten wollte. Seine rosigen, stark behaarten Hoden, die ich, einen nach dem anderen, in den Mund nahm. Seine muskulösen Schenkel. Seine sonnenverbrannten Knie. Seine Füße. (Die ich nicht küßte.) Seine schmutzigen Zehennägel. (Dito.) Dann fing ich wieder von oben an. Bei seinem wunderbar feuchten Mund.

»Wieso hast du so kleine, spitze Zähne?«

»Meine Mutter war ein Frettchen.«

»Was war sie?«

»Ein Frettchen.«

»Ach so.« Ich wußte nicht, was das ist, es war mir aber auch egal. Wir kosteten einander. Wir lagen Kopf bei Fuß und seine Zunge machte Musik in meiner Möse.

»Du hast eine wunderbare Möse«, sagte er, »und den herrlichsten Arsch, der mir je untergekommen ist. Nur schade, daß du keine Titten hast.«

»Danke.«

Ich hielt mich dran mit Saugen, aber kaum war sein Schwanz steif, wurde er auch schon wieder schlaff.

»Ich hab' eigentlich keine Lust, dich zu ficken.«

»Warum nicht?«

»Ich weiß nicht – mir ist einfach nicht danach.«

Adrian wollte um seiner selbst willen geliebt werden und nicht wegen seiner blonden Haare (oder wegen seines rosafarbenen Pimmels). Das hatte irgendwie etwas Rührendes. Er wollte keine Fickmaschine sein.

»Ich kann die schönsten Weiber ganz prima durchziehen, wenn mir so ist«, sagte er herausfordernd.

»Natürlich kannst du das.«

»Jetzt klingst du wie so 'ne beschissene Fürsorgerin.«

Ich hatte schon ein paarmal im Bett die Fürsorgerin spielen müssen. Zunächst mal bei Brian, nach seiner Entlassung aus der Heil- und Pflegeanstalt, als er zu vollgepumpt mit Thoracin (und zu schizoid) war, um überhaupt vögeln zu können. Einen Monat lang lagen wir im Bett und hielten Händchen. »Wie Hänsel und Gretel«, sagte er. Das war eigentlich rührend. Wie man sich Dodgson und Alice in einem Boot auf der Themse vorstellt. Es war aber auch irgendwie eine Erleichterung, nach Brians manischer Phase, in der er mich um ein Haar erwürgt hätte. Allerdings waren Brians sexuelle Vorlieben schon vor seinem Nervenzusammenbruch ein wenig merkwürdig. Er stand ausschließlich auf Blasen, am Ficken lag ihm nichts. Damals war ich noch zu unerfahren, um zu wissen, daß nicht alle Männer so sind. Ich war einundzwanzig und Brian fünfundzwanzig, und da ich immer davon gehört hatte, daß Männer sich mit sechzehn auf ihrem sexuellen Höhepunkt befinden, Frauen aber erst mit dreißig, so nahm ich an, daß Brians *Alter* daran schuld sei. Er baute bereits ab. Auf dem absteigenden Ast, dachte ich. Aber immerhin wurde ich dadurch eine Expertin auf diesem Gebiet.

Auch bei Charlie Fielding, dem Dirigenten, dessen Taktstock ebenfalls immer wieder den Kopf hängen ließ, hatte ich Fürsorgerin gespielt. Er wußte sich vor Dankbarkeit nicht zu lassen. »Du bist wirklich einmalig«, sagte er in jener ersten Nacht immer wieder (womit er meinte, daß er erwartet habe, ich würde ihn vor die Tür setzen, hinaus in die Kälte, was ich nicht tat). Er machte es später wieder gut. Den Kopf hängen ließ sein Taktstock nur bei Premieren.

Aber Adrian? Adrian, die Sexbombe? Er sollte mein Spontanfick werden. Was war los? Das Merkwürdigste daran war, daß es mir eigentlich nichts ausmachte. Er war so schön, wie er da lag, und sein Körper roch so gut. Ich dachte daran, wie die Männer nun schon viele Jahrhunderte lang die Frauen um ihres Körpers willen angebetet, ihre Seele jedoch mißachtet hatten. Damals, als ich noch die Woolfs und die Webbs verehrte, war das für mich unfaßbar, doch jetzt verstand ich es. Weil es genau das war, was ich so oft über die Männer dachte. Ihr Innenleben war ein hoffnungsloses Durcheinander, aber ihre Körper waren *so* reizvoll, ihre Ansichten und Meinungen schier unerträglich, doch ihr Penis war seidig. Ich war mein Lebtag eine Feministin gewesen (meine ›Radikalisierung‹ datiert meiner Meinung nach aus dem Jahr 1955, als der beknackte Horace Mann [17], mit dem ich an jenem Abend ausgewesen war, mich in der U-Bahn fragte, ob ich vorhabe, Sekretärin zu werden), doch das große Problem dabei war, wie der Feminismus mit dem unstillbaren Hunger nach Männerkörpern zu vereinbaren ist. Das war nicht so einfach. Außerdem, je älter man wurde, desto deutlicher trat zutage, daß Männer eine tiefverwurzelte Angst vor Frauen haben. Die einen im geheimen, die anderen, ohne es zu verbergen. Was konnte bitterer sein, als eine emanzipierte Frau Auge in Auge mit einem schlaffen Schwanz? Die schwerwiegendsten Probleme in der Geschichte der Menschheit verblaßten neben diesen zwei Kernpunkten: die ewige Frau und der ewig schlaffe Schwanz.

»Mach' ich dir angst?« fragte ich Adrian.

»Du?«

»Nun ja, manche Männer behaupten, sie hätten Angst vor mir.«

Adrian lachte. »Du bist ein Schatz«, sagte er, »eine ›pussycat‹ – wie ihr Amerikaner sagt. Aber das ist es *nicht.*«

»Passiert dir das öfters?«

»Nein, Frau Doktor, und ich will jetzt nicht weiter verhört werden. Das ist einfach lächerlich. Ich *habe* kein Potenzproblem – ich bin bloß so *überwältigt* von deinem fantastischen Arsch, daß mir nicht nach ficken ist.«

Das letzte Mittel, den Gegner zu demütigen: der Schwanz, der einem (wem? ihm oder mir?) den Dienst verweigert. Die tödliche Waffe im Kampf der Geschlechter: der schlaffe Schwanz. Das Banner des feindlichen Lagers: der Schwanz auf halbmast. Das Symbol der Apokalypse: der Atomsprengkopf-Schwanz, der sich selbst vernichtet. *Das* ist die fundamentale Ungerechtigkeit, die nie aus der Welt geschafft werden kann: nicht, daß das Männchen eine einmalige zusätzliche Attraktion, genannt Penis, besitzt, sondern daß das Weibchen eine einmalige Allwetter-Möse ihr eigen nennt. Weder Sturm noch Hagel noch das Dunkel der Nacht können ihr etwas anhaben. Sie ist immer da, immer bereit. Ziemlich beängstigend, wenn man darüber nachdenkt. Kein Wunder, daß Männer die Frauen hassen. Kein Wunder, daß sie das Märchen von der weiblichen Unzulänglichkeit erfunden haben.

»Ich weigere mich, aufgespießt zu werden wie ein Schmetterling«, sagte Adrian, ohne daran zu denken, welche Assoziation das sofort in mir auslöste. »Ich weigere mich, rubriziert zu werden. Wenn du dich dann schließlich hinsetzt, um über mich zu schreiben, wirst du nicht wissen, ob ich ein Held oder ein Anti-Held, ein Schuft oder ein Heiliger bin. Es wird dir nicht gelingen, mich in eine Kategorie einzuordnen.«

Und in diesem Augenblick verliebte ich mich leidenschaftlich in ihn. Sein schlaffer Schwanz hatte an Dinge gerührt, zu denen der prächtigste Ständer nie vorgedrungen wäre.

WILHELMINE SCHRÖDER-DEVRIENT

Arpads Lehrmeisterin

Ich hatte mir vorgenommen, Arpad zu erobern, ohne daran zu denken, wie ich dies anstellen sollte.

Wenn es nichts anderes gewesen wäre, als ihn zu verführen, so lag darin keine Schwierigkeit, doch gab es hierbei so manches zu berücksichtigen, und ich sah die Gefahr erst, als Herr von R. uns allein ließ. Bei Arpad war es noch gefährlicher und schwieriger als bei jedem andern, denn ich konnte mir denken, daß bei einem so jungen Burschen, wenn einmal seine Begierden aufgestachelt wären und ich ihm den Eingang zum Besitz des allerhöchsten Gutes, welches eine Frau einem Mann gewähren und dieser sich wünschen kann, zeigte, es unmöglich sein würde, seine Leidenschaft zu zügeln, ja für mich Herrin meiner selbst zu bleiben. Dieser junge Mann, das sah ich, war nicht so wie mein Begleiter beim Gesang, Franzl, es gewesen, bei dem ich stets sagen durfte, bis hierher und nicht weiter, ein Mensch zur Untätigkeit und zum Gehorsam dressiert, wie der Mops meiner Tante. Wie leicht konnte da ein Unglück geschehen, und wie viel riskierte ich, wenn ich gleich im ersten Jahre meines Engagements einen Schritt tat, der für meine theatralische Karriere von unabsehbarer Tragweite gewesen wäre. Außerdem kannte ich Arpad noch viel zu wenig, um von seiner Diskretion überzeugt zu sein.

Solch junge Menschen prahlen gern mit ihren Eroberungen, ja selbst, wenn sie dies nicht tun, war es zu verhindern, daß eins von uns sich verriet, durch Blicke, ein voreilig ausgesprochenes Wort, oder daß uns jemand bespähte?

Hätte ich die Ungarn und Ungarinnen so gekannt, wie ich sie später kennenlernte, meine Bedenken wären vielleicht nicht so groß gewesen, ich kam aber aus Frankfurt, wo man viel strenger in der Beurteilung der Aufführung einer Frau ist, als hier in Ungarn, wo es zum bon Ton gehört, etwas leichtfertig zu sein, zumal unter den Schauspielerinnen.

Mein Herz pochte so gewaltig, als mich Herr von R. allein

mit seinem Neffen ließ, daß ich kaum sprechen konnte, so schnürten die Empfindungen, die mein Inneres durchwühlten, meine Kehle zusammen. Ich war, das fühlte ich, in Arpad verliebt. Ach, hätte ich ihm die Gefühle einflößen können, die ich für ihn empfand! Es waren nicht nur Begierden, es war das, worüber ich gelesen, die reine ätherische Liebe. Ich hätte stundenlang an seiner Seite sitzen und ihn betrachten, seine Stimme hören wollen; schon das würde mich unaussprechlich glücklich gemacht haben.

Ich will aber nicht bei der Beschreibung meiner Empfindungen verweilen, ich fühle nicht die Kraft in mir, dies zu tun; dazu gehört eine geübtere Feder, und ich war niemals so anmaßend, mich für eine große Schriftstellerin zu halten; ich habe es nicht weiter gebracht, als zu einer orthographischen und grammatischen Schreibweise, der Stil und die Regeln der Rhetorik blieben für mich immer etwas, was als Fata Morgana vor mir glänzte, ohne daß ich sie erreichen konnte.

Nachdem sich der Oheim Arpads entfernt, brachte mir der Aufwärter im Hotel zur ›Königin von England‹, wo ich einstweilen abgestiegen war, ehe ich die Jahreswohnung mietete, die Nachmittagskollation, bestehend aus Kaffee mit Schlagsahne und, in Eis gekühlt, einer Haselnußtorte, Obst, nämlich Wasser- und Zuckermelonen, und Eispunsch. Ich hatte es dem Oberkellner überlassen, und wir erhielten nur kühlende Speisen. Wenn man in Ungarn so lebt, dann ist es kein Wunder, daß man so leicht krank wird, dachte ich mir. Ich ließ Arpad sich an meine Seite setzen, und da es gar so heiß war, obwohl die Jalousien alle geschlossen waren, so hatte ich sogar das leichte Seidenhalstuch, welches meinen Nacken und meine Brust bedeckte, fallen gelassen, und Arpad gewann dadurch Einsicht auf die Rundung meiner beiden Milchhügel, die er anfangs nur verstohlenerweise aus den Winkeln seiner Augen zu betrachten wagte; als er aber wahrnahm, daß ich ihm diese Wollust nicht verwehrte, neigte er sich zuweilen auch näher zu mir, und seine Augen blieben fest darauf gebannt. Er seufzte, und seine Stimme zitterte. Als ich ihm das Glas mit dem Eiskaffee reichte, berührten meine Finger die seinigen, und wir beide hielten das Glas einige Sekunden, ohne es niederzustellen. Ich fing an, das Nahen meiner Niederlage zu fühlen und sträubte mich nur noch schwach dagegen. Auch meinen Körper durchrieselte ein schwaches Frösteln, ich versank in träumerischem Hinbrüten, und unsere Unterhaltung geriet ins Stocken. Ich lehnte mich im Kanapee zurück, meine Lider fielen zu, meine Sinne trübten sich, und ich glaubte in Ohnmacht fallen zu müssen. Ich mußte die Farbe geändert haben, denn Arpad fragte mich im Tone der Besorgnis, ob ich mich auch wohl befinde. Ich raffte mich wieder auf und dankte ihm mit einem Händedruck, den wir dadurch verlängerten, daß ich ihm meine Linke ganz überließ, er erfaßte sie mit beiden Händen und blickte mich an. Sein Gesicht glühte.

Sollten die Präliminarien noch lange währen? Er war viel zu schüchtern, um die Vorteile zu benutzen, die er nicht einmal erkannte; ein Roué würde sie ganz anders benützt haben, wer weiß aber, ob ein Roué es bei mir bis dahin gebracht hätte? Vor einem solchen würde ich mich gehütet haben, meine Gefühle zu verraten.

Diese Lage war mir aber peinlich, und ich nahm mir vor, mich aus derselben herauszureißen. Ich erinnerte Arpad daran, was sein Oheim ihm aufgetragen, daß er mich in der Stadt herumführen sollte. Ich schellte, und der Lohnbediente trat ins Zimmer. Ich befahl ihm, er möchte eine Mietskutsche holen.

»Die Equipage des Barons v. D. steht unten vor dem Tore«, entgegnete der Lohndiener. »Er hat sie hierher geschickt, sie steht zu Ihren Diensten.«

Das war galant. Ich hatte den Baron seit meiner Ankunft noch nicht gesehen, ich hatte vergessen, ihm meine Karte zu schikken – und dennoch diese Aufmerksamkeit. Ich fühlte mich beschämt und nahm mir vor, zuerst nach seiner Wohnung zu fahren und meine Karte dort zu lassen. Arpad sagte mir, ich würde ihn jetzt ohnehin nicht zu Hause antreffen. Wir fuhren dahin, dann hinüber nach Ofen und wieder zurück nach dem Stadtwäldchen, einer Art Park, ziemlich geschmacklos angelegt, mit einem Teiche, auf welchem es einige Kähne gibt. Ich fragte Arpad, ob es von hier sehr weit nach dem Hotel der ›Königin von England‹ sei. Er antwortete: »Etwa eine halbe Stunde.«

»Ich will den Wagen zurückschicken, und wir lustwandeln hier, solange es uns gefällig ist. Werden Sie nicht ermüden?« fragte ich Arpad.

»Wenn es bis morgen früh sein sollte, so würde ich auch nicht ermüden.«

Ich lächelte und dachte an eine andere Art von Ermüdung.

Die Pester besuchen diesen Platz nur bei Tageszeit, sobald die Sonne untergeht, strömt wieder alles der Stadt zu. Ich hatte von dieser nur zu viel gehabt, denn ich schluckte eine große Menge Staub, da Pest die staubigste Stadt ist, die ich je gesehen, weil der Boden rund um Pest eine ungeheure Sandwüste ist, so daß der geringste Wind solche Staubwolken in die Stadt bringt, wie diejenigen in der Bucharei oder in Afrika. Es tat mir wohl, einen Platz gefunden zu haben, wo es davon weniger gab, da mußten wir uns aber immer auf den Rasenplätzen herumtummeln oder nach einer Insel gehen, auf welche eine schmale Drahtbrücke, bloß für Fußgänger eingerichtet, führte. Ich hing mich an Arpads Arm, und er führte mich nach einer Restauration, wo es noch offen war. Ich fragte, wie lange es hier offen bliebe, und erhielt zur Antwort, daß man um neun Uhr schlösse und um vier Uhr des Morgens wiederum öffnete. Arpad riet mir, ich sollte mich auf den Rückweg machen, denn das Stadtwäldchen sei bei Nacht ein Ort, wo es nicht ganz sicher ist, man hätte hier erst kürzlich jemand umgebracht.

»Sie haben doch keine Furcht, lieber Arpad?« fragte ich ihn. Ich nannte ihn bereits beim Taufnamen, so wie er mich auch so nannte, weil wir schon ziemlich vertraut miteinander waren. Ich hatte ihn beichten lassen, nötigte ihn zu Geständnissen, und er schwur mir bei den Sternen und dem dunkelblauen Himmel, daß er mich bis zu seinem Tode lieben würde, daß er sich schon in Frankfurt in mich verliebt. Er schwärmte und fantasierte, wie ein Jüngling von poetischem Gemüt es nur tun konnte. Er drückte und küßte meine Hände, und als wir auf die Insel kamen, fiel er mir zu Füßen und sagte, er betete den Boden an, den ich beträte, und flehte mich an, ihm zu erlauben, daß er meine Füße küssen dürfte. Ich bog mich zu ihm herab, küßte seine Locken, seine Stirn und Augen, er faßte mich um den Leib und barg seinen Kopf – erraten Sie wohin? – in die Nähe des Punktes, nach welchem alle Männer streben; obschon von einer neidischen Hülle von Mousselin, von Rökken und der Leinwand des Hemdes bedeckt, schien er ihn zu berauschen, er ergriff meine Rechte und führte sie unter seine

Weste in die Gegend seines Herzens. Es pochte und hämmerte ebenso stark wie das meinige, mein rechtes Knie aber kam mit einem Teil seines Beinkleides in Berührung, wo ich auf etwas Hartes stieß, was bei der Berührung mit meinem Knie noch steifer und größer wurde, so daß ich glaubte, es müßte sein ohnehin enges Beinkleid sprengen.

Es war elf Uhr, als wir uns noch immer auf der Insel befanden; wir hielten uns umarmt, ich legte meinen rechten Schenkel über seine Knie. Er wagte es endlich, seine Rechte bis an den Saum meines Kleides hinabgleiten zu lassen, spielte anfangs an den Schnüren meiner Stiefelchen, glitt etwas weiter hinauf, bis an das Strumpfband, bis er endlich mit seiner unbehandschuhten Hand meinen nackten Schenkel berührte. Ich war bei der ersten Berührung schon wie außer mir. Unsere Lippen klebten aneinander, ich sog an den seinigen und fuhr mit meiner Zunge zwischen seine Zähne, bis ich auch seiner Zunge begegnete. Es schien, als wollte er sie schlucken, so sehr schlürfte er daran.

Ich weiß nicht einmal, wie es kam, daß ich plötzlich seinen Szepter in der Hand hielt und so fest zusammendrückte, als wollte ich ihn brechen; er war mit dem Zeigefinger seiner rechten Hand ebenfalls an meine Lippenspalte gekommen, die vorstehende kleine Erhöhung ganz oben war sehr feucht, und er spielte daran, was mich beinahe bis zur Raserei brachte.

Es war nicht Übung in solchem Minnespiel, denn er gestand mir später, den Unterschied zwischen dem Liebesköcher und dem Amorpfeil – unseren Geschlechtsteilen – nicht gekannt zu haben, sondern Instinkt, der ihn leitete. Während sein Daumen und Zeigefinger, oben am Kitzler spielte, waren seine drei anderen Finger weiter hinabgekommen und hatten den Eingang offen gefunden, das Innere heiß, als wenn glühende Lava darin brannte.

Mir vergingen die Sinne, der Kitzel war zu stark, ich mußte meine Lider senken. Da erblickte ich den herrlich geschwungenen Penis, gleich dem Horn eines Stiers sich bäumend. Ich bewegte die Haut nicht, dennoch drang das stolze, purpurfarbige Haupt heraus. Ich spürte, wie es zuckte, und einen elektrischen Schlag in meiner hohlen Hand, die den Kanal berührte, durch welchen der Lebenssaft dringt. Wie der Strahl eines Springbrunnens, so spritzte der milchweiße Saft in die Höhe. In eben diesem Augenblick fühlte ich, daß es auch bei mir übersprudelte.

Diesem ersten beiderseitigen Erguß folgt seinerseits keine Erschlaffung, so wie auch in mir ein verzehrendes Feuer brannte, welches mich zu weiteren Genüssen trieb. Wir beide schienen darüber nachzudenken, wie wir es anstellen sollten. Die Vernunft hatte über mich jede Macht verloren. Ich bedachte nichts mehr. Hätte mir jemand gesagt, welche Schande meiner harrte, daß ich schwanger werden, entbinden und bei der Entbindung sterben würde, wären Menschen dazu gekommen und hätte ich gesehen, daß sie uns betrachteten, ich würde weiter fortgefahren sein im Liebesspiel, ich hätte mein Glück ausgeschrien, ich würde keine Scham empfunden haben, so sehr war ich zur Sklavin meiner Begierde geworden, und ich wollte mich ihrer Herrschaft nicht entziehen.

Diese Ekstase währte einige Minuten nach dem Höhepunkt der Wollust. Auch später wurden die Begierden bei uns nicht gedämpft, bei mir nahmen sie noch von Sekunde zu Sekunde zu. Und bei ihm war es ebenso.

Meine Augen schweiften herum, von seinem Gesicht auf seinen sich immer noch stolz blähenden Penis, von diesem weiter nach den umherstehenden leblosen Gegenständen, bis an den glatten Wasserspiegel, der nur stellenweise von den Gesträuchen gleichwie gesprenkelt aussah. Das Licht des Mondes spiegelte sich im Wasser, welches hier und da, wenn ein Fischlein aufsprang, an einzelnen Punkten sich zu kräuseln schien. Wie erfrischend und gleichzeitig wollüstig müßte ein Bad sein an der Seite Arpads. Ich war eine gute Schwimmerin, ich hatte in Frankfurt Unterricht darin genommen und wäre imstande gewesen, den Main oder selbst die Donau ihrer Breite nach durchzuschwimmen. Arpad erriet meine Gedanken und flüsterte mir in die Ohren: »Wolltest du mit mir in diesem Teich baden? Es ist keine Gefahr dabei. Jetzt kommt niemand hierher. Die Leute in der Restauration schlafen schon seit Stunden.«

»Du hast mir aber davon gesprochen, daß es hier so unsicher ist«, sagte ich, »daß man erst kürzlich jemand hier umgebracht. Sonst möchte ich wohl.«

»Ängstige dich nicht, geliebter Engel. Dies ist noch der sicherste Platz«, entgegnete er, »weiter nach der Stadt zu, in der Platanenallee, welche nach der Königsgasse führt, zwischen den einzelnen Villen, dort ist es nur gefährlich.«

»Was wird man aber im Hotel sagen, wenn wir so spät zurückkehren?«

»Die Tore des Hotels bleiben die ganze Nacht offen, der Portier schläft in seiner Loge. Du weißt doch, welche Nummer du bewohnst. Möglich, daß das Stubenmädchen den Zimmerschlüssel steckengelassen, dies geschieht öfters. Wir wollen schon sehen, und eine Ausrede für ein spätes Nachhausekommen ist bald gefunden. Ich selbst nehme mir sehr oft ein Zimmer in diesem Hotel, wenn ich den Hausmeister meines Onkels nicht wecken will. Ich nehme den nächsten besten Schlüssel und tue, als wäre ich zu Hause. Dein Zimmernachbar ist heute ohnehin abgereist, seine Stube ist leer, dort quartiere ich mich ein.«

»Da du mich beruhigst, so wollen wir es versuchen. Hilf mir beim Auskleiden, so wie ich es dir tun will«, sagte ich. Er warf sogleich seine ungarische Mütze, seinen Schnürpelz und seine Weste von sich und half mir beim Aufnesteln meines Schnürleibes. Es währte keine drei Minuten, und wir standen beide nackt im Mondenscheine.

Arpad mochte niemals ein nacktes Weib gesehen haben, das konnte man an allem sehen. Er zitterte am ganzen Leib, kniete vor mir hin und fing an, jenen Fleck an meinem Körper zu küssen, von unten bis hinauf, vorn und von hinten, er sog an meinen Milchknöspchen, an dem Wollusttempel. Endlich riß ich mich von ihm los und sprang ins Wasser. Ich ging immer tiefer, bis ich endlich keinen Grund unter mir fühlte und schwimmen mußte. Arpad schwamm nur mit einer Hand, indem er auf der Seite lag, mit der anderen drückte er mich an sich, er tauchte manchmal unter, und ich fühlte seinen Lockenkopf, wie er herabglitt von meinen Brüsten bis an meinen Bauch, und er berührte bald mit den Fingern, bald mit der Zunge den Sitz der Wollust. Wir kamen dann wiederum auf eine etwas seichtere Stelle, die Begierden trieben uns zur Vollendung des höchsten Genusses, und ich empfing resigniert in meinem Innern den Freudengeber, der aber manchmal zum Vernichter wird. Ich dachte einen Augenblick an die möglichen Folgen meiner Hingebung, ich hätte einen Dolch in seinen Händen sehen können und hätte ihm die Brust zum Durchbohren dargeboten. Seine Unerfahrenheit im Liebesgenuß machte es, daß er, noch ehe er in mich hineindrang, schon an die Krise gekommen war und sein Füllhorn sich entleerte, so daß der Saft an meinen Schenkeln herabfloß. Dies entmutigte ihn aber nicht, er drückte mich fester an sich, sein Atem ward kürzer, seine Finger drangen krampfhaft in mein Fleisch, sein Penis pausierte ein paar Augenblicke und zuckte zuweilen, dann aber fühlte ich, wie er wiederum heißer, härter und größer wurde und mit einem energischen Stoß bis in die Tiefe drang, so daß sein Kopf an den Muttermund stieß. Es wäre beinahe schmerzhaft gewesen, wenn es nicht gleichzeitig gar so wonnevoll war.

Diesmal dachte ich, müßte ich empfangen, der wollüstige Schauer durchzitterte alle meine Glieder, ich fühlte ihn namentlich in den Hinterbacken, dann hinab bis in die Zehen. Bei mir öffneten sich die Schleusen, und meine Quelle überfloß. Eben dies reizte auch bei ihm den gleichen Kanal, und ich fühlte, wie ein heißer Strahl in mich drang und beinahe kein Ende nehmen wollte. Das konnte nicht eine Entleerung des Nierensaftes sein, um so weniger, weil er, nachdem dieser heiße Regen aufgehört, noch einige Minuten fortfuhr, mit seinem Amorszepter in meinem Innern zu rasen, während sich bei mir die Wollustquellen schlossen. Endlich brach auch bei ihm der elektrische Strom durch, und wir standen fest aneinander gepreßt auf einer Stelle, keines Wortes mächtig, gedankenlos in wollüstiges Hinbrüten versunken. Wenn es ja einen Gedanken gab, der mir durch das Gehirn fuhr, so war es der, daß wir ewig so bleiben könnten, daß uns der Tod so überraschte. Dann wäre Sterben die höchste Seligkeit.

Der Wind trug die einzelnen Schläge vom Turm der Theresienkirche bis zu uns, es schlug Mitternacht, und ich mahnte Arpad, daß es höchste Zeit sei, nach der Stadt zu gehen, wir könnten das Liebesspiel dort fortsetzen. Er gehorchte aufs erste Wort. Er war nicht so, wie Männer im allgemeinen sind, daß sie, wenn sie über uns gesiegt, keinen anderen als ihren Willen gelten lassen, er bat mich nur, ich möchte ihm erlauben, daß er mich wie ein Kind auf seinen Armen an das Ufer tragen dürfe. Er faßte mich unter das Gesäß, ich umschlang ihn mit meinen Armen, und er trug mich, als wäre ich noch so leicht gewesen, aus dem Teiche auf eine Holzbank, wo unsere Kleider lagen. Hier zog ich zuerst meine Strümpfe an, er aber schnürte meine Stiefeletten unter fortwährenden Küssen meiner Knie und Waden zusammen, dann kleideten wir uns vollends an und gingen nach der Rondelle. Vor der bürgerlichen Schießstätte, gleich am Ausgang des Stadtwäldchens, stand eine Mietskutsche, der Kutscher saß auf dem Bock; Arpad fragte ihn, ob er uns für ein gutes Trinkgeld nach der Stadt fahren wolle. Er nannte ihm den Josefsplatz, denn er wollte nicht haben, daß der Fiaker wisse, wer ich sei und wo ich wohne, auch war ich vorsichtig genug, meinen Schleier über das Gesicht zu schlagen. Der Mann sagte, er wolle uns für einen Gulden in Silbermünzen dahin bringen. Wir setzten uns in den Wagen, und der Kutscher trieb seine Pferde zum schnellsten Trabe an. Er hatte eine Partie junger Leute zur Schießstätte gebracht. Dort gab es ein Trinkgelage, man hatte den Fiaker auf Mitternacht bestellt, und er mußte sich sputen, um bald wiederum an Ort und Stelle zu sein.

Auf dem Josefsplatz hielten wir. Von hier war es schon sehr nahe bis zur ›Königin von England‹. Arpad ließ mich vorausgehen, bis er die Schlüssel holen würde. Ich ging hinauf und wartete vor meiner Zimmertür. Er war in wenigen Minuten bei mir, brachte aber nur einen Schlüssel, der Portier schlief nicht. Arpad hatte ihm gesagt, er habe mich nach Ofen geführt, wo er seine Tante angetroffen, der er mich vorstellte, wir seien alle in den Horvathschen Garten gegangen und erst spät aufgebrochen. Nachdem er mich eingelassen, sagte er, er müßte jetzt wiederum fort, um den Portier zu täuschen, würde aber bei dem anderen Tor oder durch das Kaffeehaus, welches während der Marktzeit offen stand, heraufkommen, ohne daß es jemand merkte.

Ich fühlte etwas Müdigkeit. Die Stellung, die wir eingenommen, indem wir stehend den Liebeskampf durchfochten, hatte meine Beine ein wenig hergenommen, und ich sehnte mich nach Ruhe, doch wenn Arpad auf einen weiteren Liebesgenuß bestand, so wollte ich ihn ihm dennoch nicht versagen, dazu liebte ich ihn zu sehr, und ich war ihm dankbar für seine Liebe und jenes Vergnügen, welches er mir verschaffte.

Er kam, als ich schon im Bette lag. Auch er mußte schon ermattet sein, war es doch dreimal geschehen, daß sein Springbrunnen sich ergoß, und ich riet ihm, seine Kräfte für das nächstemal zu sparen. Ich sah es an seinem Gesicht, wie gern er geblieben wäre, doch war er delikat genug, nicht in mich zu dringen, und verließ mich, nachdem wir uns noch einmal herzlich umarmt und er noch einen Kuß auf die Lippen jenes Mundes gedrückt, die ihm so viel Vernügen gemacht.

Ich will Ihnen alle die Liebeskämpfe – den Feldzug im Reiche Cytherens – nicht beschreiben, ich müßte zu sehr mein eigener Plagiator sein und in Wiederholungen verfallen, die Sie vielleicht langweilen könnten.

Arpad gestand mir, er habe in Frankfurt bei einem Antiquariatbuchhändler ein Buch gekauft, *Denkwürdigkeiten des Herrn von H.*, aus welchem er die Theorie der Liebesgenüsse gelernt. Es sei ein großes Glück für ihn, setzte er hinzu, daß ich nach Ungarn kam, denn er stand schon mehrere Male auf dem Punkte, die Erstlinge seiner Manneskraft im Schoße einer Hetäre zu verlieren, nur die Furcht vor Ansteckung habe ihn abgehalten, daß er es noch nicht getan. Einer seiner Freunde soll sich in einem solchen Haus, wo der Göttin Venus die unsaubersten Opfer gebracht werden, eine schändliche Krankheit geholt haben, die er nicht loswerden konnte.

Obschon ich am ersten Abend alle Vorsichtsmaßregeln, die ich sonst anzuwenden pflegte, vernachlässigt hatte, so nahm ich mir vor, hinfort mich gegen solche Fälle, die einem Liebesgenuß folgen könnten, zu verwahren. Ich nahm wiederum zu der gewissen Gefahrsversicherung meine Zuflucht, doch ereignete es sich zuweilen, daß ich dies unterließ, und dennoch hatte unser vertrauter Umgang keine schlimmen Folgen. Sie als Arzt werden sich diese Phänomene besser erklären können, als ich es vermöchte.

Indessen sollte mein Glück nicht von langer Dauer sein. Schon im Oktober erhielt Arpad eine Stellung, weit entfernt von Pest und mußte abreisen. Seine Eltern wohnten ebenfalls in jener Gegend, und sein Vater war ein so strenger Mann, daß es Arpad nicht einfallen durfte, seinem Befehle nicht zu gehorchen.

KATHERINE MANSFIELD

Seligkeit

Berta Young war schon dreißig, aber es gab für sie noch immer Augenblicke wie diesen, wo es sie trieb, zu laufen statt zu gehn, vom Gehsteig hinunterzutanzen und wieder hinauf, etwas in die Luft zu werfen und wieder aufzufangen oder stillzustehn und zu lachen über – nichts, einfach über nichts.

Was soll man auch tun, wenn man dreißig ist und beim Einbiegen in die Straße, in der man wohnt, von einem Gefühl der Seligkeit überkommen wird – reinster Seligkeit, als hätte man plötzlich ein glänzend helles Stück dieser Spätnachmittagssonne geschluckt, und nun brennt es einem in der Brust und versprüht einen kleinen Funkenregen im ganzen Körper bis in jeden Finger und in jede Zehe...

Oh, gibt es denn keine Möglichkeit, das auszudrücken, ohne ›öffentliches Ärgernis zu erregen‹? Wie idiotisch Zivilisation ist! Wozu hat man einen Körper mitbekommen, wenn man ihn in einem Kasten eingeschlossen halten muß wie eine kostbare Geige? Nein, das mit der Geige ist nicht ganz, was ich meine, dachte sie, als sie die Stufen hinauflief und in ihrem Täschchen nach dem Hausschlüssel suchte – sie hatte ihn wie gewöhnlich vergessen – und mit dem Briefkastendeckel klapperte. Es ist nicht, was ich meine, denn – »Danke, Mary« – sie betrat die Halle – »ist Nurse schon zurück?«

»Ja, Madam.«

»Und ist das Obst gekommen?«

»Ja, Madam. Alles ist gekommen.«

»Tragen Sie das Obst ins Eßzimmer, ja? Ich will es auflegen, bevor ich hinaufgehe.«

Es war dämmerig im Eßzimmer und ziemlich kalt. Dennoch warf Berta den Mantel ab; sie konnte seine enge Umklammerung keinen Augenblick länger ertragen, und die kalte Luft überfiel ihre Arme.

Aber in ihrer Brust war noch immer dieser hellglühende Fleck und der Sprühregen kleiner Funken, der davon ausging.

Es war fast unerträglich. Sie wagte kaum zu atmen, aus Furcht, ihn wieder anzufachen, und doch atmete sie tief, tief. Sie wagte kaum, in den kalten Spiegel zu blicken – aber sie sah doch hinein, und er zeigte ihr eine Frau, strahlend, mit lächelnden, bebenden Lippen, mit großen, dunklen Augen und in einer Haltung des Lauschens, des Wartens auf etwas – Gottvolles, das geschehn werde, das, sie wußte es, geschehen mußte – unfehlbar.

Mary brachte das Obst auf einem Servierbrett herein und auch einen gläsernen Aufsatz und eine blaue Schüssel von eigenartigem Glanz, als wäre sie in Milch getaucht worden.

»Soll ich Licht machen, Madam?«

»Nein, danke. Ich sehe noch genug.«

Mandarinen und Äpfel mit erdbeerroten Backen; ein paar gelbe Birnen, glatt wie Seide; grüne Trauben, silberig behaucht, und auch eine große violettblaue. Diese eine hatte sie gekauft, damit sie zu dem neuen Eßzimmerteppich passe. Ja, das klang recht weit hergeholt und verrückt, aber es war wirklich der Grund gewesen, daß sie sie kaufte. Sie hatte im Laden gedacht: ›Ich muß ein paar blaue haben, um den Teppich zum Tisch heraufzubringen‹, und es hatte ihr da ganz vernünftig geschienen.

Als sie fertig war und zwei Pyramiden aus den bunten runden Früchten gehäuft hatte, trat sie vom Tisch zurück, um die Wirkung zu beurteilen, – und die war wirklich eigenartig; denn der dunkle Tisch schien in das dämmerige Licht zu verfließen, und der Glasaufsatz und die blaue Schale schwebten gleichsam in der Luft. In ihrer gegenwärtigen Stimmung erschien ihr das so unglaublich schön – sie begann zu lachen.

»Nein, wirklich, ich werde noch ganz hysterisch!«

Und sie ergriff ihre Tasche und den Mantel und lief die Treppe hinauf in die Kinderstube.

Nurse saß an einem niedrigen Tischchen und gab Klein-B sein Abendessen nach dem Bad. Das Baby hatte ein weißes Flanellhemdchen und ein blauwollenes Jäckchen an, und sein dunkles, feines Haar war zu einem komischen kleinen Schopf aufgebürstet. Es sah auf, als es die Mutter eintreten hörte, und strampelte.

»Geh, Liebling, iß schön auf wie ein gutes Kindchen!« sagte

Nurse und kniff dabei die Lippen auf eine Berta wohlbekannte Weise zusammen, die anzeigte, daß sie wieder einmal zur unrechten Zeit in die Kinderstube gekommen war.

»War sie brav, Nanny?«

»Sie war ein kleiner Engel, den ganzen Nachmittag lang«, flüsterte Nanny. »Wir waren im Park, und ich hab' mich auf eine Bank gesetzt und sie aus dem Wagen genommen, und da kommt ein großer Hund und legt seinen Kopf auf meine Knie, und sie hat ihn am Ohr gepackt und hat ihn gezupft. Oh, Sie hätten sie sehn sollen...«

Berta hätte gern gefragt, ob es nicht recht gefährlich sei, ein Baby einen fremden Hund am Ohr zupfen zu lassen; aber sie wagte es nicht. Sie stand, die beiden ansehend, mit hängenden Armen da, wie das arme kleine Mädel vor dem reichen kleinen Mädel mit der Puppe.

Das Kind blickte wieder zu ihr auf, starrte sie an und lächelte dann so bezaubernd, daß Berta sich nicht zurückhalten konnte und ausrief: »Ach, Nanny, lassen Sie doch mich ihr die Suppe zu Ende geben und räumen Sie inzwischen die Badesachen weg!«

»Aber, Madam, sie sollte nicht von jemand anderm genommen werden, während sie ißt«, sagte Nanny, noch immer im Flüsterton. »Es macht sie unruhig und kann ihr leicht schaden.«

Wie unsinnig das war! Wozu ein Baby haben, wenn es aufbewahrt werden mußte – nicht gerade in einem Kasten wie eine kostbare Geige – aber in den Armen einer andern Frau?

»Ach, Nanny, ich muß!« sagte sie.

Sehr gekränkt übergab Nanny ihr das Kind. »Also regen Sie sie nach dem Abendbrot nicht auf. Sie wissen, Sie tun es immer, Madam. Und ich hab' nachher eine solche Plage mit ihr!«

Gott sei Dank! Nanny verließ das Zimmer, die Badetücher über dem Arm.

»Jetzt hab' ich dich ganz für mich, mein kleiner Schatz«, murmelte Berta, als das Kind sich an sie schmiegte.

Es aß entzückend; hielt seine Lippen dem Löffel entgegen und zappelte mit den Ärmchen. Manchmal wollte es den Löffel nicht loslassen, und dann wieder, kaum daß Berta ihn gefüllt hatte, schlug es ihn weg in alle vier Winde.

Als die Suppe zu Ende gegessen war, drehte sich Berta zum Kaminfeuer. »Du bist sehr süß – du bist sehr, sehr süß!« sagte sie und küßte ihr warmes Baby. »Ich hab' dich lieb. Ich hab' dich lieb.« Und wirklich liebte sie Klein-B so sehr – seinen Nakken, wenn es sich vorwärtsbeugte, seine außerordentlich zarten Zehen, die vor dem Feuer ganz durchscheinend wurden – daß all ihr Gefühl von Seligkeit wiederkehrte; und wieder wußte sie nicht, wie es ausdrücken – was damit anfangen.

»Sie werden am Telefon verlangt«, sagte Nanny, die triumphierend zurückkam und abermals von *ihrem* Klein-B Besitz ergriff.

Sie lief hinunter. Es war Harry.

»Oh, bist du's, Ber? Hör mal! Ich werde mich etwas verspäten heute abend. Ich werde ein Taxi nehmen und kommen, so schnell ich kann, aber setz das Essen für zehn Minuten später an, ja? Ist's recht?«

»Ja, gewiß. Ach, Harry!«

»Ja?«

Was hatte sie zu sagen? Nichts. Sie wollte nur für einen Augenblick länger mit ihm in Verbindung sein. Sie konnte nicht verrückterweise ins Telefon rufen: ›War nicht heute ein gottvoller Tag!‹

»Was ist denn los?« schnappte die dünne Stimme.

»Nichts. Abgemacht!« sagte Berta, hing den Hörer auf und dachte, daß Zivilisation doch mehr als idiotisch sei.

Sie hatten Gäste zum Abendessen. Die Norman Knights – ein sehr vernünftiges Paar – er war daran, ein Theater zu gründen, und sie hatte eine Leidenschaft für Innendekoration; einen jungen Mann, Eddie Warren, der soeben einen kleinen Gedichtband veröffentlicht hatte und von jedermann zum Abendessen eingeladen wurde; und eine ›Entdeckung‹ Bertas namens Pearl Fulton. Was Miß Fulton trieb, wußte Berta nicht. Sie hatten einander im Klub kennengelernt, und Berta hatte sich in sie verliebt, wie sie sich stets in schöne Frauen verliebte, die etwas Fremdartiges hatten.

Das Aufreizende daran war nur, daß sie zwar zusammen ausgegangen waren und einander einige Male getroffen und sich wirklich ausgesprochen hatten und Berta sie doch nicht ergründen konnte. Bis zu einer gewissen Grenze war Miß Fulton von einer seltenen, wundervollen Offenheit, aber die gewisse Grenze war da, und über die ging sie nicht hinaus.

Gab es noch etwas darüber hinaus? Harry sagte, nein. Bezeichnete sie als fade und ›kalt wie alle blonden Frauen, vielleicht mit einem Anflug von geistiger Bleichsucht‹. Aber Berta wollte ihm nicht beistimmen; noch nicht, wenigstens.

»Nein, die Art, wie sie dasitzt, den Kopf ein wenig nach einer Seite, und lächelt, – da steckt etwas dahinter, Harry, und ich muß herausfinden, was dieses Etwas ist.«

»Höchstwahrscheinlich eine gute Verdauung«, hatte Harry geantwortet.

Er hatte eine Vorliebe dafür, Berta mit solchen Bemerkungen zu bremsen – ›Leber eingefroren, meine Liebe‹ oder ›nichts als Blähungen‹ oder ›nierenkrank‹ und ähnlichem. Aus irgendeinem sonderbaren Grund hatte Berta das gern und bewunderte es beinahe an ihm.

Sie ging in den Salon und zündete das Feuer im Kamin an; dann nahm sie, eins nach dem andern, die Kissen, die Mary sorgsam verteilt hatte, und schleuderte sie wieder zurück auf die Lehnstühle und Diwans. Das bewirkte den ganzen Unterschied; der Raum erwachte auf einmal zum Leben. Eben als sie das letzte schleudern wollte, überraschte sie sich dabei, wie sie es leidenschaftlich an sich drückte, leidenschaftlich. Aber es löschte das Feuer in ihrer Brust nicht. Nein, ganz im Gegenteil!

Die Fenster des Salons gingen auf einen Balkon, von dem man den Garten überblickte. An seinem andern Ende, an der Mauer, stand ein hoher, schlanker Birnbaum in vollster, reichster Blüte; er stand da in Vollkommenheit und hob sich beruhigend gegen den jadegrünen Himmel ab. Berta hatte das unbedingte Gefühl, sogar in dieser Entfernung, daß nicht eine einzige unerschlossene Knospe, nicht eine verwelkte Blüte an ihm war. Die roten und gelben Tulpen unten in den Gartenbeeten, mit ihren schweren Blüten, schienen sich in die Dämmerung zu schmiegen. Eine graue Katze, den Bauch am Boden hinziehend, schlich über den Rasen, und eine schwarze folgte ihr wie ein Schatten. Der Anblick der beiden, so gespannt und lauernd, ließ Berta seltsam erschauern.

»Was für schleichende Dinger doch Katzen sind!« stammelte

sie, wandte sich vom Fenster ab und begann hin und her zu gehn...

Wie stark die Narzissen dufteten in dem warmen Raum! Zu stark? O nein. Und doch, wie übermannt warf sie sich auf einen Diwan und preßte die Hände auf die Augen. »Ich bin zu glücklich – zu glücklich!« flüsterte sie.

Und es schien ihr, als sähe sie hinter ihren geschlossenen Augenlidern den zauberischen Birnbaum mit seinen weitgeöffneten Blüten als ein Symbol ihres eigenen Lebens.

Wirklich – wirklich, sie hatte alles. Sie war jung, Harry und sie waren so sehr ineinander verliebt wie nur je, und sie vertrugen sich glänzend, waren wirklich gute Kameraden. Sie hatten ein anbetungswürdiges Baby. Sie kannten keine Geldsorgen. Sie besaßen dieses völlig einwandfreie Haus mit Garten. Und Freunde – moderne, interessante Freunde: Schriftsteller und Maler und Dichter und Leute, die sich mit sozialen Fragen beschäftigten, – genau die Art von Freunden, die sie brauchten. Und außerdem gab es Musik und Bücher, und sie hatte eine wundervolle kleine Schneiderin, und im Sommer würden sie ins Ausland reisen, und ihre neue Köchin bereitete die vorzüglichsten Omeletten...

»Ich bin ja verrückt, vollständig verrückt!« Sie setzte sich auf; aber sie war ganz benommen, ganz trunken. Es mußte der Frühling sein.

Ja, es war der Frühling. Sie war jetzt so müde, daß sie sich kaum die Treppe hinaufschleppen konnte, um sich umzukleiden.

Ein weißes Kleid, eine Kette aus Jadekugeln, grüne Schuhe und Strümpfe. Es war nicht Absicht. Sie hatte an diese Zusammenstellung schon vor Stunden gedacht, lange bevor sie den Birnbaum im Garten betrachtet hatte.

Ihre Blütenblätter rauschten leise in die Halle, und sie küßte Mrs. Norman Knight, die einen höchst amüsanten Mantel ablegte, orangenfarben, mit einer Prozession schwarzer Äffchen unten um den Saum und vorn hinauf.

»Sagen Sie mir nur, warum ist der Mittelstand so ledern – so völlig ohne Sinn für Humor! Es ist nur ein Zufall, meine Liebe, daß ich überhaupt hier bin – wobei Norman der beschützende

Zufall ist. Denn meine süßen Äffchen regten die Leute in der Untergrund dermaßen auf, daß sie wie *ein* Mann aufstanden und mich einfach mit den Augen verschlangen. Nicht daß sie lachten, sich amüsierten – das wäre nur recht gewesen. Nein, nur gestarrt haben sie – und mich zum Sterben angeödet.«

»Aber das Beste daran war«, sagte Norman und klemmte ein schildpattgefaßtes Monokel ins Auge, »– du hast doch nichts dagegen, daß ich's erzähle, Euka, nicht wahr?« (Zu Hause und unter Freunden nannten sie einander Euka und Lyptus.) »Das Beste daran war, daß sie sich, als sie es gründlich satt hatte, zu der Frau neben ihr wandte und sagte: ›Haben Sie denn noch nie in Ihrem Leben einen Affen gesehn?‹«

»Ach ja!« Mrs. Knight stimmte in das Gelächter ein. »War das nicht wirklich zu köstlich?«

Aber noch viel köstlicher war, daß sie selber jetzt, nachdem sie den Mantel abgelegt hatte, wirklich wie ein sehr intelligentes Äffchen aussah, das sogar sein gelbes Kleid aus den abgezogenen Schalen von Bananen gemacht zu haben schien. Und ihre Bernsteinohrringe, die sahen aus wie kleine baumelnde Nüsse.

»Es ist ein äußerst trauriger Fall«, sagte Lyptus und blieb vor dem Kinderwagen Klein-B's stehn, »wenn der Kinderwagen erscheint in der Hall' –« und er streifte den Rest des Zitats beiseite. Die Klingel an der Haustür ertönte. Es war der magere, blasse Eddie Warren, wie gewöhnlich in einem Zustand akuter Bekümmernis.

»Es *ist* doch das richtige Haus, *nicht*?« flehte er.

»Oh, ich hoffe – ich glaube wohl«, erwiderte Berta fröhlich.

»Ich hatte solch ein *gräßliches* Erlebnis mit einem Taximann. Er war *äußerst* unheimlich. Ich konnte ihn nicht dahin bringen, *anzuhalten*. Je mehr ich klopfte und rief, desto *schneller* fuhr er. Und im Mondlicht diese *bizarre* Gestalt, mit dem abgeplatteten Kopf, über das *winzige* Lenkrad geduckt...«

Er schauderte und legte einen riesengroßen weißen Seidenschal ab. Berta bemerkte, daß auch seine Socken weiß waren – äußerst bestechend.

»Aber wie gräßlich!« rief sie.

»Ja, das war's«, sagte Eddie und folgte ihr in den Salon. »Ich sah mich selbst durch die Ewigkeit fahren in einem *zeitlosen* Taxi.«

Er kannte die Norman Knights. Er wollte sogar ein Stück für Knight schreiben, falls das Theaterprojekt zustande käme.

»Also, Warren, was macht das Stück?« fragte Norman Knight, ließ dabei das Monokel fallen und gab seinem Auge Zeit, für einen Moment an die Oberfläche zu steigen, bevor es wieder niedergeschraubt wurde.

Und Mrs. Knight: »Oh, Mr. Warren, was für vergnügliche Socken!«

»Ich bin *so* froh, daß sie Ihnen gefallen«, sagte er und starrte auf seine Füße. »Sie scheinen *viel* weißer geworden zu sein, seit der Mond aufgegangen ist.« Er wandte Berta sein schmales, kummervolles Gesicht zu. »Der Mond *ist* nämlich aufgegangen, wissen Sie.«

Sie hätte ausrufen mögen: ›Ich bin überzeugt, er tut das oft, sehr oft!‹

Er war wirklich eine äußerst anziehende Persönlichkeit. Das war auch Euka, die in ihren Bananenschalen vor dem Feuer kauerte, und auch Lyptus, der eine Zigarre rauchte, und während er die Asche abstreifte, fragte: »Was säumt der Bräutigam so lange?«

»Hier ist er schon.«

Krach! war die Haustür zugeflogen. Harry brüllte: »Hallo, Leutchen! In fünf Minuten bin ich wieder unten«, und sie hörten ihn die Treppe hinaufstürmen. Berta mußte lächeln; sie wußte, wie er es liebte, alles mit Hochdruck zu tun. Was lag denn schließlich an fünf Minuten mehr oder weniger? Aber er bildete sich nun einmal ein, daß ungeheuer viel daran lag. Und dann hielt er sehr viel darauf, außerordentlich kühl und gesammelt im Salon zu erscheinen.

Harry lebte mit solcher Intensität. Oh, wie sie das an ihm schätzte! Und seine Leidenschaft, zu kämpfen – in allem, was ihm in den Weg kam, eine neue Probe für seine Kraft und seinen Mut zu sehen –, auch die konnte sie verstehn. Selbst wenn es ihn gelegentlich in den Augen andrer Leute, die ihn nicht gut kannten, vielleicht ein wenig lächerlich machte. Denn es kam manchmal vor, daß er sich in die Schlacht stürzte, wo es keine Schlacht gab.

Sie plauderte und lachte und merkte erst, als er hereingekommen war (und zwar genau so, wie sie es sich vorgestellt hatte), daß Pearl Fulton noch fehlte.

»Ob Miß Fulton uns vergessen hat?«

»Wahrscheinlich«, sagte Harry. »Hat sie Telefon?«

»Ah, da ist ein Taxi!« Und Berta lächelte mit der gewissen Eigentümermiene, die sie stets annahm, solange ihre weiblichen ›Entdeckungen‹ neu und mysteriös waren. »Sie lebt in Taxis.«

»Sie wird zu fett werden, wenn sie das tut«, sagte Harry kühl und läutete die Dinnerglocke. »Schreckliche Gefahr für blonde Frauen.«

»Hör auf, Harry!« warnte Berta und lachte zu ihm empor.

Es dauerte eine kleine Weile, während der sie warteten, lachend und plaudernd, und grade nur ein klein wenig zu unbefangen waren, ein klein wenig zu unvorbereitet, und dann trat Miß Fulton ein, ganz in Silber, ein Silberband um ihr blaßblondes Haar gewunden, lächelnd, den Kopf ein wenig seitwärts geneigt.

»Habe ich mich verspätet?«

»Nein, nicht im geringsten«, sagte Berta. »Kommen Sie!« Sie nahm ihren Arm und ging mit ihr ins Eßzimmer.

Was war in der Berührung dieses kühlen Arms, daß jenes Feuer von Seligkeit, mit dem Berta nicht wußte, was tun, angefacht wurde, aufflammte, aufloderte – aufloderte!

Miß Fulton sah sie nicht an; aber sie sah den Leuten selten ins Gesicht. Ihre schweren Augenlider waren gesenkt, und das sonderbare halbe Lächeln auf ihren Lippen kam und ging, als lebte sie mehr zuhörend als sehend. Doch Berta wußte ganz plötzlich, als hätten sie den längsten und vertraulichsten Blick getauscht – als hätten sie einander gefragt: ›Du auch?‹ – daß Pearl Fulton, während sie die schöne rote Suppe in dem grauen Teller rührte, genau dasselbe fühle wie sie selbst.

Und die andern? Euka und Lyptus, Eddy und Harry, die ihre Löffel hoben und senkten, ihre Lippen mit der Serviette betupften, Brot zerkrümelten, mit Gabeln und Gläsern spielten und miteinander plauderten?

»Ich traf sie auf der Alpha-Ausstellung – die unmöglichste kleine Person. Sie trug nicht nur ihr Haar kurz geschnitten, sondern auch ihre Arme und Beine und ihren Hals und ihre arme kleine Nase.«

»Ist sie nicht sehr mit Michael Oat liiert?«

»Demselben, der ›Liebe mit falschem Gebiß‹ geschrieben hat?«

»Er will ein Stück für mich schreiben. Einakter. Nur eine Person. Ein Mann beschließt, Selbstmord zu begehn. Gibt alle Gründe an, warum er sollte und nicht sollte. Und wenn er sich grade entschlossen hat, es entweder zu tun oder nicht zu tun – Vorhang. Gar keine so schlechte Idee.«

»Wie will er es denn nennen? ›Leibschmerzen‹?«

»Ich glaube, mir ist *diese* Idee schon untergekommen, in einer *ganz* obskuren französischen Zeitschrift.«

Nein, sie hatten alle nicht teil daran. Es waren nette, liebe Leute, und sie sah sie gern bei sich zu Tisch und liebte es, ihnen gutes Essen und gute Weine vorzusetzen. Sie sehnte sich förmlich danach, ihnen zu sagen, wie entzückend sie seien und was für eine dekorative Gruppe sie bildeten; wie sie eins das andre zur Geltung brachten und wie sehr sie sie an ein Stück von Tschechow erinnerten.

Harry genoß sein Essen. Es war ein Teil – nun, nicht gerade seines Wesens, aber sicherlich auch keine Pose von ihm, sein – irgend etwas von ihm – über die Speisen zu sprechen und sich seiner ›schamlosen Leidenschaft für das weiße Hummernfleisch‹ und ›das Grün des Pistazieneises‹ zu rühmen – ›grün und kalt wie die Augenlider einer ägyptischen Tänzerin‹.

Als er aufblickte und sagte: »Berta, das ist ein bewundernswertes Soufflé«, hätte sie beinahe weinen mögen vor Wonne.

Oh, warum fühlte sie heute abend so zärtlich für die ganze Welt? Alles war gut – war recht. Alles, was geschah, schien die schäumende Schale ihrer Seligkeit immer wieder bis an den Rand zu füllen. Und auf dem Grund ihrer Gedanken war noch immer der Birnbaum. Er mußte jetzt silbern sein im Licht von Eddies Mond, silbern wie Miß Fulton, die eine Mandarine in ihren schlanken Fingern drehte, Fingern, die so blaß waren, daß ein Licht von ihnen auszugehn schien.

Was sie einfach nicht begreifen konnte – es grenzte ans Wunderbare – war, daß sie Miß Fultons Stimmung so genau und unverzüglich erraten hatte. Denn sie zweifelte keinen Augenblick, daß sie richtig geraten habe. Dennoch, welche Beweise hatte sie? Weniger als keine.

›Ich glaube, so etwas kommt manchmal, sehr selten, zwischen Frauen vor; niemals zwischen Männern‹, dachte Berta. ›Aber während ich im Salon den Kaffee bereiten werde, wird sie vielleicht ‚das Zeichen geben'.‹

Was sie damit meinte, wußte sie eigentlich selber nicht, und was nachher geschehn würde, konnte sie sich nicht vorstellen.

Während sie diesen Gedanken nachhing, sah sie sich selbst sprechen und lachen. Sie mußte sprechen, weil sie ein Verlangen fühlte, zu lachen. »Ich muß lachen oder sterben.«

Aber als sie Eukas komische Gewohnheit bemerkte, vorn an ihrem Kleidausschnitt herumzunesteln, wie um etwas hineinzustecken, als hätte sie dort einen kleinen geheimen Vorrat an Nüssen aufgespeichert, – da mußte sie die Fingernägel in die Handflächen graben, um nicht laut herauszulachen.

Endlich war es überstanden, und Berta sagte: »Kommt und seht euch meine neue Kaffeemaschine an!«

»Wir haben nur alle vierzehn Tage eine neue«, sagte Harry. Diesmal nahm Euka ihren Arm. Miß Fulton neigte ihr Haupt und folgte ihnen.

Das Feuer im Salon war niedergebrannt, zu einem roten, flackernden ›Nest von Phönixjungen‹, wie Euka sagte.

»Einen Augenblick! Macht noch nicht Licht! Es ist so wunderschön!« Und sie kauerte sich wieder vors Feuer. Ihr war immer kalt... ›Natürlich, ohne ihr kleines Jäckchen aus rotem Flanell‹, dachte Berta.

Es war in diesem Augenblick, daß Miß Fulton ›das Zeichen gab‹.

»Haben Sie einen Garten?« fragte die kühle, schläfrige Stimme.

Das war so wundervoll von ihr, daß Berta nichts tun konnte, als stumm zu gehorchen. Sie durchschritt das Zimmer, zog die Vorhänge auseinander und öffnete die hohe Glastür. »Da!« hauchte sie.

Die beiden Frauen standen Seite an Seite und blickten auf den schlanken blühenden Baum. Obwohl er ganz regungslos dastand, schien er wie die Flamme einer Kerze hochzusteigen, spitz emporzustreben, in der klaren Luft zu zittern, höher und höher zu werden, während sie schauten, und fast den Rand des vollen, silbernen Monds zu berühren.

Wie lange standen sie so? Beide gefangen in diesem Kreis unirdischen Lichts, einander vollkommen verstehend, Geschöpfe aus einer andern Welt, ganz verwundert, was sie in dieser mit dem Schatz von Seligkeit tun sollten, der ihnen in der Brust brannte und in Silberblüten von ihrem Haar und ihren Händen niederfiel.

Eine Ewigkeit? Einen Augenblick? Und flüsterte Miß Fulton wirklich: »Ja. Genau das«, oder träumte es Berta nur?

Dann flammten die Lampen auf, und Euka bereitete den Kaffee, und Harry sagte: »Meine liebe Mrs. Knight, fragen Sie mich nicht nach meiner Kleinen. Ich sehe sie nie. Sie wird mich erst dann zu interessieren beginnen, wenn sie einen Liebhaber hat«, und Lyptus nahm sein Auge aus dem Glashaus, aber nur für einen Moment, und steckte es dann wieder unter Glas, und Eddie Warren trank seinen Kaffee und stellte die Tasse mit einem Gesicht hin, als hätte er auf ihrem Grund eine Spinne gesehn.

»Was ich tun will? Den jungen Leuten ein Sprungbrett bieten. Ich glaube, daß London einfach überkocht von erstklassigen ungeschriebenen Theaterstücken. Und ich möchte zu ihnen sagen können: Hier habt ihr euer Theater. Schießt los!«

»Wissen Sie, meine Liebe, daß ich für die Smith-Meyers einen Raum entwerfen werde? Ich möchte es am liebsten in einem Brathering-Dekor tun, die Stuhllehnen alle wie Bratpfannen geformt und die Vorhänge ganz mit wundervollen Pellkartoffeln bestickt.«

»Es ist das Unglück unsrer jungen Schriftsteller, daß sie noch immer zu romantisch sind. Man kann sich nicht auf hohe See wagen, ohne seekrank zu werden und ein Speibecken zu brauchen. Nicht wahr? Warum haben sie also nicht den Mut zu diesem Speibecken?«

»Ein *gräßliches* Gedicht über ein Mädchen, das in einem Wäldchen von einem Bettler ohne Nase *überfallen* und *vergewaltigt* wurde...«

Miß Fulton sank in den niedrigsten und tiefsten Lehnstuhl, und Harry bot ihr Zigaretten an. Aus der Art, wie er vor ihr stand, die silberne Schachtel schüttelte und kurz fragte:

»Ägyptische? Türkische? Englische? Sie sind alle durcheinander«, wurde es Berta klar, daß Miß Fulton ihn nicht nur langweilte, er konnte sie einfach nicht leiden. Und daraus, wie Miß Fulton sagte: »Nein, danke, jetzt nicht«, schloß sie, daß auch sie es fühlte und gekränkt war.

›Ach, Harry, du hast unrecht, sie nicht leiden zu können. Du beurteilst sie ganz falsch. Sie ist wundervoll. Und außerdem, wie kannst du so anders für jemand fühlen, der mir so viel bedeutet! Sobald wir schlafen gegangen sind, will ich versuchen, dir zu schildern, was sich heute ereignet hat, was sie und ich gemeinsam erlebt haben.‹

Bei diesem letzten Gedanken durchzuckte Berta etwas Sonderbares und fast Erschreckendes. Und dieses Etwas, blind und lächelnd, flüsterte ihr zu: ›Bald werden alle diese Leute weggehn. Im Haus wird es still werden – ganz still. Die Lichter werden verlöschen. Und ich und er werden allein sein, allein im dunklen Zimmer, im warmen Bett ...‹

Sie sprang von ihrem Sessel auf und lief hinüber zum Klavier. »Wie schade, daß niemand spielt!« rief sie. »Wirklich zu schade!«

Zum erstenmal in ihrem Leben begehrte Berta Young ihren Mann.

Oh, sie hatte ihn geliebt – sie war natürlich in ihn verliebt gewesen, auf jede andre Art, nur nicht so. Auch hatte sie natürlich verstanden, daß es bei ihm anders war. Sie hatten es so oft besprochen. Es war ihr zuerst schrecklich gewesen, als sie entdeckte, daß sie so kalt war. Aber nach einiger Zeit schien das nichts mehr zu bedeuten. Sie waren so offen zueinander – so gute Kameraden. Das war das Beste am Modernsein.

Aber jetzt? – glühend, glühend! Das Wort schmerzte in ihrem glühenden Körper. War dazu jenes Gefühl von Seligkeit das Vorspiel gewesen? Dann – dann wäre ...

»Meine Liebe«, sagte Mrs. Norman Knight, »Sie kennen unsre Schmach. Wir sind die Sklaven von Zeit und Zug. Wir wohnen in Hampstead. Es war so nett bei Ihnen.«

»Ich komme mit Ihnen in die Halle«, sagte Berta.

»Ich habe mich so gefreut, Sie hier zu haben. Aber Sie dürfen den letzten Zug nicht versäumen. Das ist so unangenehm, nicht?«

»Wollen Sie nicht noch einen Whisky, Knight, bevor Sie gehn?« rief Harry.

»Nein, danke, lieber Freund.«

Berta drückte ihm die Hand dafür, als er sich verabschiedete.

»Gute Nacht, lebt wohl!« rief sie von der obersten Türstufe und fühlte, daß diese Berta für immer von ihnen Abschied nahm.

Als sie in den Salon zurückkam, waren auch die andern schon im Weggehn.

»... da können Sie ja einen Teil des Wegs in meinem Taxi mitkommen.«

»Ich bin Ihnen *so* dankbar, daß ich nicht *noch* eine Fahrt *allein* zu überstehen habe, nach meinem *gräßlichen* Erlebnis.«

»Sie können ein Taxi beim Standplatz bekommen, gleich am Ende der Straße. Sie brauchen nur ein paar Schritte weit zu gehn.«

»Das ist ein Trost. Ich ziehe mir nur meinen Mantel an.«

Miß Fulton wollte soeben in die Halle hinausgehn und Berta ihr folgen, da schob sich Harry fast mit Gewalt dazwischen: »Lassen Sie mich Ihnen behilflich sein!«

Berta wußte, daß er seine Unhöflichkeit bereute, – sie ließ ihn gehn. Was für ein großer Junge er doch in vielem noch war – so impulsiv – so – einfach! Eddie und sie selbst blieben am Feuer zurück.

»Ich möchte wissen, ob Sie schon das neue Gedicht von Bilk gelesen haben, es heißt ›Table d'hôte‹?« fragte Eddie leise. »Es ist *wirklich* wundervoll. In der neuesten Anthologie. Besitzen Sie sie? Ich möchte es Ihnen *so* gerne zeigen. Es beginnt mit einer *unglaublich* schönen Zeile: ›Warum muß es denn stets Tomatensuppe sein?‹«

»Ja«, sagte Berta. Und sie ging geräuschlos auf ein Tischchen zu, das gegenüber der Tür stand, und Eddie folgte ihr ebenso geräuschlos. Sie griff nach dem kleinen Band und reichte ihn ihm.

Während er darin blätterte, wandte sie das Gesicht der Halle zu. Und sie sah ... Harry mit Miß Fultons Mantel in den Händen und Miß Fulton, ihm den Rücken zukehrend und den Kopf tief gesenkt. Er warf den Mantel beiseite, legte seine

Hände auf ihre Schultern und drehte sie mit einer heftigen Bewegung zu sich herum. Seine Lippen sagten: »Ich bete dich an«, und Miß Fulton legte ihre Mondscheinfinger an seine Wangen und lächelte ihr schläfriges Lächeln. Harrys Nasenflügel zuckten; seine Lippen zogen sich in einem häßlichen Grinsen hoch, und er flüsterte: »Morgen«, und mit ihren Augenlidern antwortete Miß Fulton: »Ja.«

»Hier ist es«, sagte Eddie. »›Warum muß es denn stets Tomatensuppe sein?‹ Es ist eine so *tiefe* Wahrheit, fühlen Sie das nicht? Tomatensuppe ist so *gräßlich* ewig.«

»Wenn es Ihnen lieber ist«, kam Harrys Stimme sehr laut aus der Halle, »kann ich ein Taxi für Sie hertelefonieren.«

»O nein, danke. Das ist ganz unnötig«, antwortete Miß Fulton, kam auf Berta zu und gab ihr ihre schlanken Finger zu halten.

»Leben Sie wohl. Und vielen Dank!«

»Leben Sie wohl«, sagte Berta.

Miß Fulton hielt ihre Hand einen Augenblick länger.

»Ihr wundervoller Birnbaum!« flüsterte sie.

Und dann war sie weg, und Eddie folgte ihr wie die schwarze Katze der grauen.

»Schließen wir den Laden!« sagte Harry, außerordentlich kühl und gesammelt.

Ihr wundervoller Birnbaum – Birnbaum – Birnbaum!

Berta stürzte zur Glastür hinüber.

›Oh, was soll jetzt geschehn?‹ schrie es in ihr auf.

Der Birnbaum aber war so wundervoll wie zuvor, so voll von Blüten und so still.

VIOLETTE LEDUC

Therese und Isabelle

Ich trieb mich abseits bei den Toiletten herum. Dann trat ich ein. Ein hartnäckiger Geruch hing in der Luft, eine Mischung aus dem chemischen Geruch einer Bonbonfabrik und dem Gestank des Desinfektionsmittels der Gymnasien. Ich empfand keinen Abscheu mehr vor der Ausdünstung der Generalreinigung, die uns bei Schulbeginn die Abende verdarb. Der Geruch war der Vorhang, vor dem sich unsere Begegnung abspielen sollte. Das Geschrei der herumtobenden Kinder entfernte sich. Von dem blanken, immer neu abgeseiften Holzsitz stieg ein leichter Duft auf: zärtlicher Duft von Flachshaar. Ich beugte mich über das Becken. Das stehende Wasser warf mein Gesicht zurück, mein Gesicht vor der Erschaffung der Welt. Ich tastete den Griff ab, die Kette, ich zog meine Hand zurück. Die Kette schaukelte neben dem dunklen Wasser. Man rief mich. Ich wagte nicht mehr, den Haken einzuhängen, um mich einzuschließen.

»Öffnen Sie«, flehte die Stimme.

Jemand rüttelte an den Türen.

Ich sah das Auge. Es füllte den Ausschnitt der Tür. »Mein Liebes.«

Isabelle kam aus dem Land der Meteore, der Katastrophen, der Verhängnisse und Verheerungen. Sie schleuderte mir ein Wort entgegen, das frei war, das den Weg wies, sie brachte mir den Atem des Meeres. Ich habe die Kraft besessen, zu schweigen und mich zu spreizen.

Sie wartet auf mich, aber das gibt keine Sicherheit. Das Wort, das sie ausgesprochen hat, ist zu mächtig. Wir sehen uns an, gelähmt.

Ich warf mich in ihre Arme.

Ihre Lippen suchten Therese in meinen Haaren, an meinem Hals, in den Falten meiner Schürze, zwischen meinen Fingern, auf meiner Schulter. Könnte ich mich doch vertausendfachen, ihr tausend Theresen schenken... Ich habe nur mich selbst.

Zuwenig. Ich bin kein Wald. Ein Grashalm im Haar, ein Konfetti in den Falten meiner Schürze, ein Marienkäfer zwischen meinen Fingern, ein Flaum auf meinem Hals, eine Narbe auf der Wange würden mich reich machen. Warum bin ich kein Weidenbast für ihre Hand, die mein Haar streichelt?

Ich habe ihr Gesicht umfaßt:

»Mein Liebes.«

Ich schaute sie an, ich erinnerte mich ihrer im Jetzt, ich hatte sie bei mir in lauter letzten Augenblicken. Wenn man liebt, ist man immer auf einem Bahnsteig.

»Sie sind hier, Sie sind wirklich hier?«

Ich stellte ihr Fragen, ich verlangte, daß sie schwieg. Wir jubelten und klagten, wir entpuppten uns als geborene Schauspielerinnen. Wir preßten uns aneinander bis zum Ersticken. Die Hände zitterten uns, unsere Augen schlossen sich. Wir ließen ab und begannen von neuem. Unsere Arme fielen herab, wir staunten, wie arm wir waren. Ich spürte ihrer Schulter nach, ich wollte ihr auf bäurische Art meine Liebe zeigen, ich wollte unter meiner Hand eine rauhe Schulter, eine Borke. Sie schloß meine Hand, sie glättete einen Kiesel. Die Zärtlichkeit machte mich blind. Stirn gegen Stirn sagten wir uns ›nein‹. Wir umarmten uns ein letztes-, ein allerletztesmal, wir schlossen zwei Baumstämme in einem einzigen zusammen, wir waren die ersten und letzten Liebenden, wie wir die ersten und letzten Sterblichen sind, wenn wir den Tod entdecken. Die Rufe, das Geschrei und das Lärmen der Gespräche im Hof drangen wie Böenstöße zu uns.

»Stärker, stärker... Ersticken Sie mich in Ihren Armen«, keuchte sie.

Ich drückte sie an mich, doch ich konnte das Schreien, den Hof, die Straße mit ihren Platanen nicht zum Verschwinden bringen.

Sie machte sich los, sie wich zurück und kam wieder, sie verwandelte mich in eine Magnolie, sie bog mich zurück:

»So ist es gut...«

Ihre Stärke machte mich traurig.

»Ich will Sie umarmen, ich...«

»Sie verstehen es nicht«, sagte sie.

Melancholisch sah Isabelle mich an. Ich riß sie gegen die Tür, ich taumelte gegen das Becken. Sie hielt sich an der Tür fest, der Haken fiel ihr vor die Füße. Gleich hatte sie meine Stümperarbeit wieder in Ordnung gebracht.

»Kommen Sie her«, sagte sie.

Sie legte den Kopf auf die Schulter, sie girrte.

»Bewegen Sie sich nicht. Ich sehe Sie an«, sagte ich, in ihr verloren.

Ich schürfte mit meinen Zähnen in ihrer Halsbeuge, ich atmete die Nacht unter dem Kragen ihres Kleides: Die Wurzeln eines Baumes erbebten. Ich umarme sie, ich ersticke den Baum, ich presse sie an mich, ich ersticke die Stimmen, ich umarme sie und tilge das Licht.

»Ist es wahr?«

»Es ist wahr«, sagte Isabelle.

Wir betrachteten das blaue Herz des Himmels im Ausschnitt der Tür. Der Morgenhimmel brütete die Erde aus.

Isabelle bedeutete mir, daß wir uns nicht intensiv genug ansahen. Liebe – das ist letzte Anspannung. Unsere Blicke irrten ab, verloren ihre Bahn, fanden sich wieder. Ich verfolgte den Schrei einer Schülerin in Isabelles Augen.

»Ich möchte Sie verschlingen.«

Ich habe sie gegen die Wand gedrückt und ihre Hände mit meinen Handflächen festgenagelt. Meine Wimpern schlugen zwischen den Wimpern Isabelles.

»Es ist ungeheuerlich«, seufzte sie.

Meine Brauen streichelten die ihren.

»Ich sehe Sie... Es ist ungeheuerlich«, sagte sie.

Wir reden. Das ist traurig. Was ausgesprochen ist, ist hingemordet. Unsere Worte, die nicht wachsen, die nicht schöner werden können, müssen im Innern unserer Gebeine verdorren. Ich bin in ihre Augen eingetaucht.

»Ich...«

Worte lassen die Gefühle welken.

Ich habe meine Hand auf ihren Mund gelegt, der es aussprechen wollte.

»Ich...«

Ich erstickte ihr Geständnis. Ich nahm die Hand von ihrem Mund: Ihre Arme fielen herab.

»Haben Sie keine Angst. Ich werde es Ihnen nicht sagen.«

Mit traurigen Augen betrachtete sie den Himmel im Ausschnitt der Tür. Ich hatte sie verletzt. Der Sturm der Schreie trug uns fort.

»Verstehen Sie nicht?«

»Nein, ich verstehe nicht«, antwortete Isabelle.

»Was Sie mir sagen wollten... Sie werden es mir später sagen.«

Sie nahm meine Hände von ihrem Körper. Der Himmel veränderte sich im Ausschnitt der Tür: Der heitere Himmel mit seinem namenlosen Blau bedrückte uns.

»Zu dumm. Gerade haben wir uns noch verstanden.«

»Jetzt verstehen wir uns nicht mehr«, sagte Isabelle.

Ihr anderes Ich, weise, mit geschlossenen Augen, sprach für sie.

Ich bin einen Schritt zurückgetreten, ich habe Isabelle als sanfte Silhouette wie in einem Nebel wahrgenommen. Sie kam wieder zu sich in einem erkaltenden Traum. Die Schreie vom Hof her durchbohrten uns.

»Sind Sie böse?«

»Ich bin nicht böse«, sagte Isabelle.

»Reden Sie doch.«

»Nein.«

Die Statue wird in die Mauer eingehen, aufgesogen von der Wand.

»Sie verlassen mich?«

»Ich warte, auch ich warte«, sagte Isabelle.

Runde Fülle des leisen ›Nein‹, gebundene Schönheit des Schneeballs im Mai, die ich versäumen werde, wenn fern von den Gärten mein Sterben beginnt.

Verstohlen blickte ich auf die teerige Farbe des stehenden Wassers.

Isabelle hob den Arm, sie löste die Schildpattnadel in ihrem Haar, entfernte sie aber nicht. Die unvollendete Geste bezauberte mich. Isabelle hielt die Augen geschlossen. Der Arm sank zurück, überwältigt von der Lethargie der Toiletten.

Ich drückte sie an mich mit der ganzen Kraft einer reuigen Büßerin, ich atmete sie, ich preßte sie gegen meinen Bauch. Wir taumelten.

Isabelle versetzte meine Fußknöchel in einen Rausch, meine

Knie, die in einer wonnevollen Fäulnis zergingen. Wärme ließ mich aufbrechen wie eine Frucht, aus der der Saft austritt. Zangen marterten mich sanft, ganz sanft. Ihre Haarnadel fiel in das Becken, wir verloren das Gleichgewicht. Ich tauchte meine Hand in das Wasser und schob die Nadel in Isabelles Haar zurück.

»Ich will diese Hand«, sagte sie.

Ich wurde zu Eis unter ihren Zärtlichkeiten. Ich war von meiner Hand abgetrennt, ich erkannte sie nicht mehr. Ich entzog ihr meine Hand wieder, mein Mund trocknete ihre feuchten Lippen, ich stieß meine Zunge in Isabelles Mund. Sie faltete die Hände: Sie formte meinem Kinn einen Altar.

»Therese...«

Ich löste mich von ihr, um sie ganz anzusehen.

»Ja«, antwortete ihr mein Herz.

Dann war sie da, in meinem Rücken. Sie hat ihren Arm um mich gelegt, sie hat mich an sich gezogen und sich für mich aufgetan. Ich schämte mich, ihr meinen Rücken zuzuwenden, eine abstoßende Masse, die zu veredeln ich keine Macht besaß. Das Blut stieg mir in die Wangen, in den Hals, während ich ihr Vlies wund rieb und ihre Schürze zerdrückte. Ihre Hand brachte meinen Atem aus dem Gleichmaß. Ich schluchzte stumm, tränenlos. Auch Isabelle schluchzte, sie legte ihre Hand auf meine Schürze: Ich spürte meine Kleider gegen meinen Leib. Ein Schrei vom Hof her durchschnitt meinen Bauch, mein Herz begann in diesem Schrei zu schlagen. Eine Schülerin übte auf dem Klavier: Ihr reines Spiel erinnerte mich an die perlende Frische eines Springbrunnens in einem Park. Mein Atem wurde wieder regelmäßig.

»Wie spät?« fragte ich.

»Die Pause dauert länger. Die Vorbereitung fällt aus.«

»Ich weiß. Wie spät ist es?«

Ich machte mich von ihr los. Sie verzog verächtlich den Mund.

»Meinetwegen kann die Schule abbrennen.«

»Meinetwegen auch.«

»Es ist mir egal, wenn ich vom Gymnasium fliege, aber nicht, wenn ich von Ihnen getrennt werde. Begreifen Sie nicht?«

»Wir werden getrennt sein«, sagte ich.

Isabelle warf sich über mich. Sie verrenkte mir die Handgelenke.

»Wir getrennt? Sie sind verrückt. Auf jeden Fall nicht vor den großen Ferien.«

»Sie werden sehen. Meine Mutter, Isabelle, meine Mutter...« Es würgte mich.

»Was ist mit Ihrer Mutter?«

»Ich muß immer bei ihr sein...«

»Man wird uns nicht trennen«, erklärte Isabelle.

Wir haben uns in einem langen, lustvollen Kuß versöhnt. Man rüttelte an unserer Tür, jemand betrat die Toilette nebenan: Es störte uns nicht. Das Getrippel auf dem Zementboden zeigte, daß die Kleine bis zum letzten Augenblick gewartet hatte. Sie hob ihre Schürze, den Rock, schob die Unterwäsche zurück. Mein zerfetzter Leib vergrub sich in Spitzen. Ich öffnete die Augen, ich sah in Isabelles Blick, daß ich sie mit weißer Wäsche betrogen hatte. Das Mädchen erleichterte sich, doch wir empfanden Scham vor dem eintönigen Rinnen. Ich ahnte, dies würde zu einer Erinnerung werden. Das Mädchen rutschte vom Sitz, kam wieder auf die Füße und verschloß sorgfältig die Tür.

»Therese, sagen Sie etwas.«

...

Ich werde dir nicht mit den Albernheiten kommen, die du mir abverlangst. Schweig. Umarme mich. Du bist ein Fünfhundert-Seelen-Dorf, ich bin ein Fünfhundert-Seelen-Dorf. Drück mich an dich, drück mich an dich.

»Die Schülerinnen sind schon hineingegangen«, sagte ich.

»Alle sind fort...«

»Ganz egal. Ich sage, mir sei unwohl gewesen, und Sie, Sie werden schon etwas finden.«

»Was denn?«

»Eine Lüge«, sagte Isabelle.

Ihre Haarlocke wird auf ewig ein Wahnsinnsmal über ihrem Auge sein.

Isabelle küßte mich überall. Sie behängte mich mit Ordenssternen, ich überhäufte sie mit Ehrenzeichen. Der Frühling in ihren Haaren verschwisterte sich mit dem Frühling in meinem Haar.

»Ich kann nicht mehr.«

»Ich kann nicht mehr.«

Wir werden schwach, wir legen unser Geschlecht in seinem moosigen Versteck frei. Isabelles Kopf fällt auf meine Schulter. Ich trage einen Falken auf der Schulter, ich bin der Große Falkner.

»Genug«, sagte sie. »Wir müssen auseinander. Ich gehe als erste.«

Erst, wenn ich den Gürtel ihrer Schürze mit drei Küssen – drei Blumen – geschmückt habe.

»Verwahren Sie das. Es wird ein Band zwischen uns sein bis zum Abend«, sagte Isabelle.

Sie streckte den Arm aus, sie löste für mich ihre Armbanduhr.

Eine Fliege schwirrt davon – der Aufbruch. Ich sehe, wie Isabelle sich von dem herzförmigen Türausschnitt entfernt. Der Staub des Hofes besitzt ihre Füße, der Schildpattnadel gehören ihre Haare, der Luft ihre Lungen, die ich nicht mehr sehen werde, die mein Atem nicht mehr spüren wird.

Im Schlafsaal, abends. Im Schlafsaal, nachts, in Isabelles Zelle.

Ich bettete meinen Liebling, ich richtete seinen Kopf auf, ich klopfte das Kopfkissen glatt, ich entzog dem Bett seine Kälte, ich machte es wieder jung.

»Du bist gut zu mir«, sagte Isabelle.

Ich wärmte ihren Fuß an meiner Brust. Ich hatte ein Kind von Isabelle. Sie war meine Geliebte und das Kind, das ich in den Wiegenkorb legte. Von denen, die ich geliebt habe, habe ich mir nie andere Kinder gewünscht als sie selbst. Die Liebe, das waren sie.

»Ich gehe, Isabelle.«

Sie hielt mich zurück.

»Ich schreie, wenn Sie gehen.«

Ich bin geblieben.

»Sanfter«, sagte sie zu der Hand, die nicht mehr meine war, die sie führte.

Ich drang wieder in das alte Versteck ein.

»Du wirst schläfrig«, sagte sie.

Mein Finger träumte, ich fantasierte in heimlichem Fieber. Sie hat ihren Arm auf den meinen gelegt, sie hat mir Lust geschenkt, während sich unsere Arme trafen.

Man muß sich selbst auslöschen, um geben zu können. Ich wollte eine Maschine sein, an der nichts Maschinenhaftes war. Mein Leben war ihre Lust. Ich zielte weiter als Isabelle, ich nahm Isabelle in einem Bauch aus Dunkelheit. Wir waren im Einklang, solange wir uns verloren. Ich war erschreckt, als sie sich aufgerichtet hat. Würde sie sterben oder leben? Der Rhythmus entschiede es. Ich bewegte mich in ihr, mit den Augen des Geistes sah ich das Leuchten in ihrem Fleisch. Ich trug im Kopf eine Therese mit geöffneten, zum Himmel gereckten Beinen, eine Therese, die empfing, was ich Isabelle schenkte.

»Ruhe dich aus«, sagte sie.

Ich wurde wieder ein Kind.

Hingestreckt, treibend, getrennt und wieder vereinigt, konnten wir uns lebendig im Schoß der ewigen Ruhe wähnen. Wie frisch der Totenfluß war...

»Ich möchte dir etwas sagen...«

»Du bist glücklich. Versuche es nicht«, antwortete Isabelle.

Wir haben unsere Nachthemden wieder übergestreift.

Ich sagte:

»Woran denkst du?«

»Ich lebe einfach. Und du?«

»Ich hörte dein Herz schlagen. Welch ein Gefängnis!... Hörst du es auch?«

»Ich bin nicht traurig«, sagte Isabelle.

Ich drehte mich zu ihr:

»Schläfst du nicht?«

»Ich sah uns in einem Kino. Ich habe mich schlecht benommen, nicht anständig«, sagte Isabelle.

»In einem Kino... Sonderbar! Mir ist, als wüßte ich davon, und trotzdem ist es keine Erinnerung. Es ist, als wäre ich in diesem Kino gewesen, obwohl ich es nicht kenne«, sagte ich.

»So etwas wird es nicht geben. Wir sind nicht frei«, erklärte Isabelle.

»Laß uns fortgehen.«

»Ich habe kein Geld.«

»Ich auch nicht. Wir verkaufen, was zu verkaufen ist, wir

nehmen den Zug. Versuchen wir es doch. Wir werden schon nicht vor Hunger sterben.«

»Wir gehen nicht fort. Wir gehören hierher. Wir können alle Nächte für uns haben, wenn wir vorsichtig sind. Gefällt es dir im Pensionat nicht?«

»Im Gegenteil. Ich habe Angst, daß ich abgehen muß... Wirst du mich zwischendurch besuchen kommen? Sag doch, wirst du mich besuchen?«

Sie gab keine Antwort.

Zwei Rosetten schmiegten sich ineinander.

»Wer hat dir das gezeigt?«

»Ich habe es immer gewußt«, sagte Isabelle.

»Ich habe Hunger.«

Sie hat die Schublade des Nachttischchens geöffnet und, ohne sich von mir zu lösen, ein Stück staubiger Schokolade in meinen Mund geschoben.

»Iß«, sagte Isabelle, »iß.«

Meine Wange überzog sich mit Kälte, als sie meine Taschenlampe auf dem Kopfkissen berührte.

Ich leuchtete nacheinander Isabelles Handflächen an, fern von der Stelle unserer Vereinigung.

»Ich brauche dich«, sagte ich.

»Ich brauche dich«, wiederholte Isabelle.

»Ja«, habe ich gestöhnt, »ja.«

»Da ist jemand«, sagte Isabelle ruhig.

Sie stand auf, sie sah in den Gang hinaus.

»Niemand. Niemand da.«

Sie beugte sich über das Bett, Isabelle legte sich nicht nieder.

Sie spielte in meiner Leistenbeuge, sie erregte mich, indem sie langgezogene Achten zeichnete, sie bückte sich zu ihren Liebkosungen herunter.

Drei Finger drangen ein, drei Gäste, nach denen das Fleisch schnappte.

Sie kam wieder ins Bett, wie ein Akrobat, der im Kriechen seinen Partner auf dem Armende trägt.

»Du hörst mir nicht zu«, sagte Isabelle.

»Ich höre dich. Du erzählst mir Kleinigkeiten, du bist wieder da, du bist in mir. Der Regen... oh, ja... ich finde ihn nicht abscheulich. Er ist wie eine Freundin... Ja, ja... Laß uns zusammen sterben, Isabelle, zusammen sterben, solange ich du bin und du ich bist. Ich werde nicht mehr daran denken, daß wir auseinander müssen. Laß uns sterben, willst du?«

»Nein. Ich will das hier. Ich will ganz in dir sein. Sterben... das ist Unsinn.«

»Würdest du mich verlassen, wenn ich aussätzig wäre?«

»Ich habe keinen Aussatz, du hast ihn nicht, niemand von uns hat Aussatz. Warum machst du Licht?«

Isabelle zog ihre Hand zurück, sie verschränkte die Arme über den Augen.

»Würdest du mich verlassen?«

Sie zuckte die Schultern.

»Sieh mich an«, sagte ich.

»Wenn ich morgen stürbe, würdest du dann weiterleben?«

»Ich sehe dich mit geschlossenen Augen.«

Sie warf sich zu mir herum. Ich fand sie in einem Rauhreifstrauch wieder, immer, wenn sie sich so umdrehte.

»Du würdest weiterleben. Du gibst keine Antwort.«

Isabelle schob die Hände ineinander. In ihrem Gesicht arbeitete es: Ihre Seele zuckte.

»Das ist eine schwere Frage«, sagte sie.

Sie hielt die Augen geschlossen.

»Antworte!«

»Das sind zu große Fragen.«

Isabelle hob die Lider. Sie blickte mich fest an:

»Willst du wirklich mit mir sterben, wenn du das sagst? Möchtest du wirklich, daß wir gleichzeitig sterben?«

Isabelle warf den Kopf zurück. Sie dachte angestrengt nach.

»Ich weiß nicht mehr«, sagte ich.

»Gib mir deine Hand«, verlangte sie. »Nein... Gib sie mir nicht. Nicht jetzt!«

»Du bist so schön... Ich möchte es gern, aber ich könnte nicht. Ich kann dich mir nicht tot vorstellen. Du bist so schön...«

»Reden wir von uns. Könntest du es?«

»Ich weiß nicht, ich weiß nicht mehr. Man lebt doch gern. Und du? Und du?«

»Doch, wenn wir nicht getrennt werden wollen«, sagte Isabelle.

»Du könntest es?«

»Man müßte sich daran gewöhnen«, erwiderte sie.

»Du könntest das nicht, aber ich bin dir deswegen nicht böse. Ich habe nie daran gedacht, so etwas von dir zu verlangen. Von einer Klippe... nachts... zusammen...«

»Schrecklich, was du da sagst.«

»Wie schnell du Angst bekommst! Mit dir zusammen hätte ich keine Furcht.«

»Denke nicht daran, Isabelle.«

»Ich hatte es dir ja gesagt: Das sind zu große Fragen.«

»Du bist schön. Ich will dich nicht verlieren.«

Isabelle drehte sich zur Wand, aber ich wiederholte in ihren Haaren, auf ihren Augen, wie schön sie sei. Sie verabscheute Komplimente als Firlefanz. Sie verschloß sich, sie war fern.

»Strecke dich aus, über das ganze Bett. Sei schön«, sagte ich.

Isabelle richtete sich auf:

»Hörst du: drei Uhr morgens. Ich will dich nicht verlassen.«

Sie hängte sich an meinen Hals. Die Nacht hatte uns verraten. Ich betete an, was verwundbar war.

»Nimm die Lampe. Ich werde dich kämmen. Willst du?«

Sie zuckte ergeben die Schultern:

»Hörst du? Es regnet.«

Was wir vernahmen, waren nur die letzten Seufzer der Nacht voller Erbarmen.

Ich umfasse ihr Gesicht wie eine Wahnsinnige, die Haare fallen ihr auf die Schultern, aber sie braucht kein Bedauern. Ihre kleine Nase wird nicht altern. Die Würmer werden sich satt fressen, doch ihre kleine Nase wird dieselbe bleiben. Sie ist der Schatz in der Gruft, sie ist das kleine, vollkommene Knochenbein. Wie puritanisch ihre kleine gerade Nase ist!

»Was gibt es an mir, was siehst du denn?«

»Nichts.«

Ich wagte nicht, Isabelle von ihrer Unsterblichkeit zu sprechen.

Sie nahm meine Hand, sie bettete ihre Wange hinein.

»Laß mich dich zurechtmachen.«

Sie gab sich gern dazu her:

»Was machst du mit mir?«

»Ich schmücke dich mit Blumen.«

»Weißt du, daß das eine ernste Sache ist?« fragte Isabelle.
»Ich meine es ernst.«
»Das ist alles nicht wirklich. Wir haben keine Zeit zu verschenken.«
»Du bist schön, und ich mache dich noch schöner.«
»Du sollst mich nicht vergöttern.«
Ich sah meine Tränen schimmern. Ich weinte nicht.
»Was habe ich dir getan, sag mir doch, was ich dir getan habe«, bettelte ich. »Ich wollte dich schmücken...«
»Das ist alles?« fragte Isabelle.
»Das ist alles, ja.«
Aber ich liebte sie doch mit Kreppschleifen an jedem Finger. Sie hat sich im Bett aufgesetzt:
»Ich weiß es: Wir werden getrennt sein«, sagte sie.
Ich packte das Federbett, ich kämpfte gegen diesen Plagegeist an.
Wir hatten das Fest des Zeitvergessens geschaffen. Wir umarmten alle Isabellen und Theresen, die sich später unter anderen Namen lieben würden, unsere Umarmung endete in Zittern und Zähneknirschen. Wir sind, ineinander verschlungen, über einen Abhang aus Finsternis gerollt, wir haben nicht mehr geatmet, damit Tod und Leben stillstehen sollten.
Ich stieß in ihren Mund vor, wie man in den Krieg zieht: Ich hoffte, ihre Eingeweide zu verwüsten und die meinen.
Ein Pfiff, ein Zug in einem Bahnhof – doch über uns lastete noch schweres Schweigen.
Isabelle legte ihr Haar auf meine Schulter.
»Bist du müde?«
»Ich bin nicht müde.« Sie stammelte es.
Etwas löste sich von meiner Hüfte, fiel auf die Matratze: eine Hand. Isabelle schlief. Das Morgengrauen würde von einer Minute zur anderen kommen – unsere Dämmerung.
Mein Gesicht rieb sich an ihrem.
»Schlafe nicht...«
Die Morgenfrühe, die immer pünktlich ist, wenn irgendwo etwas stirbt, wartete mit ihren Schleiern. Kähne rissen sich vom Schilfrohr und fuhren hinaus.
»Schlafe nicht...«
Ich öffnete die Hand über ihren Locken, ich lauschte auf der

Burg, die mein Leben war. Ihr Schlaf erregte mich. Ich legte meine Lippen, die Lippen eines kleinen Mädchens von acht Jahren, auf ihren kraftlosen Mund, ich betrog Isabelle mit sich selbst, ich brachte sie um den Kuß, den ich ihr gab. Sie erwachte auf meinem Mund:

»Du warst da?«

Sie sprach: Sie brachte mir die Blume der Finsternisse, in denen sie ausgeruht hatte. Ich atmete den Schwefelgeruch der Gegenwart.

»Willst du?«

»Ja«, sagte Isabelle.

Wir sind im Flug mit den falben Fingern des Herbstes über unsere Schultern gehuscht, wir haben das Licht bündelweise in die Nester geschleudert, wir ließen den Wind durch unsere Liebkosungen fahren, wir schufen Gebilde aus der Brise des Meeres, unsere Beine schlugen wir in Zephirwinde, in den Höhlungen unserer Hände war ein Rauschen von Taft. Wie leicht der Beginn war! Unser Fleisch liebte uns, wir versprühten Duft. Ich verlor mich in Isabelles Finger, wie sie sich in meinem verlor: seliges Gleiten, in dem nichts von Knechtschaft war. Wie hatte unser gewissenhafter Finger geträumt...! Wie vermählten sich unsere Bewegungen! Wolken kamen uns zu Hilfe. Wir waren von Licht übergossen.

Die Woge glitt heran wie eine Späherin, sie machte unsere Füße trunken und zog sich zurück. Lianen erschlafften, in unseren Knöcheln breitete sich Helle aus. Das sanfte Anbranden wurde unerträglich. Meine Knie zerfielen zu Asche.

»Das ist zuviel. Sag mir, daß es zuviel ist.«

»Sei still.«

»Ich kann nicht schweigen, Isabelle.«

Ich umarmte ihre Schulter, ich überließ mich noch einmal diesem Untergang.

»Sprich doch.«

»Ich kann nicht«, sagte Isabelle.

»Öffne die Augen.«

»Ich kann nicht«, sagte Isabelle.

»Woran denkst du?«

»An dich.«

»Sprich, sprich doch.«

»Bist du nicht glücklich?«

»Da, sieh... Nein, schau nicht hin.«

»Ich weiß. Es wird bald hell. Mache die Augen zu, schiebe es fort«, sagte Isabelle.

Der Tag brach an, Isabelle fiel wieder in Schlaf.

Ich gähnte in den milchigen und feuchten Wiesen, ich verlangte Hilfe und Schutz von der Schläferin, in der die schwarze Nacht verwahrt war, nach welcher ich mich sehnte. Meine Schläferin hat in ihrem Kopf ungenutzte Nacht, meine Schläferin trägt den Gesang der Nachtigall im Herzen, die nicht geschlafen hat. Ich atmete sparsam, ich lebte schmal bei ihr.

Sie umschlang mich, sie vergaß nicht, sich noch im Schlaf zu sorgen: »Du schläfst nicht?«

»Ich schlafe. Schlafe auch du.«

Einige Schülerinnen bewegten sich: Die Frühe schauerte in ihren Träumen.

Ich stand auf, Isabelle auch. Ich ging in den Gang hinaus, aber sie führte mich hart in ihre Zelle zurück.

Sie schlug ihren Schlafrock auseinander, sie scheuerte meinen Schamberg mit ihrem Schenkel. Ich wollte fort. Ich war über ihren Schlaf verzweifelt.

»Gehe nicht!«

Isabelle brach zusammen:

»Warum habe ich nur geschlafen, warum nur?«

Sie zitterte.

Ein Übermaß von Liebe macht mutlos.

»Tu nur, was du möchtest«, sagte ich.

Sie leckte mich, sie spürte die Reste der Nacht in meinem Gesicht auf, sie kniete nieder.

Das Gesicht wanderte über mich, das Gesicht durchforschte mich. Lippen sahen und berührten, was ich nicht sah. Ich war gedemütigt, ihretwegen. Unentbehrlich und mißachtet war ich mit meinem Gesicht, das fern von ihrem war. Ihre schweißfeuchte Stirn brachte mich aus der Fassung. Eine Heilige wusch meine Unreinheit fort. Ihre Gaben machten mich arm. Sie schenkte sich zu sehr: Ich war die Schuldige.

»Geh und ruhe dich aus. Eine Schülerin lernt schon«, sagte Isabelle.

Ich gehorchte. Ich stürzte mich in den Strom des Schlafes.

»Sie schlafen hoffentlich nicht mehr?« sagte die Aufseherin.

Ich schlief im Stehen.

»Relativsätze können verschiedene Umstandsbeziehungen ausdrücken...«

Isabelle sagte es zu einer anderen. Isabelle räumte bereits ihre Box auf.

Ich wurde ganz wach, ich richtete mich her für ihren Guten-Morgen-Gruß.

Sie kam herein mit der stolzen Verachtung des Orkans, während ich Brillantine auf meine Brüste strich, um mich der kostbaren Knospe ähnlich zu machen.

»Guten Morgen.«

»Guten Morgen.«

Wir konnten uns nicht in die Augen sehen.

»Es ist schön draußen.«

»Ja, es ist schön.«

Doch die Sonne brachte uns außer Fassung. Wir schlugen die Augen nieder.

»Sind Sie fertig?« fragte Isabelle.

»Nein. Sie sehen doch.«

Ihr Name, den ich auszusprechen vermied, mein Speichel, der mir im Munde blieb...

»Wollen Sie, daß ich Ihnen helfe?«

»Nein.«

»Ich möchte meine Uhr«, sagte Isabelle.

»Natürlich. Ihre Uhr...«

Ich machte mich an meinem Nachttisch zu schaffen.

»Legen Sie sie mir um das Handgelenk.«

Wir haben uns wiedererkannt, wir haben uns mit unseren alten Augen angesehen.

»Legen Sie mir mein Armband um«, bat ich sie.

»Sagen Sie mir, wenn ich zu fest anziehe.«

»Ganz einfach. Es hat eine Markierung.«

»Können Sie es nicht?« fragte Isabelle.

»Doch«, sagte ich.

»Die Stimme versagt Ihnen«, bemerkte Isabelle.

»Mir? Erlauben Sie? Ich muß mit dem Aufräumen zu Ende kommen.«

Ich warf den Deckel des Toiletteneimers auf den Boden und goß die Waschschüssel aus.

»Nicht soviel Lärm dahinten«, rief die Aufseherin.

»Feilen Sie Ihre Nägel nicht hier. Nicht hier...«

»Und warum nicht?« fragte Isabelle.

»Nicht hier. Nicht jetzt.«

»Sie sollen abstauben...«

»Feilen Sie sich nicht die Nägel. Hören Sie auf damit.«

Isabelle stieß das Fenster auf.

»Haben Sie Ihre Feile hinausgeworfen?«

»Sie mochten sie ja nicht«, sagte Isabelle.

Ich säuberte die Porzellanschale und legte die Zahnbürste darauf.

Isabelle ist bereit, mich zu erdolchen. Dieser Gedanke durchfuhr mich, als ich auch die Handtücher und den Schwamm auf der Ablage anordnete. Ich wartete auf einen Messerstich.

»Hat die Aufseherin Sie eintreten sehen?«

Isabelle wollte nicht antworten.

Ich nahm wieder das Handtuch mit dem Wabenmuster, ich trocknete das Zahnputzglas.

»Weiß sie, daß Sie bei mir sind?«

Plötzlich zog sie mich an den Haaren. Sie stieß ihren Speer in meinen Nacken.

»Jemand kommt«, sagte Isabelle.

Sie riß sich von ihrem Werk los. Sie schob den Vorhang halb beiseite und schlüpfte hinaus.

»Falscher Alarm. Im Gang ist niemand«, berichtete Isabelle. Sie beruhigte mich. Dann war sie verschwunden.

Die Aufseherin erschien:

»Es war jemand bei Ihnen. Leugnen Sie nicht. Der Name Ihrer Mitschülerin?«

»Mitschülerin?« sagte ich verächtlich.

»Warum lächeln Sie?«

»Isabelle hat mir geholfen. Isabelle hilft mir immer, wenn ich mich verspäte. Die frühere Aufseherin wußte es.«

»Ich bin über Sie verwundert. Rasch, rasch, wir gehen hinunter«, sagte die Aufseherin, von einem unbehaglichen Gefühl befreit.

Andrea zählte nur halb zu den Kostschülerinnen. Sie erschien zeitig am Morgen und frühstückte mit uns im Speisesaal. Abends aß sie auf dem Land und blieb dort über Nacht. Die Donnerstage und Sonntage verbrachte sie einer Wiese gegenüber, neben einem Stall. Andrea war wie ein hübsches Winterquartier. Ihre Augen glänzten vor Kälte, der Frost spleißte ihre ewig aufgesprungenen Lippen. Ich drückte ihr die Hand, ich umschloß den Sauerstoff der Freiheit.

»Ist bei euch draußen schönes Wetter« fragte ich sie.

»Dasselbe Wetter wie hier«, antwortete sie.

»Es gibt da unten öfter Frost«, fügte ich noch hinzu; ich hatte Sehnsucht nach Rauhreif.

»Der Frost ist vorbei. Mein Vater dengelt jetzt seine Sense«, sagte sie.

An diesem Morgen ließ ich Andrea in weißem Rauhreif zurück.

»Renée hat mir Fotos gezeigt. Wie finden Sie das hier?« fragte mich Isabelle in der großen Halle, bevor wir den Speisesaal betraten.

»Eine Landschaft... Die ist gelungen.«

Isabelle machte Annäherungsversuche mit ihren Haaren, die die meinen streiften.

Ich hatte Angst, aufzuschreien. Ich wich aus.

Isabelle warf ihre Mähne zurück. Ihre Wange gab meiner einen langen Kuß.

»Hören Sie auf«, sagte ich, »Sie bringen mich um.«

Wütend stieß sie mich gegen Renée; sie entschuldigte sich. Mädchen zerrten an uns mit ihrem Gekreisch. Ich liebe Sie, und Sie wollen nicht antworten, drängte die Hand, die ich umschlossen hielt. Renée vertiefte sich in das Foto, sie ahnte wahrscheinlich ein Liebespaar an ihrer Seite, da sie sich nicht aufzublicken traute. Ich war gefangen zwischen der geheuchelten Unschuld der einen und der Tollkühnheit der anderen. Isabelles Hand streichelte mich in den Falten meiner Schürze. Das war Wahnsinn. Ich zerging, mein Fleisch war wie zermürbt.

»Wollen Sie mir endlich das Foto geben!?« sagte Renée.

»Laß es ihr. Sie will es genau ansehen«, war Isabelles Antwort für Renée.

Isabelle erriet, daß das glänzende Stück Papier mich schützte. Sie lenkte den Blitz ab, der meine Eingeweide zermalmt hätte, der den Strahlenkranz in meinem Bauch hätte aufleuchten lassen. Ich brach zusammen, das Foto in der Hand.

»Geben Sie ihr eine Ohrfeige«, sagte Renée zu Isabelle, »eine Ohrfeige, dann kommt sie wieder zu sich.«

Isabelle antwortete nicht.

»Ein Taschentuch, rasch ein Taschentuch mit Kölnisch Wasser!« rief eine andere. »Therese ist gestürzt... Therese ist unwohl.«

»Holt Essig, bringt Alkohol!«

Ich hörte die Stimmen und ruhte mich auf dem Fliesenboden aus, während ich Ohnmacht nach einem Schwächeanfall vortäuschte. Ich wagte nicht aufzustehen aus Furcht, mich lächerlich zu machen. Beim Aufwachen zerquälte ich mich oft: Ich stelle mir den Kummer, oder auch sein Ausbleiben, bei denen vor, die erfahren werden, daß ich aufgehört habe zu leben. Isabelle blieb stumm, Isabelle gewöhnte sich an meinen Tod. Schülerinnen schüttelten mich, schoben meine Lider zurück, riefen mich, fanden mich nicht mehr. Ich hatte mich zum Verschwinden gebracht, da ich Isabelle nicht in der Öffentlichkeit lieben konnte: Der Skandal, den ich uns erspart hatte, fiel allein auf mich zurück. Ich stand auf, um dem ekelhaften Essiggeruch zu entkommen.

»Es war nichts«, erklärte ich.

Ich beklopfte mir die Stirn.

»Gehen Sie hinauf in den Schlafsaal«, sagte die neue Aufseherin. »Wer will sie begleiten?«

Sie befeuchtete mir Stirn und Lippen mit ihrem verwünschten Essig.

»Ich werde gehen«, sagte Isabelle.

Wir brachen auf wie zwei Hilfsbedürftige, wir hörten den Militärschritt der Mädchen im Speisesaal. Isabelle umfaßte eine Schülerin, die einen Schwächeanfall gehabt hatte. Elend ist größer als Schuld. Wir gingen, ohne uns etwas zu sagen, ohne uns anzusehen. Sie blieb stehen, wenn ich anhielt, sie ging weiter, wenn ich weiterging. Traurig trat ich auf der Matte unten an der Treppe herum, ich hoffte auf eine Versöhnung. Ich hatte sie so lieb, während wir, Stufe um Stufe, hinaufstiegen. Ich tat ein Versöhnungsgelübde bei jedem Heben des Fußes. Sie zog ihren Arm fort, sie knöpfte die Manschette ihres Kittels zu, sie faßte meinen Körper wieder, gehorsam gegen die Aufseherin: eine Krankenschwester, die mich in den Gang des Schlafsaals schob, den Vorhang meiner Zelle beiseite zog und zu ihrem Raum davonging. Meine essigbespritzte Schürze, meine feuchten Haare machten mich mutlos. Auch ich trat in meine Zelle.

Sie schlug den Vorhang weit zurück, sie lüftete alles aus, bevor sie hereinkam. Sie desinfizierte meine Seele, sie schüchterte mich ein.

»Warum hast du das gemacht?«

...

»Hast du simuliert, oder warst du wirklich erschöpft?«

»Ich habe simuliert. Schimpf nicht mit mir.«

»Ich schimpfe nicht mit dir.«

»Laß doch die Bürste! Geh nicht fort...«

Sie ist in meine Box zurückgekommen wie ein Geschenk der Sonne. Ich habe meinen innigsten Kuß auf ihre Hand gedrückt.

»Verzeih mir«, habe ich sie angefleht.

»Schweig. Du sagst etwas Schreckliches. Bist du müde?«

»Bis zu den Ferien werde ich nicht müde sein.«

»Ich muß mich im Speisesaal sehen lassen, Therese.«

Das Gewicht ihres Körpers auf meinen Knien gab mir meine Kraft wieder.

»Schließe die Augen, hör zu: Ich bin in der Halle hingestürzt, weil du dich zu sehr an mich drängtest. Ich hatte keine Kraft mehr. Du hast mich provoziert.«

»Das stimmt«, sagte Isabelle, »ich habe dich provoziert.«

Sie öffnete die Augen. Wir haben uns geküßt, sanft und stöhnend.

»Es kommt jemand«, sagte Isabelle. »Dein Speichel... wisch dir den Speichel ab.«

»Noch nicht zu Tisch, Isabelle?« fragte die Aufseherin. »Ich lasse Ihnen das Frühstück heraufbringen.«

Der Musiksaal unter dem Dach bewahrte noch die tierische Wärme von an die hundert Schülerinnen, die dort Stunden hindurch gesungen hatten.

Ich trat ein und warf mich über eine Bank. Ich hörte Wasser in ein Waschbecken tropfen, ich horchte, wer nach mir käme. Isabelle wußte nicht, wo ich mit meiner Liebe war. Ich wollte, sie sollte kommen; ich vergaß, daß sie keine Hellseherin war. Zwanzig vor zwölf... Zwischen zwei Wassertropfen zählte ich bis sechs. Ihr Schritt.

Sie zertrat mein Herz, meinen Leib, mein Gesicht, noch bevor sie hereinkam. Eine Lichterstadt bewegte sich auf mich zu, eine überwältigende Märchenwelt. Ich ahnte, daß sie mich hinter der Glasscheibe suchte, während ich sie in der Nacht unter meinen Lidern sah. Ich hob den Kopf nicht, ich blieb in den Falten meiner Witwenschaft verborgen. Raben stoben davon, Rauhreif malte die Haselnußsträucher weiß. Sie kam, sie atmete durch meine Lungen.

»Ich habe dich überall gesucht«, sagte Isabelle.

Sie sank auf meinen Rücken, vor Glück schluchzend.

Sie setzte sich auf die Bank.

Wir bezwangen unsere Liebe: Auf dem Blütenblatt einer Heckenrose hielten wir uns im Gleichgewicht. Sie prüfte meine Lippen, sie berührte sie mit harter Hand:

»Bist du es, bist du es wirklich?«

Die Hand bettelte auf den Lidern um Gewißheit.

Ihr Gesicht tauchte hinab, glitt unter die Brust, abwärts.

»Dein Gesicht ist so fern«, sagte ich.

»Ich habe dein Kleid zerrissen, Therese.«

Sie heftete mein Kleid mit einer Nadel zusammen, sie besserte den Schaden aus, während ich den Hauch der Erinnerungen in ihrem Haar atmete.

»Jemand kommt.«

Wir fuhren auseinander, wir haben uns versteckt, jede in einer Ecke. Eine Hilfslehrerin drehte ihren Zimmerschlüssel herum. Sie ging vorbei, entfernte sich, friedlich und majestätisch.

»Die Aufseherin hat mir gesagt, ich solle dich um vier Uhr zum Arzt bringen«, eröffnete Isabelle mir.

Wir fielen uns in die Arme.

»Viertel vor zwölf!« sagte Isabelle. »Komm, komm!«
Wir fielen auf die Stufen zum Podium.
»Viertel vor zwölf, Therese!«
Ich zögerte wegen meiner tintenverschmierten Finger.
»Wehre dich nicht«, sagte ich zaghaft.
Ich hatte Angst, sie zu erniedrigen, wenn ich ihren Rock hob.
»Fast zehn Minuten vor zwölf, Isabelle!«
»Wenn du nicht leiser sprichst, werden sie uns erwischen«, sagte Isabelle.
Ich habe ihren Rock hochgeschoben: Isabelle erschauerte an meiner Schläfe.
Ich habe mich unter ihren Faltenrock gewagt: Ihre Unterwäsche machte mir angst. Sie war zu schamlos unter ihrem Rock. Meine Hand drängte zwischen Haut und Stoff vor.
»Laß mich machen. Sieh nicht hin, wenn es dich schockiert«, sagte Isabelle.
Ich habe hingesehen.
Sie richtete sich auf, sie gab mir meine Hand zurück.
»Unmöglich, dieser Slip!« sagte sie.
Die Hand, die ihn abgestreift, die ihn in die Kitteltasche gestopft hat, gehörte einer Schlafwandlerin. Isabelle hat sich auf den Stufen dargeboten.
»Er schnürte dich ein, mein Goldlamm. Dein Kleid ist ganz zerdrückt. Spürst du meine Wange auf dir, meine kleine Mongolin? Ich kämme dich, ich strähle deine Haare, ich streichle dich, mein kleiner Goldkäfer... Du leuchtest, Isabelle, du leuchtest...«
Ich bin aufgestanden, ich habe sie mit meinem Blick gemessen.
»Komm zurück... Verlaß mich nicht.«
»Willst du es?«
Ich war sadistisch. Warten und warten lassen ist lustvolle Verdammnis.
»Wenn man uns überraschte«, habe ich laut gedacht.
Ich fiel vor dem Medaillon auf die Knie, ich sah sein Strahlen, den Busch. Ich wagte mich hinein wie ein Schmuggler, mein Gesicht voran. Isabelles Beine faßten mich wie eine Schere.

»Ich sehe es, ich bin gefangen«, sagte ich.

Wir haben gewartet.

Das Geschlecht stieg uns in den Kopf. Unzählige Herzen schlugen in meinem Bauch, auf meiner Stirn.

»Ja, ja... Langsamer. Ich sage dir, langsamer... Weiter oben... Nein... Mehr unten. Beinahe. Du bist fast da... Ja... Ja... fast... Rascher, rascher, rascher«, keuchte sie.

Meine Zunge suchte in salziger Nacht, in klebriger Nacht, auf zartem Fleisch. Je mehr ich mich abmühte, desto geheimnisvoller wurden meine Anstrengungen. Ich verhielt vor der Perle.

»Höre nicht auf. Ja, dort ist es, ja.«

Ich verlor sie, fand sie wieder.

»Ja, ja«, stöhnte Isabelle. »Du bist da, du bist da.« Sie war außer sich: »Weiter, bitte, weiter... Dort... ja, dort... genau dort...«

Ihre Not, ihre Gewalt über mich, ihre Befehle, ihre Widerrufe brachten mich ganz durcheinander.

»Du willst mich nicht führen«, sagte ich, abgeschnitten von dieser fantastischen Welt.

Ich bettelte zwischen ihren Schamlippen.

»Ich tu' nichts anderes«, sagte sie. »Du denkst nicht an das, was du tust.«

»Ich denke zu stark daran«, antwortete ich.

Ich habe ihr Vlies mit Schweißtränen benetzt.

»Bringe es mir bei... zeig es mir...«

»Nimm dein Gesicht weg, schau hin.«

Isabelle, auf den Stufen des Podiums, suchte sich selbst, fand sich selbst.

»Komm näher, sieh hin, sieh hin. Das ist er. Wenn du ihn verlierst, wirst du ihn wiederfinden... Nein. Nicht jetzt... nein.«

Ich habe die goldbraunen Haare zwischen ihren Fingern angeblickt, mich schauderte vor dem Zittern ihrer Handmuskeln. Der Finger kreiste. Gleich würde ich die Wonnen ihres Orgasmus erbrechen.

Ihr Hals spannte sich, ihr Gesicht entglitt ins Weite.

Sie öffnete die Augen: Isabelle schaute ihr Paradies.

»Du. Nicht ich«, stammelte sie.

Sie hatte Abschied von sich selbst genommen, ihre Hand schloß sich.

»Eine Minute nach zwölf! Sie sind im Speisesaal. Eine Minute nach zwölf... Ich habe Angst, mich selbst zu betrügen.«

»Ja, ja... Bis heute abend, wenn es sein muß«, sagte sie.

Ich arbeitete so hingegeben, daß ich von wesenlosem Fleisch zu kosten schien. Ihrem Geschlecht übernah, wollte ich ihr alles geben, wonach sie verlangte. Mein Geist war in ihrem Fleisch gefangen, meine Selbstvergessenheit wuchs. Hätte ich keinen Speichel mehr, würde ich ihn hervorbringen. Ich wußte nicht, ob es ihr mittelmäßig vorkam, ob es köstlich für sie war, aber wenn die Perle sich versteckte, fand ich sie wieder.

»Das wird bleiben, ewig«, sagte Isabelle.

Sehnen und Seligkeit mischten sich.

»Du hast sie gefunden«, sagte sie.

Sie wurde stumm, sie belauerte ihre Empfindungen.

Ich empfing, was sie empfing, ich war Isabelle. Meine Anstrengung, mein Schweiß und mein Rhythmus erregten mich. Die Perle wollte, was ich wollte. Ich entdeckte das winzige Glied, das wir besitzen. Ein Eunuche faßte wieder Mut.

»Der Genuß kommt, mein Liebes, gleich kommt es. Es ist schön, zu schön. Weiter. Nicht aufhören, nicht aufhören, immer...«

Ich habe mich aufgerichtet: Ich wollte ein Orakel auf unseren Strohmatten sehen.

»Geh nicht weg, verlaß mich nicht«, sagte Isabelle bestürzt.

»Du wirst es mir sagen«, sagte ich, mein Gesicht in dem Feuerofen ihrer Scham.

Ich werde aushalten.

»Es beginnt schon, es beginnt. Es steigt höher. In den Beinen, in den Beinen... Ja, mein Liebes, ja. Ewig... Weiter... In den Knien, in den Knien...«

Sie beobachtete die Empfindung, sie schrie um Hilfe.

»Es steigt, es steigt höher.«

Dann kam ihr Schweigen. Ich bin mit ihr versunken, von der Woge hinweggefegt. Meine Eingeweide hatten ihre Wundmale erhalten.

Mit zerbrechlichem Lächeln haben wir einander gedankt.

»Jetzt kommt wirklich jemand. Verstecke dich. Ich gehe hinaus und verdecke die Scheibe. Lauf in den Schlafsaal... Um vier Uhr gehen wir zusammen hinaus«, flüsterte Isabelle.

»Deine Haare! Deine Haare!«

Sie verschloß den Aufruhr und die Raserei in ihrer Frisur. Völlig beherrscht verließ sie den Raum.

Eine Schülerin kam in den Gang gestürzt. Ich horchte hinter der Tür.

»Du hast den Verstand verloren«, sagte Renée. »Weißt du, wie spät es ist? In fünf Minuten halb eins. Ich habe dich überall gesucht: in den Klassenzimmern, im Arbeitssaal, bei den Kranken. Die Direktorin tobt.«

»Weiß sie es?« fragte Isabelle.

»Sie ist in den Speisesaal gekommen. Sie wurde ganz wild, als sie deinen Platz leer sah. Was hast du nur gemacht?«

»Ich habe im Chemieraum gearbeitet. Ich muß es der Direktorin erklären«, antwortete Isabelle.

»Therese ist auch verschwunden. Wir glaubten, sie fühle sich unwohl und sei im Schlafsaal. Ich habe ihr das Mittagessen hinaufgebracht. Niemand da. Ihr seid wirklich unglaublich«, sagte Renée. Sie gingen.

Das Tablett mit Fleischresten, Linsen und zwei kleinen, unreifen Äpfeln war noch in meiner Zelle.

Iß. Iß, um am Nachmittag bei Kräften zu sein, redete ich mir zu, bevor ich das klägliche, kalt gewordene Essen hinunterschlang.

»Schon wieder besser?« fragte eine Aufseherin, die ich unten an der Treppe mit meinem Tablett angerempelt hatte.

»Um vier Uhr gehe ich zum Arzt«, blies ich mich auf. Ich lief in den Pausenhof, um Isabelle wiederzusehen.

»Sie hat Ärger gehabt, Isabelle arbeitet«, erfuhr ich von Renée.

»In Zukunft fragen Sie mich um Erlaubnis, wenn Sie in den Schlafsaal gehen wollen, auch wenn Sie sich nicht wohl fühlen«, sagte die neue Aufseherin zu mir. Die Mädchen stellten sich in Reihen auf, um zum Lernen zu gehen.

Wir Schülerinnen haben auf das Klingelzeichen der Straßenbahn gehorcht, auf das Klagen der Schienen, wenn die Straßenbahn wieder anfuhr. Mich würden die Geräusche und Ausdünstungen der Stadt nicht mehr frei machen: Das Gymnasium war das Haus meiner Liebe, das Gymnasium war mein Armband und meine Halskette.

Isabelle lernte. Ich schlug ein Buch auf, ich hörte: »Rascher, langsamer, weiter, weiter, es beginnt schon, es beginnt, weiter oben, mehr unten, geh nicht weg, verlaß mich nicht, ewig, ewig... Der Genuß kommt... gleich kommt es. Zu schön... Immer, immer... Es ist da... Es wird bleiben, ewig.«

Ich hörte ihre Stimme bis zum Ende der Übungsstunde.

Um vier Uhr erwartete Isabelle mich an der Tür zum Klassenzimmer.

»Ich bringe Sie zum Arzt«, erklärte sie.

»Hier ging es uns gut«, sagte ich in den Lärm hinein.

»Es ist so angeordnet. Ich gehe nach oben in den Schlafsaal, mich umzuziehen. Sie sollten vernünftig sein und mitkommen.«

Unsere Verbindung löste sich auf, mein Herz besaß keine Kraft mehr. Mit ihr hinauszugehen war unfaßlich.

Und dann fand ich sie wieder.

Isabelle verließ ihre Zelle, die Haare gelöst, die Schultern in ihr Umschlagtuch gehüllt wie ein arabischer Reiter. Daß sie geschmückt war wie in unserer ersten Stunde, gab mir die Ruhe wieder: Sie streichelte den Griff ihrer Haarbürste.

»Wir gehen fort. Denke fest daran: Wir gehen fort«, sagte sie.

»Geh nicht in deine Zelle«, bat ich. »Ich möchte dich immer vor Augen haben.«

Die Hand, welche die Bürste hielt, fiel herunter. Der Glanz ihrer Haare verlöschte.

Ich bin zu ihr gestürzt:

»Geh in deine Zelle. Sei schön, ohne daß ich es sehe.«

Isabelle warf ihre Bürste in den Gang. Sie legte ihr Haar als Schärpe um meinen Hals.

»Ich möchte dich erdrosseln«, sagte sie.

Aber sie zog nicht zu.

Wir sagten im Gang ›du‹ zueinander – ich war heimatlos geworden. Ich führte sie an der Hand, ich zeigte ihr den Rosenstrauß.

»Ich habe ihn der Externen um halb zwei angeboten. Bist du mir böse?«

»Böse! Das sind doch nur Blumen«, sagte sie, ohne sich umzuwenden.

Der Schleier auf ihren Schultern hob sich bei jedem Schritt, ihre Haare waren aufregender als die Rosen. Ich ging in meine Zelle zurück:

»Die Untersuchung beim Arzt liegt mir im Magen.«

»Mir nicht. Ich habe Lust, mit dir spazierenzugehen, und das werden wir auch tun. Wir sagen, der Arzt sei zu einem dringenden Fall gerufen worden. Ich erledige das schon.«

Isabelle kam wieder. Sie hob den Vorhang zu meiner Zelle:

»Ziehst du dich nicht an? Soll ich dir helfen?«

»Ich kann mich nicht daran gewöhnen. Ich habe ein bißchen Angst.«

Sie nahm meine Handgelenke:

»Angst! Fühlst du denn nicht, daß ich bereit bin, alles aufzugeben?«

»Sogar das Gymnasium?«

»Vor allem das Gymnasium, weil das am schwersten wäre«, sagte Isabelle.

»Ich möchte es nicht. Das möchte ich nie.«

Wir haben uns fertig gemacht. Die Schreie vom Hof her gingen uns nichts mehr an.

»Ich vertraue sie Ihnen an«, sagte die Oberaufseherin zu Isabelle. »Sie haben den Brief mit dem Namen der Straße und der Hausnummer. Sie treffen den Arzt zu Hause an. Er ist schon verständigt. Kommen Sie mit guten Nachrichten wieder.«

»Dürfen wir einen kurzen Gang durch die Stadt machen?« fragte Isabelle noch.

»Vorausgesetzt, Sie übertreiben nicht. Drücken Sie sich nicht vor dem Unterricht!« rief die Aufseherin uns nach.

Ohne Übereilung durchquerten wir den Hof, doch die Blumen, der Rasen, die Bäume flogen uns voraus. Der Hausmeister grüßte uns.

Wir sind an der Schulmauer hingegangen, wir haben die

Stimme eines Klavierlehrers gehört und den Taktschlag mit dem Ebenholzlineal, das immer auf dem Flügel herumlag.

»Bist du nicht glücklich?«

»Im Pensionat hatten wir es gut.«

Wir gingen an der Mauer der Nikolauskirche entlang: Die Priester hielten Unterricht, einige Jungen tobten herum.

»Darf ich dir den Arm geben?«

»Wir müssen vorsichtig sein«, sagte Isabelle.

Die Straßenbahn mit ihrem Geklingel, das wir immer im Pausenhof hörten, arbeitete sich gegen das Gymnasium hinauf. Einige Schülerinnen würden jetzt das leiernde Geräusch der verlangsamten Fahrt hören. Läden folgten auf Häuser, die im Schlaf lagen, das Klagen der Straßenbahn in den Schienen setzte sich jenseits der Schule fort. Wir waren in der Stadt.

Isabelle blieb vor der Auslage eines Lederwarengeschäftes stehen. Sie wollte, daß ich mit ihr den Friedhof der schwarzen, wildledernen Dinge betrachtete.

»Magst du das Zeug da?«

»Ich mag es, ja... Du weißt, was ich mag«, sagte Isabelle.

Ich fühlte mich gewaltig: Wir waren zwei gegen die Stadt.

»Wirst du mich vergessen? Ich dich nie«, sagte Isabelle. Sie betrachtete eine Schließe aus Straß.

»Du wirst immer in mir leben. Du wirst mit mir sterben«, antwortete ich.

Ich schloß die Augen, ich stellte mir vor, daß Isabelle leise zu mir in der Nacht des Schlafsaales spräche.

Ich schob meinen Arm unter den ihren. Ich habe ihre Hand geknetet, mein Finger ist in ihren Handschuh geglitten, bis in die Mulde. Die Verkäuferin, die nichts zu tun hatte, beobachtete uns.

Die Direktorin würde finden, wir benähmen uns schlecht.

»Ja, gib mir deinen Arm«, sagte Isabelle.

Wir sind weitergegangen, wir haben im Sprung durch das Licht über einem Kirchturm gesetzt, das labbrige Geklingel eines Krankenwagens interpunktierte unseren Taumel. Das Scheppern der Milchkannen, die gegeneinanderstießen, und der Kutscher, der hoch auf dem Wagen döste, machten mich sehnsüchtig nach Lachen von Butterblumen.

Wir liefen, um die Freiheit außer Atem zu bringen, wir rannten vorbei an den Kohlenkegeln des Lagerplatzes, entlang an blauen Spiegelungen, bis wir uns bei den Pyramiden des Stolzes mutig aufrichteten. Ich erinnere mich an den Kohlenträger mit der verbeulten Visage, dem wir so rätselhaft vorkamen, der ins Lager zurückging, ich erinnere mich an seine weißen Augen und an die Handkarre, die er mit den Fingerkuppen lenkte.

»Was machen wir jetzt?« fragte Isabelle.

»Ich weiß nicht.«

»Aber ich«, sagte sie.

»Gehen wir spazieren? Oder in den Wartesaal? Kaufen wir eine Bahnsteigkarte? Gehen wir in eine Konditorei?«

Sie winkte jedesmal ab.

»Ich habe eine Adresse«, erklärte Isabelle.

...

»Sag doch etwas. Ich habe eine Adresse für uns beide. Gefällt dir das nicht?«

Wir trippelten neben einer holprigen Fabrikmauer her. In der Ferne stürzte eine Bohle um.

»Wir gehen ins Hotel«, sagte Isabelle. »Nicht richtig ins Hotel. In ein Haus.«

Ich machte mich von ihr los.

»Willst du nicht?«

»Ich weiß nicht, was das ist.«

»Das ist ein Haus, wo uns eine Dame empfängt. Eine nette Dame.«

»Wieso weißt du das?«

»Sie hat ein Geschäft. Sie muß also schon nett sein«, sagte Isabelle.

Wir kamen auf einen Platz mit einem Ring aus lauter Baumstümpfen.

»Hast du es dir überlegt?«

»Ich traue mich nicht«, antwortete ich.

Wütend umkreisten wir die gekappten Bäume.

»Nun? Ja oder nein?«

»Im Pensionat hatten wir es gut...«

»Man kann es viel besser als im Gymnasium haben«, sagte Isabelle.

Ich habe ihre Handtasche genommen, ich habe sie zusammen mit meiner Mappe getragen und meinen Arm unter sie geschoben: Unsere Finger umschlangen sich wie Liebende.

»Hast du keinen Hunger? Hierherum gibt es Konditoreien«, sagte ich in der schwachen Hoffnung, sie von ihrem Weg abzubringen.

»Seit ich dich kenne, habe ich keinen Hunger mehr. Da drüben. Das ist es.«

»Algazine, Kleider, Mäntel: Ist das die Adresse?«

»Läute, so läute schon. Die Schelle ist auf deiner Seite.«

Ich zögerte noch.

»Erlauben Sie bitte«, sagte ein bärtiger Herr. »Sie gestatten wohl, sofern Sie nicht schon geläutet haben. In diesem Fall...«

»Schon geschehen«, entgegnete Isabelle.

Der Mann lüpfte seinen Filzhut, die Tür öffnete sich von ganz allein.

»Den Damen meine Verehrung«, sagte der Herr und verschwand in den Hintergrund, wobei er noch einmal den Hut hob.

Isabelle gab mir einen Stoß. Ich trat als erste ein.

Am Kleiderhaken hingen zerknitterte Regenmäntel: Sie schienen sich schon vor langer Zeit vor dem Regen hierher gerettet zu haben; unter ihnen spreizten sich Spazierstöcke mit Knäufen aus Gold, aus holzgeschnitzten oder silbergetriebenen Tierköpfen nach allen Seiten wie Garbenhalme. Der Bärtige trat sich die Schuhe ab.

»Sie kennen gewiß den Weg«, biederte er sich mit einer genüßlichen Stimme an, die mit seiner Stimme von draußen keine Ähnlichkeit mehr hatte.

»Nein!« sagte Isabelle.

Wir lehnten uns gegen die Wand, wir spürten die Feuchtigkeit im Rücken, während er – Hut in der Hand, Mappe unter dem Arm – im Gang herumtrippelte. Er beugte den Zeigefinger, zögerte und klopfte dann zweimal an eine mit buntem Papier abgedeckte Glastür.

»Herein, aber kommen Sie doch herein...«

Die Stimme tönte von einem Gebirge aus Wohlwollen herab. Der Mann befingerte seinen Bart, er öffnete die Tür.

»Bitte, kommen Sie...« Er faßte Isabelles allzu sparsam ausgeschnittene Bluse ins Auge.

Ich erwartete mir noch immer Schneiderpuppen, Tuchbahnen, Garnspulen, wo es nur Pflanzen, Stauden, Vögel und Käfige gab.

»Ich gehe und hole sie«, sagte der Mann.

Er entfernte sich in einen kleinen Hof, der angenehm überfüllt war mit Knollenbegonien, Efeuranken, Geranien, eingetopften Weinstöcken, Farnen, Gießkannen und Blumenständern.

»Laß uns fortgehen!« bat ich.

»Warte, bis sie kommt«, sagte Isabelle heftig.

Isabelle betrachtete ein Gemälde mit orangeroten Felsen und Wellen wie aus blauer Marmelade. Die Vögel zwitscherten ihren Kommentar dazu.

»Aber bitte, behalten Sie doch Platz«, sagte die Dame. »Sie werden entschuldigen. Ich mußte meine Komtessen versorgen.« Sie deutete mit ihrer Perlenhalskette, die ihr kreuzweise bis zum Bauch herabhing, auf die Pflanzen.

»Ihr dürft keinen Lärm machen, wenn ich Gäste habe«, sagte sie zu den Vögeln.

Der Mann, Hut und Mappe in der Hand, grüßte uns: Er war davon, wie er gekommen war.

»Er hat Fräulein Paulette nicht angetroffen. Er ist ganz untröstlich«, erläuterte die Frau mit dem groben Gesicht.

Trotz ihrer Größe, ihres Alters und ihres Gewichtes nahm sie mit einem Satz auf dem Tisch Platz.

»Ich bin zu Ihrer Verfügung.«

Isabelle stand auf:

»Wir kommen wegen eines Zimmers.«

Frau Algazine blickte uns an und spielte mit ihrer Halskette.

»Wir möchten es für ungefähr eine Stunde mieten«, sagte Isabelle.

Der an einem Ring aufgehängte Käfig schaukelte, der Vogel zwitscherte unter der Porzellankuppel.

»Ich verstehe«, war Frau Algazines Antwort.

Sie warf ihre Perlenkette über die Schulter.

»Ihr seid minderjährig«, sagte sie.

Sie eilte in den Hof. Isabelle knirschte mit den Zähnen. Doch sie kam zurück, mit einem zarten Lattichblatt, das sie zwischen die Käfigstäbe schob. Wieder rauschte sie in den Hof.

Ich stand auf, ich rief sie:

»Madame!«

»Gleich, meine Kleinen, gleich«, tönte es voll Herablassung zurück.

»Madame!« sagte Isabelle entschlossen.

Sie tauchte ein zweitesmal auf.

»Wir möchten bei Ihnen ein Zimmer mieten, bei Ihnen, sage ich.«

Frau Algazine riß die Augen auf.

»Warum habt ihr mir das nicht vorhin gesagt, Mädchen?«

»Wir haben es Ihnen gesagt.«

Die Flügel rieben sich an den Käfiggittern wund, wir trugen eine graue Wunde in unserem Herzen.

»Seid ihr minderjährig?... Natürlich.«

»Ja«, antworteten wir gleichzeitig.

»Seid ihr Pensionatsschülerinnen im Gymnasium?... Ihr tragt die Schultracht.«

»Wir werden Sie bezahlen, wir haben Geld«, erklärte Isabelle.

»Ihr könnt nachher bezahlen«, sagte Frau Algazine. Isabelle öffnete ihre Jacke, doch ich trat vor sie. Von einer Brust sah Frau Algazine nur den Schild.

»Trinkt ihr ein wenig Portwein, wollt ihr Gebäck im Zimmer essen?«

»Wie Sie möchten«, sagte Isabelle. »Zeigen Sie uns den Weg.«

»Ihr seid nicht sehr umgänglich, wie...?«

Frau Algazine öffnete die Glastür, mit ihrer Kette, mit der sie wie mit einem Gartenschlauch hantierte, wies sie auf die Treppe.

»Der Strom ist teuer. Petroleum auch. Öl, Streichhölzer – alles ist teuer«, sagte Frau Algazine mit der Stimme ihrer wahren Natur.

Die Treppe war düster. Wir gingen über den oberen Flur, wir drückten uns vorbei an schäbigen Zimmern und Klappbetten mit aufgeschlitzten Matratzen, wir stießen gegen Geschirrkästen, Gipsgeröll, zerschlissene Fahnen. Frau Algazine, die uns führte, warf zerstreute Blicke auf die Dinge.

»Die erste Tür«, sagte sie.

»Danke, vielen Dank«, antwortete Isabelle.
»Den Portwein bringe ich euch gleich.«
Allein und alt geworden kehrte Frau Algazine in das unheimliche Treppenhaus zurück.

Isabelle zog den Schlüssel ab, sie betrat das Zimmer als erste.
»Zwei Betten!« sagte sie.
Sie wollte die Tür verschließen, doch es gelang ihr nicht. Sie warf den Schlüssel auf den Kamin, er fiel zu Boden. Sie feuerte ihren Hut ins Zimmer und schob den Tisch gegen die Tür.
»Nimm deinen Hut ab«, sagte sie vorwurfsvoll. »Wir sind hier nicht zu Besuch.«
Sie warf meinen Hut gegen den Spiegelschrank, sie löste mir das Haar.
»Lege dich neben mich auf die Fliesen«, verlangte sie. Mein Mund fand ihren Mund wie das welke Blatt die Erde. Wir haben uns in diesem langen Kuß gebadet, wir haben unsere wortlosen Litaneien hergebetet, wir waren zwei gierige Schlemmer, wir besudelten uns die Gesichter mit dem Speichel, den wir tauschten, wir sahen uns an, ohne uns zu erkennen.
»Im Nebenzimmer bewegt sich etwas«, sagte ich.
Sie richtete sich auf. Ich verwüstete sie, als ich sie warten ließ.
»Ich, Isabelle. Nicht du.«
Ich verheerte sie, als leistete sie Widerstand.
»Nebenan bewegt sich jemand. Sieh doch, Isabelle, da, in der Wand.«
»Das ist ein Spion.«
»Man kann uns sehen. Bestimmt beobachten sie uns.«
Ich warf mich über sie, ich verbarg sie vor den anderen.
»Wer ›sie‹?« fragte Isabelle mild.
»Ich weiß nicht. Die in dem Zimmer. Hör doch! Es macht ein Geräusch wie unsere Matratze im Schlafsaal.«
Isabelle öffnete die Augen. Ich fiel über sie her.
»Laß doch die anderen! Streck dich bequemer aus«, sagte Isabelle.
Sie krallte sich in mich, sie kratzte die Fliesen mit ihren Nägeln.

»Unsere Matratze, nachts... Ich flehe dich an: Höre doch!«

Es klopfte.

»Mach auf«, sagte sie. »Das ist der Portwein.«

Man versuchte, die Tür aufzustoßen, eine Stimme sagte: »Was habt ihr gemacht? Euch verbarrikadiert?«

Ich klaubte den Schlüssel auf, ich zog den Tisch fort. Frau Algazine streckte den Hals durch den Türspalt.

»Holt euch selbst das Tablett vom Flur, wenn ihr euch eingeschlossen habt.«

Isabelle, mitten im Zimmer hingestreckt, verschränkte die Arme über ihrem Gesicht.

Ich habe das Tablett geholt, ich habe im Nebenraum das Ächzen der Matratze gehört, ich bin in unser Zimmer zurückgekommen.

»Willst du nicht trinken? Willst du nicht aufstehen?«

»Ich will, daß du kommst«, sagte Isabelle.

»Das Geräusch unseres Bettes in der Nacht...«

»Das ist nicht das Geräusch unseres Bettes in der Nacht«, sagte Isabelle.

Ich lauschte angestrengt. Der regelmäßige Rhythmus war anders als der abgerissene Rhythmus in Isabelles Zelle.

»Wer ist das?«

»Ein Liebespaar.«

Das Bett wurde stumm. Ich horchte weiter.

»Komm«, sagte Isabelle, »komm ganz angezogen.«

Ich bin gekommen: Mein Bauch versengte ihr Kleid.

»Schmiege dich an mich, überall«, stöhnte Isabelle.

Ihr Lächeln wurde groß, und ich besaß sie, auf dem Stoff, überall: Meine Arme, meine Beine begruben sie. Ich verbarg mich in ihrem Hals:

»Das Geräusch ist wieder da.«

Ich konnte mich von dem regelmäßigen Takt nicht losreißen.

»Horch!«

»Ich höre nichts«, antwortete Isabelle.

Ich war gebannt von diesem Rhythmus, ich war verdammt, ihm zu folgen, ihn herbeizuwünschen, ihn zu fürchten, mich ihm zu nähern.

»Trinken wir den Portwein«, sagte Isabelle.

Ich lauerte.

»Trink!« befahl Isabelle.

Ich gehorchte. Die Wärme, die meine Brust erfüllte, war von goldener Bräune, wie unsere matten Levkojen.

»Hör doch! Sie schreien.«

Isabelle zuckte die Schultern:

»Ich höre nichts.«

Sie schlenderte im Zimmer umher. Es seufzte, es wimmerte. Isabelle bückte sich über das Klappbett: Sie kramte in ihrer Handtasche.

»Es ist leiser geworden. Sie stöhnen«, sagte ich.

Im Zimmer nebenan war jemand eingemauert, der vergeblich zu fliehen versuchte.

Isabelle feilte ihre Nägel.

»Mach, daß ich es nicht höre!« sagte ich. »Ach, du hast eine neue Feile...«

»Ich habe mehrere davon.«

Sie feilte weiter an ihrem Daumennagel.

Das letzte Stöhnen stieg bis zum Polarstern empor. Isabelles Feile zernagte die Stille.

Isabelle steckte die Feile in ihre Handtasche zurück: »Wir vertun unsere Zeit. Wozu haben wir eigentlich dieses Zimmer gemietet?«

»Ich weiß es nicht mehr«, erwiderte ich.

Isabelle ohrfeigte mich.

»Ich weiß es nicht mehr, ich weiß es nicht mehr...«

Noch eine Ohrfeige.

»Das ist ein Liebespaar. Neben uns ist ein Liebespaar«, sagte ich.

Sie packte das Tischchen, sie schleuderte es gegen den Marmor des Kamins... Isabelles Zorn entzückte mich.

»Entkleide mich«, sagte Isabelle.

Ich kleidete sie aus und legte ihre Sachen Stück um Stück auf das Klappbett.

Nackt, ernst, sehr aufrecht stand sie da, in der Mitte des Zimmers. Ich faßte sie an der Hand, ich zog sie fort, während ich im Vorbeigehen das Tischchen wieder aufrichtete.

Ich sank auf Isabelle nieder, ich legte die Form ihrer Beine, des Spanns frei, ich sah mich im Spiegel. Das Zimmer war alt, der Spiegel warf mir die Hüften und Liebesspiele der Paare zurück. Ich legte ihr Bein in meine Arme, ich streifte es mit meinem Kinn, meinen Wangen, meinen Lippen. Ich strich leise einen Geigenbogen, der Spiegel zeigte mir, was ich tat, die Spuren ihrer Ohrfeigen erregten mich.

»Du entziehst dich mir«, sagte sie.

Ich betrachtete im Spiegel ihre über dem Schoß verschränkten Hände und empfand einsame Lust.

»Willst du dich nicht ausziehen wie ich?« fragte Isabelle.

Ich umfaßte ihre Knie, ich betrachtete mein Bild im Spiegel, ich liebte mich in meinem Blick.

»Deine Gedanken sind nicht bei mir«, sagte Isabelle.

Ich ließ den Spiegel, diesen Schoß süßer Tiefen. Doch der Spiegel zog mich an, er forderte mich zurück für neue, einsame Liebkosungen. Ich streichelte Lippen und Schoß Isabelles mit ihrem Finger. Ich trug das ganze Gewicht der Lust auf meinem Nacken.

»Was machst du?«

»Schlafe ein wenig.«

»Ich frage mich, ob du mich liebst«, sagte Isabelle.

Ich wollte ihr nicht ›ja‹ antworten.

Isabelle setzte sich auf das Kopfkissen, sie kreuzte die Beine. Die zusammengedrängten Formen schüchterten mich ein.

»Hebe den Kopf. Du hast Flausen im Kopf«, sagte Isabelle.

Eine Tür wurde geöffnet und wieder geschlossen.

»Das Paar!«

Isabelle unterdrückte ein Gähnen.

»Jawohl, ein Liebespaar.«

Sie öffnete ihre Schenkel:

»Wenn du nicht willst, dann sage es.«

Ich tauchte in ihren Schoß ein. Ich hätte es lieber gehabt, wenn es einfacher gewesen wäre. Ich hatte fast Lust, ihn überall zuzunähen.

»Mein kleiner Karpfen, mein angebeteter Meeresmund. Ich komme zurück. Ich bin da. Das Liebespaar ist gegangen... Wir sind allein... Das rosenfarbene Ungeheuer... ich liebe es, es verschlingt mich. Ich bete es an mit offenen Augen.«

»Du beißt mich, du machst mich wund«, sagte Isabelle.

»Ich mache mir Vorwürfe, mein zarter Liebling, vergib mir, meine betaute Anemone...«

»Ja... Wie im Musiksaal, wie im Musiksaal... sanft... sanft...«

»Du redest zuviel, Isabelle.«

Mein Gesicht versank wieder in dem heiligen Bild. Ich leckte, ich hielt ein, um mich auszuruhen, doch auszuruhen war ein Fehler.

»Da?«

»Ja.«

Ich begann wieder: Ich mußte einer Sonne Licht schenken. Mit dem Blick und dem Gehör unseres Schoßes nahm ich wahr, was sie sah und hörte, ich erwartete, was sie erwartete.

»Ewig... Ewig...«

Eine Katze schleckte in zärtlichem, blindem Eifer.

»Weiter...«, murmelte Isabelle.

Ich war wie eine zerkratzte Schallplatte, die sich auf der Stelle dreht. Ihre Lust begann bei mir. Ich kam wieder ins Freie.

»Man belauscht uns, Isabelle!«

Sie schloß die Beine, sie krampfte sich zusammen.

»Öffne und sieh nach«, sagte Isabelle.

Ich wartete zusammengekauert, völlig angezogen.

»Mach die Tür auf, komm rasch zurück. Ich warte auf dich.«

»Die Tür ist zu weit weg. Du willst, daß ich wieder anfange!«

Ich wurde zur Zauberin, mein Finger spielte in den Falten ihres Körpers eine lockende Melodie, ich liebte den Schoß, den ich im Spiegel betrachtete. Ich lag auf der Lauer: Unter der Tür sah ich Atemdunst und ebenso im Spiegel.

»Lege dich zu mir«, sagte Isabelle.

»Da ist jemand. Ich habe es gesehen.«

»Du folterst mich!« sagte Isabelle.

Ich deckte sie mit ihrer Jacke zu, ich zog den Tisch fort und ging hinaus. Der Flur erstarb in Öde.

»Niemand da.«

»Rühr mich nicht mehr an«, sagte Isabelle.

Sie lag jetzt auf dem Bauch.

Ich stand neben dem Bett. Ich brachte es nicht fertig, mich auszuziehen.

»Ich sollte dich erwürgen«, sagte Isabelle. »Du verdientest es.«

Sie warf sich auf den Rücken:

»Wollen wir gehen? Soll ich mich anziehen?«

»Nimm mir deine Haare nicht, nimm sie mir nicht...«

»Ich bringe meine Frisur in Ordnung. Du läßt mich im Stich«, erklärte Isabelle.

»Was habe ich denn getan? Es war jemand da. Ich habe nicht geträumt«, sagte ich.

»Du faselst.«

Ich ließ mich auf das Bett fallen:

»Wehre dich nicht... Tu deine Hände fort, verzeihe mir. Ich werde dich lieben. Du wirst es mir beibringen. Ja, ich komme. Du bist schön. Deine Beine sind schön. Ich tu' es gern. Führe meinen Finger. Ich gebe und bekomme zurück, ich gebe und bekomme zurück.«

Ich verließ sie noch einmal. Ich lief ins Zimmer, ich brachte ihre Kleider, die ich über sie und die Speichelspur warf.

»Du bist teuflisch. Ich verwünsche dich noch«, sagte Isabelle und krampfte sich zusammen.

»Man kann uns sehen, man beobachtete uns«, jammerte ich.

»Wo denn?«

Isabelle hatte sich wieder auf den Bauch gerollt: Sie rüttelte an den Bettstangen.

»Da ist ein Auge. Ich sehe es.«

»Sei still, sei still! Gleich... gleich... es steigt... es kommt...«, keuchte Isabelle.

Sie warf sich auf den Rücken, sie krümmte die Beine, zog sie in die Magengrube. Sie verzehrte sich.

»Ich bin schuld, wenn du nichts davon hast«, sagte ich.

»Ich werde nichts davon haben, deinetwegen«, antwortete Isabelle.

»Auf der Glasscheibe... das Auge...«

Isabelle war aufgestanden; nackt und würdevoll wanderte sie durch das Zimmer.

»Das macht der Hunger und die Müdigkeit, meine arme Therese. Ich sehe nichts. Auf der Scheibe sind nur Staub und Spinnweben.«

Sie legte sich wieder ins Bett, sie streckte sich unter der Decke aus.

»Willst du dich wirklich nicht ausziehen? Unter der Decke ist es warm.«

Sie bewegte den Fuß, unter dem Satin forderte sie mich heraus.

»Hier ist es schön... Warum stehst du herum?«

»Ich habe Angst vor dem Auge.«

»Aber so komm doch!«

Vom Bett her ergriff sie meine Hand.

»Laß uns gehen, Isabelle. Laß uns aus diesem Haus verschwinden. Ich helfe dir auf dem Treppenflur beim Anziehen«, sagte ich zärtlich.

»Gerade hast du dich vor dem Flur noch gefürchtet.«

»Jetzt ist es die Dachluke«, sagte ich.

Sie zuckte die Schultern:

»Du hast vor allem Angst.«

»Ich habe es doch gesehen, das Auge.«

Isabelle lachte.

»Hättest du gern, daß wir gehen?« fragte sie.

Sie drehte mir den Rücken zu.

Ich schlüpfte auf den Flur hinaus. Sie ist mir nachgekommen, nackt. Ihr Schamberg war aufgewölbt. Auch darin konnte Persönlichkeit liegen.

»Mir ist kalt, deinetwegen«, sagte Isabelle.

Sie führte mich an der Hand zurück.

»Wir werden es zusammen tun«, sagte sie mit einer Stimme, die vielversprechend klingen sollte.

»Das Zimmer macht mir angst.«

»Zusammen... gleichzeitig... Wir werden schreien, so laut wir wollen. Wir werden im gleichen Augenblick schreien.«

Wir sind wieder in unser Zimmer gegangen.

»Ich möchte lieber fort.«

»Es ist wohl besser«, antwortete Isabelle.

Sie kleidete sich an. Ich schlich noch einmal auf den Flur, ich ließ sie allein mit ihren Strumpfhaltern, allein mit ihrem Kummer. Doch in diesem Haus war jedes Stäubchen ein Voyeur.

»Dein Taschentuch, dein Hut... Wo steckst du, kleiner Angsthase?« Sie suchte mich auf dem Flur.

Ihre Hand streifte mein Haar, der Malvengeruch ihres Puders brach mir die Glieder.

Sie hielt mir die Faust hin, zum Halt und daß ich mich wieder hochraffte.

»Laß uns noch einmal zurückblicken«, sagte Isabelle.
Der verlassene Ort lag in neuer Jungfräulichkeit da.

Wir wagten uns in die Nacht des Treppenhauses, wir vermieden, die hundert kleinen Flügel unserer Versöhnung zu knikken, wir brachten den Frühling zu seinem Ursprung zurück.

»Ihr hattet ein Zimmer mit zwei Betten... Stimmt's?«

»Ein Klappbett und ein großes Bett«, sagte Isabelle.

»Habt ihr Geld?«

Isabelle bot ihr Geld an, ich meines.

»Welches soll ich nehmen?«

»Beides.«

»Ja, beides«, fügte Isabelle hinzu.

»War das Bett gut?«

Frau Algazine sah uns an. Sie zählte die Scheine.

»Ja«, sagte ich tonlos, »es war gut.«

Isabelle stieß die Faust in ihren Hut.

»Nein. Ihre Betten taugen nichts«, sagte sie.

Frau Algazine kratzte sich mit unseren Geldscheinen das Kinn.

»Wir sind in Eile. Bitte, lassen Sie uns hinaus«, sagte Isabelle.

Frau Algazine fuhr fort, ihr Kinn zu kitzeln.

»War der Portwein gut?«

»Ausgezeichnet. Aber wir müssen jetzt gehen«, antwortete Isabelle.

»Die Tür ist offen«, sagte Frau Algazine statt eines Grußes.

»Wir haben noch eine halbe Stunde, um einzukaufen. Wir müssen rasch machen«, sagte Isabelle.

»Was einkaufen?«

»Du wirst schon sehen«, meinte Isabelle.

Sie nahm meine Hand.

»Gib mir deine Tasche... Ich möchte sie tragen.«

»Tust du das gern, meine Tasche tragen?« fragte sie.

Das Licht des frühen Abends war trügerisch, die Häuser lagen verdrossen da. In der Straße mit dem Kohlenlager stahl ich von einem Ligusterstrauch eine Blüte und schloß sie wie eine Brautblume in Isabelles Hand.

»... ich habe die Nächte gezählt, die wir noch bis zu den großen Ferien haben. Uns bleiben noch so viele«, sagte Isabelle.

Sie führte mich in die beste Konditorei der Stadt.

Die Tischchen waren noch nicht abgeräumt, der Nachhall von plappernden Unterhaltungen hatte sich noch nicht verzogen, ein Geruch von hellem Tabak vermischte sich mit den Parfüms der Gäste, die bereits aufgebrochen waren.

»Wozu sind wir hier? Hast du Hunger?«

»Nein«, erwiderte Isabelle.

»Ich auch nicht.«

»Gib mir trotzdem meine Tasche«, sagte Isabelle.

Ich gab sie ihr und lief aus der Konditorei.

Ich kaufte ihr endlich die Rosen, die ich ihr so gewünscht hatte. Während ich die Blumen an der Kasse bezahlte, sah ich Isabelle, die mich suchte und sich die Lippen zerbiß. Ich liebte kalt, aber ich liebte. Ich versteckte die Blumen unter meiner Jacke.

»Das ist gemein!« sagte sie. »Warum bist du fortgelaufen?«

Wir gingen in der Straße mit dem Lederwarengeschäft zurück.

»Warte hier. Suche dir eine Tasche aus, die dir gefällt. Ich kaufe sie dir. Ich werde sie tragen, wenn wir in den Schulkorridoren allein sind«, sagte ich.

»Man könnte meinen, du wolltest mir ein Andenken schenken, als ob du abreistest.«

Die Verkäuferin stellte eine Tasche aus Boxcalf in eine Ecke des Schaufensters zurück.

»Gehen wir zum Gymnasium zurück. Es ist Zeit«, meinte Isabelle.

»Ich will ja gehen, aber du rührst dich nicht.«

»Ich habe Angst vor der Zukunft«, sagte Isabelle.

»Du... Angst!«

»Ich bin unglücklich, Therese.«

Die Stadt zerbarst.

»Wenn du unglücklich bist, sterbe ich.«

»Sprich nicht. Drücke meinen Arm, schau in die Auslage. Wir müssen ins Gymnasium zurück, und ich meine, wir dürften nicht gehen. Ich habe Angst«, sagte Isabelle wieder.

»Laß uns weglaufen aus dem Gymnasium. Wir werden schon nicht verhungern.«

»Sie würden uns einfangen. Wir würden sofort getrennt. Wärme mich«, bat Isabelle.

»Sei nicht unglücklich.«

»Paß auf! Da, in der Scheibe... Sieh hin... Wir interessieren sie«, sagte Isabelle.

Es regnete drohende Finger. Doch unsere Sicherheit bannte die Steine. Das Himmelsblau in den Zweigen zauste uns das Haar.

»Wollen wir weglaufen?«

»Wohin sollen wir gehen?«

»Zu Frau Algazine.«

»Eine schlechte Idee.«

Unser Gymnasium tauchte wieder auf, wir fühlten uns verbunden mit der großen anonymen Familie, die vor der Abendmahlzeit in den Studiersälen arbeitete. Ich machte einen Umweg zum Schlafsaal, wegen der Rosen, die ich in meinem Wäschebeutel versteckte.

Um sieben Uhr betrat Isabelle hinter den anderen den Speisesaal. Ich warf meine Serviette unter den Tisch, ich bückte mich, um zu flüstern, daß ich ihre Handtasche tragen würde und auch den Wind, wenn der Wind sie müde machte.

Sie kam. Ich zählte ihre Schritte in dem langen Gang. Fünfzehn Trommelwirbel gingen über mein Herz. Wie oft wurde ich hingerichtet, während sie näher kam: Meine Brust straffte sich. Isabelle betrachtete die inbrünstige Bläue: Isabelle liebte mich in der Stunde, wo die Sonne auf den bunten Glasfenstern unterging. Am anderen Ende des Speisesaales rief die Aufseherin meinen Namen.

»Los, mach schon«, sagte eine Mitschülerin zu mir.

Auch Isabelle rief mich: Isabelle zog den Lebenssaft aus meinem Körper.

»Liebst du mich! Liebst du mich noch?« flehte ich sie mit meinen Blicken an.

Die Aufseherin erklärte mir, ich hätte nicht zu lernen, ich solle in den Schlafsaal gehen und mich ausruhen. Es sei von der Oberaufseherin so angeordnet.

Der Tag zehrte mich auf, meine Zelle verfiel, Flaumfedern stiegen von den Lippen meiner fernen Geliebten auf. Die Nacht wagte sich hervor: unsere Schwanendecke. Die Nacht: unser Möwenbaldachin. Ich schaltete meine Taschenlampe ein. Ich leuchtete die Blumen an, die ich gekauft hatte, ich kostete die Atmosphäre eines großen Abends. Die Nacht umfloß die Rosen in den Gärten.

Ich begann Toilette zu machen, hingebungsvoll, wie eine künftige Braut. Ich verbarg Geschmeide aus Orangenblüten mit dem Seifenschaum in der Leistenbeuge, in den Achselhöhlen, ich ging in meiner Zelle umher mit meiner Schleppe aus Frische, ich bewegte mich durch den Gang, das Zepter unserer Zukunft in der Hand, ich betrat Isabelles Zelle: Die Dinge darin waren kahl und schmucklos, das Bett verwaist. Ich verlor das Zeitgefühl. Das Gesicht in den Händen verborgen, erwartete ich sie.

Die Schülerinnen waren wie Eindringlinge hereingekommen, die Aufseherin hatte Licht gemacht. Ich konnte nicht mehr fort. Die Mädchen stürmten durch den Gang, kreischend, lachend.

»Du! In meiner Box!«

Sie hielt den Arm ausgestreckt, sie preßte den Vorhang, den sie mit einer heftigen Bewegung über die Stange hatte gleiten lassen; sie stand in der Türfassung und bot mir ihre wilden Abendlocken dar, ihr verstörtes Gesicht, ihre ruhelosen Augen. Die Kordel ihres Schlafrocks fiel auf den Bettvorleger. Isabelle betrachtete mein Nachthemd.

»Wie weiß es ist!« sagte sie.

Sie warf mich auf ihr Bett, sie drang in mich ein, zog aber sofort zurück. Ein Mädchen hatte den Vorhang gehoben und sah uns an. Es stürzte davon und schrie:

»Blut, ich habe Blut gesehen.«

»Geh in deine Zelle zurück!« befahl Isabelle.

Sie sah ihre drei blutigen Finger an.

Ich schlüpfte hinaus.

»Was geht hier vor?« fragte die Aufseherin. Sie trat aus ihrem Zimmer und kam in den Gang.

Ich kroch in mein Bett, ich betrachtete den roten Fleck auf meinem Nachthemd.

»Ich habe mich nur geschnitten. Es ist schon vorbei«, erklärte Isabelle.

»Ist es schlimm?« fragte die Aufseherin.

»Ich blute leicht«, sagte Isabelle.

Ich verließ mein Bett und behob den Schaden, den meine Kriegerin angerichtet hatte.

»Isabelle...«

Die neue Aufseherin ließ den Namen, den sie mir entwendete, schal schmecken.

»Ja«, sagte Isabelle ganz natürlich, während sie sich weiter die Zähne putzte.

»Sie haben sich wirklich nur geschnitten?« fragte die Aufseherin.

»Es ist überhaupt nichts«, erwiderte Isabelle, den Mund voll Schaum.

Die Schülerinnen schwatzten unter dem aufdringlichen Eau-de-Cologne-Geruch. Isabelle ging zu Bett, die Matratze durfte knarren.

Die Aufseherin begann ihren Rundgang.

»Gute Nacht, Fräulein«, murmelte ein Mädchen.

Das Licht im Gang war verloschen.

Eine Verliebte streifte verwegen über meinen Vorhang hin und ließ in den Falten etwas von ihrem Geheimnis zurück. Das Gewisper versank in einen Abgrund. Der Saal überließ sich dem Schlaf.

Urplötzlich überkam er auch mich. Ich träumte. Isabelle hielt meinen Arm, sie ließ meine Hand und die Blumen über meinen Schoß wandern. Ich erwachte, aufgewühlt und hungrig.

Ich wartete mit den Rosen am Fenster, ich dachte an Isabelles Kommen. In dem Augenblick, wo ich sie, ohne sie zu sehen, erkannte, schob sich der Vorhang zur Seite. Isabelle ist hereingekommen, und die Liebe ganzer Zeiten seufzte auf. Isabelle, unangekleidet, den Kragen ihres Nachthemds über ihren Schlafrock geschlagen, hatte das sorgenvolle Gesicht einer Königin.

»Gute Nacht.«

»Gute Nacht.«

Ich legte die Rosen auf das Bett, ich ließ mich hineingleiten, ich drückte Küsse auf ihre Füße. Ich sollte Isabelle anbeten, sie hatte es gern. Die Blumen fielen zu Boden, die raschelnden Betten ließen uns das Erwachen der Aufseherin fürchten, doch die Nacht überraschte mich mit Isabelles Gesicht neben dem meinen.

»Du hast dein Jugendkleid angelegt«, sagte sie.

Sie tastete die Kühle der Falten. Ihre Wange folgte der Neigung vom Schoß zum Knie.

Die Seerose wird sich in meinem Leib auftun, ich bin die Heide, über die der Schleier der Weißen Dame wehen wird.

»Gehen wir«, sagte sie mit Todesverachtung.

Wir durchquerten den Gang und traten in Isabelles Box.

Das Deckchen auf ihrem Nachttisch glich einer Wolke, das Kopfkissen verströmte Unschuld.

Sie brach die Stiele der Blumen. Woher kamen meine Rosen? Wann hatte sie das Zahnputzglas auf dem Ankleidetisch geholt? Wann das Wasser eingefüllt? Ich schaute Isabelle in den Dunkelheiten aller Länder.

»Wo bist du?« sagte sie.

Ich habe die Nacht von meinen Schultern geschüttelt, wie wir den Schnee von unserer Kapuze tun, ich habe Rosen besessen, die sich über ein Zahnputzglas neigten, Rosen einer Pensionatsschülerin.

»Rieche sie«, sagte Isabelle.

Ich war bestürzt.

»Rieche sie!«

Sie gab mir das Glas mit den Rosen in die Hände, sie warf ihre Haare zurück, sie wies mir ihren Kragen, ihren Hals. Meine Taschenlampe klirrte gegen das Zahnputzglas.

Ich zog Bronzegirlanden, ich wand Rosen aus gehämmertem Eisen um ihren Hals.

»Unser Fest, unser Fest«, sagte ich ernst.

Isabelle schützte ihren Hals. Sie wich zurück.

Die Unruhe wuchs. In mir wohnte der Himmel als eine einzige Wolke.

Unsere Augen forderten sich. Es galt den Tod oder doch eine Entscheidung. Ich bin gekommen:

»Öffne deinen Kragen!«

Ich schloß die Augen, ich lauschte, ob sie ihr Nachthemd öffnete.

»Ich erwarte dich«, sagte Isabelle.

Das Rosenauge sah mich an, die Rose im Glas neigte sich zu ihm. Meine Arme fielen herunter: Ich wollte so gern ihre Märtyrerin werden. Ich spürte die milden Strahlen der Rosen, ihre Seide lastete schon in meinen leeren Händen. Ich ging auf sie zu, und wie Früchte wurden sie reif. Sie schwollen an: Ich vertraute ihnen die Sonne an. Isabelle, gegen die Wand gelehnt, betrachtete sie, genauso wie ich.

»Schließe deinen Kragen«, sagte ich.

Das Flüstern einer Schülerin verjüngte, wie an allen Abenden, die Nacht.

Isabelle lächelte ihrer Brust zu. Ich weiß, wo ich sie lieben würde, wenn sie mir noch blieb: Ich würde sie unter dem Bauch der Schafe lieben.

Isabelle öffnete mein Nachthemd, zögernd und gierig. Ich half ihr nicht: Ich weidete mich an der Lüsternheit einer schamlosen Königin. Ein Seufzer löste sich vom Baum des Schweigens, zwei Brüste reckten sich empor, vier süße Feuer leuchteten. In meinen Adern rollte Absinth.

»Mehr«, drängte Isabelle.

Ich hielt ihre Brust in meinem Mund, als wir langsam zu Boden sanken.

Ich barg sie in meinen Händen, ich trug ihre warme, zärtliche Last. Mein Bauch dürstete nach Licht.

»Liebkose sie!« sagte Isabelle.

»Nein!«

Ich öffnete den Mund, sie drängte hinein. Ich knabberte die feinen Adern, ich dachte an ihre Bläue: Es erstickte mich. Ich nahm meine Hand fort – sie zerging in fernem Rauch. Das Dunkel über uns... welches Gedränge von Zuschauern!

»Du senkst den Blick. Wovor kannst du nur Angst haben?« sagte Isabelle.

Ihr Hals versetzte mich in heimliche Raserei. Magneten unter Isabelles Kinn zogen mich an. Meine Taschenlampe fiel auf den Teppich.

»Du sorgst noch dafür, daß wir erwischt werden!«

»Dein Hals...«

Sie nahm die Huldigung hin, ohne Gefallen daran zu finden. Ich suchte ohne Aufrichtigkeit die Furche zwischen ihren Brüsten, und mein heuchlerischer Blick war schuld, daß sie die Aufschläge ihres Schlafrocks übereinanderzog. Das Portal zwischen unseren Augen tat sich auf: Wir hatten die Freiheit zu lieben und uns anzusehen wiedergefunden. Mein Blick kehrte zu mir zurück wie die sich brechende Woge.

Ich wurde Herr über die Spiegel in ihren Augen, wie sie Herr wurde über die Spiegel in den meinen.

Isabelle hat sich auf meine Knie gesetzt:

»Sage, daß wir Zeit haben. Sage es.«

Ich habe nicht geantwortet.

Die Nacht ließ unsere gepaarten Lipen erkalten.

»Ich zähle die Stunden, die wir noch haben werden«, sagte Isabelle.

Die Zeit mit ihren Schleiern kam und ging. Ich schützte Isabelle mit ihren Haaren, die ich ihr um den Hals wand.

»Bleibe, bleibe noch«, sagte Isabelle.

Wir haben uns umarmt, wir suchten keinen Unterschlupf mehr vor der großen Flut der Stunden. Doch die Nacht im Hof, die Nacht in der Stadt schlug über uns zusammen.

»Mir ist kalt«, sagte Isabelle.

Wir hörten das Schlagen des Windes im Totenkleid eines Baumes.

»Ich habe Angst vor der Zeit, die vergeht, Therese.«

Ich zwang mich zu einem Lachen. Ich machte Licht.

»Elf Uhr, Therese. Lösch aus.«

Sie stand auf. Meine leicht gewordenen Knie machten mich kleinlaut.

Ich fiel ihr zu Füßen, ich umwand meine Garbe.

»Komm in meinen Mund«, sagte Isabelle.

Es war wie das Knistern von Trauerkleidung, als sie ihr Haar zurückwarf.

Isabelle schüttelte ihre Uhr.

»Ich muß sie vorstellen. Unbedingt.«

Sie gab mir ihre Armbanduhr:

»Wieviel geht sie jetzt vor?«

»Wir werden einen Vorsprung haben«, sagte ich.

Ich suchte mir eine Hindin aus gesponnenem Glas gefügig zu machen, ich berührte sie, ohne sie zu erreichen, doch mit meiner juwelenkundigen Zunge legte ich kleine Kostbarkeiten in ihren Mund.

Sie trocknete sich die Lippen mit meiner Hand, sie spielte die Gleichgültige.

»Hör auf.«

Sie machte sich aus meinen Armen los: Ich fand mich ohne Macht über das verheerende Sehnen in meinem Bauch. Isabelle hängte sich an meinen Hals.

Ich fand sie wieder, wo ich sie verlassen hatte. Unsere Lippen öffneten sich in einem wohligen Traum. Ohne mich zu lösen, bog ich sie zurück, ich hielt wie immer ihren Kopf in meinen Händen, so wie ich das Gewicht eines abgeschlagenen Hauptes getragen hätte. Ich drang in ihren Mund ein, der einen Nachgeschmack von Zahncreme hatte, einen Hauch von Frische. Unsere Glieder, überreif, zerfielen zu aasigem Fleisch in einer köstlichen Verwesung. Ich öffnete die Augen halb: Isabelle beobachtete mich. Ich hatte in ihrem Mund den Krieg entfacht und war besiegt worden. Eine orientalische Musik wand sich durch meine Glieder, wie ein eintöniger Singsang kreiste es in meinen Ellbogen. Ich reinigte ihr Zahnfleisch, noch einmal wollte ich Isabelle in meinem Kuß auslöschen. Ich dankte ihr zweimal, mit zwei neuen, beflissenen Küssen auf ihre Hand. Kleine Köpfe wandten sich um: Die Sperlinge der Nacht sahen uns zu.

Wir haben uns auf das Bett gelegt, wir haben die Frische der Laken belauscht. Die Nacht neigte sich nieder und weckte uns, die Nacht riet uns zu einem keuschen Ausklang.

Isabelle nahm meine Hand und legte sie auf ihr goldbraunes Vlies. »Bewege dich nicht«, sagte sie.

Meine Hand wünschte sich, warm wie ein Stall zu sein.

Isabelle legte ihren Arm zum Kreuz über meinen, ihre Hand, die so lauter war, kam wie ein Traum, der sich auf meinem Schoß niederließ.

»Schweig! Schweig!«

Isabelle sagte es, beide Hände ausgebreitet, jede über ihren Besitz.

Meine Waden waren wie zerfasert, Spaliere, auf die der Sommer drückt. Die wilde Meute... hab Erbarmen... ich kann sie nicht mehr zurückhalten.

Ich lauerte, ich sehnte mich nach einer Bewegung der zarten Hand. Mein Herz schlug mir unter den Lidern, in der Kehle.

»Ich kann nicht mehr!«

Ich zerschlug alles zu Trümmern: unsere Hände, unsere Arme, unseren Schoß, die schweigende Nacht.

Wir haben uns voneinander losgemacht, wir haben aufeinander gewartet: Zwischen uns gähnte das Entsetzen.

Wenn der Faden des Wartens zerreißt, werden wir in den Abgrund der Erde stürzen.

Ich legte mich auf den Bauch, ich verkroch mich in mich selbst, allein mit meinem Fieber.

Isabelle zog mich zur Mitte des Bettes, sie ritt mich, sie hob mich hoch, sie ließ die Luft durch meine Achselhöhlen streichen.

Du hast mich bestiegen: Das war nicht neu. Erinnerungen waren mir aufgeladen. In der Begegnung mit dir habe ich einen Sinn für meine Nichtigkeit gefunden.

Isabelle sägte meine Schultern, sie stemmte sich empor, sie kroch über mich, sie spreizte sich, sie brach auf mir zusammen und atmete mich, sich wiegend und mich.

Die Nachtlichter flackerten wieder auf, der Krake begann noch einmal sein Umklammerungswerk.

»Verlaß mich nicht mehr«, sagte ich.

Nacht, Bauch des Schweigens.

Isabelle richtete sich auf, langsam, ganz langsam schlossen sich ihre Schamlippen auf meiner Hüfte. Sie schaukelte. Ich suchte ihre Hand, ich legte sie auf meinen Rücken, ließ sie hinabgleiten, über die Lenden hinaus, zum After.

»Ja«, flüsterte Isabelle.

Ich wartete, ich sammelte mich.

»Das ist neu«, sagte Isabelle.

Der scheue Finger drang ein, Isabelle redete:

»Mein Finger ist in der Wärme, mein Finger ist glücklich.«

Der zaghafte Finger traute sich nicht.

Wir belauerten ihn, wir fühlten Wollust. Der Finger würde immer ein lästiger Störenfried sein, ohne Freigebigkeit aufgenommen. Ich zog mich zusammen, um ihm Mut zu machen, um ihn gefangenzusetzen.

»Weiter, ich will weiter«, stöhnte Isabelle, ihren Mund auf meinen Nacken gepreßt.

Sie suchte sich den Weg mit Gewalt zu erzwingen. Noch war ein Glied draußen. Wir waren dem allzu schwachen Finger ausgeliefert.

Das Gewicht auf meinem Rücken besagte, daß der Finger nicht aufgab. Er stieß und stieß wie rasend, ich fühlte in mir einen verängstigten Aal, der sich zu Tode zappelte. Meine Augen konnten hören, meine Augen sahen: Isabelle impfte mir ihre Brutalität ein. Daß dieser Finger die Stadt durchrase, daß er die Fleischhöfe löchere. Ich war krank vor Brennen, ich litt, noch stärker, an unseren Grenzen. Doch der hartnäckige Finger weckte das Fleisch, seine Stöße verfeinerten mein Empfinden. Ich hatte einen pastosen Rausch, ich fühlte ein würziges Rieseln, ich wurde weit bis zu den Hüften.

»Das Bett schaukelt zu stark«, sagte Isabelle.

Mein weit gewordener Leib war von Dank erfüllt, die unerbittliche Lust breitete sich aus bis in die Blütenblätter. Schweißtropfen fielen von Isabelles Stirn auf meinen Rücken.

»Bewege dich nicht. Ich will in dir bleiben«, sagte Isabelle.

Wir bezogen unser Winterquartier, ich zog mich zusammen.

»So, ja«, sagte Isabelle.

Ich saugte den Finger an, ich drängte ihn fort, ich verwandelte ihn in das Glied eines Hundes, rot und nackt. Er schob sich hinauf bis zum Hals. Ich horchte auf Isabelle, die sich leicht machte, die seinem Vordringen folgte, die den Reflex ausnützte. Der Finger stieß aus einer Wolke heraus, fuhr in eine andere hinein. Meine Glut griff auf Isabelle über, eine wilde Sonne kreiste in meinem Fleisch. Isabelles Körper erstieg auf meinem Rücken einen Kalvarienberg. Meine Beine wankten in ihrem Paradies. Meine Waden waren erquickt, wie überreif. Während ich mich in einer unsäglichen Verwegung auflöste, zerfiel ich unaufhörlich, von Seligkeit zu Seligkeit, in Staub. Isabelles Finger glitt methodisch heraus und hinterließ Lustlachen auf meinen Knien. Der Finger verließ mich: Ausfahrt eines trägen Seglers, beladen mit Harmonien, deren Verklingen wir lauschten.

»Du hast nichts gehabt.«

»Ich und nichts gehabt!« sagte Isabelle.

Sie lachte in meinen Hals. Auf ihrem Gesicht lag die Gluthitze der Raserei.

»Nichts gehabt!«

Sie legte meine Hand zwischen ihre Lippen, mein Mund vermied den ihren. Wir wahrten die Ordnung der Augenblikke.

»Ersticke mich«, sagte Isabelle.

Sie ruhte sich aus, während ich sie erdrückte und mich abmühte, sie in ein Schönheitsmal auf meiner linken Brust zu verwandeln. Ich umschlang sie, ich fröstelte wie die Grasspitze im Winter.

»Doch, du liebst mich«, sagte Isabelle.

Ich richtete mich auf, ich hatte Eisdiamanten auf meinen Schultern.

In der Erinnerung sah ich mich wieder unter dem Apfelbaum: Wenn der Winterwind den April durchschüttelte, wenn der Sommerwind den November schlaff werden ließ, nahm mich meine Mutter immer mit auf eine Wiese, zu einem Fest, das nur uns gehörte. Zweimal im Jahr setzten wir uns unter den gleichen Apfelbaum, wir packten unser Vesperbrot aus, während der Wind uns in den Mund fuhr und durch die Haare pfiff, wir strichen Leberpastete auf dickes Brot, tranken Champagner aus einem Bierglas, rauchten eine Zigarette und schauten zu, wie die grüne Saat vor Jungsein zitterte oder wie das Stroh auf den Dächern vor Alter fröstelte. Der Wind, Rennbahn der Sperber, tanzte über unserer Liebe und unserem Mahl.

Ich webte wie Samt Isabelles Namen, bevor ich ihn aussprach, ich hörte in meinem Geist den Satz aufklingen, den ich ihr sagen würde.

»Willst du dich nicht zu mir drehen!« fragte ich sie.

Isabelle wandte sich mir zu. Ich warf mich in das Rosental. Die Lichtfünkchen in meiner Haut waren lüstern nach dem Funkeln in Isabelles Fleisch, die Luft wurde dünner. Wir vermochten nichts ohne die Meteore, die uns auf ihre Bahn zogen, die uns ineinanderstürzen ließen. Wir hingen von übermächtigen Kräften ab. Bewußtlos bildeten wir einen Block gegen die Nacht des Schlafsaales. Der Tod rief uns wieder ins Leben zurück: Durch viele Türen kamen wir herein. Ich war blind, ich war taub und besaß dennoch die Sinne einer Seherin. Wir umschlangen uns: Ein Wunder verlöschte, das leuchten sollte.

»Zusammen, miteinander...«

Sie streichelte ihre Brust mit meiner Hand.

»Bücke dich hinunter. Gleichzeitig... Nein, nein... nicht sofort.«

Sie ließ sich zurückfallen.

»Deine Hand, deine Hand«, stöhnte Isabelle.

Was wir taten, geschah wie aus einem uralten Wissen, als hätten wir uns schon vor unserer Geburt geliebt, als nähmen wir nur einen Faden wieder auf. Isabelles Hand, die mich im Spiel mit meiner Hüfte erregte, war meine Hand, meine auf Isabelles Schoß gehörte ihr. Wir warfen einander unser Bild zu: zwei Spiegel, die sich liebten. Der Einklang unserer Bewegungen änderte sich nicht, wenn sie ihr Haar zurückwarf, wenn ich das Laken fortstieß. Ich hörte in ihren Fingern die Melodie, die meine Hand für sie sang. Wir machten neue Erfahrungen, wir prägten uns ein, wie empfindungsfähig das Gesäß ist. Unsere Hände waren so leicht, daß ich die Krümmung von Isabelles Flaumhaar auf meinem Arm, die meines Flaumes auf ihrem Arm verfolgen konnte. Mit unseren bleichen Fingernägeln stiegen wir in der Furche zwischen unseren geschlossenen Schenkeln auf und nieder, wir reizten uns, wir unterdrückten unser Schauern. Unsere Haut verlockte unsere Hand und ihre Doppelgängerin. Wir lenkten die samtigen Schauer, die musselinweichen Wellen vom Schoß bis zum Spann, wir kehrten um und entfachten nun einen sanften Sturm von den Schultern bis zur Ferse.

Dann brachen wir ab.

»Ich warte auf dich«, sagte Isabelle.

Ihr Fleisch wies mir überall Perlen.

»Ich werde sie nicht finden«, sagte ich.

Ihr Arm unter meinem hob sich, mit meinem darauf. Isabelle prüfte sich. Sie legte meine Hand zurück, sie leitete, ihre Hand auf meiner, die Bewegung ein und ließ sie mich allein fortsetzen.

»Konzentriere dich«, sagte Isabelle.

Die Luft war drückend, sie hatte alles Menschliche verloren.

Ich wiegte sie, ich reizte sie, ich trieb sie heraus aus den heimlichen Winkeln ihrer Verfallenheit, ich schenkte ihr Vertrauen. Ich würde mich ihrer nicht so erinnern, hätte ich ihr nicht meine Seele und mein Leben geschenkt. Die Perle läuterte den Finger, der Fleisch wurde von unserem Fleisch: Die Bewegung wiederholte sich in unseren Gedanken. Das Fleisch glättete meinen Finger, wie er Isabelles Fleisch. Die Bewegung vollzog sich ohne unser Zutun: Unsere Finger träumten. Ich löse die Toten aus ihrer Starre, ich bin bis ins Mark durchtränkt mit den Salbölen der Heiden.

Isabelle zog sich hoch, sie kaute auf einer Strähne meines Haares.

»Gleichzeitig«, sagte sie.

Mattigkeit, die einsickert, Ritzen, durch die die Lust hereinbricht, Sümpfe voller Tücke... Flieder verströmte seine Süße, der Frühling bereitete mir das Totenlager, der Staub der Abgeschiedenen tanzte in meinem Licht.

Ich war endlich ich selbst, indem ich aufhörte, es zu sein. Bald würde ich mein Paradies betreten.

»Du wirst es mir sagen.«

»Ich werde es dir sagen.«

Ich löste mich von meinem Skelett, ich schwebte über meiner Asche. Die Lust war streng zuerst, schwer auszuhalten. Vom Fuß breitete sie sich in das Fleisch aus, das seine Unschuld zurückgewonnen hatte. Der Finger blieb in der früheren Welt zurück, von uns vergessen, Licht brach aus uns hervor, eine Sturzflut von Glück riß uns nieder. Unsere Beine, von Wonnen zermahlen, ein Leuchten in unseren Eingeweiden...

»Es steigt, es steigt...«

»Ewig...«

Der Schleier streifte meine Fußsohle, der Finger kreiste in weißglühender Sonne, eine samtene Flamme wand sich in meinen Beinen. Von fern herangeweht, entfernte sich der Schleier in noch größere Weiten. Auf den Wassern wandeln... ich fühle, auf dem Strom meiner Schenkel, was das heißt. Ich war von der Schärpe des Wahnsinns gestreift worden, der nirgendwo haltmacht, ein Lustkrampf, der Liebkosung war, hatte mich zerrieben.

»Gleichzeitig.«

»Es war gleichzeitig...«

Ruhe, himmlisches Abendläuten. Ein einziger Tod für Seele und Körper. Doch ein Tod, der eine Harfe im Haupt trägt. Unser Schweigen: das blaue Schweigen der Himmelskarten. Die Sterne unter unseren Lidern: kleine Kreuze.

»Nicht schweigen«, sagte Isabelle.

»Ich schweige nicht. Ich trage dich.«

Das Kind, das ich hielt, das sie mir schenkte und das ihr glich wie nichts sonst, war das Kind ihrer Gegenwart. Sie umschmeichelte meinen Hals mit ihren Haaren, mit ihrer kleinen, kalten Nase.

»Nur ein Wort...«

»Ich kann nicht. Du bist da, für mich...«

Ich habe ihre Hand geführt:

»Für mich, dort und dort...«

Ich habe ihre Hand über meine Hüfte wandern lassen.

»Beuge deinen Arm«, sagte sie, »winkle ihn, als wenn wir spazierengingen.«

Sie hat mir den Arm gegeben, und wir sind zwischen dem Großen und dem Kleinen Bären umhergewandert.

Mein Blut drängte ihr jubelnd entgegen.

Ich machte Licht.

Ihr Vlies schimmerte nicht: Ihr Vlies lag wie in Gedanken verloren da. Ich balsamierte Isabelle mit meinen Lippen ein, mit meinen Händen. Die bleichen Schläferinnen atmeten rings um sie, die Finsternis, gierig nach der Blässe der Toten, kreiste über ihr. Ich öffnete ihre Lippen und ging, bevor ich noch einen Blick tat, in den Tod. Mein Gesicht berührte sie, mein Gesicht netzte sie. Ich begann, sie mit freimütiger Freundschaft zu lieben.

»Mehr, besser.«

»Mehr konnte ich nicht.«

Isabelle drückte mein Gesicht hinein.

»Du sollst reden, du sollst davon sprechen«, sagte sie.

Ich fühlte Wolken in meinem Leib zusammenprallen. Mein Gehirn war verrückt vor Gier.

»Du bist schön...«

Ich schwelgte in Bildern. Ich log nicht.

Zwei Blütenblätter wollten mich verschlingen. Das Auge sah mehr, weil es zuerst sah.

»Sag etwas«, fleht Isabelle, »ich bin allein.«

»Du bist schön... Seltsam... Ich wage nicht mehr, hinzuschauen.«

Die Sprache aus lauter Gähnen, das Ungeheuer, von dem Fragen und Antworten kamen, erschreckten mich.

»Wärme mich«, sagte ich.

Das dunkle Rascheln der ersten Morgenfrühe ließ mich zu Eis erstarren.

»Schlafe ein wenig«, sagte sie, »ich werde aufpassen.«

»Habe ich dich enttäuscht?«

»Das erträgt man, wie das übrige«, erwiderte Isabelle.

Die Nacht würde weichen und bald nichts als Tränen zurücklassen. Ich leuchtete mit der Lampe hin, ich hatte keine Angst mehr vor meinen offenen Augen.

»Ich sehe die Welt. Sie kommt aus dir.«

»Sei still.«

Die Morgendämmerung mit ihren Leichentüchern. Isabelle kämmte sich in einem Bereich, der nur ihr gehörte und wo ihre Haare immer aufgelöst waren.

»Ich will nicht, daß der Tag kommt«, sagte Isabelle.

Er kommt, er wird kommen. Der Tag wird die Nacht auf einem Aquädukt in Stücke schmettern.

»Ich habe Angst, von dir getrennt zu werden«, sagte Isabelle.

Eine Träne fiel in meinen Garten um drei Uhr morgens.

Ich verschloß mich vor dem kleinsten Gedanken; so würde Isabelle auch in meinem leeren Kopf einschlafen können. Der Tag nahm die Nacht fort, der Tag tilgte unsere Vereinigungen.

»Schlafe«, sagte ich neben dem blühenden Weißdorn, der die ganze Nacht auf das Morgendämmern gewartet hatte.

Ich verließ das Bett wie eine Verräterin und trat ans Fenster. Hoch oben am Himmel hatte ein Kampf stattgefunden, ein Kampf, der nun verrauchte. Nebel kämpften Rückzugsgefechte, hier und da graue Nacht, die nicht weichen wollte. Die Morgenröte der Welt war allein, und niemand war da zu ihrer Feier.

»Warst du fort?« fragte Isabelle.

»Schlafe.«

»Komm zurück... Mein Arm ist kalt.«

»Horch... Eine Schülerin lernt schon.«

»Das habe ich auch getan, bevor ich dich kennenlernte«, sagte Isabelle.

Schon war ein Vogelschwarm in einem Baum und zerpickte die ersten Schimmer des Tages...

»Ich werde tun, was du willst«, sagte ich.

Ich leckte sie.

Isabelle, auf das Kissen gekniet, zitterte mit mir. Daß mein glühendes Gesicht, daß mein Mund von ihrem Gesicht, ihren Lippen getrennt sein mußten! Mein Schweiß, mein Speichel, die Enge, das Wissen, eine Sklavin zu sein, zur Lust verdammt, unablässig, seit ich sie liebte, verhexten mich. Ich trank mich voll mit Salzlake, ich nährte mich von Haaren.

Ich sah die Halbtrauer des neuen Tages, ich sah die Lumpen der Nacht, ich lächelte ihnen zu. Ich lächelte Isabelle zu und, Stirn gegen Stirn, spielte ich Schafbock und Widder mit ihr, um zu vergessen, was im Sterben war. Die Begeisterung des Vogels, der singt und der Schönheit des Morgens Flügel schenkt, verzehrte uns: Die Vollkommenheit ist nicht von dieser Welt, selbst wenn wir ihr begegnen.

»Die Aufseherin ist aufgestanden!« sagte Isabelle.

Das Geräusch des Wassers im Waschbecken ließ uns alt werden.

»Du mußt gehen«, sagte Isabelle.

Sie wie eine Ausgestoßene heimlich zu verlassen machte mich traurig wie sie. Ich hatte Bleigewichte an den Füßen. Ich setzte mich auf ihr Bett. Isabelle bot mir ihr Gesicht, in dem kein Trost war. Ich liebte Isabelle ohne Gesten, regungslos: Ich bot ihr mein Leben dar ohne ein Zeichen.

»Wirst du jeden Abend kommen?«

»Jeden Abend.«

»Werden wir uns niemals verlassen?«

»Niemals.«

Einen Monat später holte mich meine Mutter zurück. Ich habe Isabelle nie wiedergesehen.

RUTH REHMANN

Bei Tageslicht

Noch im Schlaf versuchte sie immer wieder, ein Stück der Decke an sich zu ziehen, aber er hatte sie ganz für sich genommen, lag in sie eingewickelt, leicht schnarchend, abgewandt. Sie fror, zog die Beine an sich und erwachte, als etwas ihr Gesicht streifte, nicht seine Lippen oder seine Hände, sondern die Gardine im Morgenwind. Graues Licht vom Fenster her begann in sie hineinzufließen und die träumerische Wärme abzukühlen. Das war unangenehm, etwa wie das langsame Einfließen kalten Wassers in ein warmes Bad. Sofort kniff sie die Augen wieder zu und versuchte, in den Leib des gemeinsamen Schlafes zurückzukriechen. Behutsam zerrte sie die Decke unter seiner Seite hervor und schmiegte sich eng an seinen gekrümmten Rücken, machte sich ganz breit, flach und porös, um soviel wie möglich von seiner Haut zu berühren, Wärme und Schlaf mit den Poren zu trinken und das Wehen des Schlafatems in sich hineinzunehmen.

Aber es ging schon nicht mehr. Zuviel Haut dazwischen, zuviel Schlaf auf seiner, zuviel Wachheit auf ihrer Seite. In die Zärtlichkeit bei der Berührung ihrer kühl gewordenen mit seiner warmen Haut mischte sich eine Spur Degout, eine ganz leise Regung von Aversion. Dabei wartete sie schmerzlich darauf, daß er sich umwende und unter schläfrigem Gemurmel Brust und Schoß mit seinen Händen umschließe und sie so wieder annähme und dem grauen Licht entzöge, aber schon trieb die gewendete Strömung sie von ihm weg. Kühl blinzelte sie über seine Schulter, den schwärzlichen Flaum, der sich im Wind ihrer Atemzüge bewegte, und nahm stückweise mit wachsendem Widerwillen die Details der ausrinnenden Nacht zur Kenntnis: Die beiden Gläser mit Rotweinrest, Aschenstange der vergessenen Zigarette, deren Erinnerung als fade parfümierte Süßigkeit im Dunstgemisch der Gerüche hing, verstreute Kleider und Wäschestücke, von Hand und Fuß in die Nacht geschleudert und nun kläglich und deformiert wieder auftauchend, wie Trümmer und Tang aus der zurückweichenden Flut. Verstreut auch sie: Hand vom Bettrand herabhängend, Brust achtlos vor den Spiegel geworfen und im Glas wiederholt, Haar auf der Schwelle verschüttet, Augen wie abgestreifter Schmuck aus Bodenritzen leuchtend. Wahrhaftig, man sollte Ordnung herstellen, ehe der Tag die Decke wegzieht. Sie rückte heftig von ihm ab, die winzige Flamme träger Zärtlichkeit in ihrem Schoß erlosch unter einem kalten Guß, denn nun saß sie aufrecht, umfaßte alles mit einem Blick, auch ihn nur als ein Stück Trümmer im allgemeinen Verfall, und nahm sich entschlossen heraus, mit steilem Rücken und wachsam erhobenem Kopf, die Haare mit dem wiedergefundenen Band so fest zurückbindend, daß es weh tat.

Erst dann riskierte sie einen Blick in den Spiegel, sammelte die verschwimmende Masse ihres Gesichtes zu Nase, Mund, Stirn, scharf gezogenen Backen- und Kinnkonturen, indem sie jedes Teil von innen tastend wiederherstellte, dämmte die Überschwemmung der Augen in die zusammengezogenen Lidränder zurück, und ganz allmählich erhob sich aus der Bemühung der Anfang eines Lächelns, triumphierend und verschlagen, so wie: gedeckt vom dummen Schlaf des Siegers sammelt der zertretene Feind seine Kräfte und bereitet sich auf den neuen Angriff vor. Vorsichtig, mit einem schrägen, listigen Blick auf den Schlafenden schob sie die Füße über den Bettrand, reckte versuchsweise die Arme und hob sich mit einer raschen Wendung aus dem Spiegel. Im Vorübergehen sammelte sie Wäsche und Kleider, nur ihre, und knäulte sie achtlos in der Hand zusammen. Ohne sich noch einmal zurückzuwenden, schloß sie sacht, aber mit energischer Endgültigkeit ohne jedes Zögern die Tür und begab sich ins Badezimmer.

Fliesen unter den Füßen, ringsum Porzellan, Glas, Emaille, Nickel, spröd, glatt, blinkend, kühl, nicht das winzigste Refugium für sentimentale Rückstände und hinter den Sperren der Kräne genug Wasser gestaut, um alle Nächte der Welt abzuwaschen.

Sie bewegte sich jetzt etwas steif und gemessen auf den präzis vorgezeichneten Bahnen einer offenbar vertrauten, aber nicht ganz bequemen Zeremonie, legte das Badetuch über die

Heizung, daneben die Strohsandalen, regulierte das aus der Brause strömende Wasser, bis es eiskalt war und ihre Haut sich beim Anhauch des kühlen Atems schon im voraus kräuselte wie die Geschmacksnerven beim Auspressen einer Zitrone und stieg dann in die Wanne, jeder Quadratzentimeter Haut zog sich vor Schreck zusammen, Schauderkaskaden vom Scheitel bis zur Sohle, der Atem stockend und keuchend, und plötzlich stieg aus dem Entsetzen aller Nerven Lust und Frische, verschmolz mit der Freude, daß alles so ablief, schäumend wegfloß, in den Ausguß hinein gurgelte – auf Nimmerwiedersehen. Als könnte sie gar nicht genug kriegen, warf sie immer von neuem Wasser in ihr Gesicht, bog und wand sich unter dem scharfen Strahl. Frisches neues helles Blut sprudelte dicht unter der Haut, springlebendig, als wollte es aus den Fingerspitzen herausschießen. Sie drehte das Wasser ab, schüttelte sich, und als sie sich mit allmählich beruhigtem Atem abtrocknete, warmes Tuch rauh auf der Haut, fing sie an, vor Vergnügen wortlos vor sich hinzusingen, leise natürlich, denn er durfte keinesfalls erwachen, bis nicht alles, sie selbst und ihr Reich, innen und außen lückenlos in Ordnung war, ohne Fehler, ohne Sprung, ohne den geringsten Angriffspunkt. Mit pedantischer Sorgfalt zog sie vor dem Spiegel die ganz neue, ganz weiße Wäsche an, nahm zurück, was sie verschleudert hatte, Stück für Stück, und ließ nichts aus, rekonstruierte ihre Person, setzte die zerbröckelte Statue wieder zuzammen, restaurierte das befleckte Bild mit frischen Farben, makellos. Die spröde Steifheit des Weißblauen, die Strenge, mit der sich die stoffüberzogenen Knöpfe über ihrer Brust schlossen, die Straffheit des Gürtels und der exakte Verlauf der Strumpfnaht von der Ferse über die Wade bis in das Geraschel des Petticoats bereiteten ihr eine trotzige Befriedigung.

Nur keine Willkür! Nicht ein Härchen in der Fülle der Frisur blieb sich selbst, blieb dem Zufall, der Bewegung, dem Wind überlassen. Nadeln und Klammern zwischen die Lippen klemmend befestigte sie geschickt Löckchen und Strähnen. Am liebsten hätte sie wohl das Ganze mit Lack überzogen oder wie Nofretete über den glattrasierten Kopf ein dauerhaftes Gebäude mit unzerstörbaren Ornamenten errichtet.

Besonders behutsam behandelte sie das verräterische Oval

des Gesichtes mit mattem Puder und zartfarbigen Tuschen, betonte Symmetrisches, stilisierte Zufälligkeiten und bannte das wechselnde Spiel der Emotionen in ein überlegtes und kontrolliertes System. Eine Sekunde stiller Prüfung vor dem Spiegel, dann drehte sie sich mit gemessener Bewegung einmal um sich selbst und schoß sich ab wie einen gespitzten Pfeil, um die Spuren der Ausschweifung zu beseitigen und der neuen Person eine neue Bühne zu bauen, leise und unauffällig, denn das Publikum saß immer noch im Dunkeln, wußte nichts, ahnte nichts, hatte keine Möglichkeit, sich auf veränderte Situationen vorzubereiten. Oh, sie würde es erbarmungslos mit ungedämpftem Tageslicht, mit Kühle, Transparenz und Übersichtlichkeit konfrontieren, um sich dann aus der Entrücktheit des Spitzentanzes kühl zu amüsieren. Unerträglich hoffärtig das vom Wind geblähte Weiß der Gardinen, die Blumen mit den abgeschnittenen Stielen von pharisäerhafter Unschuld und Frische, weißblausilberner penetrant funkelnder Frühstückstisch, statt des sanften Alkoholnebels der bittere Morgengeruch von Kaffee und scharf getoastetem Brot, alle Reste im Mülleimer, alle Aschenbecher geleert, alle Gläser klar und durchsichtig im Schrank, kein Staub, keine Fingerabdrücke, ein Morgen – sie lehnte sich aufatmend aus dem Fenster, um das Staubtuch auszuschütteln –, wie er in milder Fayencenbläue spottend über den Exzessen eines nächtlichen Gewitters aufsteigt. Als sie sich dann umwandte und mit aufmerksamem Blick ihr Werk betrachtete, erst Stück für Stück, dann als Ganzes, als Eindruck, als Atmosphäre, als mitspielenden Raum, fand sie es gut, fertig, gelungen und ließ sich mit einem beherrschten Seufzer auf den Sessel gegenüber der Schlafzimmertür nieder, die weißen glänzenden Schuhe in gespannter Bereitschaft nebeneinandergestellt, den Rock um die aufgerichteten Hüften gebauscht. Und wartete. Zuerst rasch atmend, solange die Stromstöße der Aktivität noch weiterwirkten, dann eine Weile still, mit geschlossenen Augen, wie bewußtlos, aber immer mit gespitzten Ohren, dann mit winzigen Zeichen der Ungeduld, die die gespannte Oberfläche ihrer Kontenance mit zarten Stößen anstupsten, wie Fische, die den Wasserspiegel mit dem runden Maul berühren, einen winzigen Kreis auslösen und zurückgleiten.

Der Moment des Auftritts war da, und er kam nicht. Er schlief. Die Pointe des Arrangements blieb aus. Woher nahm er die Nonchalance, unbekümmert in den hellen Tag hineinzuschlafen, ihre Abwesenheit zu ignorieren, sich preiszugeben, als ob nichts, aber auch gar nichts mehr zu befürchten sei? Wie ein Nadelstich durchdrang sie der Verdacht, daß gemessen an dem animalischen Gleichmut seines Schlafes ihre Zeremonien und Bemühungen lächerlich und peinlich wirken könnten. Zuviel Aufwand! Schon war sie vom Kurs abgetrieben in eine flaue, uferlose Sehnsucht, neben ihm in der Dämmerung zu liegen, gemeinsam mit ihm aus dem verebbenden Gewässer aufzutauchen, in benommener Lässigkeit spielend den barbarischen Ernst der Nacht zu wiederholen, sich in einen unwirklichen Tag hinter geschlossenen Vorhängen hinüberzuspielen und den Tag zu verspielen und spielend in die Nacht zurückzusinken, ohne Bruch, ohne Schnitt, ohne Willen und Entschluß, ohne Furcht und ohne Hoffnung, treibend, steigend und fallend in den unberechenbaren Strömungen der Leidenschaft.

Erschrocken wandte sie den Kopf zum Spiegel, als wollte sie die aufwallende Verführung ertappen, und wahrhaftig nahm sie eine Verdunkelung der Augen wahr, ein Geistern konturloser Schatten, die die klargezeichneten Linien überflossen und das spröde Material von innen aufzuweichen schienen. Vorsicht! Sie riß sich zusammen, aber ganz so wie vorher war's schon nicht mehr. Frische und Unschuld leicht beschädigt, nur weil da einer schlief, dumm, gedankenlos, primitiv und doch auch wieder unschuldig, als könnte man die Unschuld so einfach im Schlaf gewinnen, ohne einen Finger zu rühren. Sie hatte Lust, ihn an den Haaren aus diesem Schlaf herauszuzerren, stampfte vor Ärger mit dem Fuß auf und biß sich die Lippen, daß sie rot und feucht anliefen, und stieß mehrmals hintereinander in ohnmächtiger Wut ein kurzes seufzendes Oh aus, in dem alle Beschimpfungen der Welt enthalten waren. Das tat gut. Dann mußte sie lachen, und der Bogen entspannte sich, als ob der Pfeil schon abgeschossen sei, ins Leere. Sie zuckte die Achseln und wandte sich brüsk ab, öffnete die Schlafzimmertür, schloß sie hinter sich und sah sich die Bescherung an. Zunächst nichts als Dunkelheit und dicke Luft, dann verschwommen auftauchend das verwüstete Schiff des Bettes, das immer noch steuerlos dahintrieb. Er lag jetzt auf dem Rücken, hatte die Decke von der Brust gestoßen, die Arme auseinandergeschlagen, atmete flach und rasch, und seine Lider zuckten beim Geräusch der Tür. Sie nahm sich vor, an ihm vorbei zum Fenster zu gehen und es zu öffnen, nichts weiter, aber dann ließ sie sich doch ziehen, Neugierde, ›mal sehen, wie weit man's treiben kann‹ oder was es auch war, und trat mit eckigen Bewegungen Fuß vor Fuß näher, als sei an jedem ihrer Glieder ein Drähtchen befestigt, setzte sich mit dem Gefühl, etwas Unerlaubtes und Aufregendes zu tun, vorsichtig und leicht, fast ohne die Matratze niederzudrücken auf die Bettkante und sah fasziniert zu, wie er sich ihr mit geschlossenen Augen zuwandte, wie seine Hand sich blind nach ihr ausstreckte, ihren viel zu zögernd zurückweichenden Arm berührte und sich herrisch um ihr Handgelenk schloß. Verspätet zuckte sie zurück, ließ sich aber doch, gelähmt und überwältigt, ein ganzes Stück ziehen, tiefer hinab und tiefer, bis ihre Lippen fast seine Schulter berührten, dann aber, nur um Millimeter getrennt von Kuß oder Biß, riß sie sich los, es tat weh, ein glatter Schnitt, scharf, rasch – eine Müdigkeit, dann war's vorbei. Sie riß die Vorhänge zurück, die Fenster auf. Die Sonne stürzte herein, durchflutete ihr Kleid, die in der Erregung aufstehenden Haare. Sie sagte nichts weiter als »So« und blickte steil, von oben herab auf ihn oder über ihn hinweg. Es war ein großer Augenblick trotz Verspätung. Blinzelnd kämpfte er mit dem Licht, rutschte auf der primitiven Würde des Schlafes in die Lächerlichkeit widerwilligen Erwachens. Aus seiner vernebelten Perspektive nahm er sie nur allmählich wahr, Stück für Stück, mit steigendem Unbehagen, je mehr ihm an ihrer hellen, scharfumrissenen Erscheinung zum Bewußtsein kam: daß er keinen Pyjama anhatte, daß der Bart gewachsen war, daß er die Zähne nicht geputzt hatte, daß er ungewaschen war, daß die Haare, die er schon längst hätte schneiden lassen sollen, zerwühlt in die Stirn hingen. Sehr unerfreulich alles in allem, wahrscheinlich übelriechend, o verdammt. Er gab sich einen zornigen Ruck, als wollte er sich herumwerfen und unter Protest weiterschlafen: zum Teufel mit dem Tageslicht, zum Teufel mit Weibern, die zur Unzeit wecken, zum Teufel mit Kopfweh und belegter Kehle. Sie sah jede Regung, als ob sie auf seine Stirne projiziert sei, fand ihn schrecklich komisch, fühlte geradezu, wie das Lachen glucksend hochstieg, aber nein, es kam nicht heraus, es löste sich ungelacht in ihrer Kehle auf, löste sich in der Überschwemmung eines Gefühls, das ihr in der Masse von Gefühlen, die sie bereits praktiziert hatte, völlig unbekannt war, gegen das sie nicht gewappnet war, auf das sie nicht vorbereitet war, darauf nämlich, daß er sich einfach aufgab, die Augen schloß, die Hände löste, den Kopf in die Kissen schmiegte mit einer sanften Bewegung, die sie gar nicht kannte, die längst vor ihrer Zeit lag, die aus einer fernen Erinnerung an Kinderschlaf und Kinderangst durch viele Verschüttungen aufstieg und sie mitten ins Herz traf. »Du bist weit weg«, sagte er, denn sie stand immer noch am Fenster und sah auf ihn herunter: Stoppeln, Ungewaschenheit, Verwüstung, das sah sie ganz genau, alle Häßlichkeiten erwachender Liebhaber nackt im Morgenlicht, und liebte ihn so sehr, so unerträglich maß- und grenzenlos, fand nichts, wie sie es hätte ausdrücken können, denn alles war ja schon gesagt, alles war schon getan, nichts mehr übrig, kein Superlativ im Vokabular der Liebe noch ungebraucht, keine Geste für dieses aufgespart. Also blieb sie stumm und nahm ihn nicht in die Arme und seinen Kopf nicht in den Schoß, wie sie es so gern getan hätte, aber wie sie es schon so oft getan hatte und nun nicht mehr tun konnte, ging ratlos an ihm vorbei, fast bis zur Türe, aber dann mußte sie umkehren, bückte sich, streichelte seinen Fuß und wußte genau, daß auch diese Geste übertrieben und fragwürdig war, aber das hatte sie wenigstens noch nie getan, und nun war's schon geschehen. »Ich lasse das Badewasser laufen«, sagte sie und lief schnell hinaus.

Im Badezimmer, kniete sich auf die Strohmatte nieder, lehnte ihre Stirn erschöpft an den kühlen Rand der Wanne und horchte über dem Getöse des fallenden Strahls auf Morgengeräusche.

CLAUDIA PÜTZ

»Der Tanz«

Der Schweiß klebt mir am Körper, als ich den Bazar nach einer mir endlos erscheinenden Fahrt erreiche.

Eine schier unerträgliche Hitze treibt mir das Wasser aus den Poren, während ich mich durch das Labyrinth der schmalen und immer enger werdenden Gasse schiebe. Fremdartige Gerüche dringen mir in die Nase; dampfende Menschenleiber, verbranntes Holz, in dessen Flammen man die schärfsten Gewürze wirft. An langen Spießen hängen große Fleischstücke über dem Feuer, dunkel, fast schwarz gebraten. Mit jedem Tropfen Fett, der auf die glühenden Scheite fällt, stieben die Funken.

Um mich herum ein geschäftiges Treiben, ein unbändiges Stimmengewirr aus gutturalen Lauten und den hellen Klängen der Frauenstimmen. In schwarzen Gewändern huschen sie am mir vorbei, verhüllte Gesichter, die Augen weit geöffnet, suchend und doch fliehend ihr Blick, verschwinden im unentwirrbaren Tumult. Ich bleibe stehen und will ausruhen. Vor meinen Augen flimmert die Luft, nicht weit entfernt aufgeregtes Vogelflattern, das wilde Schlagen der Flügel; ich sehe einen bunten Federwirbel, das Tier sträubt sich gegen den harten Griff. Ich höre sein Schreien, eine Mischung aus Angst und Empörung, dann riecht es nach Blut, ich glaube das Knirschen von Knochen zu hören, es sind die Schreie der Männer.

Alle haben sie hier ihren Platz gefunden, handeln mit vielerlei Dingen. Getreide liegt da in großen Mengen, vielfarbig die aufgeschichteten Früchteberge, dichtgedrängt das Vieh im Pferch; Teppichhändler neben gefärbten Tierhäuten, halbgeschorene Schafe, in praller Sonne Datteln und Feigen.

Wie lange dürre Finger strecken vereinzelte Sträucher ihre Äste nach mir aus, vegetieren halbverdurstet am Rande des Bazars. Überall liegt der feine, weiße Sand, der die Füße wundscheuert. Sie schmerzen, und der Sand sticht wie ein Meer von tausend winzigen Skorpionen.

Der Wasserverkäufer kommt geradewegs auf mich zu. Unsere Blicke treffen sich, bevor er mich ganz erreicht hat. Er lächelt unmerklich, ein ganz verhaltenes Lächeln. In seinem Blick entdecke ich etwas Fremdes, Unbekanntes; ich sehe die goldfarbene Iris, gesprenkelt wie das Fell einer Raubkatze, bemerke nicht die Warnung, die zur Vorsicht rät. Ich bin nur durstig.

»Wasser ist gut für dich«, sagt der Wasserverkäufer. Er lacht leise. Ich nehme die Schale, die er mir mit einer Hand reicht, dann gießt er das Wasser hinein, langsam und kein Tropfen fällt in den Sand. Ich trinke in langen Zügen.

Während ich trinke, beobachtet er mich; unbeweglich sein Gesicht, nur die Augen heften sich an meine Kehle.

Ich habe ausgetrunken. Das Wasser war gut, will ich sagen. Nur die Stimme gehorcht mir nicht. Die leere Schale will ich zurückgeben, aber der Arm ist schwer, die Schale gleitet mir aus der Hand, weich falle ich in den warmen Sand.

Der Wasserverkäufer betrachtet mich eine Weile, geht ein paar Schritte um mich herum, hebt schließlich die Schale vom Boden auf, preßt sie wie etwas unschätzbar Wertvolles gegen seine Brust und läuft davon.

Ich erwache und befinde mich in einem fremden Zimmer. Große, weich fallende Vorhänge, überall liegen Teppiche und feine, weiße Tücher. Ich liege auf einem Diwan, in der Mitte des Zimmers ein riesiges Flachbett aus schwarzem Holz, verhangen mit leichten Schleiern. Das Holz glänzt matt, in den Zimmernischen kleine Kerzen, Dämmerlicht dringt durch die Fenster. Man muß mir die Kleider weggenommen haben, ich trage jetzt ein Gewand aus reinster Seide, einer Tunika ähnlich. Um meine Taille ein Gürtel aus weichem Ziegenleder, die Füße nackt, die Schuhe verschwunden. Vor dem Diwan entdecke ich Sandalen, die nur aus ein paar Riemen bestehen.

Erschrocken fahre ich hoch, als sich der Vorhang in der Mitte teilt. Herein treten zwei sehr junge Frauen, die mich lächelnd und wohlwollend ansehen. Sie huschen durchs Zimmer, zünden hier und da einige Räucherkerzen an, öffnen dann eine kleine, metallbeschlagene Truhe und entnehmen ihr mehrere Schmuckstücke. Ich rühre mich nicht, beobachte voller Neugier die beiden Frauen. Sie flüstern miteinander.

Eine dritte Frau tritt ein, sieht zu mir herüber, spricht ein paar Worte zu den beiden anderen. Es ist eine sehr melodische Sprache.

Die Frau winkt mir, ich solle ihr folgen. Die beiden Frauen stehen wartend neben ihr.

Langsam erhebe ich mich von meinem Lager, eine nimmt meine Hand, und ich folge ihnen in einen kleinen Raum, der neben dem Zimmer liegt. Ein Bad, mit Mosaiksteinen ausgelegt, der Boden angenehm warm, drei Stufen führen hinunter zum Becken. Sie nehmen mir den Gürtel ab, ziehen mir die Tunika über den Kopf. Dann muß ich mich auf eine angewärmte Steinbank legen. Die Frauen lassen Wasser in das Becken ein, eine nimmt einen Becher und schüttet ein eigenartiges Pulver in das Wasser. Es färbt sich langsam, im Licht schimmern rosa und violette Töne, und ein angenehmer schwerer Duft zieht durch den Raum. Ich gehe zum Becken, das Wasser dampft, betäubend der Duft. Ich tauche unter. Viele Hände ziehen mich nach oben, halten mich über dem Wasserspiegel, waschen Haare, meinen Körper, Haut. Die Augen geschlossen, lasse ich alles mit mir geschehen. Dann, eine schnelle Bewegung, ich fühle Boden unter den Füßen, zurück ans Ufer. Ich liege auf diesen Mosaiksteinen, wissende Hände massieren Schultern, Nacken, Rücken, Bauch und Brüste. Wie eine Katze schnurre ich. Es duftet nach Seife, Moschus, schweren Ölen, mein Körper glänzt, alles wird geschmeidig. Die Frauen lassen sich Zeit, sie haben keine Eile.

Eine Weile liege ich so, ausgeruht, das Öl ist eingezogen in die Haut, die Frauen holen Schmuckstücke aus der Truhe. Sie hängen mir eine silberne Kette um den Hals, der Anhänger zeigt seltsam ineinander verschlungene Wesen. Um mein linkes Handgelenk binden sie Lederriemen, mein Fußgelenk schmückt ein goldenes Kettchen. Dann kleiden die Frauen mich an, kämmen mir das Haar. Die Seide kühlt.

Es ist fast wie ein Zeremoniell, ein Ritus, der vollzogen wird.

Die Frauen führen mich zurück in den ersten Raum, eine einladende Handbewegung in Richtung Diwan, dann sind sie verschwunden. Abwartend bleibe ich stehen, aber es geschieht nichts. Neben dem Bett entdecke ich einen Krug auf einem niedrigen Sockel, der Becher steht daneben, ich trinke

– schmecke Wein. Wohlig strecke ich mich auf dem Bett aus.

Leise Musik, rhythmisches Trommeln, Stöcke schlagen. Jemand spielt Flöte, Sitar, ein Rasseln kommt näher. Frauen in weiten Gewändern betreten das Zimmer, verschleiert die Gesichter, ich sehe nur die Augen. Ohne ihr Spiel zu unterbrechen, lassen sie sich neben dem Diwan nieder. Das monotone Tommeln. Mein Puls schlägt im gleichen Takt.

Eine der Frauen legt ihr Instrument zur Seite, entkleidet sich, trägt nur noch einen perlenbehangenen Schurz. Ihr Gesicht bleibt verdeckt, ebenso ihre Brüste. Ihre Bewegungen sind die einer Schlange. Sie stampft mit den Füßen, Hände malen wunderliche Bilder in die Luft. Kreisende Hüften, und die Perlenschnüre fliegen, winzige Perlen berühren unentwegt die Innenseiten ihrer Schenkel, treiben sie an.

Sie beherrscht ihren Körper, steht manchmal fast still, nur der Bauch, die Hüften folgen den Trommeln. Schneller wird das Schlagen, die Perlenschnüre fliegen höher und höher, sie stößt mit dem Becken nach einem unsichtbaren Feind, wirbelt herum, beginnt erneut das Kreisen, das Stoßen – bis der Trommelwirbel abrupt endet, sie fällt zu Boden, völlig erschöpft.

Die Frauen verlassen das Zimmer.

Noch ganz benommen von der Musik, der seltsamen Wirkung des Tanzes, greife ich nach dem Wein. Mein Mund ist trocken. Statt des kühlen Kruges berührt meine Hand etwas Warmes, ich drehe mich um, sehe in blaublitzende Augen. Das Kerzenlicht flackert, der Raum wird dunkler, aber das Blau der Augen bleibt.

Beide starren wir uns an, die Augen verengen sich zu schmalen Schlitzen, sie mustert mich mit unverhohlenem Interesse. Ihr Haar trägt sie kurzgeschnitten, ungewöhnlich kurz für eine Frau. Widerspenstiges Haar, das sich nicht bändigen läßt trotz der Kürze; blond, hellhäutig ist sie, hat kleine energische Hände. Ein schwarzes Satinkleid trägt sie, das schmiegt sich eng an den Körper, auffallend der hochgeschlossene Kragen. An den Seiten zwei lange Schlitze, die keinen Zweifel daran lassen, wie hoch ihre Schenkel reichen. Ihr Blick heftet sich an meinen Körper, betrachtet Arme, Beine, bleibt zwischen den Schenkeln.

Als wollte sie mich für einen guten Preis verkaufen, wie damals auf den Sklavenmärkten!

Sie löscht einige Kerzen, im Zimmer verwischen die Konturen, Licht flackert, ein leichter Luftzug weht von der Tür.

»Du hast eine Probe zu bestehen. Sie wird nicht leicht sein, aber wenn du sie nicht bestehen solltest, wirst du sterben. Anderenfalls schenke ich dir die Freiheit.«

Ihre Augen brennen in der Dunkelheit.

»Was ist, worauf wartest du? Zieh deine Kleider aus!«

Die Seide liegt neben mir, der Gürtel, die Riemenschuhe fallen zu Boden. Langsam knöpft sie den hochgeschlossenen Kragen auf, zieht das Kleid über die Schulter; ein paar schnelle Bewegungen, die Schlange hat sich gehäutet.

Sie fällt mich an wie ein Tier. Schlägt mir die Zähne in den Nacken, gräbt mir die Nägel in die Haut. Wir rollen über das Bett. Der Biß hat weh getan, die Nägel haben die Haut geritzt. Keuchend fallen wir zwischen die Kissen.

»Um Gnade werden wir flehen!«

Wieder spüre ich ihre Zähne, beginne diesen Kampf zu lieben. Sie zittert ein wenig, windet sich dann, will mir entgegenkommen, aber ich weiche ihr aus. Da greift sie nach mir, preßt meinen Mund in ihr Meer; ein großer dunkler Bär bin ich und schlecke sie aus, streichle jede kleine Falte, erreiche auch die winzigste Ecke. Verschlingen will ich sie. Schneller werden ihre Bewegungen, heftiger, wie ein Kreisel dreht sie sich, bäumt sich auf, krallt sich in meine Haare. Mit ihrem Stöhnen sträubt sich mein Nackenhaar, sie flüstert, jagt mit mir. Wir tauchen ein in die Dunkelheit. Ich denke an ihre Drohung. Was verlangt sie noch von mir?

Auf einem Schränkchen neben dem Bett entdecke ich eine schöne grauweiße Gänsefeder. Leise erhebe ich mich. Neben der Feder steht eine Schale, ich tauche den Finger hinein. Honig.

Sie merkt nicht, wie ich die Seide um ihre Gelenke binde, sie an die Enden des Bettes knüpfe. Dann sitze ich vor ihr, betrachte sie zärtlich. Tauche schließlich einen Finger in die Schale. Langsam tropft der Honig auf ihre Schenkel. Sie starrt mich an.

»Fürchtest du dich nicht vor Dämonen?«

Ich lache leise.

»Oh, manche finde ich sehr begehrenswert.«

Sie hat sich aufgerichtet, stützt sich mit den Händen ab, ihre Bewegungsfreiheit ist eingeschränkt.

Ich nehme ihre Brüste in beide Hände, streichle sie vorsichtig, biege ihren Kopf behutsam nach hinten. Ein Trommelfeuer auf ihrem Hals, sie zieht die Schultern zusammen. Die Feder zieht eine schmale Spur von den Brüsten bis zum Bauch, hinab zu den Schenkeln. Ihr Stöhnen verwandelt sich in ein leises Wimmern. Sie preßt sich an mich, schneller und schneller, tiefer und tiefer, krallt ihre Hände in die Kissen, schlägt mir die Zähne in den Hals. Sie schreit, und ich fühle, wie mir das Blut den Hals herunterfließt, warm und wenig beängstigend.

Ihre Augen sind wieder sehr dunkel.

Die Feder lege ich zum Honig, den Becher stelle ich neben den Krug. Ich nehme ein Messer, durchschneide ihre Fesseln. Sie ist frei.

ELULA PERRIN

Gefährtinnen: Isabelle

Sieben Monate sind es her, erst sieben Monate, bereits sieben Monate, und damals war Sommer: Am 13. Juni eröffnete ich eine kleine Bar in Cannes... Ich bin nicht abergläubisch.

Warum dieser Spleen? Ich lebe in den besten finanziellen Verhältnissen, aber ich hatte Sehnsucht verspürt, ›meinen‹ Süden zurückzuerobern, die Sonne, das Meer. In Saint-Tropez hatte ich für ein paar Jahre das YETI geleitet, es aus Bequemlichkeit dann aber aufgegeben.

In diesem Jahr hatte mich erneut der Heißhunger nach dem Süden gepackt.

Ich suchte also ein Lokal und entschied mich für das JOKKEY, eine amerikanische Bar mit einer kleinen Tanzfläche, die sich den ›Flitter‹-Stil aus den goldenen Tagen bewahrt hatte, als die amerikanische Flotte in Cannes vor Anker gelegen hatte. Trotz des Kamins, in dem die künstlichen Holzscheite glühten, und trotz der billigen Farbdrucke an den mit rotem Samt bespannten Wänden würde dieser Ort einen angenehmen Schlupfwinkel für die Lesbierinnen des Sommers 1974 abgeben.

An Personal stand Joss zur Verfügung, die an der Bar bedienen sollte. Brünett, recht hübsch, mit sehr kurzem Haar und grünen Kuhaugen würde sie sicher genau die richtige hier sein.

Isabelle sollte die Platten auflegen.

Isabelle – das ist meine Liebe, das ist die Frau, die ich liebe.

Vor vier Jahren habe ich sie im KAT kennengelernt. Ein hinreißender Gast, den ich eines Samstagabends in Begleitung einer oberflächlichen Bekannten undeutlich wahrnahm...

Einer wilden Orchidee gleich, mit mattem Teint, einem Wasserfall von schwarzen Haaren, schwarz auch die Augen, einem perfekt modellierten Gesicht, ein wenig kindlich noch, scheu, schien sie in ihre Freundin sehr verliebt zu sein.

Einige Monate lang hatte ich mich den beiden gegenüber besonders aufmerksam, zuvorkommend, liebenswürdig gegeben. Ich verbarg keineswegs meine Bewunderung für dieses Mädchen, von dem ich überhaupt nichts wußte. Nur schlecht gelingt es mir, meine Gefühle zu verheimlichen, und ich zeigte sie um so freimütiger, zumal sich aus meiner Verehrung keineswegs der Wunsch ableitete, dieses Geschöpf zu verführen. Sie befand sich in Begleitung, und es ist nicht meine Art, in fremden Revieren zu jagen.

Eines Tages kündigte mir ihre Begleiterin an, sie würde endgültig nach Brasilien übersiedeln.

»Nimmst du deine schöne Freundin mit?«

»Nein. Sie bleibt hier in Paris.«

»Wenn das so ist, dann sage ich dir schon jetzt, daß ich ihr den Hof machen und mein Glück versuchen werde, sollte sie wieder im Club auftauchen...«

Sie zuckte mit den Schultern, gab sich fatalistisch.

»Soll sie doch machen, was sie will.«

In Wirklichkeit aber warnte sie die Bezaubernde:

»Ich gebe dir den guten Rat: Setz deinen Fuß nie wieder in diese Bar. Elula ist so eine Art femme fatale. Sie wird dich nehmen und dann fallenlassen.«

Was für einen guten Ruf ich doch genieße!

Zwei Monate lang widerstand die Kleine dem Wunsch, sich unter unsere Gäste zu mischen. Die Frau, in deren Begleitung ich sie kennengelernt hatte, war ihr erstes lesbisches Abenteuer gewesen. Vorher hatte es zwei Männer gegeben, keine Jünglinge mehr – so um die dreißig –, die in ihrem Herzen und auf ihrem Körper aber nur recht undeutliche Spuren hinterlassen hatten; sie hatte sich damit begnügt, mit ihnen zu spielen, launenhaft, einschmeichelnd, im Bewußtsein ihrer Macht, hatte die Fäden dieser beiden Marionetten bewegt und war ihrer sehr bald überdrüssig geworden.

Eines Tages endlich, gegen Ende der Nacht, sah ich sie wieder...

Sie verkroch sich verschreckt und eingeschüchtert in die Ecke der Bar. Sie trug einen langen Rock aus verwaschenem blauen Tuch; der Rücken war frei und enthüllte aufreizend ihre goldsamtene Haut; ihr langes Haar hatte sie in einer kleinen Kappe aus dem gleichen leichten Stoff versteckt.

Sofort ging ich zu ihr hinüber, ich hielt Wort. Behutsam nahm ich mich ihrer an, ohne irgendwie aufdringlich zu sein – durch angedeutete Zärtlichkeiten, mit meinem Lächeln und meinen Blicken, ohne Gesten, ohne diesen Druck und dieses Rumscharwenzeln, das Männer – und manche Frauen – als erfolgreiche Taktik erachten.

Ich verließ kaum noch die Barnische, in die sie sich geflüchtet hatte. Und ich war nicht die einzige... Um sie herum war alles in Bewegung. Pascale, mein hübsches Barmädchen, versuchte ihr Glück, dann waren da Jean, ein charmanter lieber Junge, und ein oder zwei andere weibliche Besucherinnen...

Wir waren nichts als Aufmerksamkeit, Blicke – offene oder versteckte –, Lächeln, Liebenswürdigkeiten...

Sie antwortet zaghaft, verschüchtert, scheu, weiß nicht recht ihren Charme einzusetzen; offenbar ist sie sich noch nicht so recht ihrer Schönheit bewußt, der Wirkung, die sie auf uns alle ausübt. Ein wunderbarer Vogel, den man lehren muß, seine Flügel zu entfalten.

»Möchten Sie tanzen?«

Sie hält sich etwas steif und läßt sich nur schwer führen. Wie alle jungen Menschen ihrer Generation, die gewohnt sind, zu wilder Musik allein für sich zu tanzen, paßt sie ihre Bewegungen besser dem Rhythmus der Musik an als dem Körper ihrer Partnerin. Ich ziehe sie an mich, aber ich bedränge sie nicht; ich spüre sie, ich streichle sie. Ich wage nicht, ihr meine Zuneigung offen einzugestehen. Jedesmal, wenn mir eine Frau gefällt, werde ich schüchtern, ich ergehe mich in Banalitäten oder besser gesagt, ich balanciere mit den Worten wie ein Seiltänzer, versuche, sie zum Lachen zu bringen, um meine Verwirrung besser zu überspielen, meine Angst, abgewiesen zu werden.

Ich bringe die, von der ich noch nicht weiß, daß sie Isabelle heißt, an die Bar zurück, wo sich alle um sie drängen. Ich verabscheue den Konkurrenzkampf; an diesem Abend aber bin ich derart verzaubert, daß ich mich sogar damit abfinde, nicht mehr als eine Nummer auf einem Lotterielos zu sein. Ich war die erste, die sie dann für den nächten Abend zum Essen einlud. Dadurch erhielt ich einen kleinen Vorsprung gegenüber meinen Mitbewerbern, denn die Schöne nahm von allen Einladungen zu Abendessen an...

Noch immer lebte ich mit Aimée zusammen. Unsere zärtliche Zuneigung bestand weiterhin, aber seit dem Zwischenspiel mit Léa, meiner schönen Komödiantin, wegen der ich Aimée dann doch nicht verlassen hatte, hatte irgend etwas zwischen uns zu existieren aufgehört.

Ich hatte sie betrogen, und sie wußte, daß sich so etwas wiederholen konnte. Und ich wußte, daß sie es wußte.

Isabelle sah Léa ähnlich, war vielleicht weniger fraulich, weniger körperlich entwickelt, unsicherer, was sie selbst und ihre Schönheit betraf. Wieder einmal neigte ich mich den brünetten, hochgewachsenen und femininen Lianen zu, diesem Gesicht, dem ich seit zwanzig Jahren nachjage, diesem Abbild der Frau, mit der zusammen ich die Liebe entdeckte, und deren Name Maïna war.

Es war nicht leicht, in der Nähe der Oper einen Parkplatz zu finden. Isabelle hatte sich mit mir im DRUGSTORE verabredet, und das zur Hauptverkehrszeit! Ich hätte mir für dieses erste Treffen eine ungezwungene und ansprechendere Umgebung gewünscht – und da befand ich mich nun mitten unter grobschlächtigen, erhitzten Gesichtern, in einer Atmosphäre von Hast, Unbehagen, Gefräßigkeit, Ungemütlichkeit. Plötzlich überfiel mich Angst, ich würde sie nicht wiedererkennen. Wie sollte ich diese Beklemmung auch nicht verspüren, die einen zuweilen überkommt, wenn man am hellichten Tage plötzlich einem Gesicht gegenübersteht, das einem nachts erschienen ist? Es gehört einem meiner Gäste, deren Züge so fahl und blaß sind, daß ich sie bei Tage nicht wiedererkenne: Wesen der Nacht, die nur im Schatten der Nacht aufblühen, im sanften Licht, das vieles verzeiht und verwischt.

Ich bummle durch die Abteilungen, scheinbar abgelenkt von dem, was ich sehe, im Inneren aber verstört, beunruhigt; ich zwinge mich, Haltung zu bewahren, bin mir jeder einzelnen meiner Bewegungen und Gesten bewußt, jedem Blick der anderen. Sie erscheint in poppigem, schreiend-gelbem Knautschlack, lächelt mich an wie ein Kind. Ich gehe mit ihr essen. In ein kleines Schwulenlokal, wo wir ungestört sind, wo zwei Frauen, die sich tief in die Augen sehen und deren Hände sich gegenseitig streicheln, weder Aufmerksamkeit noch Unmut erwecken. Wir sprechen wenig und reichlich belangloses Zeug.

Ich komme mir idiotisch vor, hilflos. Ihre Schönheit erschreckt mich. Ich suche nach Ausflüchten. Reichlich erstaunt höre ich mich alberne Fragen stellen.

»Dieser Ring... I. A.... Warum?«

»Das sind meine Initialen.«

»Sie haben mir doch gesagt, Ihr Name sei Nathalie...«

»Ich heiße aber... Isabelle.«

»Warum dann Nathalie? Isabelle ist doch sehr hübsch. Eigentlich der schönste Name für eine Frau, neben Eva. In ihm allein schon drückt sich Ihre ganze Schönheit aus... Belle... Belle... Isabelle..., aber das haben Sie sicherlich schon tausendmal zu hören bekommen.«

Ich schäme mich wegen dieses kümmerlichen Wortspiels, das so plötzlich aus mir heraussprudelt... Sie lächelt. Sie verzeiht mir.

»Wenn ich in Ihre Bar gehe, dann muß ich das vor meiner Mutter geheimhalten. Deshalb habe ich mir einen anderen Namen zugelegt. Damit man mir nicht auf die Schliche kommt...«

Eine kindliche und lächerliche List, die mich rührt.

Wahrscheinlich bin ich noch gar nicht in sie verliebt, sondern nur von ihr angezogen, verzaubert, benommen. Mit ihr schlafen? Sicher, aber bestimmt nicht heute (trotz allem habe ich Überlegungen in dieser Richtung angestellt – Donna Juana, die Erfahrene). Morgen, in einigen Tagen, wer weiß? Ich habe es nicht eilig. Wie für die meisten Frauen hat die Vorstellung, vom ersten Treffen an auf der Stelle miteinander ins Bett zu gehen, nichts an sich, was mir zusagen könnte.

Prüde wie ich bin, weigere ich mich, daran zu denken; Prüderie auch hindert mich, es zu tun. Wenigstens habe ich mir das immer eingeredet, und jetzt sage ich es mir wieder vor, als ich ihr nach dem Essen vorschlage, in die Wohnung einer Freundin zu gehen, die mir ihren Schlüssel überlassen hat. Unter welchem Vorwand? Eine Fernsehsendung, bei der sie Regie geführt hat, und die ich unbedingt anschauen müßte, sie bestehe darauf. Mein Apparat sei kaputt, und da sie doch verreist sei...

Dieser Vorschlag ist nicht einmal eine Lüge, sondern lediglich ein simpler Vorwand; in Wahrheit denke ich natürlich daran, daß ich uns, wenn ich mit Isabelle in einem unbewohnten Apartment bin, eine Gelegenheit verschaffe, miteinander ins Bett zu gehen. Irgendwie aber weiß ich auch, daß ich das eigentlich gar nicht will, daß das nicht unbedingt sein muß.

Ich taste in der Wohnung herum, die ich nur ungenau kenne. Ich bin gehemmt, komme mir vor wie ein bösartiger Wolf, der mit einer frisch aufgespürten unschuldigen Beute spielt, um sie dann um so genüßlicher verschlingen zu können. Der Gedanke drängt sich auf, sie könnte vielleicht glauben, ich würde sie anspringen, wie eine Rasende auf der Bettkante über sie herfallen. Ich wünschte, sie würde mich kennen, wissen, daß ich nichts so liebe wie Verzögerung, Zärtlichkeit, das gleichzeitige Aufeinander-Zukommen zweier Körper, die vor Begierde beben. Geistesabwesend schalte ich den Fernsehapparat ein, fingere nervös an allen Bedienungstasten herum, stolpere über den Teppich. Endlich leuchtet das Bild auf. Artig nehmen wir Platz.

Noch immer hat sie ihren komischen Lackmantel an. Plötzlich steht sie auf, macht sich daran, ihn auszuziehen; er raschelt und knistert. Dann die Überraschung: darunter trägt sie winzige gelbe Shorts und schwarze hohe Lederstiefel, die bis zum Ansatz perfekt und ebenmäßig geformter goldgetönter Schenkel reichen. Die einzigen Männer, die ich zuweilen mit einem Blick bedenke und die mich reizen könnten, sind die Kanalarbeiter mit ihrem schwerfälligen, unbeholfenen Gehabe, wenn sie plötzlich aus einem Gully auf dem Bürgersteig auftauchen; oder aber die Forellenfischer, die bedächtig stromabwärts durch das seichte und ruhige Wasser waten: ihre hochschaftigen Stiefel sind es, die sie in meinen Augen zu etwas anderem werden läßt. Sie sind für mich keine Männer mehr, ihr Anblick wühlt mich auf. Oft habe ich davon geträumt, die geliebte Frau so vor mir zu sehen, die Beine von hochreichenden Stiefeln umschmiegt; und nun steht sie endlich vor mir, so schön, wie ich sie mir immer ausgemalt hatte. Ich war sprachlos; mit trockener Kehle, betäubt, voller Verlangen, schweigend saß ich da.

Isabelle machte es sich auf dem Bett bequem, von dem aus

man das Fernsehprogramm verfolgen kann: Auf einen Ellenbogen gestützt und zusammengekuschelt, drückt sie ihre Beine gegen mein Kreuz. Panik überkommt mich. Auch wenn ich an die tausend Frauen kennen mag – wenn sie ihr Liebesspiel beginnen, so hat mich das stets verwirrt. Meine Hände sind so linkisch, sie zittern leicht. Ich zögere, zweifle. Und wenn sie mich nun abweist, wenn sie nicht will? Blödsinnige Fragen, die jedesmal in mir auftauchen. Denn während meines schillernden Lebens als leidenschaftliche Verehrerin von Frauen, als Begehrerin von Frauen, als Frau, die Frauen liebt, haben nur sehr wenige meine allzu kühnen Hände abgewehrt. Warum denn, warum nur diese Panik, jedesmal und immer dieses Lampenfieber, das meinen Körper und meine Seele lähmt, wenn eine unbekannte Frau auf mich zukommt? Geheimnis, das mir Herz und Sinne betäubt, Wunder, übermächtige Verzauberung meines Verlangens, das sich immer wieder erneuert.

Das Programm handelt von irgend etwas, ich schenke ihm keine Beachtung, obwohl ich es oberflächlich verfolge. Linkisch hebe ich die Hand und lege sie ihr abrupt auf die Hüfte. Dieser erste Kontakt läßt mich ruhiger werden. Ich finde zu meiner Zärtlichkeit zurück, streichle ihren Schenkel. Sie bewegt sich nicht, offenbar bemerkt sie es gar nicht, ist fast erstarrt, gefangen vom Bildschirm, auf dem sich Bilder aneinanderreihen, die keinen Sinn mehr ergeben. Ich beuge mich zu ihr hin, lasse meine Lippen über ihre Haut wandern, bis das schwarze Leder der Stiefel meinem Mund Einhalt gebietet. Ich richte mich auf, drehe mich um, nehme ihren willigen Nacken in beide Hände; eine umfängt ihren Hals, mit der anderen streichle ich über ihr Haar. Ich spüre, wie sie zittert. Hab keine Angst, mein kleines Mädchen, ich will nichts weiter als das, was du mich nehmen läßt. Meine Lippen finden ihr Ohr, ihr Haar fällt über mein Gesicht; ihr Parfüm ist zu aufdringlich, duftet zu intensiv nach Moschus, zu fraulich für ihre Zartheit. Noch immer verharrt sie regungslos. Es gelingt mir, sie dazu zu bewegen, sich auszustrecken, und über sie gebeugt flüstere ich:

»Sie brauchen keine Angst vor mir zu haben.«

Warum diese idiotische Phrase? Sie ist schließlich keine Unschuld vom Lande, sie ist bereitwillig mit mir in eine fremde Wohnung gegangen... Um ehrlich zu sein – es gelingt mir nicht, die Dinge von dieser Seite zu sehen! Das mag paradox klingen, aber allem Anschein zum Trotz bestehe ich in diesem Augenblick nur aus Zärtlichkeit.

Ich möchte, daß sie mir langsam entgegenkommt, möchte sie unsere Herzen, unsere Körper aneinander spüren lassen, ich möchte unser Verlangen füreinander auskosten, in vollem Einklang die Schwelle zu unserer Vereinigung überschreiten, von neuem und uneingeschränkt den Taumel der Entdeckung eines neuen Körpers, einer neuen Blume erfahren.

Ob sie wohl sinnlich ist oder schüchtern, züchtig, zurückhaltend reagiert oder entfesselt und erregt? Welchen Geschmack mag ihre Haut haben? Welchen Geschmack ihre Lippen? Diese Erwartung fasziniert mich, dieses Geheimnis macht mich neugierig, wühlt mich auf.

Ich habe mich neben Isabelle ausgestreckt, lasse meinen Mund über ihre Stirn wandern, über ihre Augenlider, über ihre Nasenflügel. Ich versuche, sie zu fühlen, ich erforsche ihre Gesichtszüge, küsse deren Formen. Sie sagt nichts, läßt mich gewähren, mit unbewegtem Gesicht und geschlossenen Augen. Meine Hand sucht die ihre, findet sie, drückt sie. Sie reagiert kaum, zuckt kurz zusammen, als meine Lippen leicht ihren Mund berühren. Ganz langsam beruhige ich mich – sie antwortet endlich mit einem leichten Druck.

Niemals wird man die Empfindung beschreiben können, die ein erster Kuß weckt. Diesen Augenblick, in dem sich zwei Lippenpaare begegnen und entdecken, sich hingeben, bis die Zunge des anderen mit einemmal in einem selbst zuckt, lebendiges Fleisch, lebendes feuchtes Fleisch von unbekanntem Geschmack. Stets habe ich diesen Moment für den entscheidenden erachtet; in meinen Augen ist er sogar wichtiger als die Entdeckung eines neuen Schoßes. Lippen, die sich öffnen, ein Mund, der sich erobern läßt – das bedeutet, sich ganz darbieten, der Körper folgt nur noch nach; der Speichel, der sich im ersten Kuß mischt, das ist bereits der Beginn der ersten Umarmung.

Es gibt Münder, die man niemals liebt, und so manches Mal habe ich ein sich anbahnendes Verhältnis nach einer grauenhaften Begegnung mit feindlichen Lippen abgebrochen, nach zu gierigen oder zu nichtssagenden, nach zu derben oder zu plumpen Küssen.

Der Kuß ist ein Bestandteil der Erziehung, den man nicht mehr verändern kann.

Mit Ausnahme einiger Spätberufener meines Geschlechts, die erst mit achtzehn zum erstenmal geküßt haben, beginnt man doch ziemlich früh damit... Von ungelenken bis flüchtigen Knutschereien im Kino oder auf dem Sitz eines Autos, hat man dann mit zwanzig Jahren bereits recht ausgeprägte Eigenheiten. Mit einem Kuß offenbart man oft seine ganze Persönlichkeit, seine ganze Sexualität.

Küssen Sie eine Frau, und Sie werden wissen, wie sie sich in allen anderen Dingen verhält.

Ich sage ›eine Frau‹ – warum nicht ›ein menschliches Wesen‹? Weil nämlich die Männer, wie es den Anschein hat, so wenig küssen, so anders als wir, daß wir unter Umständen nicht von ein und derselben Sache sprechen... Für uns aber, für mich, ist der Kuß heilig.

Isabelle, kleine Isabelle, dein Mund ist heiß, voller Leidenschaft, dein Kuß ein wenig ungestüm, aber ich zähme dich, ich beruhige dich, ich besänftige dich.

Bald schon werden wir uns lieben. Ich weiß, daß es nur mäßig sein wird, weil ich befangen und ungeschickt sein werde. Ich weiß es, denn ich habe schon oft erlebt, daß ich beim erstenmal nur gut bin, wenn ich die Frau nicht liebe; dann habe ich keinerlei Hemmungen, keine Angst, kenne keine Grenzen, keine Rücksicht, ich streife alle Moral ab, um meinen Körper besser der Lust hingeben zu können. Ich zeige offen, was ich möchte, und ich fordere das ohne Scham, ohne Prüderie, und ich erfahre volle Befriedigung. Das kann ich auf Anhieb jedoch nur mit einer Zufallsbekanntschaft, einem simplen Lustobjekt, mit dem mich keinerlei echte Gefühle verbinden.

Isabelle, laß mich allein herausfinden, wie ich dich lieben soll, wie ich dich den Gipfel der Lust erreichen lasse. Vor allem eins, Liebste: sag nichts. Worte täuschen; laß mich deinen Körper kennenlernen, laß mich dich entdecken, dich, die du fast nackt bist, bereits jetzt, und dicht neben mir. Laß mich die Gesten finden, laß mich an Zärtlichkeiten ausdenken, was dich berauscht, die dich so zu der meinen machen, wie du es vor mir noch mit keiner anderen gewesen bist...

Jedesmal muß ich alles lernen und alles entdecken; jedesmal alles zu geben und alles aufzubieten, meine Isabelle, war jedesmal berauschend, ich verheimliche es dir nicht. Aber ich habe es vergessen. Ich habe sie alle vergessen, um zu dir zu kommen, ich will nicht daran denken, daß ich vielleicht eines Tages auch dich in den Armen einer anderen vergesse, an einem anderen Herzen. Hier und jetzt und in alle Ewigkeit gibt es nur dich, hat es immer nur dich gegeben.

ANNE CUMMING

Ein Zimmer voller Regenbogen

Evaristo fiel für mich – im wahrsten Sinne des Wortes – aus den Wolken. Er trug einen Regenbogen in der Hand, ein ganzes Zimmer voller Regenbogen, mit denen er mehr als ein Jahr lang mein Leben in neuem Glanz erstrahlen ließ. Er zählt noch immer zu meinen besten Freunden.

Im Frühling 1969 flog ich von einem Osterbesuch bei Fiona und den Kindern zurück nach Rom. Um Geld zu sparen, flog ich mit der Sudan Airlines. Wie bei allen anderen arabischen Luftverkehrsgesellschaften auch, war auch diesmal eine Zwischenlandung in Rom zum Auftanken vorgesehen, und es gab für diesen kurzen intereuropäischen Hopser ermäßigte Flugkarten.

Kaum waren wir mitten über Frankreich, als in Italien wieder einmal zum Streik aufgerufen wurde. Alle italienischen Flughäfen wurden geschlossen, und unsere erste Zwischenlandung in Rom fiel aus. Es gab nur zwei Möglichkeiten – entweder direkt nach Khartum weiterzufliegen, oder es in Deutschland zu versuchen. Frankreich wollte uns nicht haben, also fanden wir uns in Frankfurt wieder. Mir hätte es Spaß gemacht, nach Khartum weiterzufliegen, aber die anderen Fluggäste waren alle ein wenig hysterisch. Eine der Frauen wäre bestimmt aus der fliegenden Maschine gesprungen, wenn sie nur gekonnt hätte!

»Auf nach Khartum!« sagte eine Stimme hinter mir.

Ich drehte mich um, um mir diesen Geistesverwandten näher anzusehen, und erblickte einen ganz und gar unscheinbaren jungen Mann, der mir bislang überhaupt nicht aufgefallen war.

»Ich möchte auch nach Khartum«, sagte ich zum Flugkapitän, der höchstpersönlich erschienen war, um mit uns zu sprechen. »Ich wollte schon immer einmal den Assuan-Staudamm und Abu Simbel sehen.«

Der Flugkapitän lächelte. »Ihr Abenteuermut in Ehren, Madame, aber die Fluggesellschaft kann keine kostenlosen Weltreisen anbieten. Den Rückflug müssen Sie schon selbst bezahlen.«

Ich blickte den jungen Mann bedauernd an. Er hielt ein merkwürdig aussehendes Paket in seinem Schoß, das sehr zerbrechlich schien; im übrigen kam er mir sehr durchschnittlich vor, so daß ich ihm wohl kaum weitere Beachtung geschenkt hätte.

»Können wir nicht irgendwo hinfliegen, wo es lustiger zugeht, als ausgerechnet nach Frankfurt?« wollte er wissen. Er sprach fließend Englisch, aber mit einem starken italienischen Akzent. »Wie wäre es mit Paris?«

»Wir befinden uns im Augenblick näher bei Frankfurt, außerdem verfügen wir dort über die besseren Anschlüsse«, sagte der Flugkapitän. »Sie werden in ein Hotel gebracht, wir kommen für Ihre Mahlzeiten auf und – wenn das nötig sein sollte – auch für Ihre Übernachtung. Sobald der Streik beendet ist, werden wir auch für Ihren Anschlußflug nach Rom sorgen.«

Der Flugkapitän verschwand wieder im Cockpit. Das Flugzeug schwenkte nach links und begann bald an Höhe zu verlieren. Ich war noch nie in Frankfurt gewesen und war ziemlich gespannt darauf.

»Alle Transitpassagiere nach Rom werden gebeten, das Flugzeug zu verlassen. Bitte achten Sie auf Ihr Bordgepäck.«

»Aber unser übriges Gepäck? Was ist mit unserem übrigen Gepäck?« wollte eine Italienerin mittleren Alters mit lauter, hysterischer Stimme wissen. »Meine Tochter erwartet mich in Rom am Flughafen. Weiß sie denn, was mit uns los ist? O mamma mia! Ich habe eben erst eine Herzoperation hinter mir. Die Herzschlagader arbeitet nicht richtig. O mamma mia!«

Sie sagte das laut auf italienisch, und nicht jeder verstand gleich, was sie wollte, am allerwenigsten die geduldige Hosteß.

»Die Dame macht sich Sorgen über ihr Fluggepäck«, übersetzte der junge Mann mit dem Paket. »Sie hat Angst, daß es nach Khartum weitergeht.«

Man versicherte uns, daß das Fluggepäck nach Rom hier in Frankfurt ausgeladen würde. Ein junger Deutscher mit einem gepflegten Militärschnauzer übernahm unsere Führung. Er war, wie das Flugpersonal überall auf der Welt, höflich und umsichtig. Er trieb seine bunt zusammengewürfelten Schafe in das riesige moderne Flughafengebäude und bannte uns in eine Ecke; als wir dort etwa eine halbe Stunde gesessen hatten, wurden wir zu dem weitläufigen Abflugflügel geführt; fälschlicherweise hofften wir nun, daß es bald weitergehen werde. Für weitere drei oder vier Stunden saßen oder gingen wir auf und ab, während die Gerüchte und der blonde Schnurrbart kamen und gingen.

»Wenn einer eine Reise tut, dann kann er was erleben!« meinte der junge Mann, der mit mir nach Khartum hatte fliegen wollen. Sein merkwürdiges Paket hatte er sorgsam auf einen teuer aussehenden Handkoffer gelegt. Gucci? Er war wohl doch nicht so durchschnittlich, wie er wirkte.

Irgendwie fanden wir uns jetzt zusammen. Da war eine lustige junge Amerikanerin, die zwischen London und Rom hin- und herpendelte und versuchte, sich für einen ihrer beiden Verlobten zu entscheiden. Und dann zwei glattrasierte italienische Homos, die zu zweit eine schrecklich schwere Leinentasche trugen. Es waren Antiquitätenhändler, die an ihrem englischen Tafelsilber schwer zu schleppen hatten. Dann war da ein Geschäftsmann aus Mailand, der in höchster Sorge schwebte über die wichtige Verabredung, die er jetzt versäumte. Und dann die junge Philippinin mit ihren weiten, ängstlichen braunen Augen, die sich vor den Folgen eines versäumten heimlichen Schäferstündchens fürchtete. Wir alle bildeten den ›harten Kern‹; die anderen – das waren kleine Familien, Handelsreisende, Lehrer auf Urlaub, ein Priester und ein paar unscheinbare Mädchen, die eine Stelle bei der Landwirtschaftlichen Genossenschaft antreten wollten.

Nach der ersten Stunde begann die Zeit immer zäher und zäher voranzukriechen. Die Fluggesellschaft bot uns kostenlos alkoholfreie Getränke an, und das Ganze wirkte, als sei man unvermutet bei einer bunt zusammengewürfelten Cocktailparty, wo keiner den anderen kannte. Erst allmählich kamen wir uns näher. Die junge Amerikanerin zeigte uns ihre beiden Verlobungsringe. Die Antiquitätenhändler ließen ihr Silber sehen. Ich zog ein paar Fotos von Filmstars heraus, deren Lebensläufe ich für die Pressearbeit vorbereitet hatte. Das alles trug dazu bei, daß die Zeit schneller verging und wir uns ein wenig näher kennenlernten. Der Mailänder Kaufmann war dauernd verschwunden, um in ganz Europa herumzutelefonieren, und die Jungfrau von den Philippinen saß einfach da und las die Bibel.

»Was glauben Sie wohl, ob sie nach Rom fährt, um ins Kloster zu gehen?« fragte ich den jungen Mann, der sich wieder gesetzt hatte und sein Paket an sich preßte.

Ehe er antworten konnte, verkündete unser Schafhirte mit dem Schnauzbart, daß der Streik unmöglich noch am Abend beendet sein würde; man würde uns jetzt in unser Hotel bringen. Wir standen auf und folgten ihm ergeben durch die Hallen, in denen sich in allen Sprachen die für uns quälenden Durchsagen von Abflügen in weniger problematische Richtungen brachen.

»Darf ich neben Ihnen gehen?« fragte der junge Mann mit dem Paket. »Wenn wir in die Gaskammern geführt werden sollten, möchte ich gern in den Armen einer schönen Frau sterben.«

Seine Bemerkung überraschte mich. Ich sah ihn mit völlig neuen Augen und Wünschen an. Er war klein, aber kräftig. Seine Gucci-Tasche hatte er über seine kräftige Schulter gehängt; alles an ihm saß, von seiner breiten Brust, seinem gut proportionierten Körper bis zu seinen muskulösen Schenkeln. Er war nicht hübsch, aber auf den zweiten Blick hatte er etwas Aufregendes an sich. Es war nicht Liebe auf den ersten Blick, es war Liebe am Ende einer Saison, sagte ich zu mir selbst und dachte dabei an Oscar Wilde. Während einer Nacht zwischen zwei Flügen hätte es auch schlimmer kommen können.

»Ehe Sie in meinen Armen sterben, müssen Sie mir aber erzählen, was sich in dem geheimnisvollen Paket befindet. Meine Liebhaber dürfen keine Geheimnisse vor mir haben.«

»Ich werde es für Sie heute abend auspacken, aber nur unter vier Augen. Es ist ein ganzes Zimmer voller Regenbogen«, war alles, was ich aus ihm herausbrachte.

Wir wollten gerade gemeinsam in das Taxi steigen, als eine der Mitreisenden einen hysterischen Anfall bekam.

»Aber mein Gepäck? Wo ist mein Gepäck? Ohne mein Gepäck gehe ich nicht ins Hotel!« schrie sie auf italienisch.

Unser deutscher Schafhirte drehte sich hilfesuchend nach uns um. Ich saß schon im Taxi, aber mein junger Mann war noch draußen und hatte mir lediglich das Paket hereingereicht.

»Würden Sie das einen Augenblick lang halten? Und bitte mit dieser Seite nach oben«, sagte er und schon war er weg, um zu übersetzen.

Die beiden Antiquitätenhändler setzten sich neben mich und drückten mit ihrer schweren Silbertasche auf den Knien gegen mein kostbares Paket.

»Oh, bitte seien Sie vorsichtig«, sagte ich unwillkürlich.

»Warum? Was ist das?« wollten sie wissen, während das Taxi anfuhr, obwohl der Fahrer gar nicht wußte, wohin es gehen sollte.

»Ich weiß nicht, was es ist. Es gehört dem jungen Mann.«

»Was für einem jungen Mann? Wir haben keinen jungen Mann gesehen.«

Sie sahen einander bestätigend und beunruhigt zugleich an. Mit ihren hungrigen homosexuellen Augen hätten sie vermutlich jeden jungen Mann verschlungen.

»Er sieht ziemlich unscheinbar aus aufs erste.«

»Das ist gefährlich. Es ist wahrscheinlich eine Bombe. Zum Bombenlegen nehmen sie immer die Unscheinbaren.«

»Er hat gesagt, es sei ein ganzes Zimmer voller Regenbogen.«

»Genau das sieht man, wenn eine Bombe hochgeht!«

»Gut, ich kann es ja aus dem Fenster werfen! Es kann aber auch etwas sehr Wertvolles sein.«

Wir fuhren durch dichten Wald. Die ganze Situation hatte für mich jetzt etwas Unwirkliches an sich. Es war wie in einem modernen Grimmschen Märchen – jeden Augenblick konnten wir im Schloß des Menschenfressers sein.

Und da war es auch schon – ein zweitklassiges Hotel nach bewährtem Muster. Stahl und Glasverkleidung außen, Hänsel-und-Gretel-Hütte innen, alles holzgeschnitzt, dazu Bierkrüge aus Zinn. Ein Mädchen mit goldenen Haarbändern und Dirndlkleid zeigte uns unsere Zimmer. Ich legte das geheimnisvolle Paket auf den Garderobentisch, machte mich frisch und ging dann nach unten zum kostenlosen Abendessen.

»Setzen Sie sich doch zu mir!«

Es war das Mädchen mit den beiden Verlobten. Wahrscheinlich würde sie mir den jungen Mann wegnehmen, wenn er wieder auftauchte, aber ich war müde und sowieso nicht richtig interessiert. Der Inhalt des Pakets war viel interessanter geworden als er, und das war schon in meinem Besitz.

Zu unserer Überraschung kam der Mailänder Großindustrielle zusammen mit der Nonne zum Abendessen. Sie trug jetzt ein blaßblaues Kleid und hatte ihren Rosenkranz abgelegt. Sie setzten sich an einen Ecktisch und schienen sich sehr füreinander zu interessieren.

»Seltsame Bettgenossen«, kommentierte die junge Frau.

»Vielleicht handelt er im Auftrag des Vatikan mit Schwarzmarktnonnen!« meinte ich.

Schließlich kamen die beiden Antiquitätenhändler und setzten sich zu uns, aber der junge Mann und die hysterische Frau blieben spurlos verschwunden.

Wir aßen nur vom Teuersten, und während der vollklimatisierten Nacht bekam es uns prächtig. Ich spielte mit dem Gedanken, das Paket zu öffnen, aber ich brachte es nicht fertig und hielt nur das Ohr daran, um zu hören, ob es innen tickte. Nichts war zu hören, aber ich stellte es ins Badezimmer, aus Vorsicht, und die Zimmertür schloß ich nicht ab, aus Umsicht. Sollte der junge Mann kommen und uns – entweder das Paket oder mich – in Beschlag nehmen wollen, konnte er herein.

Um sieben Uhr wurde ich telefonisch geweckt; für den Fall, daß der Flughafen Rom wieder geöffnet wurde, sollten wir um acht Uhr fertig sein und um neun Uhr abfliegen.

Ohne Frühstück versammelten wir uns in der Halle. Da war auch schon mein junger Mann mit seiner Gucci-Tasche über der Schulter.

»Wo ist mein Paket?« fragte er betroffen.

»O Gott, ich habe es vergessen. Es steht im Badezimmer«, antwortete ich. »Ich gehe und hole es.«

»Ich möchte gern mitkommen. Darf ich?«

»Warum nicht? Ich habe gestern abend auf Sie gewartet.«

»Ich wußte Ihren Namen nicht. Also konnte ich auch nicht Ihre Zimmernummer erfragen.«

»Ach darum!« Ich stellte mich vor: »Ich bin Anne Cumming mit Zimmernummer 427.«

»Und ich bin Evaristo Nicolao.«

Er küßte mich im Fahrstuhl, als wollte er verlorene Zeit wettmachen. »Ich hoffe, du magst es vor dem Frühstück«, sagte er.

Wir gingen ins Zimmer, aber ein deutsches Fräulein war schon dabei, das Bett neu zu beziehen. Das Paket stand noch immer im Badezimmer; das Mädchen starrte uns an, als wir in den Schlafraum gingen. Sie verschränkte die Arme und hielt die Stellung, selbst als ihr Evaristo das Schild ›Bitte nicht stören!‹ vor die Nase hielt.

»Ich glaube, wir müssen passen«, sagte ich.

Unten in der Halle waren alle verschwunden, aber wir hatten den Flug nicht versäumt. Sie waren im Bierkeller beim Frühstück.

Die Flugzeuge nach Rom waren noch immer am Boden, und wir wurden gebeten, bis Mittag zu warten, so daß wir uns nach einem herzhaften Frühstück wieder in der Halle versammelten. Wir durften das Hotel nicht verlassen, aber wir hatten jetzt auch keine Zimmer mehr, in die wir uns hätten zurückziehen können. Da entdeckte ich an der Rezeption einen Hinweis: ›Swimming-pool und Sauna im obersten Stockwerk.‹

»Gehen wir schwimmen«, schlug ich vor.

Der junge Mann kam mit – noch immer mit seinem Päckchen –, das doppelt verlobte Mädchen mit seinen beiden Ringen und die Antiquitätenhändler mit ihrem Silber. Unsere Wertsachen ließen wir in den Umkleidekabinen, die Badekleidung liehen wir aus. Der junge Mann bekam eine sehr kleine Badehose, die unübersehbar die Tatsache enthüllte, daß zumindest ein Teil von ihm nicht so unscheinbar war. Die Antiquitätenhändler bemerkten es zuerst; durch ihren Kommentar wurde ich darauf aufmerksam: »Da fliegt einer mit einem Jumbo-Jet!«

Danach lieferten wir uns ein Kopf-an-Kopf-Rennen, ob sie ihn zuerst in die Männersauna schafften oder ich ihn in die Frauensauna schmuggelte. Das Rennen endete durch Abbruch, weil wir zu einer besonderen Bekanntmachung in die Halle gebeten wurden.

»Sie haben drei Möglichkeiten«, sagte unser Führer mit dem Militärschnauzer, indem er mit den Hacken knallte und von einem Fernschreiber ablas. »Sie können nach London zurückfliegen, auf eigene Kosten hierbleiben oder nach Paris fliegen, von wo eine syrische Maschine nach Rom startet, egal, ob der Streik beendet ist oder nicht. Da es sich um eine kleine Maschine handelt, bekommt sie eine besondere Landegenehmigung, da der Treibstoff nicht bis Damaskus reicht.« Ein Höllenlärm brach aus. Keiner konnte sich entscheiden, was er wollte.

Der junge Mann und ich halfen dabei, die Fluggäste in drei Gruppen einzuteilen: in diejenigen, die nach London zurück wollten – allen voran der Mailänder Großindustrielle und die angehende Nonne, die es jetzt gar nicht mehr so eilig zu haben schien –, in diejenigen, die hierbleiben wollten – unter anderem die beiden Antiquitätenhändler, die keine weiteren Zollformalitäten mehr haben wollten –, und in diejenigen, die nach Paris wollten, aber das waren nur Evaristo und ich. Das doppelt verlobte Mädchen hatte sich zum Rückflug nach London entschlossen, weil sie die Gelegenheit nutzen wollte, um sich ihren einen Verlobten noch einmal anzusehen. Denjenigen, die hier blieben, wurde ein Flug mit der Lufthansa angeboten; wir flogen mit der Air France und hofften das Beste.

»Wo ist mein Paket?« fragte er mich zum wiederholten Mal.

Diesmal hatte er es in der Umkleidekabine des Schwimmbads vergessen. Wir gingen nach oben, um es zu holen. Im Fahrstuhl küßte er mich noch einmal.

»Ich hoffe, du magst es vor dem Mittagessen«, sagte er.

»Ganz besonders gern in einer Umkleidekabine«, antwortete ich. Aber ein Gauleiter in Badehosen versperrte den Weg zu den Umkleidekabinen. Er holte das Paket für uns.

»Was ist drin?« wollte er wissen.

»Himmelsbögen«, erfand ich und machte eine kreisende Bewegung, weil mir das deutsche Wort nicht einfiel.

Er sah mich fragend an und reichte das Paket so schnell herüber, daß Evaristo es beinahe fallen gelassen hätte.

»Wir werden es in Paris noch einmal versuchen«, sagte ich. »Mußt du sehr dringend nach Rom?«

»Ganz bestimmt nicht. Ich gehe nach Italien zurück, weil ich meinen Militärdienst ableisten muß.«

»Dann bist du erst zwanzig?«

»Neunzehn, aber ich habe keine Minute verschwendet.«

Seine Selbstsicherheit war ansteckend. Eigentlich wollte ich mich ja mit jungen Liebhabern nicht mehr einlassen, aber dieser da weckte viel zu viele Wünsche in mir, daß ich ihn auslassen wollte.

Als wir wieder in der Halle waren, sagte man uns, daß wir jetzt zum Flughafen fahren und uns bei der Air France melden sollten. Unser Führer mit dem Militärschnauzer begleitete uns noch bis zum Taxi und verabschiedete uns mit einem Armwinken, das halb nach Abschiedsgruß, halb nach ›Heil Hitler!‹ aussah.

»Die jungen Soldaten sterben nie aus«, sagte Evaristo.

»Lach nicht über ihn. Am Montag steckst du selbst in Uniform.«

»Das Soldatspielen liegt den Italienern nicht. Wir taugen zu ausgezeichneten Kellnern, Damen- und Herrenfriseuren, vielleicht sind wir auch ganz gute Liebhaber. Ich werde ein ebenso schlechter Soldat wie alle anderen werden, aber ich will wenigstens meinen Spaß dabei haben. Ich werde zu den Fallschirmjägern gehen und direkt in das Bett von Frau Oberst springen.«

Während der ganzen Fahrt zum Flughafen küßte er mich ab. Unser Flugzeug hatte Verspätung, und wir bekamen ein kostenloses Mittagessen. Wir machten uns auf die Suche nach einer diskreten Ecke, aber als wir sie endlich gefunden hatten, wurde unser Flug aufgerufen. Bald saßen wir Seite an Seite in der glänzenden Caravelle. Evaristo hatte wieder sein berühmtes Paket auf den Knien. Neugierig tastet ich es ab.

»Wenn ich es unter den Sitz stelle, wirst du dann auch mich abtasten?«

Ich lachte. »Warte, bis wir in Paris sind. Wenn du dein Paket auspackst, packe ich auch meines aus.«

Wir landeten auf dem neuen Flughafen Charles de Gaulle; alles war aus Glas und sehr großzügig angelegt. Mit ebenerdigen Rollbändern wurde man von einer Stelle zur anderen befördert. Einen Augenblick lang preßten wir uns aneinander, irgendwo auf dem Rollband zwischen Ankunft und Abflug, gerade lange genug, um mich zu überzeugen, wie gut bestückt er zwischen den Beinen war, obwohl es kaum noch zwischen seinen Beinen hing. Es reichte mir vom Schenkel bis zum Nabel. Bevor ich noch irgend etwas dafür tun konnte, wurden wir in einen Transitraum gesteckt. Die Syrian Airways schienen fest entschlossen, uns nach Rom und Damaskus zu bringen. Mit der Liebesnacht in Paris war es also nichts.

»Nur keine Sorge. Wenn Rom uns nicht landen läßt, haben wir in Damaskus Tausendundeine Nacht«, versprach ich.

Als wolle er mein Versprechen unterstreichen, nahm ein arabischer Herr einen kleinen Gebetsteppich aus seiner Flugtasche, rollte ihn im Transitraum ruhig aus, kniete gen Mekka nieder und sprach sein Abendgebet.

»Jetzt wissen wir wenigstens, daß dort die Sonne aufgeht«, stellte Evaristo fest.

»Wann mußt du dich denn überhaupt in der Kaserne melden?«

»Morgen früh um acht Uhr.«

»Also heute abend oder nie?«

»Ein paarmal werde ich schon Urlaub bekommen.«

»Wenn dich Frau Oberst läßt.«

»Ich habe noch immer alles bekommen, was ich wollte. Manchmal sogar doppelt. Ich meine dich und die Frau Oberst.«

»Tun es nicht auch ein paar jüngere Mädchen?«

»Ich habe keine Zeit für junge Mädchen. Das Leben ist zu kurz. Man muß da ansetzen, wo sich alles andere wie selbstverständlich ergibt.«

»Ich sehe schon, von all den jungen Männern, die ich kenne, bist du der Vielversprechendste.«

»Aber bis jetzt komme ich in deinem Leben ja noch gar nicht vor!«

»Aber du wirst es!«

Eigentlich glaubte ich nicht so richtig daran. Junge Männer fallen gewöhnlich nicht direkt vom Himmel in die Arme einer Frau. Sicherlich handelt es sich mehr um die sexuellen Träumereien einer alternden Frau.

Unser altersschwaches Flugzeug, das als militärisches Nachschubflugzeug wohl schon bessere Tage gesehen hatte, hob ab und landete sicher. Wir hatten unsere ›Notlandung‹ wegen Treibstoffmangels machen dürfen, jetzt wühlten wir im Bauch des Flugzeugs herum und suchten nach unserem Gepäck; schließlich durften wir es kilometerweit über das Flugfeld schleppen. Evaristo trug unsere Koffer und ich das Paket mit den Regenbogen. Der Flughafen war menschenleer – kein Zoll, keine Polizei, niemand war da. Gott sei Dank streikten die Taxifahrer nicht auch noch.

»Ich werde dich nach Hause bringen und dann meiner Familie guten Tag sagen«, meinte Evaristo. »Dann schnappe ich mein Rekrutengepäck und komme über Nacht zu dir.«

Ich wollte es noch immer nicht glauben. Als ich unten vor meiner Wohnung ausstieg, half er mir höflich mit dem Gepäck, aber mir fiel auf, daß er das Paket bei sich behielt.

»Das Haus hat keinen automatischen Türöffner«, bemerkte er, ehe er wieder ins Taxi stieg. »Wie komme ich später ins Haus?«

»Jeder Schlüssel paßt in meine Haustür!«

Er verstand die Anspielung und lächelte. »In einer halben Stunden bin ich wieder zurück. Mein großer Schlüssel kann es kaum erwarten.«

»Und das Schloß ist gut geölt«, antwortete ich.

Wir küßten uns, und ich fühlte, daß dies nun wirklich der Abschied war. Alles andere war nicht mehr als ein reizendes Wortspiel gewesen. Das Taxi verschwand im Dunkeln.

Ich war nur zwei Wochen weg gewesen, aber meine Wohnung sah aus, als würde niemand darin wohnen – es war alles viel zu ordentlich. Ich verstreute meine Sachen über die Couch, und sofort sah es besser aus. Ich öffnete die Briefe, die sich angesammelt hatten, und ließ heißes Wasser einlaufen. Es war schon nach Mitternacht, als ich das Bad verließ und ins Bett ging. Ich glaubte immer noch nicht, daß sich Evaristo sehen lassen würde; das war einfach viel zu unwahrscheinlich. Vermutlich wurde er jetzt gerade von einer zärtlichen Mutter ins Bett gesteckt, und wenn es hoch kam, würde er beiläufig an mich denken, wenn er in der Kaserne einmal masturbierte.

Ich war fest eingeschlafen, als es klingelte. Durch meinen

Türspion wirkte er wie ein Zwerg, aber noch da ging etwas Reizendes von ihm aus. Ich öffnete die Tür. Er hielt sein Paket und seinen Rekrutenkoffer in der Hand.

»Ich habe dich unterschätzt.«

»Das kommt oft vor.«

Sorgsam stellte er das Paket auf das Flurtischchen, setzte den Rekrutenkoffer auf dem Boden ab und folgte mir ins Schlafzimmer. Als er sich auszog, war ich verblüfft über den Anblick. Das war einfach unbeschreiblich. Der größte Penis, den ich je gesehen hatte, war fertig zum Sprung. Die Vorstellung, die dann folgte, war ebenso groß.

Ich stand um sechs Uhr auf und brachte ihm das Frühstück ans Bett. »Das wird dir ein Jahr lang fehlen. Laß es dir schmecken!«

Er stellte das Tablett auf den Fußboden und zog mich auf sich herab. »Alles in der richtigen Reihenfolge.«

Da war es wieder, unglaublich groß und einfach nicht kleinzukriegen. Als wir mit dem Tablett zwischen uns frühstückten, steckten wir noch immer wie zwei siamesische Zwillinge zusammen.

Dann sah er auf die Uhr. »Die Pflicht ruft.« Er sprang aus dem Bett, kraftvoll, energisch, bestimmt. Er duschte, zog sich an und holte dann das Paket vom Flur. »Mach es auf!«

Ich gehorchte. Es war ein gläsernes Prisma, das pastellfarben schimmerte. Er stellte sich auf einen Stuhl, hängte es an der Lampe über dem Bett auf und öffnete dann die Fensterläden. Die Morgensonne spiegelte sich in den zahllosen Facetten und erfüllte den Raum mit glitzernden, auf und ab tanzenden Regenbogenfarben. Es war, als ob alle Träume dieser Welt wahr geworden wären.

Er beugte sich herab und küßte mich, dann nahm er seinen Koffer, und weg war er.

Quellenverzeichnis

EDNA O'BRIEN: *Das Liebesobjekt,* © Edna O'Brien. Deutsche Rechte Mohrbooks Zürich.

ANAÏS NIN: *Die Frau in den Dünen,* aus Anaïs Nin, *Die verborgenen Früchte.* © deutsche Rechte by Scherz Verlag Bern und München.

JILL VAUDEVILLE: *Premiere,* aus dem Buch *Hautfunkeln.* © Verlag Gudula Lorez, Berlin.

MARY MCCARTHY: *Dottie,* aus Mary McCarthy, *Die Clique.* © für die deutsche Ausgabe Droemersche Verlagsanstalt Th. Knaur Nachf. München 1964.

EMMANUELLE ARSAN: *Marie-Anne,* aus Emmanuelle Arsan, *Emmanuelle oder die Schule der Lust.* © 1971 by Rowohlt Verlag GmbH, Reinbek b. Hamburg.

ANGELA CARTER: *Die Braut der Tigers,* aus Angela Carter, *Blaubarts Zimmer.* © 1982 by Rowohlt Verlag GmbH, Reinbek b. Hamburg.

ANNE-MARIE VILLEFRANCHE: *Armand macht Besuche,* aus Anne-Marie Villefranche, *Plaisir d'amour,* rororo 5366. © 1984 by Rowohlt Taschenbuch Verlag GmbH, Reinbek.

ANNA RHEINSBERG: *Marlene in den Gassen,* aus dem Buch *Wo die Nacht den Tag umarmt.* © Verlag Gudula Lorez, Berlin.

CLAUDIA RIESS: *Ehebruch,* aus Claudia Riess, *Die wilde Clique.* © der deutschsprachigen Rechte by Wilhelm Heyne Verlag, München.

ANAÏS NIN: *Zwei Schwestern,* aus Anaïs Nin, *Die verborgenen Früchte.* © deutsche Rechte by Scherz Verlag Bern und München.

MAUDE HUTCHINSON: *Der Lift,* aus Maude Hutchinson, *Mein Liebster kommt.* © by Limes Verlag, München, deutsch von Friederike Mayröcker.

BRIGITTE BLOBEL: *Kätzchen.* © by Autorin.

ERICA JONG: *Ein Bericht vom Kongreß der Träume oder der Leiber,* aus Erika Jong, *Angst vorm Fliegen.* © deutsche Rechte by S. Fischer Verlag, Frankfurt.

WILHELMINE SCHRÖDER-DEVRIENT: *Arpads Lehrmeisterin.* © der deutschsprachigen Rechte by Wilhelm Heyne Verlag, München.

KATHERINE MANSFIELD: *Seligkeit,* aus Katherine Mansfield, *Seligkeit und andere Erzählungen.* © 1952 by Verlags AG Die Arche, Zürich.

VIOLETTE LEDUC: *Therese und Isabelle,* aus Violette Leduc, *Therese und Isabelle.* © 1967 by R. Piper & Co. Verlag, München.

RUTH REHMANN: *Bei Tageslicht,* aus Ruth Rehmann, *Paare, Erzählungen.* © 1978 by Franz Ehrenwirth Verlag GmbH & Co KG, München.

CLAUDIA PÜTZ: *Der Tanz,* aus dem Buch *Ich hab' sie auf den Mund geküßt.* © Verlag Gudula Lorez, Berlin.

ELULA PERRIN: *Isabelle,* aus Perrin, *Gefährtinnen.* © der deutschsprachigen Rechte by Wilhelm Heyne Verlag, München.

ANNE CUMMING: *Ein Zimmer voller Regenbogen,* aus Anne Cumming, *Spätsommernächte* (5. Kapitel), übersetzt von Bernd Lutz. © 1977 by Anne Cumming. Alle deutschen Rechte by Blanvalet Verlag GmbH, München, 1980.